Feltrinelli

Carlo Feltrinelli

SENIOR SERVICE

Feltrinelli

© Giangiacomo Feltrinelli Editore Milano
Prima edizione "Fuori collana" novembre 1999
Seconda edizione dicembre 1999

ISBN 88-07-49005-6

A Inge e Tomás

1.

Austria, Natale 1967. Arriviamo all'inizio del bosco in fila indiana, a guidare è l'uomo con il fucile, alle spalle una lunga serie di passi. Ci sono i miei, che rovinano le simmetrie. Capita di ricalcare le orme di chi ti sta davanti, per faticare meno. Il movimento lo ricordo lento, meccanico, incerto quando gli scarponi sprofondano troppo nella neve.

Raggiunto il fienile, bisogna aprirlo e a me tocca riempire il secchio con avena e sesamo. Portare il secchio è compito mio. Gli altri caricano il fieno.

Poi viene il turno delle rape, rape giganti, tanto profumate che vorresti staccarne la buccia e scoprire il bianco della polpa dura. Le rape bisogna spargerle intorno. Io le lancio come i pesi alle Olimpiadi. Se miro all'albero finiscono spappolate.

E proprio su un albero ci ritroviamo tutti, acquattati e zitti, schermati solo da quattro legni inchiodati ai rami. Seduti su un'asse scricchiolante, è vietato muoversi. Anche il più inesperto dei tre, che sono io, si è munito di doppi calzettoni, non ha scordato i guanti, ha scelto il tipo giusto di calzoni. Nel thermos c'è vino caldo, per me solo un sorso.

Mio padre si appiccia una senza filtro tabacco Virginia; ora ci vogliono minuti e quarti d'ora, almeno fino a quando non si muove qualcosa là in cima: di solito scendono nella gola dal pendio a sinistra.

Il branco non viene mai compatto. Prima, in avanscoperta, si fanno strada tre o quattro che non distinguo mai. (Sono miope come mio padre.) E quando finalmente li vedo sono già dieci o venti, forse di più, quanti saranno? Sfiorano la nostra postazione.

L'uomo con il fucile (oggi non gli serve ma lo porta sempre) è la guardia forestale. Questa sera sembra soddisfatto perché sono venuti in molti, si è mosso perfino il Walter con i suoi dieci chili di callo osseo in testa. La stagione, annuncia la guardia, è andata meglio del previsto: meno capi abbattuti, niente epidemie agli occhi, nessuna caduta nel crepaccio. Per l'inverno ci sono anche nuovi arrivi dalla valle accanto.

Ogni tanto i musi si alzano dalle mangiatoie per osservare il nostro albero mimetico. Sanno che ci siamo, lo fiutano e lo pensano e lo sentono, ma dicono va bene, stiamo al gioco, come se niente fosse.

Nel vederli scendere per la Fütterung, associavo la mimica di cervi e caprioli ai tic e ai gesti dell'arena umana. Dove ho già visto quella faccia? I primi a farsi avanti sembrano quelli coraggiosi, più furbi o più fieri, mentre gli ultimi sono uomini e donne diffidenti, che hanno paura, forse solo più prudenti. Non riesco a staccarmi dal pensiero, infantile, che ogni smorfia l'avrei già vista allora. Lo sguardo umano in quello animale e viceversa.

Ma adesso cala il buio e unghiate di vento confondono il flusso del torrente. Dal grande cervo appostato a sinistra sale un gorgoglio che è un rantolo in gola; si spezza un ramo secco, tutte le mimiche distratte tornano a essere una sola: la banda parte, via di scatto, senza motivo. Noi restiamo immobili.

Dopo qualche istante mio padre mi fa un cenno. Possiamo prendere la scaletta che ci porta a terra e tornare sulle orme dell'andata. Ingelein ci aspetta per la cena e per il racconto con le parole del dialetto di qui.

L'uomo con il fucile ha continuato per altri trent'anni a ispezionare le sue montagne. Un giorno, a sorpresa, mi ha detto: "Tuo padre viveva la montagna alla maniera di Hemingway". Non so dire se avesse ragione, se davvero abbia conosciuto Giangiacomo Feltrinelli e cosa realmente sapesse di Ernest Hemingway.

Mio nonno, che fa Carlo come me, forse avrà visto e sentito le stesse cose in cima allo Hochsitz e chissà se i miei figli vorranno un giorno indossare il giaccone verde con i bottoni di corno. Sono nati 122 e 125 anni dopo di lui, ma è sempre bene non scordare il giaccone verde quando si esce per i cervi.

A scegliere la valle come buen retiro per la famiglia credo sia stata Maria von Pretz, la mia bisnonna austriaca. Siamo poco oltre l'inizio del secolo quando fu acquistata l'unica casa di caccia della zona. Era stata costruita nel 1880 per un nipote della regina Vittoria. Dopo la Grande guerra, i figli di Maria, ormai più che adulti, aggiungeranno alla residenza una nuova ala, con interni prestati dalla Wiener Werkstätten. Anch'essa fu opera dei trenta uomini adulti della valle; ai loro figli mio nonno forniva due paia di scarpe, il completo per l'estate e l'occorrente per proteggersi d'inverno.

Carlo Feltrinelli era di media statura, la testa prematuramente senza capelli ma ben conformata, il naso aquilino e il baffo fine come si portava all'epoca. È stato un uomo importante.

Rimasto orfano del padre all'età di quindici anni (Giovanni Feltrinelli morì nel 1896), Carlo è il maggiore di quattro fratelli. Maria, la madre, fu aiutata da Giacomo Feltrinelli, zio di Giovanni, che aveva imposto alla famiglia di lasciare Bolzano per trasferirsi nel centro di Milano. Lo zio Giacomo, che non aveva figli, avrebbe fatto da padre ai quattro, e certamente lo fece, con generoso e responsabile affetto. Voleva che i ragazzi, una volta adulti, conservassero la stima che il padre si era procurato in società.

In casa usavano il tedesco e molta disciplina. Un codice di famiglia regolarmente sottoscritto da adulti e bambini dettava il comportamento con multe e incentivi: 10 centesimi di punizione per chi si reca in cucina senza ragione (articolo 3), ma anche per chi osa parlare più di tre volte in italiano durante il pranzo (articolo 5); 20 centesimi per chi tocca le donne (articolo 9), 2 centesimi per chi si mangia le unghie (articolo 10), 20 centesimi per chi non bada a spegnere la luce elettrica quando la luce non occorre. Ma non si vive di sole intemerate e, di converso, presentarsi nell'ordine giusto (per età) all'ora di colazione vuol dire 5 centesimi di gratifica, non farsi rimproverare per l'intera giornata ne vale 10 e con almeno tre nove nella settimana scolastica si ricavano 30 buoni soldi.

Studiare, studiavano tutti. Carlo, per esempio, nel 1895 era iscritto al collegio "Rosmini" di Domodossola. Vita dura, privilegio assai spartano. Era forte in matematica, più difficile il latino.

Poco dopo la morte di Giovanni, Giacomo Feltrinelli prese con sé il nipote Carlo per un viaggio in Europa. Tra le varie tappe, trascorsero due settimane a Karlsbad, dove lo zio si concedeva ogni anno una cura d'acque. Durante un pranzo, al ristorante dell'albergo, fu chiesto a Carlo cosa desiderasse. "Un petto di pollo", rispose timidamente. I camerieri portarono una poularde intera e, quando Giacomo si fu servito, lasciò che Carlo lo imitasse, aggiungendo solo: "È stata tutta pagata, ora devi finirla". Carlo non osò disobbedire, il resto del pollo fu inghiottito con notevole sforzo e la cosa gli rimase in mente.

Il breve viaggio di formazione comprese anche Monaco, Zurigo e non so quale altra località; ma, prima del rientro a Milano, venne buona una sosta sul Lago di Garda, nella villa di famiglia. Lo zio insegnò a Carlo come preparare l'uccellanda sul monte di Gargnano, con ogni genere di trappole e richiami. Giacomo scrisse in quei giorni un commento sul giovane pronipote, indirizzato alla madre. Tiene buona compagnia, le diceva, sebbene sia timido e ancora molto bambino. Ma se imparerà a viaggiare, perché è importantissimo saper viaggiare, allora chissà che non diventi qualcuno.

Dopo qualche anno, Giacomo fu in grado di apprezzare i modi pacati di Carlo, la sua intelligenza riservata, le capacità di studio e di lavoro. Vide in lui il principale continuatore delle imprese di famiglia.

Secondo Giannalisa (che è la mia nonna paterna), il capostipite dei Feltrinelli fu tale Pietro da Feltre, vissuto attorno al 1500: se Feltre possiede mura che risalgono al 1500, allora dovrebbe averle costruite lui. Questo, almeno, sostiene la nonna.

A ogni modo, coloro che sul Garda vivono di legname si sono sempre detti originari di Feltre (Feltrinéi), il che magari non è del tutto vero; la voce tramanda che sarebbero venuti in qualità di esperti carpentieri per costruire navi da trasporto e da difesa, nonché fortificazioni.

Giacomo Feltrinelli lo conosco bene di faccia perché c'era un pesante busto a grandezza naturale nel parco di Gargnano, su un piedistallo troppo alto che non era il suo. Gli piazzammo un cesto da basket sotto al mento. Sarà stato irriguardoso, ma almeno posso dire che faccia avesse questo zio del mio bisnonno.

Giacomo nasce nel 1829, ultimo di tredici fratelli. S'intende che la famiglia sia povera se a dodici anni lo ritroviamo per le strade di Gargnano a vendere il "tre per sorta", che è un misto di farina gialla, farina bianca e riso. La merce di cui si occuperà successivamente è il carbone vegetale.

Nel 1846, quando Pio IX sale al pontificato e il Lombardo-Veneto integrato nell'Impero asburgico spera in un'Italia federata, si inaugura il primo deposito di legnami legato al nome dei Feltrinelli.

Inizialmente, il legno proviene dai boschi dietro casa ed è trasportato via lago fino a Desenzano, sede del deposito. Ma presto le forniture giungono anche dalla zona di Trento, salendo su su fino alla Val Pusteria. Quando Giacomo entra a pieno titolo nell'impresa, la sua presenza imprime un decisivo impulso agli affari. Mio padre, scherzando, diceva che il segreto stava nel vendere legname "pesante", bagnato con acqua, speculando sul peso.

Più verosimilmente, sono gli anni d'oro dello sviluppo edilizio e delle costruzioni ferroviarie a incrementare vorticosamente gli affari dello zio Giacomo. L'espansione industriale, soprattutto nella zona di Milano, porta a richieste sempre maggiori di legno: legno per ponteggi, legno per traversine, legno, legno, legno, sembra che tutti non vogliano altro che legno, e in particolare abete, l'essenza principe, la specialità della ditta Feltrinelli.

Nel 1870, la rete ferroviaria nazionale è triplicata in lunghezza rispetto a dieci anni prima. Eppure, per la limitata estensione delle foreste italiane (peraltro poco sfruttabili), la produzione delle resinose resta sempre insufficiente.

La ditta si trasferisce a Milano nel 1857 e nel decennio successivo amplia notevolmente la clientela, pur rimanendo in un ambito ancora semiregionale. È difficile essere precisi, ma dai primi anni ottanta le cose cambiano radicalmente: la Feltrinelli legnami espande l'attività con quindici filiali in Italia, ma anche con diverse agenzie commerciali nell'Impero austroungarico e nei Balcani. La strategia è quella di assicurarsi il controllo diretto delle fonti di approvvigionamento, partecipando alla lavorazione e, in certi casi, alla messa in opera. Così, trovano ragione investimenti come l'acquisto di interi boschi in Carinzia o la partecipazione alla costruzione di impianti ferroviari a Vienna e a Salonicco, in Sicilia e in Calabria.

E le cose vanno così bene che diventa necessario differenziare gli affari: nel 1889 lo zio Giacomo crea la Banca Feltrinelli. Una delle prime iniziative è il sostegno all'attività dell'ingegner Giuseppe Colombo, fondatore della prima società elettrica italiana, la Edison di Milano, che porta il nome di Thomas Alva Edison, con cui Colombo era in contatto fin dal 1881. Con questa operazione (1896) la banca riesce a stornare un massiccio intervento di finanzieri tedeschi, saldando i futuri destini della Edison alla famiglia Feltrinelli.

Negli stessi anni le attività si spingono verso altri settori: quello tessile, con la fondazione del Cotonificio Feltrinelli e C.; quello dei trasporti, con la partecipazione alla Società per la navigazione sul Lago di Garda.

All'inizio del Novecento, mentre la ditta del legname muove migliaia di tradotte in mezzo mondo, negli equilibri del gruppo il ramo edilizio-immobiliare ha assunto almeno pari importanza. Lo si deduce dalla costituzione di alcune società "storiche" come la Compagnia per imprese e costruzioni, l'Edilizia per il centro di Milano e la Società italiana per il commercio degli immobili. Quest'ultima, in una delle sue operazioni iniziali, aveva acquistato venti-quattro lotti per complessivi 115.000 metri quadri al Testaccio, il quartiere popolare di Roma. All'epoca, sempre a Roma, ci sono già altre proprietà Feltrinelli, come il semi-cerchio che racchiude piazza Esedra. L'intero isolato era stato rilevato dal fallimento della Banca Tiberina al costo di 271.000 lire.

Giacomo Feltrinelli, ormai, è una delle figure più signi-ficative della borghesia imprenditrice, cui non sembra però venir mai meno un certo senso contadino di chi sa dove tro-vare il vero bardolino, e sa anche come travasarlo, tra-sportarlo e farne uso. E lo stesso vale per la spremitura del-l'olio o la coltura dei limoni.

Guardandolo, faccia a faccia prima di un tiro libero, lo immagino autorevole, con lo sguardo fiero e il cipiglio del-l'uomo saggio. Direi che questa è anche l'immagine di sé che lascia ai pronipoti quando muore (1913). I giornali, commentando la notizia della scomparsa, parlano di lui come di un "singolare esempio di *self-made man*" e nel de-finirlo "l'uomo più ricco di Milano" si spingono a valutare il suo patrimonio personale in 60 milioni di lire. Questo, almeno, sostiene "L'Illustrazione italiana" del 9 marzo 1913.

Immagino che anche Giannalisa avrà dovuto attendere in silenzio l'arrivo del branco, pigliandosi la sua dose di fred-do in cima all'albero. O forse no, lei, meno contemplativa, non gradiva le attese, pur apprezzando molto, questo sì, la caccia. Vantava una "diplomata carriera di cacciatrice".

Un giorno, raccontano, è costretta a una sosta dal pas-saggio a livello chiuso all'imbocco della valle. Giannalisa è nella sua Rolls (nella vita non ha mai fatto a meno di una Rolls). Il treno è in ritardo e lei, mentre aspetta, deve ac-corgersi che a cento metri pascola un capriolo sceso trop-po in basso. Ha un moto di sorpresa che contiene, quindi calcola che l'animale è perfettamente in vista, dieci passi fuori dal bosco. Con sé ha il fucile nuovo fiammante, lo im-braccia, prende la sua brava mira poggiandolo alla portie-ra color rame, partono tre colpi... L'autista, terrorizzato, quasi ci rimette i timpani. È bene dirlo subito: questa donna la vedi e non la dimentichi.

Il senso comune suggerisce che il vincolo familiare non ammette mai indifferenza: io provai per Giannalisa sincero affetto, vera simpatia e sereno distacco, com'è per ogni buon nipote.

Mi faceva regali strani, quasi mai avvincenti per un ragazzino: uno degli ultimi è stato un portaombrelli, certo con qualche decorazione, forse non privo di valore, ma pur sempre un portaombrelli. Sento ora che è troppo complicato spiegare le ragioni di un portaombrelli e sarebbe meglio ricordare un suo gesto simpatico. Come la volta che le chiesi di portarmi da New York l'edizione americana di *Blonde On Blonde*. Ci tenevo, per la foto di Claudia Cardinale tra le tasche della copertina: non c'era nella versione europea. Lei prese nota. Effettivamente entrò per me in un negozio di dischi della Quinta Strada.

Morto Giacomo Feltrinelli, dei quattro eredi è Carlo a intuire l'esatto stato delle cose. Limitarsi a gestire il patrimonio non è la strada giusta. Molto meglio, semmai, tentare di allargarne le prospettive, passo dopo passo, magari proprio dentro quest'Europa sfibrata dalla Grande guerra. Poiché l'attività internazionale costituisce il tratto più importante della sua carriera di industriale e di finanziere, sarei tentato di paragonare Carlo Feltrinelli a una specie di pioniere, se solo il termine non collimasse troppo spesso con quello di avventuriero, cosa che certamente non era.

Di mio nonno, tuttavia, si conosce poco. Vive e ha i suoi uffici personali in un palazzo di via Andegari, adiacente alla Scala. Su di lui non esistono biografie, tutt'al più qualche articolo di giornale. Negli annuari economici trovano spazio nomi celebri, magari al momento meno rilevanti, ma solo poche righe essenziali su di lui. Si dice che sia riservato e che esiga privacy anche per i dati anagrafici.

Nel commemorarlo quando muore (1935), l'avvocato Edoardo Majno lo descrive come un uomo "schivo di parole, ma nutrito di saldi studi e di profonda esperienza vissuta, riflessivo, avvezzo a porsi con calma di fronte ai problemi per scrutarli fino in fondo". Spiritualmente aristocratico, parlava poco, per niente brillante nell'esporre il suo pensiero, "ma quanto succo, quanta prudenza, quanta profondità!". E ancora: "Egli era davvero l'uomo del buon consiglio, del consiglio prudente, nel pieno senso latino della parola". E lo definisce uomo "semplice e malinconico", la cui operosità era sentita e professata "come un'attività tecnica, alla quale si dedicava per imperioso dovere e per un'alta consapevolezza della sua funzione ed importanza sociale". Ma, conclude, "senza attendersene e, purtroppo, senza averne gioia per sé. Restandosene, col suo spirito, come al di fuori, chiuso nella ritirata modestia della sua vita e in una costante pacata amarezza".

Se parliamo di legno, è giusto ricordare che con lui la Società Fratelli Feltrinelli sviluppa ulteriormente la propria fama con un diffuso lavoro d'importazione. Dall'Europa con l'abete, il faggio, il rovere; dall'America del Nord con il pitch-pine, il douglas, l'iroko; dall'Asia con il teak, dall'Africa con il mogano prezioso. Carlo Feltrinelli, inoltre, acquisisce la maggiore società austriaca di sfruttamenti boschivi, nel '32 firma accordi di portata decisiva con la Rappresentanza commerciale russa (diventa importatore esclusivo per l'Italia), mentre dagli Stati Uniti ottiene una delle prime licenze della Masonite Corporation per produrre pannello in fibra.

La Società forestale Feltrinelli, con sede a Fiume, è invece impegnata in Transilvania. Da qualche parte ci sono le foto. Si vedono stabilimenti, teleferiche, reti ferroviarie, case operaie, tutto costruito apposta. È la prima impresa italiana del genere e fornisce lavoro a circa tremila persone. Da qui il legno parte per Bulgaria, Grecia, Turchia, Egitto, Siria.

Negli anni trenta, magazzini, depositi, segherie trovano numerose sedi anche nei territori dell'Africa orientale, e in Eritrea ed Etiopia arriva abete europeo per le attività edili di urbanizzazione primaria e secondaria.

Alcuni giudicano che Carlo sia troppo coinvolto dal lavoro, sempre preso dall'idea di accrescere il patrimonio. Altri, meno simpaticamente, lo considerano un tirchio, inerte agli impulsi del cuore. A tutti risponde: "Amministrare il patrimonio è necessario; si vorrebbe che io lavori per diminuirlo? che faccia gli affari per perdere?".

Dagli inizi del secolo, tramite la Banca Feltrinelli, mio nonno è finanziatore delle Acciaierie ferriere lombarde dei Falck. Unico consigliere esterno alla famiglia, ascoltato con riguardo da tutti; Falck senior ne parla come di "un uomo eclettico e acuto".

L'elenco delle società in cui lo si vede coinvolto è lunghissimo. Solo in Italia, di imprese per la costruzione, per la bonifica, la chimica, il tessile, l'edilizia, se ne contano molte decine. Ma è anche amministratore di aziende con sede a Calcutta, della Compagnia italiana di Estremo Oriente, della Banca italo-egiziana e delle Imprese elettriche dell'America Latina.

Sul finire degli anni venti, al culmine della carriera, assume la presidenza della Edison, il più importante complesso italiano, oltre che la presidenza della seconda banca nazionale, il Credito Italiano. Azionista di riferimento in entrambi gli istituti, ottiene per loro tramite lo sfruttamento delle risorse idriche in Stiria, contribuendo, è la leggenda, a illuminare mezza Austria. Il "Times" ha calcolato il suo patrimonio personale in ottocento milioni di lire. Sarà vero? Quanto valevano quei soldi?

Prima di morire (1981), mia nonna dettò un testo di memorie destinato esclusivamente ai congiunti. Sono poche le pagine per il marito Carlo e praticamente tutte dedicate alle immediate conseguenze del loro primo incontro. È un testo in cui le cose interessanti sono proprio quelle omesse. Ma se la sua testimonianza incuriosisce più che appagare, non ha senso pretendere altro.

Su Carlo venni a sapere di più dalla signorina Teresa, la fedele e longeva segretaria di fiducia che ho condiviso con lui. Perché anche questo è successo: la signorina Teresa entra nell'ufficio di via Andegari poco meno che ventenne e decide che è tempo di pensione cinquant'anni dopo, quando prossimo ai venti sono io.

Dunque sì, il nonno era di carattere schivo, un galantuomo silenzioso e un lavoratore instancabile. Deduco abbia avuto poco tempo per sé. Si era sposato oltre i quaranta e non si conoscono altre amicizie femminili tranne, forse, quella per una nobildonna di origine russa, Ljuba Aleksandrovna, alla quale lo unì la passione per la musica colta.

E quanto ai piaceri delle arti, i quadri di famiglia (compreso un Antonello da Messina donato alle cantine del museo di Brera) sono belli ma molto cupi; e la letteratura, sicuro, cosa c'è di meglio di un buon libro dopo un pasto frugale nella disadorna casa di campagna? Ma non era un letterato nel vero senso della parola, "era sprovvisto di lirismo", ricorda Giacinto Motta. L'unica vera passione pare sia stata proprio la musica, e il pianoforte il suo strumento prediletto.

Per il resto, è utile ricordare la promozione e il continuo presidio, come benefattore, della Scuola industriale "Giacomo Feltrinelli", ancora oggi attiva a Milano nel campo della formazione tecnico-scientifica. Pur non avendo stimolo per la carità spicciola, fedele al senso civico della famiglia, contribuisce nel feudo gargnanese alla fondazione di un ospedale, di un asilo, di un ricovero per anziani e di altro ancora.

"Nonno Carlo aveva due fratelli, Bepi e Tonino": la calligrafia di Giannalisa è riconoscibile sulla busta con le foto di famiglia. Ma come, nonna! non erano tre i fratelli? Pietro, il mancante, classe 1885, morì suicida all'età di ventotto, perso d'amore per una ballerina rumena. A Sibiu presidiava le riserve forestali. La sua vita fu così breve che Giannalisa deve aver ritenuto di farlo sparire del tutto.

Al fratello Giuseppe, detto Bepi, non andò molto meglio benché, presumo, abbia vissuto alla grande gli ultimi bagliori dell'Impero austroungarico. La divisione dei compiti in famiglia lo assegna ai traffici in Europa orientale. Per questo vive tra Vienna e Villaco e da qui tratta le forniture del legno per l'Italia.

Il tempo libero lo riserva alla caccia di lupi, galli cedroni, volpi, caprioli, cervi, mufloni. La sua attività venatoria è documentata da un prezioso album di foto in cui Bepi compare insieme a tutti i suoi trofei, compreso un gruppo di zebre stecchite durante una spedizione nella savana. Ma che fosse un cacciatore ossessivo è provato anche da alcune centinaia di corna e dall'estrosa varietà di animali impagliati: dall'aquila colpita mentre artiglia una lepre bianca (finiscono impagliate entrambe), al busto di un enorme cinghiale steso nella tenuta del principe Andràzy, in Ungheria, che mia madre sostiene sia stato l'amante dell'imperatrice Sissi.

Ogni volta che Bepi rientra in Italia agisce da uomo brillante, facendosi vedere in compagnia delle più belle signore (celebri le sorelle Mazzolenis), ma non investe mai nel campo prettamente culturale. Si narra che, una volta, alla stazione di Roma, il capotreno accorse tutto in affanno per domandargli se, per favore, potesse concedere al poeta D'Annunzio Gabriele di usufruire di un posto nel suo scompartimento (o forse era la sua carrozza personale). "Non conosco", pare sia stata la risposta.

La vita di Giuseppe Feltrinelli subisce una drammatica svolta il giorno in cui decide di prendersi cura di un orso ancora cucciolo, probabilmente rinvenuto nella Valle dei Cervi. Forse ha smarrito la madre, va' a sapere, sta di fatto che lui lo vuole con sé, nel giardino di casa.

Il piccolo, crescendo, gli si affeziona per davvero. Al punto che una sera, vedendo il padrone rientrare dopo un lungo viaggio, lo accoglie con tanta esuberanza da ferirlo male a una spalla. Bepi cura con la morfina il dolore dei profondi colpi d'unghia, fino a non poterne più fare a meno. Muore nel 1918 a Roma dopo un'ultima iniezione. Ha trentacinque anni.

Antonio Feltrinelli, detto Tonino, sopravvisse invece ai tre fratelli, concludendo la sua vita rintanato in riva al Garda. Gli piaceva dipingere a olio. Sposatosi con la contessa Luisa Doria, ebbe frequenti scontri con la vedova di Carlo e, non avendo figli, per dispetto lasciò cospicua parte del suo patrimonio (tra cui la maggioranza della Fratelli Feltrinelli legnami) all'Accademia dei Lincei. Tuttora viene assegnato il premio che porta il suo nome, con un'ingente borsa per personalità internazionali del mondo letterario, delle scienze fisiche, matematiche, storiche e della medicina.

Antonio muore nel 1942. Una camionetta militare lo investe vicino a Brescia, fratturandogli numerose costole. Gli prescrivono impacchi a base di pepe, per alleviare il dolore. Finisce tutto in setticemia nel giro di una settimana. Dicono a Gargnano che, quando deposero Tonino nella bara, il corpo si aprì in due. Pieno di vermi.

All'inizio del 1925, per incarico del governo italiano, Carlo Feltrinelli ha da poco assunto la carica di consigliere della Reichsbank a Berlino, nel rispetto degli accordi fra gli Alleati e la Germania. Lo attendono nuove e importanti responsabilità.

A Milano corre voce che voglia prendere moglie e dotarsi di famiglia: è un pensiero che ricorre a un certo punto della vita.

Una sera, visitando il palco alla Scala di Mino Gianzana (primo impiegato assunto alla Banca Commerciale, ora direttore centrale), Carlo nota una delle sue figlie, la ventiduenne "gazzella" di nome Giannalisa. Non è lei la piccola che sei anni prima gli nuotava intorno a Forte dei Marmi? Quell'estate Carlo aveva affittato Villa Hildebrandt per la madre Maria. Allora Giannalisa andava al ginnasio (era compagna di scuola di tale Dino Buzzati) e faceva quasi ridere per il costume troppo casto. Perdiana com'è cresciuta nel frattempo! Ora, a Carlo, par di vedere tutt'altra persona.

Un ricevimento per il carnevale a casa Esterle serve a rinverdire la conoscenza. La ragazza è un incanto. Poi la comunicazione ai genitori di lei, sali, svenimenti, lacrime e giri di perle, fino al matrimonio, quaranta giorni dopo.

All'imbocco della Valle dei Cervi, un landau a due cavalli e due cacciatori con la divisa chiara della festa aspettano gli sposi per la prima tappa del loro viaggio di nozze.

Giannalisa entra nella casa di via Andegari con una perla nera al lobo sinistro e una bianca al destro. Occhi azzurri, collo lungo, capelli corti, figura magra: bellezza classica con qualcosa di strano che l'accompagna. Nella famiglia d'origine era cresciuta irrequieta. Il padre, uomo molto severo, faticava a domare quell'animaletto scatenato e "Giannalisa, non ti ho mai abbastanza capita, perdonami" sono le ultime parole della madre sul letto di morte.

La sorella Josefa è il contrario: meno personalità, meno avvenenza, indole docile. È il caso di dire che le due sorelle si distinguono come il diavolo e l'acqua santa. E quando Josefa trova da maritarsi con Filippo Sacchi, giovane insegnante non privo di charme, Giannalisa si adopera in ogni modo per ostacolare il matrimonio e seminare zizzania fra i parenti.

Per Giannalisa i primi due anni con Carlo trascorrono nell'attesa di due parti con il forcipe: Giangiacomo Feltrinelli nasce il 19 giugno del 1926, Antonella il 13 novembre dell'anno successivo.

Poi viene il tempo delle lunghe villeggiature nei luoghi adatti per far crescere bimbi, con molte balie e il marito spesso richiamato altrove. Una vita serena e privilegiata tra il Garda, Villa Rosa (la tenuta dei Gianzana sul Lago di Como), il Baur au Lac di Zurigo, l'Excelsior al Lido, l'Austria e via Andegari. Capita anche che Carlo la porti con sé e questi viaggi sono per Giannalisa l'inizio di una grande, concreta avventura. Dal suo libro di ricordi:

La vita riprese e a metà di gennaio del 1928 Carlo ed io con molta gioia si prese all'imbarcadero di Genova la nostra bellissima cabina sull'Esperia. Carlo doveva presiedere al Cairo una seduta come presidente della Banca Italo-Egiziana. L'Egitto era ancora un protettorato inglese che imprimeva ordine e disciplina. Si abitava all'Hotel Semiramis, feltri rossi perfettamente tenuti, non si sarebbe potuto scorgere un filo bianco. Si trovò arrivando un invito a pranzo a Palazzo Reale dal Re Fuad. Il Re parlava con molta difficoltà per una pallottola infissa nell'esofago in un attentato alla sua vita. Vi erano in quel momento al Cairo anche Sua Altezza Reale il Principe Umberto e Guidone Visconti di Modrone che dirigeva l'orchestra al Teatro di Palazzo Reale. Non potrò mai dimenticare nei miei vari pranzi a corte lo scalone larghissimo dove, ad ogni gradino, in alta tenuta, da entrambe le parti arabi e negri di diverse tribù tenevano immobili nelle loro mani lunghe torce accese. I pranzi erano serviti da enormi camerieri nei loro suntuosi abiti di alta tenuta. Eravamo sempre circa un centinaio di ospiti seduti ad un lungo tavolo a ferro di caval-lo. Le autorità locali in redingote e frac. Soltanto tre signore erano invitate, l'Ambasciatrice d'Italia, la Dama di compagnia della Regina che mai appariva in pubblico ed io che general-mente sedevo di fronte al Principe di Piemonte. Abitava il no-stro stesso Hotel ed aveva la sua camera sopra alla mia ed ogni mattina sentivo alle 8 il rumore dei suoi piedi che toccavano terra quando si alzava. Da allora data la nostra amicizia. Il Principe fu invitato da Carlo e da me ad una colazione nel de-serto sotto una tenda vastissima araba, con l'élite della colo-nia italiana. Una fantasia araba a cavallo doveva rallegrare la colazione. Ricordo di aver detto al Principe: "Altezza Reale, mangiamo più polvere di quanto ci viene servito". Un altro giorno ci siamo trovati avendolo invitato, alle tre piramidi vi-cine all'Hotel Mena House. Vedo ancora Sua Altezza Reale scalare i gradini alti un metro di una piramide sino alla cima. Dopo queste mondanità Carlo mi aveva promesso di visitare a Luxor le Tombe dei Re e un vagone letto ci lasciò all'Hotel Palace accanto al Nilo. Di fronte le montagne ospitavano le spoglie regali. Con una barchetta si attraversò il Nilo per rag-giungere la riva opposta ed un cammello ci portava ai piedi delle montagne. Una guida, la nostra araba, mi avvertì di non visitare la tomba di Tutankhamon perché mi avrebbe porta-to sfortuna. Ma io non credo alle superstizioni anche se il Fa-raone impacchettato giaceva ancora nella tomba per il tra-sporto a Londra. Era mancato all'età di ventun anni ucciso in un attentato. La tomba era piccola, gli oggetti erano imballa-ti. Si visitò la camera del tesoro, la prima che fu scoperta da Carter, finanziata da Lord Carnevor. Le altre tombe avevano dimensioni molto vaste perché la loro vita aveva durato a lun-go. Anche Luxor finì e di ritorno al Cairo affascinata dagli ara-bi e dalla loro abilità proposi a Carlo di portarne uno a Mila-no, ma Carlo con molta dolcezza mi fece capire che avrem-mo avuto la casa infestata d'arabetti. Io ero incantata per i la-vori che sapevano fare, vidi stirare al Cairo con un ferro da stiro attaccato alla caviglia la più delicata camicetta in lino con infinite pieghine sul davanti. Erano arabi...

Sarà per infausta coincidenza, ma la profezia della gui-da araba davanti alla tomba di Tutankhamon si avvera tra-gicamente nelle pagine successive delle sue memorie:

Carlo accettò l'invito per alcuni giorni di caccia al castello del-la Mandria, dove avrebbero partecipato i Duchi di Pistoia e il Principe di Piemonte. Con gioia si partì il 21 novembre 1928 in automobile per la Mandria a pochi chilometri da Torino dove non lontano dal castello c'era il villino per la "bella Rusin". La mattina dopo saremmo andati a girare per la tenuta per cercare di prendere qualche lepre, la giornata era umida, piovigginosa. Io ne sparai una e vidi nei suoi occhi morenti qualcosa di tragico nello sguardo. La vera battuta ai fagiani si teneva nel pomeriggio con i Duchi di Pistoia. Era appena mezzogiorno e da Milano arrivò un altro invitato, mi rifiuto di scriverne il nome, in ogni caso era l'amministratore delegato del Credito Italiano di Milano di cui Carlo era presidente e all'80% proprietario. Un quarto d'ora dopo Giacomo (il padrone di casa) disse: "Giannalisa, andiamo per veder se possiamo in un quarto d'ora sparare ad una pernice prima di colazione". Si giunse ad una larga strada asfaltata, la carrozza retrocesse dal luogo dove ci aveva lasciati. Giacomo diede ad ognuno il proprio posto. A Carlo nel vasto prato davanti a me che stavo sul bordo della strada e a meno di cento metri sulla mia destra sempre sul ciglio della strada il "porta disgrazia". Ad un tratto sentii chiamarmi da lui e voltando il viso scorsi il suo fucile spianato all'altezza dei miei occhi, sparò un colpo verso il mio viso. Sentii un dolore atroce e molto sangue inondò le mie guance. Posai il mio fucile mettendogli il fermo e mi avviai più in fretta che potevo verso Carlo che dal prato correva verso di me come fecero Giacomo e Gigetto che protetti dagli alberi sbucarono sul prato. Mi sorressero, Carlo mise il suo fazzoletto sul mio occhio destro e vidi nei suoi occhi un lampo di follia. Il colpevole intanto scappava in automobile verso Milano e il suo chauffeur travolgeva e feriva gravemente un uomo. La caccia al castello della Mandria fu sospesa.

"Bambina, ti sei sparata per amore?" "No, suora, mi hanno sparato addosso." All'ospedale giunge anche una lettera affettuosa della regina.

Non sapremo mai se il colpo partì per sbaglio o se lo sciagurato, tale Orsi, fu mosso piuttosto da improvviso raptus passionale. Sappiamo soltanto che lo specialista, chiamato con urgenza dalla Svizzera per salvarle l'occhio illeso dovrà asportare quello colpito dal piombo, il destro. Un triste Natale attende la famiglia.

Unica alternativa alla benda da pirata è un bulbo finto innestato nell'orbita, ma Giannalisa si fa coraggio: per dissimulare meglio il vetro, sceglie una lente a monocolo, tutto il resto deve restare come prima. Nemmeno alla caccia vuole rinunciare. Ordina che il cannocchiale del suo fucile coincida con l'occhio sinistro, così l'avrebbe usato ancora. Ma il marito le impone una condizione: solo nelle proprietà di famiglia.

Nonostante gli sforzi, la fatalità dell'incidente alla Mandria porta nella loro vita matrimoniale una sensazione di cupa irreparabilità.

Il "signor Carlo", già predisposto di suo, si chiude sempre più come un'ostrica. Nella sfera professionale, invece, questi sono gli anni della sua vera consacrazione nei ranghi alti del capitalismo italiano. Nel '22 è vicepresidente alla Edison, nel '24 consigliere del Credito, nello stesso anno lo nominano Grand'ufficiale della Corona d'Italia e il governo gli affida la carica al consiglio della Reichsbank.

Tra il '25 e il '26, insieme a Giovanni Agnelli, Riccardo Gualino, Piero Puricelli, Giovanni Lancia, Piero Pirelli, Silvio Crespi, Feltrinelli compare tra i promotori della S.A. Autostrada Milano-Torino, all'epoca la più lunga d'Italia (125,8 km), e il suo nome si lega sempre più alla parte dinamica di chi fa i grandi affari.

Nel '28, con Mussolini al potere da sei anni, l'assegnazione alla presidenza del Credito Italiano significa per lui l'apice della carriera. L'attività nei legnami continua senza particolari problemi per tutto il decennio.

Ripeto, su mio nonno non ho potuto sapere molto. Mio padre non ebbe tempo sufficiente per conoscerlo a fondo e anch'io non ne ebbi abbastanza per saperne da lui. Giannalisa, nella sua vorticosa fuga dal tempo, riuscì a disperdere non so dove le sue carte più private.

Solo i rapporti della polizia fascista, trovati all'Archivio di stato, consentono maggiori ragguagli sulla sua biografia. È molto interessante, per esempio, una richiesta del capo della polizia politica al prefetto di Milano (luglio 1927) in cui si chiedono informazioni "riservatissime" su Carlo Feltrinelli, sospettato di esprimere "in maniera vivace il proprio dissenso all'azione del Governo Nazionale". Un suo impiegato, in realtà un informatore, lo ha "sorpreso" a ironizzare con un collaboratore sui "meriti" del governo di Mussolini. L'argomento è la rivalutazione della lira. "Può darsi che Mussolini e la sua canca di impiastri abbia ragione, ma io non ci credo", avrebbe fatto osservare, secondo la spiata, Carlo Feltrinelli.

L'anno successivo, un altro dipendente in camicia nera è licenziato per mancanza di puntualità e inonda le scrivanie – fino a Starace e Mussolini – di denunce per "gravi evasioni fiscali da parte della ditta Feltrinelli". La pratica è spedita al ministero delle Finanze. Senza conseguenze.

Un'altra velina riguarda Giannalisa: "Si dice che la moglie del Feltrinelli l'estate scorsa trovandosi in villeggiatura non aveva difficoltà non solo di esternare le immense ricchezze del marito ma soggiungeva che il marito aveva in Inghilterra fortissimi capitali italiani".

In molti rapporti confidenziali dedicati a mio nonno si fa riferimento all'"affare dei cascami di seta". Nel '18, lui era stato arrestato (per una notte o forse poco più) perché amministratore e azionista della Società anonima cascami. La stessa sorte era toccata agli altri soci. La società aveva esportato in tempo di guerra settecentomila chili di filati e cascami di seta, l'acquirente era un'impresa svizzera in contatto con l'industria tedesca. Morale: la partita di merce finisce in Germania, utilizzata per gli involucri dei dirigibili Zeppelin. I famosi.

Sebbene il processo abbia scagionato i produttori italiani da ogni responsabilità diretta, quell'accusa, anni dopo, rimane come un'ombra di sospetto per il regime. Questo spiega i numerosi rapporti informativi sulle attività estere del gruppo, tutti con l'incipit "si dice"; anche la prevista nomina a senatore di Carlo è cassata come "cosa brobriosa" dalle più alte gerarchie militari. Non si fidano delle sue doti patriottiche.

I rapporti tra Feltrinelli e il governo fascista sono comunque formalmente ineccepibili: Carlo è presidente della Federazione fascista dell'industria del legno, visita sovente il capo del governo, riceve onorificenze e quant'altro. Sono gli attestati canonici e i riguardi necessari per mantenere, più che il quieto vivere, il normale operare. Essere filogovernativi è un'opzione scontata per i grandi industriali. Feltrinelli, che politicamente potremmo definire un liberale, è soprattutto fedele al proprio lavoro.

Nel 1930 Carlo Feltrinelli è quasi cinquantenne. Non è un vecchio ma talvolta pensa di esserlo. Sarà per le continue responsabilità o per quei denti che non tengono. Il figlio del suo dentista, che ho avuto modo di conoscere, ricorda che Giannalisa (più giovane di ventitré anni) non perdeva occasione per ricordarglielo: "Sei un vecchio!" gli diceva.

Nell'aprile del '30, Carlo e Giannalisa raggiungono la Romania in Orient Express. Vanno a incontrare i direttori di filiale, visitano Bucarest e, finito il lavoro, si riposano a Sibiu. Credo che ci fosse una casa o qualche residenza. Ma è tale la passione della nonna per la caccia che Carlo non riesce a risparmiarsi una battuta alle foci del Danubio. Davanti c'è il Mar Nero: lei spara agli ibis, non ne centra uno.

Quando torna, Carlo deve occuparsi di altro. Il knock-out della borsa di New York si fa sentire. Le banche sono in crisi, il fermento è grande. Al Credito Italiano i depositi calano del 14% ma è tempo di fusioni, incorporazioni, acquisizioni. Non tutto va a buon segno, come la corsa per la Bastogi (che vuol dire il controllo di gran parte del settore elettrico). Governo, Banca d'Italia e Alberto Beneduce (grand commis della finanza pubblica e presidente della società) dicono di no alle ambizioni della banca controllata da Carlo Feltrinelli.

L'evoluzione dei fattori di crisi porta allo smobilizzo delle grandi banche "miste" (tra cui proprio il Credito e la Commerciale), salvate dall'intervento dello stato. Nel 1933, tramite le banche, lo stato giunge a detenere complessivamente il 40% del capitale delle società per azioni italiane. Nasce l'Iri.

Per Carlo le insidie aumentano quando diventa incerto il controllo sulla Edison, governata grazie alla quota posseduta dal Credito (in procinto di passare in mani pubbliche). Il problema è di non perdere potere in Foro Bonaparte. Non so quanto duri la trattativa ma alla fine Carlo ottiene ciò che fortissimamente desidera: che la Edison rimanga ai privati.

Suo interlocutore è Beneduce, neopresidente dell'Iri. I due si conoscono bene da molto tempo, si stimano. Sono, con Alberto Pirelli, Giacinto Motta, Giovanni Agnelli e pochi altri, i capifila nelle diverse realtà su cui ruota il capitalismo italiano.

Ottobre 1934. Il regime vanta stabilità mentre vara la legge che impone la dichiarazione di ogni bene detenuto oltre i confini nazionali. Si può intuire lo stato d'animo di Carlo: titoli elettrici, obbligazioni tedesche, austriache, americane, azioni di società forestali (buona parte del patrimonio), tutto fuori. La partita si fa pesante, lui si impegna (la fonte è lo scritto di Giannalisa) a onorare i nuovi obblighi. Secondo Giannalisa, non lo imita il fratello Antonio che si oppone anche alla dichiarazione di proprietà intestate a Maria von Pretz, la madre ormai ottantenne.

I mesi che seguono sono particolarmente penosi. Nel '35 le autorità del regime riescono a corrompere gli impiegati del Bankverein di Zurigo. Trovano i dossier della famiglia Feltrinelli e di altre sedici persone. La verifica della posizione di Carlo sembra corrispondere alle sue dichiarazioni patrimoniali. Così non è per Antonio e per Maria von Pretz.

Il 28 ottobre, festa nazionale per celebrare la marcia su Roma, il prefetto di Milano invia un cablo cifrato al ministero degli Interni, comunicando che Mussolini ha disposto, attraverso il ministero delle Finanze, l'interrogatorio di alcune persone residenti a Milano. Devono rispondere dei loro beni depositati in Svizzera. Nell'elenco compare Maria von Pretz. Tre giorni dopo, il prefetto informa di aver sentito la signora "in ordine esistenza a suo nome in Banca Svizzera di kg. 165 oro, nonché titoli esteri per circa lire due milioni".

Maria von Pretz dice di non sapere, di non ricordare. Sono convocati anche Carlo e Antonio, entrambi non escludono l'esistenza dei depositi e telegrafano immediatamente perché il loro contenuto sia trasferito all'Istituto cambi della Banca d'Italia. Ma ormai lo scandalo è scoppiato; è in gioco la testa di un uomo potente, cittadino scomodo di un regime autarchico.

Nei giorni successivi i muri mormorano di un probabile arresto di Antonio e di sua madre. Il 6 novembre Carlo si reca a Roma cercando un'estrema mediazione del governatore della Banca d'Italia. Rientra a Milano nella notte, pare rassicurato. Non sa che nelle stesse ore Alberto Beneduce riceve mandato dal governo per costringerlo alle dimissioni da ogni carica nelle imprese Iri.

L'incontro si svolge il giorno 7, alle ore 18, presso la sede della Bastogi, di cui Beneduce è presidente. Feltrinelli ci va con l'amministratore delegato della Edison Giacinto Motta, influente compagno di tante imprese. Le parole che deve ascoltare sono pronunciate con comprensione, ma risultano chiarissime. A Carlo manca il fiato, il sangue scorre a mille, improvvisamente si accascia. Questa, almeno, la dinamica dei fatti riportata in un cifrato notturno del prefetto.

Mio nonno, col suo principio di infarto o embolo, è scortato da Motta in via Andegari. La signorina Teresa, sua segretaria, vede portare il corpo fino alla camera da letto. Giannalisa chiama il primario e dice ai bambini di non fare rumore: papà ha un forte mal di testa. La sera successiva Carlo Feltrinelli è clinicamente morto; quarantotto ore prima aveva suonato il pianoforte per l'ultima volta. Aveva cinquantaquattro anni.

La propaganda parla subito di suicidio. Nel fascicolo personale si trovano copie delle veline fatte circolare nei giorni appena successivi. Sempre con l'incipit "si dice", Carlo Feltrinelli è fatto suicidare in vagone letto, in carcere, nella propria abitazione, con una pistolettata, avvelenato, per paura del confino e comunque sempre per vergogna.

Si è ammazzato, dicono, dopo aver scoperto quanto flagrante sia la colpevolezza della madre che è "in preda a una forma di speciale monomania dovuta ad avarizia congenita". "Quanto fango! Quanto fango!", conclude un anonimo informatore. E, ovviamente, bisogna cercare gli eventuali complici: "si vuole" che anche Alberto Pirelli "abbia organizzato un vasto tentativo di contrabbando di valuta", e "si vuole" che lui e Feltrinelli siano stati favoriti dal podestà Visconti di Modrone, improvvisamente fatto decadere.

Accreditare la tesi del suicidio per vergogna serve da contrappeso nell'eventualità di uno sfruttamento della vicenda in chiave antifascista. Nell'ambiente parigino di "Giustizia e Libertà" e in alcune zone italiane qualcuno azzarda un parallelo tra la fine di Feltrinelli e il delitto Matteotti.

Crepacuore o capsula di veleno? La corrispondenza di Giacinto Motta non ci aiuta a sapere tutto. Cinque giorni dopo aver visto morire Carlo, Motta scrive all'amica napoletana Emma Savi Lopez: "Fu una scena pietosissima [...]. Si parlava pacatamente, se pure il suo animo era turbato, nello studio di un amico, il quale da una mezz'ora aveva voluto che io li raggiungessi, quando il povero Carlo, stringendosi con la sinistra la fronte e premendo convulsamente la destra sul cuore suscitò in noi le più gravi apprensioni. Pochi minuti dopo, mentre si era mandato a chiamare il suo medico, un grido uscì a due riprese dalle labbra: che dolore Giacinto, che dolore alla mia testa; muoio Giacinto; ti raccomando i miei figli! E non ha più parlato".

In epoca successiva, il 12 giugno 1936, Motta si rivolge all'avvocato Majno e allude a un "gesto pazzesco" di Carlo Feltrinelli, senza dare spiegazioni. È un indizio forte che accredita la tesi del suicidio.

Vinzio, il fattorino della Cantieri milanesi che sorresse il corpo di Carlo fino a via Andegari, è convinto che sia stato un infarto, e in tutte le articolazioni vicine e lontane della mia famiglia non ho mai sentito frasi o mezze frasi che si riferissero a verità nascoste, a cose che si sanno ma non si dicono. E anche le poche persone ancora in grado di fornire qualche testimonianza, come Giulia Devoto Falck, negano decisamente la versione del suicidio.

Rimane però il dubbio: a quale "gesto pazzesco" si riferisce il Motta nella sua lettera all'avvocato Majno?

Forse Giannalisa non riesce a piangere nemmeno nello strazio della vedovanza. Un senso di vertigine subentra presto al dolore. Le venture della vita hanno deciso per lei, che ora di anni ne ha solo trentadue e può disporre liberamente, o meglio illimitatamente, di un patrimonio così ingente.

Il padre Mino Gianzana e Antonio Feltrinelli insistono per occupare le cariche sociali rimaste scoperte alla morte di Carlo ma Giannalisa rifiuta, vuole fare di testa sua.

Per prima cosa, allontana i più fedeli collaboratori del marito e manifesta la sua vera indole. Se ne accorge Giacinto Motta che scrive così all'amico Majno: "Solamente spero, e anche a te mi affido, che mi siano per sempre risparmiati ulteriori rapporti con chi ha anteposto il suo risentimento e il folle timore di perdere lo sperato profitto ai suoi sacrosanti doveri verso i figli già orbati del padre. [...] Che Iddio protegga quei poveri figlioli, ecco il mio voto più ardente, al quale aggiungo un affettuoso augurio perché abbiano presto fine anche per te le noie e le preoccupazioni che da quella famiglia ti sono derivate".

La seconda iniziativa di Giannalisa è chiedere udienza a Sua Eccellenza il Duce: "Per esporre le difficoltà che mi trovo oramai a dover affrontare da sola", gli scrive. Mussolini, nella circostanza forse più sensibile al pudore, non la riceve.

Non importa, lei avrebbe fatto da sola e saprà cavarsela benissimo: si procura i rendiconti del patrimonio, sostituisce qualche fiduciario, entra perfettamente nella parte.

31

Nei pomeriggi, ogni tanto, dà una mano nell'istituto di un celebre biologo milanese che studia i tumori. Lo fa per distrarsi. Ha il compito di iniettare il cancro ai conigli.

"Educare figli è questione di fortuna", non ricordo chi l'abbia detto ma bisogna comunque che gli istinti più estremi siano tenuti a bada. Giannalisa ama i propri figli, questo è sicuro, ma non si accorge di usare con loro una logica sconsiderata. Perché lei prima punisce e poi si pente. Prima li mortifica e poi corre da loro, baci e abbracci.

Giangiacomo e Antonella, nel frattempo, vivono trasportati per mari e monti come scimmiette. La metafora non è brillante, ma si adatta. Un esempio? Nel '36, dopo una bella crociera primaverile a Rodi, via tutti in nave per New York; ma a Gibilterra il mare è parecchio mosso, meglio scendere a Lisbona. Da qui riesce bene una puntata verso Cascais. Li raggiunge una macchina, si caricano abiti e bauli perché ora bisogna attraversare Francia e Svizzera. La nuova meta è molto più a est: welcome to Austria! Crisi di vomito a ogni tornante.

Per Giangiacomo e Antonella di scuola manco a parlarne, al massimo un semestre ginnasiale al liceo "Giuseppe Parini" di Milano: siamo nel '37 o giù di lì. (Se lo ricorda un famoso enologo nazionale, Luigi Veronelli, allora compagno di banco del primo figlio di Giannalisa.) Giangiacomo, proprio in questo periodo, viene iscritto alla Gil, la Gioventù italiana del littorio. I troppi spostamenti tra la nuova villa vicino ai cavalli di San Siro e la residenza romana sull'Aventino inducono Giannalisa a preferire lezioni private. Per le materie letterarie è selezionato il giovane Luciano Anceschi, futuro maestro della neoavanguardia italiana, con cui Giangiacomo, suo primo e casuale allievo, avrà a che fare molto più tardi. Mentre a Roma è scelto uno studente del migliore liceo. Antonella e il fratello apprendono da lui le prime nozioni di storia dell'arte. Si chiama Jean Piva. Oggi è un medico in pensione, l'ho conosciuto.

Dice di ricordare bene le urla in casa Feltrinelli, tanto simile a un grand hotel, con perenne puzza di cera per ottoni (mio ricordo), dove per un paio di mani sporche scoppiava il finimondo. Con la scusa di andare per musei, qualche volta Giangiacomo poteva uscire. Evitava quasi sempre il museo, preferiva un campo che la famiglia possedeva sull'Appia. Non che fosse un posto speciale: era un pezzo di terra, con qualche coltivazione e pochi alberi. "Ma si capisce che lui ci stava volentieri, si sentiva bene lì, con qualche attrezzo e, grazie al cielo, un po' di silenzio." Aveva amici? Non ne aveva.

In compenso, una mattina al breakfast compare Luigi Barzini junior, pollice e indice a tenere il bavero di un accappatoio da gangster. Porta pantofole di velluto e una sigaretta gli pende dalle labbra carnose: è il nuovo fidanzato della vedova più ricca d'Italia.

Figlio del più grande inviato speciale del primo Novecento, l'uomo della Pechino-Parigi, quasi un conquistatore, Luigi è a sua volta giornalista. Gli studi in America gli hanno fornito una tecnica aggiornata, brillante, superiore alla media dei colleghi italiani. Ma è troppo influenzato dall'aura del padre, si sente il principe ereditario e porta male gli abiti tagliati all'inglese. I suoi colleghi, forse per invidia, dicono di lui che "veste come un bianco", perché ha sempre l'aria del "negro" vestito all'europea. Per il resto, lo si vuole ben disposto alla vita comoda, non senza qualche lusso.

Nell'aprile del '40, due mesi prima dell'entrata in guerra, il giovanotto pronuncia il fatidico "sì" con Giannalisa. Siamo ad Amalfi, cappella di sant'Andrea alla Cattedrale. Il matrimonio sarà in seguito annullato dalla Sacra Rota, ma la sposa ricorda bene l'abito di quel giorno: "Un vestitino bleu marine a pois bianchi e un cappellino di paglia dello stesso colore". Giangiacomo, vestito da paggetto come la sorella, deve lanciare monete d'argento quando gli sposi affrontano le scalinate. Ridda e stupore fra i ragazzetti del luogo.

Pochi giorni dopo il matrimonio, in procinto di partire per la luna di miele, Gibò, il Barzini, è arrestato dai fascisti. Pare che tempo prima si fosse fatto prendere da smanie spionistiche: durante una permanenza londinese come inviato del "Corriere" avrebbe fatto filtrare informazioni utili per il governo di Roma. Tornato in Italia, a una cena con diplomatici inglesi, per darsi un tono si lascia scappare qualcosa riguardo ai cifrati in partenza dalla loro ambasciata: lascia intendere che l'intelligence italiana sa bene come leggerli. Gli inglesi verificano subito: inviano un messaggio con le parole del Barzini, citandolo; per i servizi italiani, effettivamente all'altro capo del filo, diventa gioforza pizzicare il fresco sposo.

In grazia delle amicizie del padre, Luigi Barzini ottiene di essere confinato proprio ad Amalfi, Hotel dei Cappuccini, naturalmente con signora. Una pena veramente mite per un reato in sé piuttosto grave. Giangiacomo e Antonella vi trascorrono parte del primo anno di guerra.

I due coniugi, in teoria, hanno l'obbligo di presentarsi ogni settimana alla questura di Salerno: è per la firma sul registro. Ma non c'è quasi bisogno di entrare dai poliziotti, basta picchiare alla finestra sul lungomare per un "va bene, va bene" che nemmeno interrompe il passeggio.

Anche mia nonna era stata in precedenza fermata dalle autorità: sempre nel corso di una cena diplomatica, la sentirono dir male di Mussolini. Per toglierla dagli impicci intervenne immediatamente Enrico Caviglia, maresciallo della Grande guerra e suo compagno di villeggiature. Il modesto incidente verrà buono come attestato di "antifascismo", da spendere per il resto della vita.

Sulla scrivania di Mussolini, a ogni buon conto, era passata la richiesta di Giannalisa per il conferimento di un titolo nobiliare al figlio. Questo avveniva nel '40 e la pratica ebbe buon esito grazie a un sostanzioso assegno. Non sappiamo se il futuro marchese di Gargnano avesse un'opinione in proposito.

Si deve sempre a Barzini senior, che è in rapporti di amicizia con il capo della polizia, il trasferimento di Barzini junior a Milano. È il marzo 1941. Il "domicilio coatto", questa volta, si chiama Hotel Continental, via Manzoni, perché la nonna non ne vuole sapere di un questurino alle costole in casa. Ma, tempo alcune settimane, potranno riassaporare la piena libertà e tornarsene stabilmente al Miracielo, la villa di San Siro. Dove, però, sei mesi dopo, a Barzini requisiscono la piscina: dicono di volerla adattare a rifugio antiaereo.

È a questo punto che la bussola si sposta nuovamente verso il centro Italia, per scansare il peggio. Siamo nell'ottobre del '42 quando la coppia Barzini-Feltrinelli decide per l'Argentario, sulla strada panoramica di Porto Santo Stefano dove, non molto prima, si erano conclusi i lavori per la villa dei sogni di Giannalisa. È in cima al promontorio, con molta macchia intorno: mirto, lentisco e tutto il resto.

Guardando dalla veranda, s'intuisce a sinistra lo strapiombo di una scogliera mentre, sul lato opposto, il litorale rientra senza roccia e non si vede la spiaggia, nascosta dalla boscaglia. Il posto è splendido, ma "per noi era un vero supplizio", spiega la zia Antonella, allora quindicenne. "Vivevamo completamente lasciati a noi stessi, ma come sequestrati, senza mai uscire dal cancello di casa, senza mai poter conoscere nessuno..."

In effetti, lo scenario umano promette poco: Luigi Barzini quando non si aggira per la tenuta a dare ordini (come quello di far apporre un sacco al fondoschiena dei due muli perché non sporchino), litiga con tutti. Anche con Giannalisa.

Non è idillio e siamo in tempo di guerra, ma i figli nel frattempo si moltiplicano: Giovanna Ludovica nasce nel settembre '42; Benedetta, un anno dopo.

Il primogenito, in mancanza di meglio, trova da parlare con le uniche persone che gli danno ascolto: il giardiniere, il figlio della sua vecchia balia Ester (moglie del giardiniere), gli operai che vengono per i lavori di casa, l'insegnante privata di matematica (c'è poco da fare, proprio graziosa e antifascista: perde il posto quasi subito). Loro lo ascoltano, poco importa se le sue sono parole semplici o farneticazioni da adolescente. "Mio padre gli diede perfino qualche soldo per uscire di nascosto", borbotta in maremmano stretto il figlio del giardiniere.

Tutta questa confidenza con la servitù, il suo non stare alle regole sono mal sopportati dalla madre e, quanto al patrigno, Giangiacomo lo odia con tutte le sue forze, in questo cordialmente ricambiato. Giannalisa e il suo sposo non esitano a infliggergli punizioni umilianti, come chiuderlo in cantina per giorni a pane e acqua. Ci sono testimoni. Soffrirà di claustrofobia da allora.

Barzini, in seguito, se la caverà così: "Tentai di occuparmi come potevo della sua educazione, di guidarne, a un certo punto, gli studi... Forse sono un pessimo pedagogo, forse non avevo neppure la stoffa del patrigno, forse Giangiacomo era uno scolaro disattento, ribelle e ostile, o forse non c'era modo d'intenderci, essendo io e lui profondamente dissimili, fatto sta che non credo d'avergli insegnato nulla di durevole".

Ma, intanto, il corso della guerra procede inesorabile. L'Argentario, considerato inizialmente luogo sicuro, dopo lo sbarco di Anzio diventa base nevralgica per il rifornimento dell'esercito tedesco. I bombardamenti piovono quasi quotidiani – centosettantacinque in tutto – e lo scenario di casa Barzini-Feltrinelli è pieno di sussulti. Luigi strilla nottetempo le ultime notizie captate alla radiotrasmittente; Giannalisa grida "cretina, cretina" se Antonella sveglia le piccole ("ma mamma, non bisogna correre al rifugio?"); la tenuta si riempie di gente povera perché il rione Croce non esiste più e anche la chiesa del paese ha il suo buco nella cupola.

A questo punto, dicono, Giangiacomo "si dà al bosco". Armato di pistola, insieme al futuro macellaio del paese, si nasconde nella macchia in cima al monte. L'unico in grado di rintracciarlo è il suo amico giardiniere che infatti lo scova: "Torno solo se mi prendi per un po' in casa tua", gli sente dire. Affare fatto.

In una notte infuocata del maggio 1944, Giannalisa occulta i gioielli nel sacco per escrementi del suo mulo, invenzione ultima del Barzini. Bisogna muoversi veloci, abbandonare subito la villa, autisti e camerieri arraffano il possibile. In cima alla scogliera vengono abbandonate sette damigiane con il grano di scorta, pesano troppo. Dopo una notte di spezzoni, agli sfollati rimane solo qualche coccio di vetro.

Giannalisa porta via sé e gli altri, ma non è chiaro se sappia dov'è suo figlio mentre parte. Perché lui è proprio qui, vicino, appena sotto l'agrumeto, nella casa della servitù.

La fuga di Feltrinelli diciassettenne dura solo qualche giorno, poi Giannalisa, che ha raggiunto avventurosamente Roma, manda il cuoco (lo chiamava "il gobbo maligno") a riprenderlo. Giangiacomo compare sotto la pergola, sulla porta di casa del famoso giardiniere, non fa storie.

La madre non gli perdonerà quella prima fuga. Molti anni dopo, rievocando l'episodio, ha voluto giustificarsi per aver abbandonato il figlio durante i bombardamenti: "Io non dovevo rischiare la vita delle due piccole", che poi erano tre (ma con Antonella nel frattempo aveva litigato e risultava depennata).

Giangiacomo, rientrato nell'alveo familiare e consegnato alla scuola del convento di San Giovanni in Laterano, trascorre a Roma la parte centrale dell'anno 1944. Fa un patto con la madre: una volta diplomato, avrebbe potuto arruolarsi contro i tedeschi. "Lei non si sarebbe mai aspettata che io ci riuscissi," confiderà anni dopo in un'intervista, "invece ce la feci."

Oltre a Piva, suo giovane precettore, trova un nuovo amico in Luigi Aurigemma, di pochi anni più grande. Il padre, archeologo, è responsabile del museo delle Terme, dove abita con la famiglia. A parte le funeree festicciole in casa Feltrinelli, Aurigemma ricorda le passeggiate con Giangiacomo nel cortile disegnato da Michelangelo.

Cinquant'anni dopo, Aurigemma ne ha più di settanta e vive a Parigi. Fa lo psicanalista, ha tradotto in italiano l'intera opera di Jung. Di sera, racconta, quando lo spazio era sgombro da visitatori, passeggiavano insieme "parlando del cielo e della terra", e se c'era una parola che risuonava più di altre sotto le arcate, "quella parola era giustizia...". Si sarà fatto anche prendere dalla nostalgia, ma l'immagine è netta.

Nel novembre 1944, Feltrinelli entra volontario nel Corpo di combattimento Legnano, aggregato alla v Armata. Dopo un breve periodo di addestramento nel napoletano, risale verso il Nord. Per un certo tempo fa sosta sul Lago di Bracciano, dove una coppia di sposi gargnanesi gli offre saltuaria ospitalità. Guarda caso, anche loro si chiamano Feltrinelli, ma non sono parenti e Giangiacomo simpatizza subito. Una mattina, i cadaveri sono allineati a file per le vie del paese. La coppia va a rivoltarli uno a uno. No, il giovane cui il giorno prima avevano curato la dissenteria non è in quel mucchio. Forse è già partito verso la Toscana.

Nella zona di Siena – dove la sua divisione è segnalata fino ai primi di marzo del '45 – il giovane soldato si addestra militarmente e aderisce al Partito comunista italiano. Da una sua nota autobiografica che vedremo in seguito: "Mi presentarono [al partito] il compagno Monti, anche lui della mia compagnia (vecchio compagno che aveva fatto un anno di Civitavecchia per ragioni politiche) e il compagno Ciafrè Vincenzo della federazione di Siena".

Poi tutti in linea sul fronte, nel bolognese, per i giorni della Liberazione. Di quest'esperienza ricordo bene un suo racconto, di quando un colpo di mortaio non lo centra per un pelo. Mimando lo scavo con indice e medio, mi descrisse com'era andato a ravanare nel terriccio in cerca della capsula del proiettile.

I pochi mesi da militare in guerra lo hanno reso più libero, disposto all'azione e a decidere per sé. Congedato nell'agosto del '45, torna a Roma per iscriversi al Politecnico.

Da militante disciplinato frequenta di sera la sezione, ma i dirigenti del Pci locale preferiscono utilizzarlo per un lavoro di tipo informativo. Vogliono sfruttare le sue possibilità di procurarsi notizie, soprattutto negli ambienti monarchici.

Ma il 28 aprile del '46 "l'Unità" lo "brucia", pubblicando un articolo troppo esplicito cui si interessano anche i servizi d'informazione alleati. Siamo in piena campagna per il Referendum e si riportano notizie origliate da qualcuno in casa Feltrinelli. Eccone un passo saliente:

Sulla scorta di informazione da ottima fonte siamo in grado di dare una notizia di una importante riunione che si è tenuta in casa di una famiglia di grandi pescicani dell'industria, i Feltrinelli. Alla riunione hanno partecipato il duca Acquarone, in rappresentanza diretta dei Savoia, il presidente del Senato in liquidazione marchese della Torretta, il sen. Bergamini, l'on. Porzio e il noto calunniatore degli impiegati Ministro del Tesoro Epicarmo Corbino. In tale riunione si è discussa l'opportunità di un grande colpo di scena alla vigilia della Costituente, per ricreare una verginità alla monarchia compromessa: abdicazione di Vittorio Emanuele il vecchio e susseguente rinuncia di Umberto a favore di Vittorio Emanuele il piccino. Il Ministro Corbino ha proposto una mossa ancora più avanzata: il ritiro di tutta Casa Savoia a somiglianza di quanto era stato fatto da Alfonso XIII in Spagna...

Nella riunione si parla anche di un più preciso coordinamento della stampa conservatrice, con un ruolo di rilievo previsto per il Barzini. Giannalisa ora finanzia le sue iniziative, l'agenzia di stampa "Sì" e i due giornali, "Il Globo" e "Libera Stampa". Alla nonna piace questo tipo di impegno; la tempra battagliera non le manca: alla vigilia del Referendum lancia personalmente volantini filosabaudi per le strade di Roma. Dall'automobile.

Giangiacomo, visto il clima (e anche la fregatura dell'"Unità"), è costretto a prendere il largo. Decide per Milano dove, sempre nella tarda primavera del '46, gli capita un fatto importante: incontra una giovane militante del Partito socialista di unità proletaria, Bianca Dalle Nogare.

I mucchi di neve restano in strada fino ad aprile, siamo ancora nella grande città ferita che non puzza più di bruciato ma mostra il colore nero degli incendi spenti, con strani abissi dentro le case non rifatte. È vero però che la città è ripartita, ceti e categorie cercano un assestamento, escono i giornali, riaprono i teatri e una nuova generazione di studenti riprende ad affollare le scuole. I loro paltò sono ricavati dalle coperte americane vendute ai mercati.

Giangiacomo e Bianca simpatizzano. All'inizio è una cosa soft. Lei è una ragazza bella, famiglia medio-benestante prima della guerra, pettinatura che la incastra ai tempi con effetto da foto d'epoca.

Ma dopo lo sgarbo agli amici monarchici, Giannalisa sembra inorridita dalla piega presa dal figlio, scandalizzata dalle continue fughe e dalle sue frequentazioni. Un figlio comunista, non solo per lei, vale come un figlio appestato. Per rimediare, escogita un piano diabolico. Con la probabile regia del Barzini, quattro fasulli militari in divisa avrebbero sequestrato le due armi in croce che il figlio s'era portato dal fronte. Con una finta perquisizione in via Andegari e una ben recitata minaccia di arresto devono convincerlo ad andarsene. Magari in Spagna o in Portogallo, dove già si trova Antonella. Poi ci sarebbe stato il Referendum e se avesse perso la monarchia, così ragiona mia nonna, ci saremmo andati anche noi: varcare l'Atlantico dal Portogallo è davvero poca cosa.

Il piano funziona a meraviglia: Giangiacomo, spaventato dall'idea di una condanna per possesso abusivo di armi, parte per Lisbona via Madrid lasciando Bianca senza parole.

Il racconto dei momenti immediatamente successivi al Referendum del 2 giugno, tratto sempre dalle memorie di mia nonna, è un piccolo capolavoro che spiega molte sue mosse future.

Il 4 mattina alle undici Sua Maestà mi aspettava al Quirinale ma purtroppo non potei recarmi perché a pochi passi dal Quirinale fui investita nella mia piccola auto lungo il muro del giardino dei Principi Aldobrandini da un camion polacco che ridusse la mia auto ad un rottame. La gente intorno mi estrasse dall'automobile e mi distese sanguinante sul selciato offrendomi fazzoletti per coprire il sangue che scendeva dalla testa, ma io non li accettai per non creare infezioni. Intravidi un carabiniere e con la mano destra lo chiamai pregandolo di recarsi alla portineria del Quirinale per avvertire che io non potevo andare da Sua Maestà perché a pochi passi ero stata investita da un camion straniero. Finalmente una persona si inginocchiò al mio fianco e mi disse "Sono un dottore, non può restare qua, lasci che l'accompagni alla clinica Villa Bianca. Fermo un'automobile" e si andò alla clinica. Mi portarono subito nella camera dei raggi e ad ogni lastra eseguita, strabiliati venivano ad annunciarmi che non vi era niente di rotto salvo un'incrinatura al polso di fianco della mano destra e che era naturale che io sentissi dolore da tutte le par-

ti per la botta presa. [...] Io ero seccatissima di essere in ospedale senza telefono in camera e al quarto giorno pregai i dot-
tori di mandarmi a casa con un'ambulanza, mordevo il freno
ma riuscii a raggiungere il mio letto. Avevo giornalmente molte visite di Alberto Bergamini. La sera del 12 giugno alle di-
ciannove mi chiamò il generale Graziani per dirmi che Sua
Maestà voleva venire a pranzare da me senza altre persone,
risposi che vi era da me soltanto Bergamini. "Va benissimo,
rimanga pure." Alle nove di sera Bergamini era sulla porta
della mia casa a ricevere Sua Maestà. Fu accompagnato in
camera mia che dava con le finestre sul giardino dove dei cipressi leggermente mossi tenevano compagnia alle Terme di
Caracalla. La notte era splendida. Sua Maestà mi baciò la mano, il tavolo era ai piedi del mio letto ed una poltrona accanto a me lo attendeva dopo il pranzo. Il mio bravissimo cuoco
fece miracoli ed il mio maggiordomo in frac servì questi miracoli. L'infermiera mi aiutò a mangiare sempre per il polso
ingessato. Sulle apparenze serene vi era un incubo che in-
combeva nell'animo di tutti. Gi [il Barzini] andò al giornale
"Libera Stampa" prima delle undici e gli raccomandai di telefonare notizie. Dopo pranzo la tavola sgomberata, in quattro si aspettava qualcosa di cui non si parlava e non si sapeva cosa potesse di peggio arrivare. Poco prima dell'una squil-
lò al mio fianco il telefono. De Gasperi aveva riunito d'urgenza il Consiglio dei Ministri per proclamare subito, senza
attendere secondo gli accordi il 18 giugno, i risultati del Referendum. La Monarchia era sconfitta. Più bianca della camicia da notte che indossavo mi rivolsi al Re dicendogli: "Maestà, sempre Le avevo detto che di De Gasperi non ci si poteva fidare". Un imbroglio era stato certamente commesso. Il
nodo che ci stringeva tutti si era reso realtà. Le parole che si
preannunciavano mi apparivano quasi prive di senso. Il Re
parlò della Regina Maria Pia del Portogallo, di Carlo Alberto
esiliato ad Oporto e di lui che lo avrebbe seguito. Il Re portava un vestito grisaille, Bergamini aveva nel suo sguardo l'or-
rore di quanto stavamo vivendo minuto per minuto. Un mil-
lennio dei Savoia incominciato con Umberto Biancamano si
chiudeva con Umberto II per la maledetta politica corrotta ed
infida democristiana. Aveva con arroganza ed ingiustizia de-
molito una Monarchia che aveva resistito nei secoli. Quest'atto storico e dolente si stava svolgendo tra luci abbassate
al profilo dei cipressi scuri che sembravano proiettati in camera mia. Le parole sfilavano in un discorso rotto. Il Re ogni
tanto da un salver antico d'argento appoggiava le labbra ad
una coppa di champagne. Io cercavo di non piangere ma quando si abbassò per abbracciarmi le mie lacrime caddero sulla

Sua mano. Erano le quattro e mezza di mattino del 13 giugno. Che angoscia. Alberto accompagnò Sua Maestà sino alla Sua automobile. Bergamini lo avrebbe raggiunto al Quirinale verso le sette. Rientrato in camera passeggiava come un leone ferito, su e giù senza poter parlare sotto il peso del destino che si compieva. "Te lo avevo detto che De Gasperi era un traditore", esplodevo ogni tanto...

D'ora in poi Giannalisa potrà visitare il re solo a Cascais; e chissà se è vera la storia che lo andasse a trovare portando forme di gorgonzola per attenuargli la nostalgia.

Il figlio, nel frattempo, sta rintanato a Lisbona: è per la faccenda del minacciato arresto. Secondo i ricordi di Antonella, era di pessimo umore, completamente muto. "Non mi scrisse per due mesi," rammenta Bianca, "poi mi arrivò un plico contenente tutte le lettere che non mi aveva mandato. Erano lettere piene di un grande sconforto. Gli risposi: ritorna, magari a piedi ma ritorna. Arrivò col treno viaggiando in terza classe. Era stanchissimo, aveva la bronchite e bisognava occuparsi di lui. In casa nostra non potevo ospitarlo perché io stessa, con mia madre e mia sorella, ero ospite presso amici. Così chiesi a un compagno socialista di tenerlo con sé per qualche giorno."

Siamo nel luglio del 1946 e, proprio in quelle settimane, Giannalisa lascia l'Italia diretta a Cascais, portando con sé le figliolette di secondo letto. È del tutto all'oscuro delle intenzioni del figlio. Telefona all'hotel dove pensa che lui l'aspetti. Le dicono che non c'è, che è ritornato a casa. Piena di furore, con l'aiuto del ministro d'Italia a Lisbona, decide di farlo arrestare alla frontiera. Niente da fare. Lasciate figlie e governanti a Cascais, prende un aereo per l'Italia e, dopo diciassette notti in treno fra Milano e Roma, alla fine lo trova. Faccia a faccia. Nessun rimprovero, gli comunica solo che da lì a poco lei avrebbe lasciato l'Italia. Poi basta. È uno di quei momenti in cui si rimane in silenzio a guardarsi.

Pochi mesi dopo Giannalisa imbarca se stessa e l'argenteria di famiglia con destinazione Rio de Janeiro. Deve sembrarle il luogo più lontano da ogni possibile tipo di comunismo. L'unica concessione al nemico è il broker assunto a New York: si chiama Charlie Marx. Il significante, dice Lacan, non ti molla mai.

2.

Milano, tarda estate 1946, fine della lunga apnea, ritorno nella sua città. Parla sempre mangiandosi le parole, da timido incomprensibile, però sembra più sciolto se incontra coetanei conviviali che magari si possono considerare amici. Non è una cattiva sensazione. E da qualche parte salta fuori anche la prima vera morosa (so chi è, sta in provincia, vive tranquilla).

Un ventenne alto, magro, occhialuto, andatura a testa alta, punte dei piedi leggermente divaricate ad accentare il passo, diventa familiare nel giro delle sezioni milanesi. Alcuni arricciano il naso per il suo pedigree, ma c'è chi simpatizza subito. I più hanno altro a cui pensare.

Per Giangiacomo è il momento di conoscere meglio Bianca, nel frattempo entrata nel Pci. Si può far colpo su di lei presentandosi a Sesto la mattina di buonora per accompagnarla in ufficio. Ma, in quello strano vestito di tela blu, roba da fine tagliatore ingaggiato anni prima dalla madre, lo spasimante-militante capita in periferia anche di notte: con Bianca e la sorella di lei bisogna sistemare il giornale murale per il giorno dopo. L'abito gli ciondola addosso, forse lo trovano un po' ridicolo.

In quelle sere sono frequenti le puntate a casa di un giovane dirigente comunista, Armando Cossutta. Sua madre accoglie tutti a colpi di pasta e fagioli, pare che sia squisita. (Bianca, che darà tutt'altro indirizzo alla sua militanza, negherà con forza la storia della minestra a casa dell'Armando.)

Dopo un'infanzia asettica, in senso stretto, per Giangiacomo ci sono adesso gli accidenti di una vita più normale. Con molto ritardo gli piovono addosso morbilli, rosolie, scarlattine, ma sono solo piccoli intoppi.

Nel luglio del '47 sposa Bianca Dalle Nogare. Al matrimonio non assistono né Giannalisa – per lei Bianca è "una pasionaria moscovita" – né il Barzini. È presente, invece, il nonno Mino Gianzana. "Furono nozze civili," ha ricordato la sposa, "velocissime e del tutto anticonformiste, senza inviti e senza fotografi. Ci dicemmo sì e subito dopo ci salutammo. Io tornai a casa da mia madre, Giangiacomo andò a casa sua. Solo il giorno dopo ci ritrovammo e partimmo per il viaggio di nozze." Che si fa a Praga. Ci vanno in Buick decappottabile carta da zucchero, portandosi dietro il cane, un pastore tedesco di nome Gisa. "Gisa", immagino, è l'abbreviazione di Giannalisa.

Nella capitale ceca si celebra il Festival mondiale della gioventù cui non partecipano solo ragazzi comunisti: in rappresentanza della Federazione giovanile repubblicana italiana, per esempio, c'è Alberto Ronchey (futuro giornalista di fama, inventore del fattore K, poi ministro della Repubblica).

Probabilmente Giangiacomo realizza le cose importanti una volta rientrato dalle vacanze. Perché non solo si è sposato, il che sempre ti cambia un po', ma ha anche passato i ventuno; è cioè maggiorenne, e questo gli procura obblighi e diritti dagli effetti al momento imperscrutabili. Se è vero che vuole studiare da ingegnere, e magari guadagnarsi da vivere con un buon mestiere, è pur sempre l'unico erede maschio di Giacomo, di Giovanni, di Carlo, dei Feltrinelli che contano: tutto ciò che di materiale e immateriale avevano lasciato in terra reclama ora un indirizzo. E magari una buona gestione.

Certo, si dirà, meglio così che pascolare capre in un podere altrui. Però qui siamo su montagne russe truccate, molto speciali, in cui prima prendi velocità e poi vomiti, deragli e semmai ti butti. È successo a tanti uomini scopertisi ricchi e senza grammatica per i loro soldi. Facile che lo stesso capiti all'erede Feltrinelli, che ha sempre contro di sé la madre, costantemente in viaggio tra l'Italia e il mondo.

La sorella Antonella, una volta maggiorenne, si sposa quasi subito per cercare nuova vita in Francia (con André

D'Ormesson, figlio dell'ambasciatore transalpino in Vaticano). Da Parigi citerà in giudizio Giannalisa, colpevole di una scorretta attribuzione dell'eredità paterna. Egualmente danneggiato, il fratello non se la sente di stare in tribunale con l'intera famiglia. Lascia perdere.

Se questo è il clima, se questi sono i presupposti, Giangiacomo deve aver pensato seriamente di sbarazzarsi dei dannati soldi e "dare tutto in mano a Togliatti". Alcuni glielo sentono dire. In una scheda autobiografica per il partito, riferendosi al suo "ingente patrimonio", lui stesso scrive che l'eredità "venne a incombere sulle mie spalle". Del resto "fino a vent'anni non sapeva nemmeno come fosse fatto un assegno bancario", ricorda la moglie Bianca in un'intervista. È anche grazie a lei se diventa più raziocinante. Si tuffa nei manuali di economia, e comincia piano piano a prendere confidenza con le questioni patrimoniali.

Ma se non è nato per essere ricco e se cerca una strada propria riuscendo pure a comportarsi da buon comunista, rimane a tutti gli effetti un "ricco". Un ricco alla ricerca di uno strano equilibrio, non tanto comprensibile, precario, apparentemente irraggiungibile. Il cliché lo vorrebbe squattrinato, solerte filantropo o imprenditore chino sul fatturato. Non sarà così.

I risultati delle elezioni politiche del 18 aprile 1948, che assegnano la maggioranza assoluta alla Democrazia cristiana e confinano il Fronte popolare all'opposizione, corrispondono alla logica di Jalta. Meglio. Deve averlo pensato anche Palmiro Togliatti, il segretario del Pci. È il lungo dopoguerra italiano, un perenne dopofascismo tra ricostruzione e stagnazione, riconquiste e conquiste. Le tentazioni di ritorni pericolosi trovano energiche risposte in una pubblica opinione già matura: guerra di Liberazione, Referendum, Costituzione, il nuovo ordine delle cose compra il suo pezzo di futuro. Ma ci sono momenti in cui il castello di carte potrebbe crollare per un niente.

"Stavo mangiando, sarà stato intorno alla una, quando mi sento chiamare dal cortile di casa mia, in via Paolo Sarpi. Guardo giù, è Feltrinelli che mi cerca: 'Scendi, scendi, hanno sparato a Togliatti'." È il 14 luglio 1948. Silvano Giuntini ricorda molto bene la corsa prima in federazione e poi alla sezione, con i compagni da rimandare a casa, troppo agitati e soprattutto armati.

Il Giuntini, futuro esperto commerciale di una celebre casa editrice milanese, era il responsabile della propaganda alla Duomo, una grossa sezione (circa millecinquecento iscritti) in via Cantù, nel cuore della città. Conobbe Feltrinelli accettando un invito nella sua casa di San Babila, dove ascoltarono per tutta la notte musica popolare jugoslava. Era stato lui, un paio di anni prima, a prendere la telefonata del segretario di federazione Alberganti che annunciava l'arrivo in sezione di un compagno "particolare". (Giuseppe Alberganti vale come uno dei principali fondatori di quel partito nel partito che potremmo chiamare Pcm, partito comunista milanese.)

Tra serate con i dischi, spuntini prima della sezione e tanto lavoro politico, Giuntini e Feltrinelli si frequentano. E ora, nei momenti successivi all'attentato a Togliatti, è probabile che condividano lo stesso senso di caos e confusione, che poi è di tutti perché nessuno sa bene cosa fare. L'unica notizia certa è che la Cgil ha proclamato uno sciopero generale.

La scena politica nazionale entra in fibrillazione: il partito dice "tranquilli, tranquilli", ma a Genova, Torino, Venezia e Livorno gruppi di militanti occupano interi quartieri. Gli arrestati e gli indiziati sono quasi settemila.

A Milano, appena più calma, quattro o cinque giovani della "Duomo" sono fuori nella notte a lavorar di colla. È una piccola storia di militanza, si capisce, ma tra loro c'è pure Feltrinelli. "Verso le quattro di mattina, all'altezza di via Meravigli, veniamo presi dalla polizia con i manifesti in mano. Ci portano in questura e l'indomani a San Vittore, per cinque o sei giorni." Il compagno Sergio Monti, oggi pensionato dopo una lunga carriera nella cooperazione, aguzza la memoria: "Ma non ci andò poi tanto male, la nostra sfortuna ci mise di buonumore, e poi, specie per me, fu una pacchia condividere il cesto del mangiare che la Bianca faceva arrivare ogni giorno. Con la fame che si aveva allora...".

La rivoluzione, quella con le armi, non si può fare. Mancano le condizioni. Nei giorni successivi al ferimento di Togliatti, ormai fuori pericolo, la questione si chiarisce. La tensione insurrezionale perde tono.

Il Pci, pur nella potente promozione di un mondo diverso e alternativo, aveva scelto elettoralismo e moderazione già tre anni prima, quando l'aumento del consenso elettorale era stato considerato "il principale strumento per spostare l'equilibrio del potere nel parlamento e conseguentemente nel paese". Lo dice uno storico di adesso, Paul Ginsborg. Palmiro Togliatti, inoltre, ha dovuto e saputo accettare la svolta degasperiana che nel maggio del '47 lo aveva estromesso dal governo: la partita vera, dunque, è gareggiare a suon di voti con la Democrazia cristiana.

Che poi tra accondiscendenza e insurrezione potesse esserci una "terza strada" (la chiamava così Pietro Secchia) per valorizzare la spinta "dal basso" della Resistenza, è un'ipotesi più ventilata che posta, e serve solo a complicare la faccenda. La quale, in effetti, è tutt'altro che risolta.

Perché le cose si muovono rapide e imprevedibili, lo scontro col nemico non possiede alone cosmetico. Se il vento dei popoli ci spinge avanti, ciò che non si può fare oggi è solo rimandato a domani. Veniamo da lontano, andiamo lontano. La macumba laica del Partito comunista.

Anche Sergio Monti diventa buon amico di mio padre, continuano a vendere "l'Unità" e ad affiggere manifesti insieme ("Feltrinelli non disdegnava affatto questi compiti"), usando spesso la Buick carta da zucchero. "La gente si scandalizzava a vederci arrivare a fare quei mestieri con quella macchina, ma Feltrinelli allora se ne fregava nel modo più assoluto. Era una buona macchina, solo non esistevano ancora sbrinavetri e ricordo il ritorno da una puntata nel Lodigiano per una riunione (era notte, c'era nebbia, faceva freddo), quando dovemmo saltare sul cofano a turno e pisciare, perché si sgelasse il parabrezza."

Nell'estate del '48 Monti è presente al campeggio organizzato da Feltrinelli con un gruppo di giovani iscritti al partito. Si fa alla villa di Gargnano in riva al Garda, la residenza-vessillo di famiglia: "una specie di mausoleo bavarese", secondo la descrizione di un amico scrittore. Metà dentro, metà nel parco, ci passano in quindici una settimana di bisboccia. C'è anche il pittore Giovanni Fumagalli, conosciuto da tutti come il "Fuma", segretario della Duomo e sostenitore del realismo socialista nelle polemiche sull'arte contemporanea appena cominciate. Le sue convinzioni sono probabilmente molto discutibili ma non è per le preferenze estetiche dei campeggiatori che il parroco del paese se la prende tanto. È il ritrovo di quei comunisti in villa a dar fastidio: troppo, davvero troppo! Il prete non ci sta, bisogna screditare il padrone di casa, e per questo si denuncia, si predica, si appendono manifesti. C'è scritto del matrimonio di lui: l'ha fatto con rito civile, mica in chiesa!

Ma se è vero quel che penso, organizzare il campeggio, senz'altro una bravata, significa più cose. Anche inconsapevoli. Almeno se si considera che, nell'ottobre del '43, villa Feltrinelli era stata requisita per servire da residenza personale a Benito Mussolini. Catapultato dal Gran Sasso per la stagione della Repubblica sociale, Mussolini, che detesta il lago ("ibrido tra fiumi e mare"), deve vivere in casa nostra isolato e protetto da truppe scelte del padrone-alleato. Quando lascia il suo cul de sac sarà la vera fine.

Ma se il fascismo è stato abbattuto, seicentomila repubblichini ben amnistiati andranno pur da qualche parte. Alcuni cantano inni nelle stamberghe e sperano di tornare un giorno per la "resa dei conti". E molti di loro sono già tornati, vuoi come burocrati in maniche di camicia a deridere la "democrazia del cazzo", vuoi nelle vesti di benpensanti con colletto inamidato per supponenza di casta. Nei tribunali ci sono giudici che rimestano processi come casari con le zangole, dandosi molto da fare contro i partigiani: certo, ci sono i tipi della Volante rossa, ma ci vanno di mezzo tanti altri.

Ecco il perché del gesto esorbitante, il campeggio nella villa che fu di Mussolini. C'è una voluta iattanza e un monito preciso: in caso di vostro ritorno, denti per il vostro pane...

Di questo campeggio si tornerà a parlare l'anno dopo, nel '49, quando a Milano ci si scalda per la "banda Ciappina", detta anche la "banda ovunque". Ugo Ciappina, poco più che un ragazzo ma pericoloso, e l'armeno Colust Megherian, entrambi iscritti alla cellula del Carrobbio, si erano fatti un nome per l'uso improprio delle armi tenute nascoste anche dopo il 25 aprile. Ma niente politica, sono rapine. Avevano reclutato una mezza dozzina di zanza e due di loro, quando li prendono, dichiarano di aver scelto la malavita proprio in quel campeggio sul Garda. Forse il prete di paese non aveva tutti i torti.

Sta di fatto che Feltrinelli lo arrestano di nuovo, sempre a Milano. Ci pensa l'ufficio politico della questura: "Hai visto, abbiamo preso il miliardario vostro amico!", dice un poliziotto al cronista di "Milano Sera". Invece pare che sia del tutto estraneo: perché in quel momento lui è un "regolare", buona disciplina nel lavoro e piena adesione ai convincimenti del partito.

L'equivoco gli costa lo stesso il fermo di un giorno e anche i primi commenti apprensivi sui giornali conservatori. Per la prima volta parlano del "milionario Giangi". L'ufficio politico inoltra agli Interni la seguente informativa: "Feltrinelli (forte finanziatore del partito) è stato arrestato e poi rimesso in libertà. Era stato sospettato di avere finanziato la famosa banda 'ovunque'. [...] Feltrinelli è un *attivista* e la moglie Bianca Dalle Nogare è una pazza a servizio dell'organizzazione 'terroristica' (inoperante per ora)".

In seguito al suo secondo arresto, Feltrinelli deve allontanarsi dal normale lavoro di sezione (aveva da poco sostituito Giuntini come responsabile stampa e propaganda). Gli si propone di continuare in un gruppo di lavoro alla federazione cittadina. Il partito vuole tutelarlo meglio. Gli affiancano anche un ex partigiano che gli fa da autista, factotum, guardia del corpo. È una specie di angelo custode per la tessera con più bollini che ci sia in Italia.

Ma qual era, ai tempi, il senso vero della militanza comunista, socialista, cattolica di base, anche democristiana? Dice il compagno Monti che bisognava soprattutto "fare le cose", magari un asilo, una scuola, la Settimana della compagna, la Comunione o un gesto di solidarietà operaia. È una militanza politicamente scorretta ma socialmente utile.

Certo, la battaglia politica! Ipercomunismo ossessivo, anticomunismo ipertensivo, clericalesimo esasperato, c'è proprio di tutto, ma dopo una guerra simile ci vuol bene uno straccio di furia a tener su la speranza: Rossa o Bianca, la terza manca, nel senso che il filone laico-riformista-liberal-socialista non trova il giusto spazio tra i colossi delle due "chiese". Lo stato? Va da sé, cronicamente debole.

"Se non altro, abbiamo passato tempi, anche durissimi, ma di costruzione, capito?" Così mi salutano all'unisono i due iscritti di allora alla sezione Duomo, Giuntini e Monti. Di Feltrinelli dicono che volesse ricavare una colonia estiva dall'ex villaggio fascista nei pressi di Canzo, che volesse fare un film sulle mondine in Lomellina o, magari, metter su una biblioteca di quartiere.

Ma, a proposito di "fare le cose", ne parla bene la giornalista Anna Del Bo Boffino, in un articolo apparso sull'"Unità" del marzo 1992. Anna l'ho conosciuta appena, poco prima che morisse, ma sapevo di lei perché era stata sposata con l'uomo che io chiamavo "zio Sergio" e che per gli altri era il "professor Del Bo".

Nel '49 eravamo due coppie di sposi novelli: Giangiacomo con la sua prima moglie, la ragazza di Sesto San Giovanni, bella come una statuetta di Tanagra, io con quel Del Bo, più grande di noi di sei anni, che ci ha sempre fatto da fratello maggiore. Ognuno di noi era stato sfiorato dalla Resistenza, tutti eravamo iscritti al Pci. Insieme cercavamo uno spazio tra i dogmatismi di partito e le ipocrisie della cultura borghese. A vent'anni i sogni sono tanti, la voglia di essere uomini "nuovi" è impellente. E noi non facevamo eccezione. Ma quelli erano tempi di impegno, quando il modello dell'intellettuale organico era l'unico che onestamente si potesse adottare. Erano anche tempi duri: alle manifestazioni eravamo noi a dover scappare dai manganelli dei celerini. Nel mondo dei giornali, dell'editoria, i comunisti non avevano accesso. E scioperi fino alla fame stremavano il proletariato. Si sapeva di uno sciopero lunghissimo dei braccianti nella Bassa Padana, e grande era il nostro bisogno di dare solidarietà. Noi lo facevamo a parole, ma Giangiacomo poteva fare di più. A Gargnano, terra d'origine dei suoi avi, mezzo paese era suo: fece sgomberare una parte del ricovero dei vecchi (che a quei tempi erano pochi, pochissimi) e si poté ospitare una trentina di bambini, arrivati da un giorno all'altro. Noi, le due donne, eravamo per ruolo addette all'assistenza, e per qualche settimana abbiamo nutrito, rivestito, portato a spasso quei ragazzini. Un biondino, tutto pelle e ossa, con un sorriso smagliante, aveva i pidocchi e li ha attaccati a tutti gli altri. Li abbiamo ripuliti, e avrei dato loro da mangiare dieci volte al giorno per vederli mettere su un po' di carne. Ecco com'era: noi avevamo i sogni, e li tenevamo nel cassetto. Giangiacomo poteva realizzarli, e pareva miracoloso averlo con noi.

Avere a che fare con un individuo che si pensa "miracoloso" non è semplice. Anche con le migliori intenzioni, c'è sempre il contraltare delle difficoltà psicologiche, sia nell'approccio che nello scambio. Ho fatto in tempo a tornare sull'argomento con Anna Del Bo Boffino nell'estate del '95: "Per tutti noi vivere con Giangiacomo, che aveva delle possibilità sproporzionate, era molto difficile. Lui poteva alzarsi e decidere di fare tutto. Tutti i rapporti con lui subivano questo doppio aspetto".
Intanto il matrimonio con Bianca si sta guastando.

Lo "zio Sergio", il marito di Anna, si chiama in realtà Giuseppe, Giuseppe Del Bo. Milanese, nato nel 1919, ha studiato teologia alla Gregoriana di Roma. È un sacerdote. Durante la guerra lo arruolano come cappellano militare e cade prigioniero in Tunisia. Riesce a tornare quando in Italia stanno liberando Napoli, quindi risale la penisola con gli Alleati facendosi chiamare "Sergio". È il suo nome di battaglia. Alla fine della guerra, di nuovo a Milano, riprende gli studi. Si iscrive alla Statale, facoltà di filosofia, conosce Antonio Banfi, maestro e propugnatore di una cultura nuova e universale. Banfi gli abbuona esami per due anni e gli presenta Anna.

Alla fine del '46, Del Bo attraversa la crisi esistenziale più dura. Innamorato di una donna, attratto dal marxismo: è il momento di affrontare il proprio dramma. Ci pensa il vescovo di Como a richiamarlo in seminario, ma solo per un'ultima volta. Nel '48 la storia è finita, i dilemmi si sciolgono, Sergio decide di sposarsi con Anna.

L'uomo di cui si dirà che fosse capace di mantenere contemporaneamente i rapporti col Vaticano e con Palmiro Togliatti trova il suo primo lavoro alla libreria Cantoni, in corso Vittorio Emanuele. Ma presto passa alle dipendenze dell'ex partigiano Vando Aldrovandi, siamo in via Filodrammatici, alla libreria Einaudi. Il giornalista Alberto Cavallari ricorda di averlo conosciuto lì, "mentre portava i pacchi dei libri in bicicletta".

Anche Giangiacomo lo conosce nel retro di quella libreria. Non è una cosa strana: la vita culturale, la prima Casa della cultura, le riunioni del "Politecnico", gli incontri fra i libri con Vittorini, Pavese, Fortini: è questo il luogo. Poco lontano, la latteria delle sorelle Pirolini e il "Soldato d'Italia" in via Fiori Chiari danno l'agio di spendere pochi soldi per un buon pasto. "Feltrinelli veniva alle riunioni per curiosità, per ascoltare. Ricordo che si sedeva per terra, tutto buono, e stava a sentire...": sono parole dell'editore Giulio Einaudi. Feltrinelli finanzia le sue iniziative, presta soldi che Einaudi prima o poi restituisce. Glielo ha chiesto il Pci tramite Eugenio Reale.

Palmiro Togliatti torna sempre volentieri alla "Brasera Meneghina" nei suoi rapidi passaggi milanesi. Gli ricorda l'epoca di quando faceva "l'Unità", a metà degli anni venti. Gli portavano sempre il suo piatto preferito, ossobuco con il risotto. Secondo la ricostruzione di Cossutta, è proprio qui che Togliatti e Feltrinelli s'incontrano una certa sera. E sarebbe questa l'occasione in cui il segretario lo incoraggia, dandogli anche il suo appoggio, per una specialissima "cosa da fare": costruire una biblioteca dedicata alla storia dei lavoratori di tutto il mondo. L'idea sembra che gliel'abbia data un prete.

Ma prima di descrivere ciò che architettano di concerto Feltrinelli e Del Bo, occorre dare spazio a un documento importante. Per partecipare ai corsi della scuola regionale del partito, Giangiacomo, all'epoca ventiquattrenne, deve redigere una scheda autobiografica. È ricomparsa un milione di anni dopo nello scantinato di un'ex federazione di partito. Vale molto più di un semplice riepilogo. Siamo all'inizio del 1950:

All'Ufficio Quadri della Federazione Milanese del P.C.I.
Oggetto: BIOGRAFIA
Giangiacomo Feltrinelli, di fu Carlo e di Giannalisa Gianzana, nato il 19/6/1926 a Milano, ed ivi residente in Piazza S. Babila 4/b. Mio padre fu una delle più eminenti figure del mondo finanziario tra il 1927 ed il 1935. Presidente del Credito Italiano e della Edison, oltre che di altre società delle quali possedeva la maggioranza del capitale azionario, fu un classico esempio di come il capitale finanziario si possa fondere con quello industriale. Morì nel '35.
Mia madre, figlia di un banchiere, vive tutt'ora; nel 1940 si risposò con Luigi Barzini jr. da cui ora però è divisa. Vive a Roma.
Fui allevato nella maniera, dal punto di vista borghese, la più ortodossa possibile, con governanti, comodità, viaggi ecc. e sempre isolato dai miei coetanei. Fino al '41 non frequentai mai le scuole compiendo gli studi privatamente. Crebbi così praticamente senza amici.
Come avvennero, in questa situazione, quelle evoluzioni che mi portarono ad iscrivermi e oggi a militare nel Pci? Quali furono gli elementi che mi orientarono decisamente e mi fecero comprendere la necessità e l'importanza di iscrivermi al Pci e di lottare con l'avanguardia organizzata della classe operaia contro il capitalismo, per il socialismo?
Un primo elemento importante credo sia stato il seguente: nel '36 mia madre acquistò un grande giardino al cui riattamento lavorarono per alcuni anni operai, manovali e contadini. Io divenni ben presto amico di questi operai e manovali e co-

sì per la prima volta venni a conoscenza di un altro mondo, che non era quello dorato in cui vivevo; dal racconto e dalla discussione imparai a conoscere le condizioni, la vita disagiata che gli operai erano costretti a fare, gli sforzi per mantenere la famiglia, l'insufficienza del loro salario, la costante minaccia della disoccupazione che gravava su ciascuno di loro. Ebbi così la percezione di due categorie sociali differenti e ben distinte. Più tardi, nel '38-39, nelle discussioni accanite sugli avvenimenti internazionali la guerra diventava una grave minaccia che si inseriva nella vita già dura che gli operai facevano. Capii che non erano gli studenti, i signori che a gran voce reclamavano il conflitto che sarebbero andati a combattere; che, anzi, chi commerciava aveva la possibilità di guadagnare da una guerra mentre i sacrifici venivano sopportati dagli operai.

Nel '40 feci la conoscenza di un operaio di Erba, Augusto Sala. Dai suoi racconti, dalle discussioni avute con lui appresi per la prima volta i particolari della lotta popolare sostenuta nel '21 contro i fascisti da parte degli operai. Per la prima volta appresi che esistevano altri partiti ed in particolare i socialisti e i comunisti. Il racconto degli eroici episodi di lotta popolare contro fascisti e squadristi, finanziati ed appoggiati dagli industriali, mi entusiasmava.

Evidentemente i miei erano preoccupati dalla piega che stavo prendendo. Essi si atteggiavano ad antifascisti, soprattutto dopo che il mio patrigno era stato confinato ad Amalfi per troppo amore per il doppio gioco tra inglesi e fascisti.

Io ero ancora pieno di contraddizioni: ero iscritto alla Gil ed ero contento quando la guerra andava bene e le armate fasciste avanzavano; nel contempo ascoltavo Radio Londra, ero contro i tedeschi e non prevedevo niente di buono dalla guerra. Speravo che la monarchia al momento buono spazzasse via i fascisti.

Intanto la guerra andava avanti e alla fine del '42 la situazione diventava tragica: i primi bombardamenti sulle città, i primi tedeschi che arrivavano in Italia. In questa situazione comprendevo che l'abbattimento del fascismo e la cessazione della guerra erano compiti che si ponevano con urgenza e che non potevano risolversi se non con uno sforzo, con una lotta in cui tutti davano qualche cosa. Conobbi allora Renzo Negri, abitante in via Melzi d'Eril n. 22 che era in collegamento con la resistenza. Eravamo alla fine del '42. Non ebbi che dei contatti saltuari con lui poiché mi dovetti trasferire con la famiglia in Toscana. Ebbi tuttavia la possibilità di apprendere da lui notizie sull'eroico sciopero del marzo del '43. Sottoscrissi allora, mi ricordo, cento lire per un giornale clandestino. Questi ed altri episodi, anche se insignificanti, contribuivano sempre più a legarmi con chi, anche se di fatto non conoscevo, sapevo lottava contro il fascismo, cioè la classe operaia.

In questo periodo la lettura della "Storia della letteratura latina" di Concetto Marchesi contribuì a farmi fare un salto qualitativo inquadrando per la prima volta quegli avvenimenti, quei sentimenti, quelle idee di giustizia che si erano sviluppate in me e che mi avevano portato ad essere contro i fascisti e contro i signori.

Infatti mi colpì particolarmente lo studio della lotta dei Gracchi nella antica Roma. Il Marchesi ne prendeva infatti lo spunto per dimostrare l'esistenza di due classi sociali in lotta fra loro: patrizi e plebei, sfruttatori e sfruttati. Tutta la mia esperienza si inquadrava quindi in questo schema tuttora valido e tutti gli avvenimenti politici, il fascismo, la guerra, prendevano un nuovo contenuto sociale.

Studiai in seguito quel poco materiale storico che avevo a disposizione. In particolare ricordo la lettura della "Storia del Risorgimento" del Croce, il quale mi diceva, sia pure criticando aspramente, qualche cosa sul movimento socialista internazionale. Lessi pure un libro di Bissolati sulla storia del movimento operaio italiano. Da queste letture apprendevo a conoscere uomini, partiti, avvenimenti politici italiani; imparavo a conoscere cosa erano i sindacati, gli scioperi ecc. L'opportunismo ed il compromesso che trasparivano da ogni riga dell'opera del Bissolati non ebbero su di me che scarsa e momentanea influenza. La stessa situazione, allora attuale, di lotta esasperata, la prova dei fatti cioè, dimostrava meglio di qualsiasi ragionamento il fallimento di qualsiasi idea riformistica.

Dopo la liberazione di Roma, dove mi trovai il 4 giugno, ebbi la fortuna di leggere subito due opere di particolare importanza ed attualità: il Manifesto dei Comunisti e Stato e Rivoluzione di Lenin. Dal Manifesto, come già dalla lettura del Marchesi, mi restò impressa l'analisi della società e la sua divisione in classi tra di loro in continua lotta, mentre il materialismo storico mi insegnava le ragioni dello sviluppo della società dandomi così un nuovo metodo per comprendere la storia.

Nel novembre del '44 mi arruolai volontario nel gruppo di combattimento Legnano che doveva venir aggregato alla V Armata Americana, non senza aver sentito prima il parere di un compagno, credo del compagno Trombadori, presentatomi da un giovane compagno che conoscevo.

Con queste sia pure limitate basi teoriche mi iscrissi al Partito ai primi di marzo del '45 mentre ci trovavamo con la divisione in addestramento in provincia di Siena. Mi presentarono il compagno Masotti, anche lui della mia compagnia (vecchio compagno che aveva fatto un anno di Civitavecchia per ragioni politiche) ed il compagno Ciafrè Vincenzo della Federazione di Siena. Poco dopo la divisione andò in linea sul fronte di Bologna e nell'agosto del '45 fui congedato.

Ritornai a Roma dove ripresi i miei studi (ero iscritto al Politecnico di Roma). Fino all'aprile del '46 non svolsi attività politiche in quanto il compagno Fulvio Iacchia della Federazione di Roma preferì utilizzarmi per un lavoro d'informazione che potevo svolgere in ambienti ostili al Partito. Fui bruciato nell'aprile del '46 quando per isbaglio una relazione dettagliata su una riunione di esponenti monarchici che si era tenuta in casa mia ed alla quale avevo in parte assistito fu pubblicata per intero sull'Unità. Mi trasferii allora a Milano dove poco dopo i miei architettarono con l'aiuto del servizio d'informazione inglese, sapendo che io avevo ancora presso di me delle armi dall'epoca del congedo, un finto arresto con lo scopo di spaventarmi e di convincermi così di allontanarmi dall'Italia. Questo rientrava infatti nei loro piani in quanto loro, temendo l'avvento della Repubblica, stavano organizzando un esodo generale della famiglia.

Andai in Spagna ed in Portogallo da dove, nel luglio sempre del '46, evasi la sorveglianza dei miei e rientrai in Italia, stabilendomi a Milano.

Cominciai allora a svolgere una regolare attività nel Partito, dapprima nella sezione Bietolini nella branca della stampa e propaganda, e poi nell'aprile del '47 alla Duomo, prima nel lavoro giovanile, poi nella stampa e propaganda.

Nel luglio del '47 mi sposai con Bianca Dalle Nogare, proveniente dal Psiup e da un anno iscritta al Pci. Partecipai al Festival della Gioventù a Praga nell'estate del '47.

Nel frattempo avevo raggiunto la maggiore età e quindi l'amministrazione dell'ingente patrimonio lasciatomi in eredità da mio padre venne ad incombere sulle mie spalle.

Nell'estate del '48 in seguito all'attentato contro il compagno Togliatti fui arrestato insieme ad altri giovani per affissione di manifesti non autorizzati.

Fu in seguito a questo arresto che ricevetti dalla sezione Duomo la responsabilità della stampa e propaganda.

Feci pure parte del comitato di sezione. Nel novembre frequentai per sei mesi una scuola serale di Partito in Federazione. Questa scuola ebbe per la mia formazione teorica di militante comunista una importanza notevole. Le storie d'Italia e l'economia politica che ivi studiai riinquadrarono completamente le cognizioni borghesi che avevo appreso nei normali corsi scolastici, mentre lo studio della storia del Pc dell'Urss mi ferrava particolarmente per i problemi pratici che quotidianamente dovevo affrontare nella mia vita di Partito.

Contemporaneamente fui chiamato a dirigere la Commissione Finanziaria della Federazione di Milano.

Come hanno influito sulla mia formazione politica questi vari incarichi di Partito che ho avuto? Come li ho assolti?

Il lavoro alla base del nostro Partito, alla sezione Duomo è stato senza dubbio molto utile per me. Collegatore di varie cellule appresi a conoscere i compagni, le loro deficienze e qualità. Appresi a conoscere i compiti delle varie istanze di Partito. Imparai a frenare, almeno in parte, i miei impulsi, la mia irruenza; imparai ad avere un metodo nella discussione, nel lavoro di convincimento e di chiarificazione che dovevo fare presso i compagni. Imparai a conoscere dove si nascondeva l'opportunismo, sia dietro al compromesso sia dietro alle generiche affermazioni estremiste. Del mio lavoro di direzione della stampa e propaganda devo dire che troppo spesso peccavo di eccessivo accentramento del lavoro, e solo verso la fine ho fatto degli sforzi concreti per avere dei collaboratori e, quello che è più difficile, per guidarli e avviarli al lavoro. Sono quindi spesse volte caduto nel praticismo perdendo la visione d'insieme del lavoro che avevo da fare per concentrarmi solo su questo o quel settore. Il fatto che oggi riesca a fare questa critica al mio lavoro di base nel Partito credo sia la migliore dimostrazione che esso non è stato negativo ed è servito alla mia formazione ideologica.

Il lavoro alla Commissione Finanziaria della Federazione è stato sotto molti aspetti meno proficuo. Vi portavo ancora una certa inesperienza nel campo degli affari in un momento in cui gli affari, così belli, isolati, diventavano molto rari e pericolosi. Mi mancavano soprattutto le qualità di realizzatore (nel campo degli affari) mentre le qualità di direzione (basata essenzialmente sul buon senso) erano qui meno richieste che non appunto quelle tecniche, realizzatrici. (Questa mia deficienza l'ho anche riscontrata nel mio lavoro personale; recentemente mi sembra di essermi avviato verso un miglioramento.) Alla fine del '49 la Commissione Finanziaria è stata giustamente assorbita dalla Commissione Amministrativa ed io sono diventato attivista di questa commissione.

Nell'autunno del '49 venni nuovamente arrestato dall'ufficio politico della Questura di Milano. Un gruppo di giovani rapinatori arrestati poco prima, alcuni dei quali avevano fatto parte del Pci (espulsi quando la loro attività provocatoria venne alla luce) avevano dichiarato durante i loro interrogatori in Questura che io avevo finanziato la loro banda che aveva delle strane appendici spionistiche. Fui rilasciato il giorno dopo il mio arresto non senza che la stampa gialla scatenasse una violenta campagna denigratoria. Avevo effettivamente conosciuto questi giovani nel periodo della loro appartenenza al Pci ed alcuni di essi avevano anche partecipato ad un campeggio che, come responsabile giovanile della sezione Duomo, avevo organizzato nell'estate del '48.

Dal momento della loro espulsione dal Partito non ho più avuto con essi alcun contatto. Tanto meno avevo finanziato loro imprese né prestato loro soldi neanche a titolo personale.

Dopo il mio arresto fui trasferito alla cellula dell'apparato federale ed ho svolto la mia attività politica esclusivamente nella Commissione Amministrativa.

Ora dalla partecipazione alla scuola regionale e collegiale di Partito mi riprometto due cose essenzialmente:

1) approfondire le mie conoscenze teoriche apprendendo un metodo di studio ed applicandomi allo studio stesso delle materie e degli scritti di coloro che hanno guidato i movimenti popolari, che hanno condotto il Partito al potere in alcuni paesi e che in altri lo guidano tutt'ora nella lotta contro gli imperialisti nostrani e stranieri;

2) di apprendere dalla vita collegiale per tre mesi a vivere in una comunità, modificando quindi il mio carattere, ed imparando cosa vuol dire lavorare insieme ad altri compagni.

Ritengo questo secondo obiettivo di particolare importanza per la condizione particolare in cui vivo, e per permettermi di migliorarmi per meglio poter lavorare per il Partito.

L'"autobiografia" di Feltrinelli fece scalpore nelle stanze della federazione milanese. Livia Lefebre, che nel '50 era impiegata come segretaria, ricorda la grande impressione di tutti: un misto di ammirazione per un compagno che si espone così apertamente, e di orgoglio per la forza di attrazione del partito.

Dei compagni che ebbero a che fare con mio padre, agli inizi dei cinquanta, ne ho conosciuto alcuni.

Giovanni Pesce, medaglia d'oro della Resistenza, incontra Giangiacomo presso la federazione milanese del Pci o forse una sera tardi nei corridoi dell'"Unità", in attesa della prima edizione. Dice: "La prima volta fui io ad avvicinarlo. Lo salutai e lui mi salutò senza sorridere. Quel sorriso mancato mi mise un poco a disagio e sentii che non era un personaggio facile. Questo mi rese curioso poiché non mi sono mai piaciute le persone facili, le persone alla mano, come si dice".

La stagione della Resistenza esercitava grande fascino su tutti. Nella sinistra c'era una venerazione per i suoi protagonisti. Sono rimaste famose le azioni gappiste contro i tedeschi condotte dalla Terza brigata di Pesce ed epiche le gesta di chi ha partecipato alla guerra di Spagna; a Milano, oltre a Pesce, circola un altro tipo arcigno come Alessandro Vaia.

Sempre nei primi cinquanta, Feltrinelli incontra Vittorio Vidali. Penso che abbia fatto da tramite Giuseppe Zigaina, il pittore di Cervignano del Friuli. Il curricolo di Vidali è impressionante. Prigionie, ferimenti, mutilazioni. Una vita in fuga tra Algeria, Urss, Francia, Germania, Austria. Un approdo nell'America dei gangster, di Sacco e Vanzetti e Rodolfo Valentino. La guerra di Spagna e il comando del v Reggimento. Il Messico e l'Alleanza antifascista "Giuseppe Garibaldi". La meravigliosa Tina. Dopo venticinque anni, il ritorno alla sua Trieste inseguito dalla diceria, imprecisa ma mai veramente smentita, di essere stato tra i killer di Lev Trockij.

Ma sì, Giangiacomo ventenne avrà goduto come un matto a discutere con tipi come lui. E se nel partigianato c'è qualcosa che lo interessa molto, questo non c'entra necessariamente con le gesta eroiche e le pistole: semmai, a colpirlo, è ancora una volta lo spirito del "fare le cose". Le vicende storiche producono aspettative che anche per il futuro avrebbero richiesto senso d'iniziativa e animi forti. Come al tempo dei partigiani. Ciò che avevano fatto è solo la prima parte di un processo grandioso ancora da compiere.

Giovanni Pesce: "Feltrinelli, quando ci vedevamo, soprattutto voleva che io gli spiegassi perché la Resistenza, che pure aveva trionfato, fosse stata semicancellata da interessi politici ed economici che avevano portato al potere le stesse classi dominanti che avevano tenuto fascismo e monarchia in grembo".

Non ho conosciuto Pietro Secchia, allora numero due del partito. Lo hanno descritto come l'uomo forte della Resistenza, l'ombra insidiosa che abitava a Montesacro, stesso condominio di Togliatti, al piano di sopra, a controllare lui e tutta la rete del partito. "Una sezione per ogni campanile", era il suo motto. Dicono che fosse spesso in disaccordo con la linea ufficiale e che agisse in stretto collegamento con il partito "massimo" d'oltre cortina. Sembra che sia stato un uomo difficile, di un'intelligenza più sfumata di quanto gli concede la storiografia corrente.

Con Feltrinelli aveva un rapporto amichevole. Al proprio factotum, Giulio Seniga, Secchia ripeteva spesso che considerava Giangiacomo abile nel gestire i propri affari patrimoniali, ma che con il partito non era di manica così larga.

Tra il settembre del '50 e l'estate successiva, Feltrinelli fa diversi viaggi in Germania orientale, Cecoslovacchia, Ungheria. Ci va per svolgere piccole attività commerciali, alla luce del sole. Porcellane Meissen dalla Germania, thermos, frigoriferi, cucine a gas dalla Cecoslovacchia, roba così. Ma in società c'è il partito, almeno fifty fifty. Ai cechi Secchia lo presenta come un compagno che "gode della nostra piena fiducia". In realtà furono affari di poco conto, ma influirono notevolmente sul suo status di businessman con i paesi dell'Est. La sua voce al casellario politico del ministero degli Interni e al Servizio segreto militare si arricchisce di un bel pacco di rapporti confidenziali.

La casa in piazza San Babila dove vanno ad abitare Bianca e Giangiacomo è un normale appartamento, arredato in stile sobrio ma, come si dice, funzionale. È stata Bianca a occuparsi di creare un ambiente gradevole. Nelle stanze circolano un paio di cani e a una parete, tra i quadri degli amici pittori, pare che ci sia un ritratto di Stalin.

L'attività politica assorbe quasi tutte le ore libere dal lavoro. Per questo, poca vita mondana e pochi amici. Durante il giorno Feltrinelli combatte da imprenditore per ottenere completa indipendenza dagli agguati di madre-usufrutto. Sapeva di aver imparato in fretta, sul campo, e quindi badava a non esporsi troppo. Aveva buon senso e anche sesto senso, specie nella scelta dei collaboratori (promuove suo assistente un giovane commercialista di provata fede cristiana, Gaetano Lazzati) cui pare non lesinasse incoraggiamento e fiducia.

Il suo patrimonio è concentrato nell'edilizia (con le società Edilizia centro Milano e Compagnia imprese e costruzioni, proprietarie di importanti immobili a Milano e a Roma) e nel legno e derivati. Nella capogruppo Fratelli Feltrinelli industria e commercio legnami c'è una difficile coabitazione con l'Accademia dei Lincei, "erede" di Antonio Feltrinelli. Altre partecipazioni significative nel settore delle costruzioni (Ferrobeton) e delle macchine per l'edilizia (Loro & Parisini). E poi lo spicchio di maggioranza della Banca Unione (Banca Feltrinelli fino al 1918). L'azionariato di questo piccolo e qualificato istituto privato, ubicato vicino alla Borsa di Milano, è tutt'altro che "unito". Oltre a madre e sorella, a Giangiacomo capitano la Bastogi e anche la banca del Vaticano. Dunque: un giovane imprenditore, ostentatamente comunista e in pieno periodo staliniano, è azionista principale di una banca d'affari, spalla a spalla con un rappresentante dello Ior, socio di minoranza.

Giannalisa intraprende una dura battaglia, almeno così ricorda Lazzati. Vuole escludere il figlio dal consiglio d'amministrazione, a tutti i costi. Ci riesce, ma anche questo non le basta.

Durante una manifestazione di piazza, forse nei giorni della "legge truffa", la polizia ferma Giangiacomo proprio vicino alla Banca Unione. Ha "l'Unità" in tasca. Dalla direzione della banca partono telefonate roventi: "È uno scandalo, è uno scandalo!". Lo scandalo è il giornale che ha addosso. Interviene ancora la madre perché il figlio ceda quel pacco di azioni. Cosa che lui fa, credo proprio nel '53. Una ventina di anni dopo, il Vaticano si trova assieme a Michele Sindona, socio di maggioranza.

La politica entra da ogni angolo, contaminando vita e affari. Feltrinelli è in affari con la politica ed è un affare per la politica. Senza malizia: quanto pesava la tessera n. 0735668 dell'iscritto Feltrinelli Giangiacomo? "Tanto, tanto", vedo rispondere simultaneamente, con occhi chiusi e movimento di testa dall'alto verso il basso, tre dirigenti o funzionari d'epoca: Armando Cossutta, Gianni Cervetti, Elio Quercioli.

Quanto poi fosse questo "tanto" non l'ho mai veramente capito. Solo aneddotica: "pareggiava le perdite del bilancio della federazione", "un milione al mese per la redazione milanese del giornale"; oppure la storia che il segretario Alberganti, quando non sapeva come pagare gli stipendi, si facesse bello dicendo "ci penso io!" e andava a telefonare a chi sapeva lui.

Agli Interni queste cose le conoscono bene. Dal '48 la questura di Milano controlla sistematicamente Feltrinelli, "forte finanziatore" del Pci. Informano delle sue attività imprenditoriali, dei suoi arresti, dei suoi viaggi, di chi ospita a cena, dei soldi dati a Togliatti per le elezioni amministrative, di tutto un po'. Nell'agosto del '51, l'Ufficio affari riservati registra un'informativa della questura milanese in cui si sostiene che Feltrinelli avrebbe salvato la casa editrice "diretta dal figlio comunista del Presidente della Repubblica".

I miei tre intervistati, Cossutta, Cervetti e Quercioli sono concordi nella descrizione del tipo di rapporto che il segretario Alberganti aveva con Giangiacomo. Sebbene tra i due vi fossero venticinque anni di differenza, il loro legame era forte: "Alberganti lo ha sempre protetto e difeso!".

Giuseppe Alberganti ha fatto il partigiano in Emilia, è di matrice anarco-sindacalista, possiede coraggio fisico da uomo intrepido. È uno di quelli che non ha rinunciato all'ora X. Si dice che dopo lo sciopero per l'attentato a Togliatti non sia rientrato al suo posto in federazione: non ce la faceva, proprio non ce la faceva ad affrontare gli operai che strappavano la tessera perché non si era passati all'azione.

Feltrinelli era affezionato ad Alberganti, ne sono convinto, e in cambio riscuoteva da lui una considerazione quasi paterna. Ma il novantenne "Fuma", il pittore, ex segretario della sezione Duomo, poco prima di spegnersi mi ha sussurrato la sua intima convinzione: "Il giorno della rivoluzione, Alberganti non lo avrebbe tolto dalla lista di quelli da far fuori".

Naturalmente non si può dire, forse si tratta di un'insinuazione e basta, ma facciamo conto che ci sia stato effettivamente qualcuno, e qualcuno ci sarà anche stato, a pensarla così. Forse Giangiacomo stesso ne era consapevole. Sarà stato giovanissimo, entusiasta fin che si vuole, ma era intelligente e probabilmente stava imparando a trattare con le persone, a tenere buoni gli uni e gli altri, a prendere le sue brave misure e, perché no?, a diffidare. Rimane il fatto che non è salito sul treno della causa comunista per scendere alla prima stazione; non si è "avvicinato" al grande partito, era molto più che un fiancheggiatore. Il comunismo era veramente la sua idea.

E per lui non ci sono solo rapporti "milanesi". Naturalmente. A Roma, il responsabile delle iniziative editoriali del Pci si chiama Amerigo Terenzi, modi rudi e capelli rossi. C'è una notizia, non so quanto verificabile, di importanti finanziamenti di Feltrinelli per le tipografie dell'"Unità" a Roma e dell'"Ora" a Palermo. Sarebbero addirittura state consegnate, chiavi in mano, al partito. A Cossutta par di ricordare che le tipografie furono finanziate per altra via, diciamo più tradizionale, ma la sua memoria in proposito non è chiarissima.

L'uomo che conta è però Secchia. Che ci fosse con lui un patto sulla fiducia lo si è detto. Quanto il patto sia esteso lo dimostra un breve appunto di Secchia, stilato nel giorno che segna la fine della sua parabola politica. È il 26 luglio del '54 quando si accorge che Giulio Seniga, suo collaboratore fedelissimo, ha preso il volo poche ore prima con la cassa segreta del partito: 421.000 dollari e annessi documenti riservati (la somma esatta mi è stata rivelata da Seniga nel 1996). Secchia scrive per sé una cronologia di quel momento terribile: "Al mattino alle ore 8 trovo la prima fregatura, dal Bundazia [soprannome per Oddino De Laurentis] ha portato via tutto, e poi tutte le altre. In ogni posto andai accompagnato da Valli per avere un testimone sulle somme che ritrovavamo oppure se tutto era scomparso. Al quale proposito deve esser detto che egli non riuscì ad andare nell'appartam. di G.Giacomo e nell'abitazione di Turchi e in questi due posti si trovò tutte le somme depositate".

Dunque, sembra di capire, una parte delle riserve del Pci è nascosta in una casa romana di Feltrinelli a disposizione del partito, ma secondo Seniga un'altra sua cassaforte che non volle o non poté "visitare" c'è anche a Milano.

Palmiro Togliatti, nei primi anni cinquanta, frequenta ogni tanto l'appartamento di San Babila per la cena. Quand'è a Milano ogni suo spostamento è tenuto in gran segreto, questione di sicurezza, e si preferisce portarlo a casa dei compagni per non dare nell'occhio. Da Giangiacomo e Bianca, passando dall'anticamera al soggiorno, è costretto a dribblare pile di libri accatastati sul pavimento.

L'idea è semplice. Non è possibile studiare il movimento operaio se prima non si realizza un grande lavoro per raccoglierne le fonti, i materiali, la documentazione. Il pensiero che guarda avanti non può prescindere dalla memoria, che è tensione perpetua. Bisogna ricostruire le fila di una tradizione che nazismo, fascismo e guerra hanno reciso. Dobbiamo fare il punto su questo mondo che sembra un cratere aperto e trovare gli strumenti adatti per cambiarlo. È la "cosa da fare".

Se è di questo che parlano Feltrinelli e Del Bo, e se è a questo che mirano, il risultato della loro sfida è ancora oggi facilmente visibile. Basta un tram per piazza della Scala.

Qui si scende, e superata qualche banca con annesso bar marmoreo per il lunch degli impiegati, c'è la porta bassa che introduce alla sala di lettura. Soffitto a cupola, oblò di vetro spesso che lo bucano: leggere vuol dire avere luce. Nella sala bisogna fare piano, per studiare qui vengono anche da molto lontano. Ladies and gentlemen, cosa interessa? Un bibliotecario istruito potrà portarvi nella cappella privata per le funzioni religiose, dei tempi di nonno Carlo; ora, sotto la bandiera carminio della Comune di Parigi, ci sono duecento periodici dell'età dei comunardi e della Prima Internazionale. Tornando nella sala di lettura, si potrà notare una prima edizione dell'*Encyclopédie*, insieme alle raccolte più significative degli illuministi, in edizione originale. Mentre dietro, tra i compactus metallici, ci vuole tempo per trovare il bandolo: la sezione degli antichi economisti, il populismo russo, l'industrialismo inglese, la guerra di Spagna, gli utopisti francesi, tedeschi, inglesi... I volumi sono oltre trecentomila. E trentamila i periodici. Ma l'occhio fino saprà scorgere una rara edizione dell'*Utopia* di Moro accanto alle prime stampe del *Contratto sociale* di Rousseau, ai *Pensieri sulla cometa* del Bayle, ai *Diritti delle donne* di Mary Wollstonecraft, ai *Discorsi politici* di Saint-Simon. E "Il Caffé" del Verri vicino ai giornali satirici risorgimentali, la "Civiltà Cattolica", l'"Antologia" di Viesseux... Oppure le riflessioni del Cattaneo sul '48 milanese che si accompagnano ai *Pensieri* di Herzen, ai saggi dei fisiocratici, agli opuscoli sugli effetti della rivoluzione industriale... E non è finita. Perché, se l'interesse si fa più sofisticato, bisogna scendere nei sotterranei dove vignette e caricature dell'assedio di Parigi, maggio 1871, sono prossime alle note di lavoro di Marx, agli appunti di Engels, alle lettere di Victor Hugo a Garibaldi, a quelle del giovane Bakunin, a quelle di Proudhon esiliato in Belgio, ai quadernetti di tela in cui Angelo Tasca ha riassunto i propri anni di vita parigina, e anche ai suoi carteggi con Salvemini, Rosselli, Togliatti, Nenni.

Nel raggiungere l'uscita, giusto prima di prendere fiato, sta a voi decidere se spendere qualche minuto davanti all'unico esemplare esistente del "Giornale patriottico di Corsica" (1790) o alla raccolta della "Die Neue Zeit"(1883). Arrivederci, grazie della visita, a presto!

Ogni biblioteca ha il fascino della sua costruzione, della sua intrinseca razionalità, del suo essere imprevedibile. Per questo il viaggio divaga, ondeggia, tra mille spinte e cento richiami, alla ricerca di una irraggiungibile completezza. È un percorso che ricorda la sinuosità di una traccia d'inchiostro di seppia, la struttura puntiforme è in certe parti più densa, più frastagliata, e in altre più tenue. Però c'è innegabilmente un "corpo", un equilibrio, un grande centro di forza.

Nell'aprile del 1951 un rapporto confidenziale informa il capo della polizia: "Nel campo delle varie attività del Pci, vi è da inserire quella del noto industriale comunista Gian Giacomo Feltrinelli, abitante in piazza S. Babila 4 e che è costituita dall'iniziativa, già a buon punto, per attirare dei giovani di tutti i ceti e desiderosi di cultura in una biblioteca che porta appunto il nome del predetto Feltrinelli, con sede in uno stabile di proprietà dello stesso – almeno così è stato assicurato – sito in via Domenico Scarlatti 26". Secondo le informazioni, raccolte da "fonti molto attendibili", questa "piccola università marxista" sarebbe in realtà un luogo d'incontro fra "giovani fanatici comunisti" che vengono preparati sia sotto il profilo culturale, sia sotto quello "squadristico".

In effetti, Feltrinelli talvolta si lamenta con i suoi quando li scopre al bar di fronte, tutti presi in accanite partite a stecca. Di "squadristico" non sembra esserci altro.

Nei primi uffici della Biblioteca, non lontano dalla Stazione centrale, un gruppo di giovani intellettuali comincia la sua impresa. Se Giuseppe Del Bo, a partire dal '48, ne è stato il principale ispiratore, tra il '50 e il '52 Feltrinelli crea la vera struttura. Da Roma, su consiglio (richiesto) del Pci, arrivano il professore di liceo Franco Della Peruta (segnalato da Gastone Manacorda), lo studente di filosofia Gastone Bollino (segretario della cellula universitaria romana) e il normalista Franco Ferri, indicato dalla cerchia dei collaboratori più vicina a Togliatti. A questi si aggiungono il socialista Gianni Bosio, fondatore della rivista "Movimento operaio", e i primi borsisti o collaboratori come Stefano Merli e Luigi Cortesi. Quasi tutti non appartengono in senso stretto alla generazione che ha fatto la Resistenza, e ciò marca ulteriormente la consapevolezza che ormai una fase storica si è chiusa. Si rendono conto, da studiosi, che il repertorio ereditato non ha più legittimazione. Riappropriarsi della storia, quella del movimento operaio, cui dichiaratamente si rivolgono, implica la raccolta sistematica e unitaria dei materiali sopravvissuti alla guerra, ai roghi, alla censura. Ciò va fatto aggiornando i modelli della ricerca bibliografica e la struttura documentaria, senza tralasciare l'analisi dei problemi sociali in divenire.

L'investimento di Feltrinelli prevede necessariamente un personale d'ordine, reclutato quasi esclusivamente fra militanti di Sesto San Giovanni, nella "Stalingrado d'Italia": due impiegati per l'amministrazione, due in segreteria, un fattorino, tre addetti alla schedatura. Bisogna procedere a tappe forzate nell'inventario di fondi archivistici, volumi, opuscoli, periodici, numeri unici, manifesti, volantini, documenti fotografici. Il materiale comincia ad arrivare.

In particolare, cresce la documentazione sul Risorgimento e sul socialismo nazionale, dopo aver battuto le librerie antiquarie, regione per regione, e scavato negli indirizzari, famiglia per famiglia. È Franco Della Peruta a occuparsi principalmente della sezione italiana. Mentre Del Bo sovrintende all'acquisizione di fondi d'antiquariato stranieri, soprattutto francesi. Perché nel primo filone di ricerca Feltrinelli vuole innestare subito un indirizzo internazionale. Per questo ha già fatto diversi viaggi in Europa. Molti anni dopo, parlerà con un giornalista tedesco delle sue prime ricerche. Si riferisce a un'epoca in cui aveva poco più di vent'anni:

Si era nel '48. La Germania era ancora in macerie e ceneri. Solamente la vita culturale e letteraria aveva una qualche pulsione. In uno dei miei frequenti viaggi ad Amburgo, presso una libreria, scoprii la segnalazione che a Osnabrück si trovava da comprare un esemplare della prima edizione de "Il Manifesto del partito comunista". Con il professor Del Bo partii subito verso Osnabrück. Da un lato desideravamo quasi protrarre l'emozione di quella attesa, dall'altro c'era la paura che qualcuno giungesse prima di noi. Così, giunti presto all'indirizzo desiderato, rimanemmo ad aspettare in macchina, con gli occhi ben aperti. Presto fummo noi a venir individuati: uno sconosciuto si avvicinò alla macchina domandando se, per caso, non eravamo degli amici del libro da collezione. Quindi ci accompagnò in un solaio polveroso, dove trovammo montati un paio di enormi scaffali. Il primo conteneva la più vasta biblioteca di letteratura socialista che avessi avuto modo di vedere: articoli di Trotzki, atti processuali, circolari di partito, manifesti e risoluzioni. Comprai tutto per 40.000 marchi. Non persi di vista quel "tesoro" fino a quando non trasportai le trenta scatole nel mio appartamento di Milano. Naturalmente persi un grandissimo affare: anche il secondo scaffale era di estremo interesse. Conteneva la più preziosa raccolta di letteratura erotica che io abbia mai visto...

Tra Feltrinelli e Del Bo c'è un rapporto fraterno. Entrambi con un percorso di vita non lineare, si ritrovano legati da un comune ideale di giustizia laica. A volte Giangiacomo lo sta a sentire, a volte lo tiene sulla corda. Non manca un clima scherzoso, con episodi anche divertenti. Come amici che sono ancora ragazzi.

In un verbale d'istruzione sommaria, quando ragazzi non sono più, Del Bo parlerà così del suo amico: "Desidero descrivere, per quanto mi risulta, dati i miei fraterni contatti, il carattere di Feltrinelli. Era un uomo indubbiamente di grosso ingegno, impulsivo, tendente al comando, appariva diffidente, ma di fatto era pronto ad accogliere con impeto le altrui opinioni, abbracciandone, se del caso, anche la causa. Era altresì pronto ad abbandonare la causa, anche in modi bruschi, quando l'avesse ritenuta o superata o inutile alla sua mentalità. Si entusiasmava facilmente. Credeva in quello che faceva".

Lo "zio Sergio" è per natura un diplomatico, buon organizzatore e tessitore di rapporti, disposto alla specializzazione tecnica di tipo bibliotecario, con ottima capacità mercantile. Sul piano scientifico sarà talvolta criticato, forse con qualche ragione o magari per il suo ruolo particolare nella sfera del "principe".

Del Bo non riesce però a diventare il primo direttore della Biblioteca Feltrinelli. Al momento della costituzione ufficiale dell'"Associazione biblioteca Giangiacomo Feltrinelli", il 24 dicembre 1951, mio padre concorda con i vertici nazionali del Pci di affidare la carica a persona direttamente legata al partito. La scelta cade su Franco Ferri, allievo di Delio Cantimori, il più anziano del piccolo gruppo "romano".

Questa, del resto, era la forma di controllo tipica che il Pci esercitava nelle istituzioni culturali sotto la sua influenza. Il principio era quello della "cogestione", e così è stato alla Biblioteca Feltrinelli, almeno fino a una certa data.

Del Bo, inevitabilmente, mastica amaro per il mancato incarico. Oltre che per la questione personale, forse teme che Feltrinelli sia troppo preso dall'entusiasmo politico e perda d'occhio le esigenze di carattere scientifico e culturale. Sta di fatto che Giangiacomo decide di mandarlo a Parigi.

In riva alla Senna tiene bottega l'antiquario e bibliofilo Michel Bernstein, di una famosa famiglia di menscevichi lituani esiliati. Il suo contributo è essenziale per la costituzione dei fondi sull'Illuminismo francese, sul socialismo utopistico, sulla Comune, sul movimento fourierista. Bernstein sa dove sono finite le biblioteche di studiosi o di politici vissuti a cavallo del secolo, conosce gli esuli russi nella comunità parigina, controlla lo stato di salute di qualche vecchio coi libri in cantina da comprare all'istante. Può fornire indirizzi di farmacisti, spesso gli unici ad avere conservato qualche carta durante la guerra, nei paesini di provincia. Del Bo soggiorna a Parigi per oltre due anni, tra il '52 e il '54, e Feltrinelli sovente lo va a trovare.

Giangiacomo non solo è comunista ma anche citroënista. Guida cioè le Citroën con molta dimestichezza, senza preoccuparsi troppo delle ammaccature sul parafango (un tratto sicuramente "borghese"); e se guida da tramortire, è instancabile. Le scorribande con "zio Sergio" a setacciare l'Europa per trovare libri e carte rimarranno nei discorsi come vere leggende di famiglia: "Quella volta che a Sergio quasi gli venne il primo infarto per come Giangiacomo guidava la macchina, col finestrino rotto, a trecento all'ora...". Ed è grazie a queste missioni che i due viaggiatori in Traction nera possono disporre presto di una rete di studiosi, consulenti e mercanti. Tutti di primissimo piano.

In Olanda si rivolgono a Herbert Andreas, un tipo molto speciale. Nato ad Amburgo nel 1914, da giovane aveva sviluppato una passione per la storia, principalmente per le origini del movimento operaio e del marxismo. Agli inizi degli anni trenta modifica il suo nome in Bert, in onore di Brecht, si iscrive al Partito comunista tedesco, collabora al quotidiano cittadino, pubblica un romanzo antimilitarista, *Mata Hari*. Verso la metà del decennio, dopo un paio di arresti, sceglie l'esilio in Olanda e continua la sua attività cospirativa nel Soccorso rosso internazionale. Dopo aver trascorso in modo rocambolesco gli anni di guerra, Andreas stabilisce ad Amsterdam la sua attività di collezionista e bibliofilo. I primi contatti con Feltrinelli sono del '51, rimarrà un collaboratore strettissimo per una decina d'anni. Grazie a lui prendono forma le sezioni Marx-Engels, quelle dedicate alla sinistra hegeliana e alla socialdemocrazia tedesca, proprio in un periodo di scarso interesse, in Germania, per la storia del movimento socialista. Bert Andreas è forse il primo tramite con l'Istituto del marxismo-leninismo di Mosca (Imel).

Ancora per la letteratura in lingua tedesca, a Zurigo è attivo un appassionato pioniere della ricerca: l'anarchico

Theo Pinkus; per l'Inghilterra c'è Eric J. Hobsbawm in persona a spuntare le liste degli antiquari, sia pure molto occasionalmente; per le cose russe, uno studioso del calibro di Franco Venturi si occupa di populismo e decabrismo. Negli Stati Uniti c'è Luigi Aurigemma, l'amico d'infanzia del museo delle Terme, che ufficialmente fa qualche viaggio per cercare materiale sulle colonie utopistiche del secolo scorso. Se poi dovesse trovare anche documenti sull'ondata maccartista, in auge al momento, tanto di guadagnato. Aurigemma torna spesso a Parigi e quando Feltrinelli visita Del Bo vanno insieme a cena di lumache.

Quei viaggi e le frequenti puntate a Parigi fanno bene a Giangiacomo; cambia aria e l'acqua nei caniveaux dà il senso di una grande città, bella e libera. Alla fine simpatizza con una vicina di tavolo ai Deux Magots. Ho idea che sarà vero e intenso amore ma è un segreto che è giusto mantenere.

Le "carte della Rivoluzione" hanno vissuto la loro epopea nella prima metà del Novecento: furti, sequestri, bombe, salvamenti, avventurosi passaggi di mano. Il progetto di riunire manoscritti, lettere, libri e giornali, appunti, relazioni e verbali è stato un obiettivo imprescindibile per i movimenti della Rivoluzione. In particolare per le opere di Marx e di Engels e dei loro contemporanei. È il 2 febbraio 1921 quando Lenin scrive a David Borisovič Rjazanov, direttore e fondatore dell'Istituto Marx-Engels di Mosca: "Non possiamo comprare [...] le lettere di Marx e Engels? O le loro copie? È possibile riunire a Mosca l'insieme degli scritti già apparsi? Esiste un catalogo di ciò che abbiamo già?". La situazione non è affatto buona. Con il primo conflitto mondiale la ricca biblioteca lasciata alla socialdemocrazia tedesca si era dispersa. In Unione Sovietica circolavano per lo più riproduzioni fotografiche di materiale altrove inaccessibile, se non introvabile. E anche la pubblicazione delle opere di Marx e Engels procedeva lacunosa, spesso con edizioni parziali e rimaneggiate.

Succede che qualcosa si mette in moto a Berlino, ma soprattutto ad Amsterdam dove sono attivi Nicolaas Wilhelmus Posthumus e Nehemia de Lieme. Il primo è un vero pioniere della storia economica in Olanda, entusiasta come un capitano d'industria; il secondo è il fondatore di una società di assicurazioni i cui proventi vanno in parte a beneficio dello sviluppo culturale della classe operaia. Uno d'ispirazione socialdemocratica, l'altro liberalsocialista, nel

'34 i due uniscono le forze per fondare l'Istituto internazionale di storia sociale. Nel giro di pochi mesi, grazie a collaboratori preziosi, Posthumus centra alcuni colpi spettacolari: il *Parteiarchiv* dell'Spd, la biblioteca di Max Nettlau, di Karl Kautsky, l'archivio di Lev Trockij, di Michail Bakunin, di Wilhelm Liebknecht, di Valerian Smirnov.

Ma l'opera faticosamente svolta negli anni venti e trenta rischia di essere vanificata con l'affermarsi del nazismo nella nuova stagione di barbarie. Ancora perdite di materiale, sempre più difficoltose le ricerche successive. Solo nel '46 l'Istituto di Amsterdam riuscirà a recuperare parte della documentazione sequestrata dai tedeschi durante l'invasione del '40.

Dopo il conflitto mondiale, il progetto di creare un tempio per le "carte della Rivoluzione" diventa una vera ossessione per Mosca. L'Istituto del marxismo-leninismo sguinzaglia per il mondo centoventisette "corrispondenti". I marxismi si moltiplicano, è in arrivo la Guerra fredda.

I sovietici si accorgono degli italiani nel '52. Le prime notizie vengono dalla loro ambasciata di Roma, mentre a Mosca il primo incartamento speciale, "assolutamente segreto", è redatto il 4 aprile del '53. È indirizzato al compagno Pospelov, uno dei segretari del Comitato centrale, ex direttore dell'Istituto del marxismo-leninismo, prossimo eletto alla segreteria del primo Comitato centrale dopo Stalin.

Il Comitato per l'informazione presso il Ministero degli affari esteri dell'Urss riferisce quanto segue sulla biblioteca Feltrinelli in Italia. A Milano si trova una grande biblioteca privata sulla storia del movimento operaio internazionale, composta da più di settantamila libri e documenti. La biblioteca appartiene a Giangiacomo Feltrinelli, noto collezionista di rarità bibliografiche, manoscritti e documenti relativi alla storia del movimento rivoluzionario europeo e russo specialmente. In particolare, nella biblioteca Feltrinelli si conservano tre raccolte complete del giornale "Iskra". Nel dicembre del 1952 un certo Bernstein, su incarico di Feltrinelli, ha condotto delle trattative a Parigi per l'acquisto dell'originale di una lettera inedita di V.I. Lenin. La lettera (otto pagine in francese) sarebbe stata scritta da Lenin nel 1908 ad un giornalista francese che aveva vissuto in Russia ed aveva poi pubblicato alcuni interventi ostili contro il movimento rivoluzionario in Russia. Qualche tempo fa, alcuni collaboratori di Feltrinelli hanno scoperto a Parigi due archivi (uno di polizia e uno privato), contenenti documenti della Comune di Parigi. Attualmente Feltrinelli sta trattando l'acquisto di questi archivi. Negli Usa un collaboratore di Feltrinelli ha raccolto numerosi materiali sulla storia della Prima Internazionale. Nel marzo di quest'anno, Feltrinelli ha comunicato ad un funzionario dell'ambasciata sovietica in Italia di essere in trattative con Rüter, responsabile dell'archivio di Amsterdam, per la pubblicazione di alcuni materiali di questo archivio, tra i quali vi sarebbero gli originali di oltre cinquemila lettere di Marx ed Engels. Feltrinelli ha detto di essere disposto ad assumersi i costi finanziari di questa pubblicazione. Tuttavia, come ha fatto notare Feltrinelli, vi sarebbero numerose difficoltà. In particolare, l'archivio di Amsterdam sarebbe di interesse della Columbia University (Usa), che sarebbe disposta a comprarlo per tre milioni di dollari. Secondo Feltrinelli, gli americani vorrebbero falsificare le lettere di Marx e Engels conservate nell'archivio di Amsterdam. Nello stesso incontro, Feltrinelli ha espresso il desiderio che un funzionario dell'Istituto Marx-Engels-Lenin si rechi in Italia per conoscere la sua biblioteca. Lo stesso funzionario potrebbe preparare il trasferimento in custodia temporanea all'Imel dei materiali più preziosi conservati nella biblioteca in un unico esemplare. Feltrinelli ha motivato questa richiesta con l'eventualità che, nel caso di un inasprimento della situazione politica italiana, elementi reazionari possano cercare di compiere un atto di sabotaggio contro la sua biblioteca. Molti preziosi documenti potrebbero quindi andar distrutti, dato che la biblioteca non dispone di locali blindati. La stessa opinione venne espressa nel dicembre 1952, nel corso di un colloquio con l'ambasciatore sovietico in Italia, da Paolo Robotti, membro candidato del Comitato Centrale del Pci. Feltrinelli è molto ricco e possiede numerose aziende industriali e commerciali. Secondo le informazioni di funzionari dirigenti del Pci, egli fornisce al partito comunista un sostegno finanziario.

Sei giorni dopo, i responsabili del Dipartimento agitazione e propaganda e del Dipartimento per i rapporti con i partiti comunisti stranieri, entrambi emanazione del Comitato centrale del Pcus, recapitano un secondo incartamento, dal contenuto in buona parte simile a quello del 4 aprile. Atterra sulla scrivania di Nikita Chruščëv, primo candidato alla successione di Stalin. Nella nota si propone di sentire Pietro Secchia per sondare l'idea di utilizzare Feltrinelli come intermediario nei rapporti con l'istituto di Amsterdam (Mosca non può trattare direttamente: l'istituto è diretto "da persone ostili all'Urss"). Secchia, vicesegretario del Pci, viene indicato come il tramite di Feltrinelli per un "significativo sostegno materiale" al partito. Inoltre, si consiglia l'intervento dell'ambasciata in Olanda per assumere informazioni precise sui materiali custoditi ad Amsterdam e anche su chi dirige l'Istituto internazionale di storia sociale. In conclusione, si consiglia di far recapitare un urgente invito al signor Giangiacomo Feltrinelli: che venga, che venga pure, magari camuffato tra le tante delegazioni straniere in visita per il Primo maggio.

La cosa non ha un seguito immediato. Feltrinelli fa sapere di preferire un invito personale. Comunque, al Cremlino hanno altro a cui pensare: l'uomo che non poteva morire è morto da nemmeno un mese, e sono i giorni del furibondo conflitto di Chruščëv e Žukov contro Berija.

Il discorso riprende nel luglio del '53, quando Secchia giunge a Mosca per conoscere le nuove verità su Berija. È probabile che almeno un accenno alla questione Feltrinelli sia stato fatto. L'invito personale per lui si materializza appena dopo l'estate e il viaggio si farà negli ultimissimi giorni del 1953, quando Giangiacomo raggiunge l'Unione Sovietica via Vienna e Praga. Lo accompagna la moglie Bianca.

Mosca è la grande capitale, ci festeggiano San Silvestro. Per ricostruire gli altri scopi della visita, bisogna procedere per intuito. Presentatosi in Puškinskaja ul. 15, mio padre avrà camminato sul lungo tappeto rosso insieme ai dirigenti dell'Imel, passando in rassegna tutti i busti e le icone. Avrà poi visitato i sotterranei, dove le porte sono di ghisa e le archiviste in grembiule ti mostrano picareschi disegnini di Lenin dodicenne o cose del genere. Quindi lo avranno fatto salire ai piani superiori, dove un tè fumante precede sempre l'inizio di una discussione.

Il tema centrale dei colloqui è la collaborazione tra l'Istituto del marxismo-leninismo e la Biblioteca Feltrinelli di Milano. Si fanno le prime liste per gli scambi. A Mosca interessano copie o microfilm della corrispondenza di Marx, dei suoi familiari, di Engels e ciò che di Lenin è conservato nell'archivio di Camille Huysmans, oltre agli elenchi dei materiali sulla Prima Internazionale. A loro volta, i sovietici si impegnano a soddisfare le controrichieste di microfilm, libri, regesti.

Feltrinelli si trova in una posizione particolare, è il terzo lato di un triangolo che non si chiude: Milano, Mosca, Amsterdam. Con gli olandesi "la collaborazione era tra persone che avevano una stessa visione delle cose", ricorda Rein Van Der Leeuw, allora giovane funzionario dell'Istituto di storia sociale. Feltrinelli è anche l'unico ad avere possibilità di contatto e collaborazione con i sovietici; promette loro di fare tutto il possibile per sapere cos'è custodito nell'Istituto di Amsterdam. In particolare, dovrebbe informarsi su quel fondo Marx-Engels concupito anche dalla Columbia University. Avrebbe cercato di farsi dare un elenco, di acquistarne una parte o, almeno, di ricavarne una copia. Più in generale, si dice disponibile alla ricerca di documenti preziosi in Occidente, di comune accordo con l'Istituto del marxismo-leninismo. La stessa cosa promette agli olandesi con cui è in eccellenti rapporti. Il suo ruolo è avvicinare due mondi che non si parlano, oltre che coltivare gli interessi della propria biblioteca. Una ricerca aggiornata sulle fonti del marxismo non può fare a meno della collaborazione con i sovietici, ma il rapporto con gli olandesi è altrettanto vitale.

L'ipotesi di spostare pro tempore parte degli archivi milanesi, accennata nel rapporto a Pospelov, non sembra prendere quota nei colloqui con i sovietici. Ma il solo fatto di averci pensato non deve stupire: parte dell'archivio del Pci si trova in quel momento ancora a Praga e si parla di spedirlo in custodia a Mosca. In Italia, dopo lo scontro elettorale che ha fatto fallire la "legge truffa", i ranghi delle truppe sono stretti e il clima internazionale alimenta paranoie da Guerra fredda che non risparmiano nessuno.

Nonostante i buoni propositi, le liste per gli scambi, gli aspetti del cerimoniale, è lecito supporre che gli incontri moscoviti di inizio 1954 abbiano risposto solo parzialmente alle attese. Forse la nomenclatura si era presentata in tutta la sua pesantezza. E forse i sovietici faticarono a capire di che razza fosse questo strano tipo di italiano.

3.

Nel tardo pomeriggio di sabato 18 giugno 1955, quattro giovanotti e una ragazza si ritrovano a pochi passi da piazza della Scala, in un bar di via Manzoni. Uno dei quattro è l'editore, compie ventinove anni proprio in quella notte. Gli altri tre sono i redattori che lavorano per lui e, quanto alla ragazza, lei è la volenterosa segretaria, interprete, cassiera, telefonista, che gira sempre con l'apparecchio stenotipico fresco di America sotto braccio, tanto costoso quanto superfluo. Il piccolo gruppo decide per un brindisi: ai primi libri della casa editrice!

I due volumi ancora caldi di tipografia sono *Il flagello della svastica*, autore Lord Russell di Liverpool (tradotto da uno dei redattori, un certo Luciano Bianciardi) e *Autobiografia* di Jawaharlal Nehru.

Le copie vere e proprie le hanno lasciate sui tavoli in redazione, anche per dimenticare l'amarezza di qualche refuso, di qualche "marrone", di quelli che spariscono alla vista di redattori e correttori e che dopo, a stampa avvenuta, con i libri bell'e legati e copertinati, restano sfrontatamente vistosi come per dispetto.

In un'intervista televisiva del '65, dieci anni dopo, l'editore ricorderà che quei due primi libri furono una scelta non casuale.

Corrispondevano a tre dei principali filoni che furono i leitmotiv che la Casa sviluppò con particolare attenzione: il primo, quello di un antifascismo conseguente e coerente; il secondo, quello della ricerca di una forma di coesistenza fra Paesi di diverse strutture economiche e politiche che – e questo era il terzo filone – non accettasse la cristallizzazione dell'allora esistente geografia economico-politica, ma presupponesse la possibilità per le forze nuove del Terzo Mondo, dei paesi che uscivano da una dominazione coloniale, di trovare un proprio assetto e di inserirsi con forza nel sistema politico mondiale.

In via Manzoni, al bar del '55, chi c'è sa bene che è solo un inizio, che le vere difficoltà sarebbero venute adesso, che sono tutti buoni a stampare due libri ma poi ci vogliono idee e mezzi per durare, e anche fortuna. Con lei non basta flirtare.

Provenivano tutti, editore compreso, da una comune esperienza. Negli anni del primissimo dopoguerra, nel 1949 per l'esattezza, dalla redazione di un giornale del pomeriggio, il "Milano Sera", insediato nella fascistissima ex sede del "Popolo d'Italia", era stata inaugurata una collana di volumi tascabili a basso costo e a prezzo contenuto (100 lire): l'Universale Economica del Canguro. Corrado De Vita, direttore del giornale, ne sostenne il lancio con vistose operazioni promozionali.

Si voleva riprendere una gloriosa tradizione italiana del tardo Ottocento, quando alcuni editori, il Perrino, il Barbera e principalmente Edoardo Sonzogno (per non parlare che dei maggiori), strizzando l'occhio all'impegno educativo-umanistico del nascente socialismo, avevano intrapreso la strada dell'editoria popolare, stampando i classici della letteratura di tutto il mondo e offrendoli a prezzi irrisori (25 centesimi).

Da queste premesse, in un momento di ricostruzione anche culturale, fanno capolino le copertine colorate della nuova Universale, con uscite settimanali. "Un libro alla settimana contro l'oscurantismo" è lo slogan che annuncia i primi quattro: *Le confessioni di un italiano* di Ippolito Nievo, i *Gioielli indiscreti* di Denis Diderot, la *Vita di Gesù* di Ernest Renan, i saggi scientifici dello studioso inglese John Haldane. Sparuti chierici di provincia mobilitano i rivenditori contro i libri del Canguro: meglio non esporli.

La Rizzoli, con un mese di anticipo (maggio 1949), propone la sua Bur, altra famosa "universale" destinata a lunga e ben meritata fama. Entrambe le iniziative, sia pure con motivazioni e premesse diverse, sono accomunate dall'idea di esplorare la nuova frontiera del libro tascabile e popolare. Quando "popolare" non significa prodotto di qualità minore. Anzi.

Il primo impatto del Canguro è notevole: i lettori apprezzano, le tirature toccano quota 35.000. Il ritmo delle uscite impone subito una struttura di lavoro regolare, con un nome e una ragione sociale: Cooperativa del libro popolare. Ma si dice "Colip", tutti la chiamano così. Sono in arrivo altri redattori, affidati a un uomo di grande finezza, puntiglioso fino all'esasperazione: Luigi Diemoz. Aveva la figura di un aristocratico asburgico, con tanto di monocolo incastrato nell'orbita sinistra.

Il Comitato di lettura comprende, tra gli altri, Ambrogio Donini, Lucio Lombardo Radice, Gastone Manacorda, Concetto Marchesi, Carlo Muscetta, Giancarlo Pajetta, Carlo Salinari. Anche Togliatti offre il suo contributo alla collana curando la prefazione del *Trattato sulla tolleranza* di Voltaire.

È bene dire che la spinta decisiva per la costituzione della Cooperativa arriva proprio dal Pci, su consiglio del segretario in persona. "Ho un ricordo sicuro nella memoria", rammenta lo storico dell'arte Mario De Micheli: "La decisione venne sollecitata e poi presa direttamente da Togliatti. Sia De Vita che Feltrinelli mi diedero la notizia come certa". Per questa ragione, almeno agli inizi, la redazione milanese è sotto stretta tutela della direzione culturale romana. Lo storico delle religioni Ambrogio Donini, responsabile delle iniziative editoriali per il partito e consigliere d'amministrazione della Colip, fa da tramite tra Roma e Milano.

Tra i cooperatori della nuova formazione editoriale c'è anche Giangiacomo Feltrinelli, giovanissimo e già appassionato di carta stampata. La sua presenza nella cooperativa, dapprima come semplice socio finanziatore, si trasforma ben presto in una partecipazione più estesa, soprattutto quando le cose assumono una piega meno favorevole. Dopo gli entusiasmi iniziali, infatti, ci si accorge che qualcosa non va. I librai guadagnano poco con i titoli dell'Universale, troppo basso il prezzo di copertina. È per questo che le vendite precipitano nel giro di pochi mesi. La situazione sembra avvitarsi pericolosamente su se stessa fino a quando, in extremis, si richiede l'intervento di qualcuno per evitare il peggio: è così che mio padre si trova direttamente impegnato nella gestione delle cose. Siamo alla fine del 1950.

Viene ristabilita la regolarità settimanale delle uscite, le tirature si fanno più prudenti, i prezzi leggermente ritoccati, cambia perfino il distributore: "La nuova gestione amministrativa, sotto l'impulso dato da Feltr, è riuscita a mettere un po' di ordine nelle cose e a sanare una parte notevole dei debiti accumulati". È Ambrogio Donini, nel febbraio 1951, in una lettera a Giancarlo Pajetta.

Ma non è solo una questione di conti: diventa anche urgente una migliore articolazione editoriale. Col passare dei mesi, la veste dell'Universale Economica è sempre più stretta e non serve più a coprire decentemente un corpo ormai robusto, sviluppato, che promette di crescere ancora.

Nella riunione del Comitato di lettura del settembre 1951, Feltrinelli svolge la sua relazione dedicandosi proprio al tema "Nuove iniziative editoriali della Colip da affiancare all'Universale Economica":

> I librai hanno scarso interesse alla vendita dei volumi della U.E., perché il margine di guadagno è irrisorio. D'altra parte la Colip non ha finora altra attività editoriale che la pubblicazione dei volumetti della U.E. Diversa è la situazione delle altre case editrici, le quali appoggiano le loro edizioni a basso prezzo al tronco principale di una vasta produzione editoriale, la quale può fra l'altro ricompensare gli scarsi guadagni delle collane economiche. Occorre che la Colip faccia il cammino inverso, affiancando alla Universale Economica una attività editoriale che consenta maggior margine di guadagno, sia alla Colip che ai librai. In questo modo questi prenderebbero in maggior considerazione anche la nostra produzione a basso prezzo.

L'indicazione di Feltrinelli sembra efficace e, oltre ai titoli tascabili, prende avvio la pubblicazione di due collane maggiori, una di letteratura e una di storia. Vedono la luce la *Storia sociale della Rivoluzione francese* di Jean Jaurès e *L'Italia qual è* di Francesco Saverio Merlino. A Giorgio Candeloro è commissionata una grande storia d'Italia.

Ma per realizzare il progetto occorrono risorse immediate, inevitabilmente, e in cooperative come queste non è sempre facile trovarne. Ci pensa ancora Feltrinelli, con un apporto sistematico di denaro fresco. Nel periodo di maggiore difficoltà il suo contributo supera i cinque milioni mensili, che scende al milione verso la metà del '52 per ridursi a sette-ottocentomila lire nel marzo del '53.

È un sostegno di tipo militante, che permette il consolidamento dell'impresa; con il senno di poi si dimostra anche un buon investimento. Perché il progetto Colip non dev'essere solo sostenuto o ampliato, ma totalmente reinventato. E arriva il giorno in cui Feltrinelli è costretto a chiudere i conti della cooperativa, accollandosi il deficit. L'esperienza finisce, l'idea resta.

Nel frattempo le lancette della vita politica italiana si spostano, perché tutto sta cambiando nella politica mondiale. Anche sotto il profilo culturale sembra esserci maggiore disponibilità agli argomenti altrui. Il Pci lascia scemare la propria attenzione nei confronti della Colip perché la necessità di un'offensiva "antioscurantista" non è più prioritaria. Emergono altre urgenze, nuove curiosità.

Tagliato faticosamente il traguardo dei duecento titoli, ai primi del '54, il Canguro spicca il salto più lungo: sospende le pubblicazioni per far nascere la Giangiacomo Feltrinelli Editore.

Dev'essere stato un anno molto duro il 1955.

In Italia, tre giorni dopo il varo della Feltrinelli, scoppia un putiferio che è poi la solita crisi di governo: cade, a favore di Antonio Segni, il primo esecutivo presieduto da Mario Scelba. I democristiani si contendono l'eredità di De Gasperi. Per i comunisti, Scelba è l'ideatore della "celere", la polizia sulle jeep che scioglie assembramenti "sediziosi" a suon di manganelli e calci di moschetto. Sediziosa è la manifestazione contro i bombardamenti chimici nella guerra di Corea, la lavorazione dei terreni incolti dei contadini disoccupati, qualunque protesta di operai licenziati.

A Roma è sbarcata un'ambasciatrice energica e determinata in fatto di profilassi anticomunista, Claire Boothe Luce, proprio mentre in America si avvertono ancora gli strascichi della campagna scatenata da Joseph McCarthy e dai suoi numerosi accoliti della sottocommissione per le attività antiamericane: la sedia elettrica per Julius e Ethel Rosenberg è appena servita allo scopo.

Claire Luce incontra subito le simpatie della grande stampa. (Indro Montanelli del "Corriere della Sera" le scrive che vuole candidarsi alla clandestinità terroristica prima che sia troppo tardi con i comunisti.) L'appoggio del Vaticano è scontato, così quello di Scelba. Nella primavera del '55, il premier italiano aveva visitato gli Stati Uniti con tanto di ascensione dell'Empire State Building e parata trionfale per una Brooklyn addobbata di bandiere tricolori, alcune con lo stemma sabaudo, altre col fascio littorio.

La signora ambasciatrice conquista presto anche il plauso incondizionato della grande industria e del capitale finanziario, che hanno poca paura di un'imminente rivoluzione dei comunisti italiani ma non ne tollerano l'influenza nei sindacati e nelle fabbriche.

Alla Fiat stanno riorganizzando l'ufficio personale, ogni operaio è schedato, ci sono sorveglianti in divisa e informatori dentro e fuori la fabbrica. Si fomenta la nascita di un sindacato "giallo" estraneo alla sinistra.

Nella più grande azienda italiana circolano voci di ristrutturazione, modernizzazione, automazione degli impianti, adozione di metodi moderni di tipo americano. Tutto ciò per risparmiare sui costi. Per accelerare i tempi si creano reparti speciali in cui raggruppare gli attivisti da licenziare con motivazioni pretestuose, cose come scarso rendimento, prolungamento malattia o altre diavolerie elaborate dall'ufficio personale.

I giornali commentano la sconfitta delle lotte bracciantili e l'abbandono delle campagne. E al Sud, nell'altra Italia, si muore ancora di fame nelle periferie e nei feudi di Puglia, Calabria e Sicilia.

A Milano, le stesse facce: sveglia alle quattro e trenta, stanza fredda, acqua fredda, sacramenti. E ogni mattina stesso treno per le officine meccaniche, gli impianti siderurgici, e poi le fabbriche del chimico, del tessile, dell'alimentare. L'immigrato è atteso da un sindacato in difficoltà e soprattutto da un padrone che inventa cavi coassiali, materiale plastico, ferro e tubi, elettrodomestici. Non sorride mai. Fuori, come a Londra, quel misto di fumo e nebbia è lo smog.

Da Torino, il giornalista Giorgio Bocca si trasferisce nella città fatidica a metà dei cinquanta: "Quella Milano aveva un cuore capitalistico, una retorica socialdemocratica e una cultura radicale. Il cuore stava in piazza degli Affari, nei grandi palazzi delle banche e delle assicurazioni, nella Borsa, negli uffici degli agenti di cambio. La retorica socialdemocratica aleggiava in municipio, alla Scala, all'Umanitaria, negli uffici benefici dei Martinitt o del Pio Albergo Trivulzio, nelle conferenze dell'Azienda elettrica municipale sezione cultura diretta dal socialista Ferrieri; la cultura radicale aristocratica era per pochi ma importante, stava nelle case della borghesia o dell'aristocrazia illuminista, erede del Verri e del Beccaria".

E le ragazze, com'erano le ragazze?

Qualcuno come tanti, verso sera, beve un ponce a Brera, incontra amici e, se la serata è libera, può scegliere: cinematografo (al Durini danno *Vacanze romane*) o, perché no?, rivista di Walter Chiari. Con Maria Callas è charmant nel backstage ma dorme nel palco mentre lei canta. Fa la sua parte di ricco illuminato per il Piccolo di Paolo Grassi ("Carissimo Giangiacomo, grazie. Senza commenti. Per la prontezza e la semplicità. Sei stato molto caro"), partecipa alle attività della Casa della Cultura organizzate da Rossana Rossanda, ascolta dal vivo le conferenze di Banfi e Vittorini (la televisione non c'è quasi). Come tanti ha un matrimonio traballante e una ragazza che gli scrive lettere al miele da Parigi.

C'è una concreta motivazione imprenditoriale dietro alla nuova casa editrice.

Il 1955 rappresenta un punto di svolta generale, non solo per l'Italia. Il clima culturale di allora, fervido, inquieto, carico di promesse e minacce, cerca una forma d'espressione diversa da quella giornalistica, ma altrettanto d'impatto e aggressiva; si vuole scavalcare una certa cultura di scuola o liberale o cattolica o marxista, dominante nelle maggiori case editrici, tentando un'inedita ed eretica combinazione.

Tutto ciò si sposa bene con un progetto preciso. Nel settembre del '52, Feltrinelli aveva fondato una società di distribuzione, la Eda (Editori distribuiti associati), per commercializzare la Colip e altri editori italiani ma anche per importare prestigiose sigle straniere quali Puf, Plon, Oxford, Juillard, Pergamon Press, Reclam. (A dirigerla sono chiamati i signori Franco Osenga e Adolfo Occhetto, quest'ultimo padre di Franco, direttore editoriale di una Feltrinelli futura, nonché di Achille, ultimo segretario del Pci.) Pochi anni dopo, nel '56, nasce la Feltrinelli Libra Spa, adibita al controllo e alla gestione di piccole librerie: l'editore intende disporre di un unico circuito (editore più distributore più librerie).

Intanto si consolida l'attività della Biblioteca Feltrinelli, dove un gruppo di ricercatori è impegnato nel difficile processo di riconversione degli studi sul movimento operaio. Qualche volta, nella nuova sede di via Scarlatti, capita in visita il presidente della Repubblica Einaudi a consultare i materiali.

In un disegno così articolato sembra mancare solo il progetto di un giornale, che è quasi sempre una droga per ogni editore. Con la chiusura di "Milano Sera", pomeridiano "criptocomunista" (lo definiscono così al ministero degli Interni) nato nel 1945, l'eventualità di un ingresso di Feltrinelli nel mondo dei quotidiani è fortemente sostenuta dal Pci. Lo spazio lasciato da "Milano Sera" può essere occupato da una nuova iniziativa in concorrenza con altri giornali della sera. L'idea è accolta con grande entusiasmo dall'editore che ci lavora giorno e notte, senza avvertire nessuno dei suoi. È una vera fuga in avanti, lo staff amministrativo resta ignaro fino all'ultimo. Quando i giornalisti sono già assunti, a pochi giorni dal varo, Feltrinelli blocca tutto. I conti non tornano. Glielo spiegano a muso duro i suoi. In realtà, è il progetto editoriale che ha perso appeal. Il Pci non ha tenuto fede alle condizioni di partenza, alle "premesse convenute". Feltrinelli lo ricorda ad Amerigo Terenzi e alla segreteria del partito in una lettera del 28 ottobre 1954. Il nuovo giornale avrebbe dovuto essere "libero da ogni eredità di precedenti iniziative, non legato alla tradizione dei giornali fiancheggiatori". Avrebbe contribuito "a un nuovo orientamento politico nel paese, raggruppando intorno a sé quelle forze nazionali che, pur non potendosi considerare forze fiancheggiatrici del partito, avessero tuttavia dei punti di contatto su questioni fondamentali di politica estera e interna". La base azionaria, nei primi patti, doveva essere ampia per evitare che fosse uno solo (lui) a correre il rischio di un pericoloso isolamento.

Le ragioni della brusca rinuncia al progetto sono spiegate senza polemica, con l'intento di promuovere un "sereno esame della situazione".

Cossutta ricorda oggi che il progetto sarebbe stato ostacolato niente meno che dal presidente Einaudi: con la minaccia di aprire gli archivi sulle passate attività della famiglia Feltrinelli si sarebbe impedita la nascita di un quotidiano politicamente schierato.

La nuova casa editrice, con sede nella centrale via Fatebenefratelli al 3, suscita inizialmente una certa curiosità, legata soprattutto al nome del fondatore. Di case editrici ne esistono già molte e, come tante, questa avrebbe potuto durare una stagione o due, si pensa in giro con qualche snobismo. Solo Italo Calvino manda i suoi voti augurali dalle pagine di un bollettino Einaudi. Ma la posizione di Feltrinelli è effettivamente diversa da quella dei concorrenti. Lui stesso lo ricorderà a Sandro Viola, in un'intervista dei primi anni sessanta:

> Nei confronti degli altri editori io avevo due vantaggi. Uno era rappresentato dalle mie esperienze precedenti; dal '45, infatti, per vari anni, mi ero occupato della riorganizzazione delle aziende del gruppo Feltrinelli, imparando cos'è una contabilità, come si valuta un dirigente, come si può prevedere l'andamento di un mercato. L'altro, forse il più importante, fu che la grande trasformazione del paese cominciò proprio negli anni intorno al '55, mentre noi nascevamo. Questo ci permise di cogliere forse più in fretta degli altri la realtà del mutamento, e di articolarvi i programmi culturali e commerciali della Casa.

In via Fatebenefratelli si ritrova un gruppo senza grande esperienza editoriale: i primi redattori, collaboratori e consulenti non provengono da università o da grandi strutture consolidate. Quasi per tutti la Colip è stato l'unico momento di formazione. Impareranno in fretta.

Per prima cosa l'editore chiede ai suoi redattori di scandagliare il mercato italiano. Le loro relazioni su ogni singolo concorrente sono complete, dettagliate, puntigliose. Traspare l'impegno di chi le redige, ed è gente tosta. Ma chi sono?

La più immacolata delle descrizioni proviene da Luciano Bianciardi. A lui, per vie traverse, era stato offerto il viaggio verso una città e un posto di scrivania che mai riuscirà a sopportare veramente. Strappato alla Maremma, Bianciardi, oggi edulcorato come "sarcastico" e "arrabbiato" (io lo penso genio cattivo dal cuore grande), aveva descritto Milano e la Feltrinelli in una lettera a un amico. È apparsa in una sua recente biografia di Pino Corrias, edita da Baldini & Castoldi.

> Ma cosa credi? Che bastino tre mesi di Milano per distruggere trentadue anni di Maremma? Credi che io mi voglia proprio far mettere le mutande di latta da questi quattro coglioni? Perché i milanesi, credimi, son coglioni come poca gente

al mondo. La gente qui è allineata, coperta e bacchettata dal capitale nordico, e cammina sulla rotaia, inquadrata e rigida. E non se ne lamentano, pensa, anzi credono di essere contenti. Se tu domandi ad un grossetano, ad un ricco, mettiamo a Pioppino Bianciardi, come se la passa, cosa ti risponderà: "Ah, porcamadonna, 'un si campa, 'un si va avanti" e così via. Ma fai la stessa domanda ad un ragioniere di Milano, cinquantamila mensili. Che ti dirà: "Me la passo mica male".
[...]
È tutto così. Vivere a Milano, credilo pure, è molto triste. Non è Italia qua, è Europa, e l'Europa è stupida. Tanto più che la gente non è buona, non è aperta, anche se questo succede per colpa non sua, ma sempre, come ti dico sopra, per la pressione del capitale milanese. [...] Se io ci resisto (ma non mi ci ambiento affatto, mia moglie si è sbagliata) è perché penso questo: a Milano la gente che la pensa come noi, cioè i comunisti (anche senza tessera, la tessera non conta un accidente, anzi, ho conosciuto dei tesserati, qua, che sarebbe meglio andassero con la Montecatini, e qualcuno già c'è) han da combattere una battaglia molto grossa. La rivoluzione si farà, dopo tutto, proprio a Milano, non c'è dubbio, perché a Milano sta di casa il nemico nostro, Pirelli e tutti quelli come lui. E questa gente la si batte a Ribolla, è vero, ma soprattutto qua. Credi che è così.
La mia fortuna è che alla casa editrice ho trovato dei ragazzi veramente bravi e di uno, cioè del direttore, Onofri, sono diventato amico intimo. Onofri è una specie di lucianobianciardi cresciuto e peggiorato. Cioè è vitellone, entusiasta, generoso, approssimativo, sfarfallone, buono. Naturalmente è anche bigamo. Con Onofri mangiamo insieme ogni giorno, e ci facciamo coraggio quando va male. Il che ogni tanto capita. Quel che non manca mai, invece, è il money. A Milano i soldi ti corrono dietro, e poi ti scappano davanti. Si guadagna e si spende, non se ne può fare a meno. Ma non c'è sugo. Gli altri della casa editrice, sono anche loro bravi. Te li passo in rassegna: Giampiero Brega. Sta in ufficio con me, qui davanti. Ventotto anni, con tendenza alla pinguedine, laureato in filosofia, moralisteggiante, a modo suo, molto buono. Valerio Riva, venticinque anni, socialista, alto, occhialuto, con la bocca a ventosa. Si occupa della narrativa, è il più pratico, e tendenzialmente il più autorevole. Farà carriera. Luigi Diemoz, redattore capo. Età indefinibile e mai dichiarata. Quarantacinque? È piccolo, magro, sfatto da cinque anni di Milano, di trattoria, di ulcera gastrica. È sempre amareggiato, scettico, porta un paio di baffi enormi.
Libera Venturini, quarantenne, vedova da dieci, rincoglioni-

ta da anni di lavoro alla Montecatini. Non so come è cascata qua. Poi ci sono le due ragazze, Renata e Giuliana, alta e bionda la prima, bruna e piccola la seconda.

Poi ci sarebbe il Feltrinelli, detto il giaguaro: ventotto anni, occhiali, baffi, alto e robusto, ignorante come un tacco di frate, e ricco da far schifo. Ha le mani nel legname, nelle costruzioni edili, nei frigoriferi, nella Coca-Cola. Ha atteggiamenti esterni molto cordiali e sbracati: quando ci incontriamo parliamo sempre a base di manate sulle spalle e pacche sullo stomaco. Mi ha in simpatia. Di sopra stanno gli amministratori, che sono due, e l'ufficio grafico, sempre due. Poi, sempre di sopra, c'è "Cinema nuovo", che è anche quello roba di Feltrinelli. C'è Aristarco, Terzi, una ragazza e un ragazzetto. Aristarco è un gran rompicoglioni e si dà un sacco d'arie.

La nostra sede è bella, dicono: sembra un negozio di profumi; tutto a base di tavoli moderni, cristalli e materie plastiche colorate. L'arredamento l'ha curato la moglie del padrone, detta la giaguara, ex morta di fame assurta ai fastigi della ricchezza e della potenza: è odiosa e carina.

Bianciardi, impegnato a seguire la narrativa italiana nell'economica, dura poco perché da irregolare impenitente rompe l'anima a tutti. Il più delle notti "chiude" (nel senso che è l'ultimo ad andare via) il Giamaica, in letteratura "Bar delle Antille" o anche "Portorico". È il luogo, lo sanno anche le zie, frequentato da artisti zazzeruti non ancora capelloni. Bianciardi al mattino non è mai puntuale e gli si propone di continuare il lavoro dall'esterno, come curatore, autore e traduttore. So che Giangiacomo gli voleva molto bene.

L'altro "angelo con la faccia sporca" – prendendo a prestito il soprannome di tre calciatori argentini allora in voga – è Valerio Riva. Anche lui lamentoso per lo stipendio basso, anche lui costretto a lavorare per due o per tre: "Non c'è libro che non sia stato cercato; traduzione che non sia stata rifatta, magari da cima a fondo; non c'è testo che non sia stato reinventato; non ci fu libro per il quale non fosse stata ideata una (spesso sorprendente) campagna di lancio. Sembrava che il lavoro non bastasse mai". E ancora, ha scritto Riva: "Alla Feltrinelli non voleva proprio venir nessuno; se mai, se ne andavano. E quelli che rimanevano erano anche odiati, fuori dall'ambiente". Ma allora dove stava il divertimento? Stava: "Eravamo tutti giovani, eravamo tutti alla pari. E poi, certo, il livello era alto. E anticonformista. E infine era una casa editrice libera".

Il terzo dei redattori, più orientato alla saggistica, si chiama Giampiero Brega. La sua storia con Feltrinelli sarà lunga. Quando al terzetto si uniranno i vari Mario Spagnol, Enrico Filippini, Giampaolo Dossena, Vittorio Di Giuro, Alba Morino, Attilio Veraldi, con Gerolamo Marasà alla consolle tecnica, si potrà dire che fosse la migliore band editoriale di un'epoca. Già, ma come tenerli insieme?

Fra le diverse competenze non può mancare quella amministrativa cui si dedica Silvio Pozzi, già staffetta partigiana nelle formazioni garibaldine.

Dopo la Liberazione, Pozzi lavora per un breve tempo alla prima fabbrica italiana della Coca-Cola; poi, grazie a una lettera di presentazione del suo comandante, trova impiego come contabile alla Eda, la società di distribuzione. Qui incontra per la prima volta Feltrinelli. Racconta Pozzi: "Lo conobbi un giorno nella sede di via Cavour. Lui entra nell'anticamera, io stavo facendo un pacchetto, e mi dice: 'C'è il ragioniere?'. 'Ma lei chi è?' gli chiedo io. 'Sono Feltrinelli.' Nell'imbarazzo, vado avanti a cercare di legare questo pacchetto e lui prima mi guarda e poi mi fa: 'Non è questa la maniera di legare un pacco. Sai, bisogna fare una specie di nodo scorsoio e poi si tira per stringere'. Io non ero capace, non era mica il mio mestiere. Allora lui mi fece vedere. Così lo conobbi, Feltrinelli".

Il ragionier Pozzi diventerà un dirigente a vita della casa editrice e per i tipi come lui sarà coniato il termine "feltrinelliano". Secondo Pozzi, Feltrinelli per i redattori era un amico, un coetaneo, uscivano a cena e c'era tra loro parecchia confidenza. Al tempo stesso era il padrone, con un rigorismo imprenditoriale che spaventava i giovanotti della redazione.

Ma il clima è buono. Michele Ranchetti, già assistente di Adriano Olivetti, primo gestore della Libra, ricorda un aneddoto che fa capire quale arguzia ci fosse nel gruppo: "Una volta Brega mi raccontò una delle tante litigate fra Bianciardi e Feltrinelli. Parlando di un libro da tradurre, Bianciardi gli disse di averne già discusso abbastanza con il 'vicemerda'. Il vicemerda? E chi sarebbe? volle sapere Feltrinelli. 'Lo sanno tutti chi è, è il Brega', buttò lì Bianciardi. E Feltrinelli rideva, rideva di gusto, anche nel ripetere la battuta allo stesso Brega, il quale, un po' risentito, ma il più freddamente possibile, glielo chiese: 'Ma chi sarebbe il vicemerda, secondo te?'. E Feltrinelli, contento: 'Il vicemerda sei tu. Dovresti sentirti lusingato, perché chi vuoi che sia, il merda?'".

Fondare una casa editrice significa molta adrenalina, specie nel caso nostro. Perché la Feltrinelli vuole essere una vera e moderna impresa, dove i libri rispettano le uscite, il centro contabile ruggisce e al mattino, in ufficio, la puntualità è regola. Ancora Riva: "[Feltrinelli] ci aveva insegnato a discutere con gli autori italiani a suon di aritmetica: tanto di tiratura, tanto di spese industriali, generali, pubblicitarie, tanto di prezzo di copertina, moltiplicazione, sottrazione, addizione: se il conto viene, si fa, se no, niente".

I bilanci? Sono passivi. Spesso, quasi sempre. Ma nel ripianare non c'è una logica filantropica: niente fondi a perdere per il gusto del prestigio. Aneddoto di Silvio Pozzi, il ragioniere, che si riferisce a un'epoca successiva ma spiega bene l'atteggiamento: "Una volta, sarà stata la metà dei sessanta, Feltrinelli mi porta da Cuccia, a Mediobanca, per chiedere un finanziamento a lungo termine. Facciamo qualche discorso di circostanza, formuliamo la richiesta, poi Cuccia chiama un suo funzionario e fa le presentazioni: 'Questo è il famoso signor Feltrinelli, con l'hobby dell'editoria...'. La frase cadde così male che Feltrinelli girò i tacchi e prese la porta senza neanche salutare. Io guardavo il soffitto, Cuccia non disse più mezza parola".

Di riunione in riunione, in un clima selvatico, poco formalizzato, senza timori verso l'accademia, libri e collane prendono forma. "Il nostro stile corrisponde, com'è ovvio, a una parte della mia personalità, e la gente vi si sta abituando. All'Einaudi, per esempio, sono più sistematici nei loro programmi. Noi, invece, siamo un continuo alti e bassi", dirà pubblicamente l'editore.

Quei primi titoli pubblicati conquistano presto un loro spazio nelle librerie, vuoi perché catturano la cultura dove la cultura c'è per davvero (in Germania, in Russia, in America Latina, negli Stati Uniti, perfino in Persia, in Egitto o anche in Cina), vuoi perché si punta sui tascabili (fuori moda in quegli anni) che, per la prima volta, presentano non solo romanzi ma saggistica, attualità, manualistica. Non più riversamenti dall'edizione rilegata a quella economica, ma novità assolute. E sarebbe ora troppo lungo chiedersi quanto abbiano inciso le competenze dei vari consulenti come Carlo Muscetta (tanto per fare un nome), o le copertine di un pioniere della grafica come Albe Steiner. Inoltre, per garantire una presenza visibile sui banchi della libreria, l'editore inaugura una procedura commerciale ancora oggi in uso. In linguaggio tecnico si chiama "riporto a nuovo", un sistema di finanziamento al libraio su tutti i titoli del catalogo editoriale.

Nel giro di poco tempo si fa anche a meno della canonica metodologia di lavoro che prevede la divisione dello scibile umano in tante sezioni, con un responsabile per ognuna di esse, che a sua volta può contare sui propri collaboratori e così via, a scalare. È lo stesso disegno gerarchico che divide la città in federazione, zona, cellula, sezione. Nel sacrificare questo impianto ci va di mezzo Fabrizio Onofri, preso di petto da Feltrinelli nel corso di una riunione che lascia tutti di sasso.

"In fondo," ricorda Anna Del Bo Boffino, allora addetta all'ufficio stampa, "noi ci rendevamo conto di avere una grande chance, vivevamo nell'occhio del ciclone. Da un lato in casa editrice vigeva una sorta di disciplina di partito, avevamo un compagno che era anche padrone. Ma tutte le volte che Giangiacomo debordava intellettualmente, per così dire, allora tutto si doveva discutere, allora la figura del padrone diventava scomoda: avevamo un padrone che era anche compagno."

Ma cosa dice Tina? Tutti sanno chi è Tina (chi non ricorda i suoi capelli a caschetto?). La Tina è la segretaria del capo, Tina e basta, per amici, nemici, postulanti e celebrità: un "filtro" per tutti. Venuta via giovanissima da un impiego alla federazione comunista (era la segretaria di Alberganti), Tina Ricaldone si ritrova alla segreteria di via Fatebenefratelli. Qui stabilisce un giuramento di fedeltà con il suo editore, più duraturo di qualsiasi matrimonio.

Tina era ed è una persona assai riservata; benché desse del tu a mio padre, e a tutti gli effetti appartenga alla mia famiglia, quando parliamo di lui non dice mai "Giangiacomo" o "tuo padre" ma sempre e solo "Feltrinelli", Feltrinelli e basta. "Feltrinelli," appunto, "aveva creato la casa editrice per dare un senso alla sua vita e per offrire alla sinistra uno strumento. Non sopportava che qualcuno considerasse la casa editrice uguale a una fabbrica di dadi per minestra. Con molte delle persone che arrivavano da noi, magari segnalate da qualcuno, finiva in screzi non appena tradivano atteggiamenti burocratici."

Ma per chi è rimasto sono stati anni notevoli, non è vero Tina? "La sensazione era che fossimo primi in tutto, e non solo nello scoprire i titoli da acquistare. Ti faccio un esempio: delle case editrici la nostra fu la prima a recepire le quaranta ore settimanali..." Di più la Tina ancora oggi non dice.

Feltrinelli sta per diventare un vero editore, con "la testa tra le nuvole e i piedi per terra", come dirà qualcuno. Ma non solo. A lui piacciono gli edicolanti. Gente dura per le nebbie di città quand'è ancora notte. Gli piace la tradizione dei "bancarellai", dei "pontremolesi", i venditori di libri con la gerla. Accarezza il progetto di un carro-libreria da mandare al seguito di mercati e fiere. Ci sono librai, di quelli avanti con gli anni, che lo ricordano, giovanissimo, in giro a rovistare negli scaffali o sui banchi delle "novità", e non solo per chiedere notizie sulle vendite delle proprie edizioni ma perché è interessato ai problemi minuti del libraio: lo sconto d'acquisto, le difficoltà nei rifornimenti, la pressione dei grossi editori, il progressivo impoverimento dello stock... Problemi che dovrà affrontare personalmente quando rileva le prime cartolibrerie nella cintura periferica di Milano e alcune librerie già avviate a Pisa, Roma, Milano e Genova. Anche per questo progetto è il momento degli incontri, delle discussioni, dei viaggi frenetici.

Alcuni hanno parlato di lui come di un uomo scostante, sdoppiato nel duplice ruolo di "padrone" e "compagno", con simpatie improvvise e antipatie altrettanto improvvise. Dice Carlo Ripa di Meana, allora responsabile di una piccola libreria Feltrinelli a Forte dei Marmi: "Il suo vero guaio, a parte la triste storia familiare, era la sua immensa ricchezza. Era angosciato dal sospetto di essere circondato da persone che volessero sfruttarlo, che gli fossero amiche solo perché lui si chiamava Feltrinelli". È il tipico esempio di ricordo scadente regolarmente riproposto come contributo e addobbo privato-mitico-casareccio (direbbe Arbasino).

Ai più, in effetti, almeno in partenza l'editore non sembra affatto simpatico. Sta molto ad ascoltare ma dà poca confidenza. Unisce tratti da aristocratico – il portamento, il modo di parlare, l'educazione – con urgenze sincere e umili. È malagevole: in lui c'è devozione a un certo tipo di rischio, unita a una forma di irriverenza che non ti aspetti (in yiddish si chiama "chuzpe"). È qualcosa che rende ogni gesto inspiegabilmente carismatico, giusto anche quando non lo è.

E chi si unisce a Giangiacomo in questo periodo, resistendo alla pigrizia, alla furbizia spicciola o all'adulazione, sarà trattato alla pari. Questo è il vero punto della sua personalità: mosso da un particolarissimo radar, si presenta scostante o accattivante, brusco o gentilissimo. Con tutti, e senza pregiudizio. Questa libertà nei rapporti gli permette di chiamarsi "ricco" nel senso più vero, senza vincolo di classe.

Nei primi anni della casa editrice, a parte le questioni di amicizia o di simpatia, tutti sanno di concorrere alla realizzazione di una grande impresa: recuperare il tempo perduto e collegare l'Italia alla cultura del mondo.

"Allora, all'inizio, nuove idee stavano emergendo, anche se in una forma vaga. Le vecchie concezioni venivano messe in discussione ed era un periodo di ricerca. Noi provammo ad esercitare la nostra influenza su tutti gli aspetti di una società e di un sistema culturale e politico piuttosto fluido. Non che non fossimo 'impegnati', ma il nostro impegno aveva un respiro molto ampio." In un'intervista al "Publishers Weekly", a metà dei sessanta, Feltrinelli ha ricordato così la stagione degli inizi.

La casa editrice, con il suo sorgere, interpreta esigenze confuse, ancora incerte, spesso contraddittorie. È tuttavia esplicita l'adesione alla cultura antifascista, così come l'impostazione marxista della ricerca.

Dalla prefazione dell'editore al primo catalogo storico, pubblicato nel '65, in occasione del decennale:

Antifascismo per noi non fu e non è solamente critica degli aspetti esteriori del fenomeno nazifascista, dei suoi errori ed orrori, ma la ricerca delle immagini e cause, recenti e lontane, della crisi di un sistema che non si risolse con la caduta del fascismo stesso. Per questo, oltre ad approfondire l'analisi del passato ben oltre i limiti di una storiografia convenzionale, cercammo di suscitare e sviluppare la conoscenza del presente, delle strutture economico-politiche e delle idee che in questo nuovo contesto si sviluppavano, alla ricerca di una soluzione a quei problemi che la caduta del fascismo aveva lasciato insoluti.

Si è molto parlato di "egemonia culturale" della sinistra, esercitata lungo tutto il dopoguerra italiano. Se consideriamo gli anni cinquanta, quelli furono proprio i tempi della ricerca di una sintesi che voleva essere risolutiva di tutte le questioni. Ma (sbaglio?) contarono proprio quei fermenti che, volendo essere complementari, risultarono divergenti: contro la sinistra deferente, contro la destra incontinente.

Da Feltrinelli trovano subito spazio libri "dissonanti", cioè le voci più vivaci dell'Est europeo: gli Atti dell'Ottavo Plenum polacco, per esempio, o il *Discorso al circolo Petöfi* di Lukács, gli *Scritti politici* di Imre Nagy, un'antologia sui problemi del lavoro in Urss, il Programma della Lega jugoslava.

Nella sinistra, l'editore procede a ritmo sincopato verso il disegno di una società aperta, senza concepire la dialettica come richiamo all'antitesi e senza volontà di fronda. Le scelte sono dettate dal fiuto: "Se nel '55 non fossi stato comunista avrei proposto lo stesso arco di materiali che allora proposi, tale e quale, perché sono sicuro che era proprio ciò di cui la cultura italiana si interessava in quel momento". Lo dirà molto dopo, nel corso di un'intervista.

Nel quarantennale dei fatti d'Ungheria i giornali italiani hanno diffusamente rivisitato i mesi finali di quel "terribile" 1956. Sono rifioriti ricordi, analisi storiche, anche aneddoti, come il sardonico cin-cin di Togliatti nelle ore dell'intervento sovietico testimoniato da Pietro Ingrao. Ma alla ricostruzione sommaria dell'anno dei tormenti per il comunismo italiano basta quanto ci è già noto: la posizione del Pci in difesa delle "acquisizioni del socialismo" contro le ragioni di operai, intellettuali e studenti ungheresi congela l'"evoluzione democratica" del partito.

Lo stillicidio di notizie su ciò che di inaudito avrebbe detto Chruščëv nel suo Rapporto al xx Congresso (febbraio 1956), i cinquantaquattro operai uccisi dalla milizia durante gli scioperi di Poznán (giugno), la tragica sensazione tra il primo e il secondo intervento dell'Armata rossa a Budapest (23 ottobre-3 novembre), fanno precipitare una condizione di malessere che investe sia questioni di linea politica, sia temi propri al mondo intellettuale. Si impone un salto di qualità nella capacità critica di tutta la sinistra.

Forse più noto ed evidente è il nodo dei rapporti tra Pci e Pcus e la concordanza di giudizio, nel contesto del movimento comunista internazionale, sulle varie esperienze di "democrazia popolare". Ma anche l'analisi della situazione italiana è foriera di contrasti. Non si parla ancora di "miracolo economico", ma è chiaro che gli schemi della Terza Internazionale e della concezione marxista, in particolare le ingenue aspettative di una crisi generale del capitalismo, sono smentiti dalla realtà e rendono necessario un aggiornamento delle teorie. Si sottovalutano la capacità di sviluppo delle forze produttive e il progresso tecnico nell'organizzazione industriale. All'Istituto Gramsci se ne parla nel corso del '56. Sono i primi e significativi momenti di confronto.

Nei settori cari alla Biblioteca Feltrinelli, la discussione verte sugli indirizzi della ricerca storica dopo la chiusura della rivista "Movimento operaio" e le polemiche al Congresso internazionale di studi storici di Roma nel '55. I sovietici, presentatisi per la prima volta a un'assise internazionale, avevano fatto una figura penosa.

Ci sono carte, lettere, documenti per stabilire il tragitto della militanza di Giangiacomo Feltrinelli. I contatti con la dirigenza comunista, almeno fino al 1955, sono cordiali e collaborativi.

Ancora nel gennaio del '56 spedisce una lettera molto particolare a Giancarlo Pajetta, una specie di "corrispondenza da Milano", a stretto uso interno, con commenti raccolti negli ambienti milanesi dei "nostri avversari". Gli "avversari" sono le componenti più tradizionali del mondo economico e finanziario ambrosiano.

> Caro Pajetta,
> non mi mandare al diavolo se in questa lettera un po' curiosa per il vero, io cercherò di riassumerti alcune impressioni che ho raccolto negli ambienti milanesi dei nostri avversari. E d'altra parte non prendere per oro colato quello che ti dico perché non saprei quanto queste impressioni siano diffuse.
> Negli ambienti economici e finanziari regna un notevole disorientamento.

a) la elezione di Gronchi a Presidente della Repubblica, anche se è un fatto già vecchio, continua a gettare discredito sulla destra della Dc (Gonella, Andreotti) ed è d'altra parte considerato come un fatto foriero di grossi guai e incertezze. Si dice che una delle ragioni per cui la destra non vuole mettere in crisi Segni è nel timore che Gronchi designi a capo del governo qualcuno che si metta non solo di fatto ma anche formalmente sulla strada dell'apertura a sinistra;

b) le recenti legislazioni fiscali per esempio, approvate con i voti della sinistra, hanno chiaramente dato l'impressione che l'apertura a sinistra formalmente negata sia di fatto già operante e non si sa dove possa portare. L'incapacità ed il timore di opporre ai recenti provvedimenti legislativi una efficace opposizione, ha screditato notevolmente la Dc (chiaramente a rimorchio dei partiti di sinistra) e gli stessi liberali malagodiani;

c) anche se i recenti provvedimenti fiscali come ti dirò poi possono tornare a vantaggio di alcuni grossi gruppi monopolistici, essi hanno messo e continueranno a mettere in imbarazzo e gettare incertezza negli ambienti economici e finanziari. Non tanto per l'articolo 17 relativo alla regolamentazione delle borse e degli agenti di cambio, ma quanto all'introduzione della responsabilità penale degli amministratori, sindaci e contabili delle società circa la presentazione di bilanci addomesticati al fisco. Timori, perplessità ed incertezze regnano per questo in numerosissimi complessi industriali. In conseguenza gli ordini di trasferimenti di valuta all'estero pare stiano in questi ultimi tempi aumentando d'importanza. Gente che abbandona la partita;

d) gli uffici delle imposte hanno sparato gli accertamenti relativi alla tassa straordinaria e progressiva sul patrimonio del 1947 ed il cui termine era il 31 dicembre 1955, ed hanno sparato delle cifre che senza entrare in merito alla validità degli accertamenti, sono in molti casi di parecchie centinaia di milioni, cogliendoli in complesso impreparati per quanto riguarda il lato psicologico e le disponibilità liquide per il pagamento delle imposte;

e) sono esclusi da questa situazione di preoccupazione i grossi complessi monopolistici i quali vedono, nei recenti provvedimenti legislativi fiscali, notevoli possibilità di sfuggire attraverso le numerose holding a loro disposizione. O addirittura, come il gruppo Fiat Agnelli, sperano attraverso una generale depressione del mercato di riconquistare (caso Agnelli) o aumentare le posizioni di controllo (Fiat, dove gli Agnelli avevano raggiunto negli ultimi tempi pericolosi margini di sicurezza). Ai gruppi monopolistici sarebbe giunta molto più

sgradevole una imposta cedolare che tassando automaticamente i dividendi distribuiti ed essendo facilmente esigibile
da parte del fisco, avrebbe colpito almeno una parte delle loro fonti di reddito.
Disorientamento quindi economico e politico a cui si aggiunge
un senso di sfiducia verso gli attuali raggruppamenti politici
di centro destra. E da qui naturalmente la conclusione che i
socialcomunisti non sono stati mai così vicini a conquistare
legalmente il potere come ora. E le prossime elezioni sono viste con sempre maggior preoccupazione.
A me viene un poco da sorridere quando penso invece quanto siamo inguaiati noialtri, quanto debole e rinchiusa nel Partito la nostra azione politica e l'attività dei nostri quadri me-
di. Quando penso alla difficoltà del fronte sindacale dove anche se grossi passi avanti sono stati fatti, pur tuttavia molto
ci rimane da fare, sia sul piano organizzativo (funzionamento delle Commissioni Interne e delle organizzazioni sindacali) come sul piano delle agitazioni (dopo i successi alla Pirelli ed in altre fabbriche il problema dell'indennità di mensa è
già dimenticato?).
Scusami ancora caro Pajetta per questo pezzo di colore, per
questa "corrispondenza da Milano" di stretto uso interno.

Ti saluto e ti abbraccio
Giangiacomo Feltrinelli

P.S. Sei stato l'unico, mi hanno detto, a difendere il mio biglietto d'auguri dall'accusa di astrattismo ravvedendo nel disegno verde il marchio della Casa Editrice. Evviva e grazie!!

Ricevuta la missiva, Pajetta passa il tutto a Togliatti, con
un commento che non si capisce bene se sia ironico o sprez-
zante: "Vedi se ti interessa questa lettera dell'"occhio di Mosca' fra i miliardari". Pajetta si farà un nome per le battute
di spirito.
Eppure con Togliatti il rapporto continua a essere buono. Poco prima della lettera a Pajetta, nel dicembre del '55,
Feltrinelli si era rivolto al segretario con orpellosa deferenza: "On. Professore," scrive, "sono molto lieto che, dopo i colloqui col prof. Carlo Muscetta, Lei abbia accettato
di curare per la nostra collana di monografie sui periodici
italiani ed europei il volume che comprenderà una scelta
da 'Stato Operaio', con la collaborazione di una persona di
sua fiducia". Il compenso pattuito è, per quei tempi, uno
sproposito: quattrocentomila lire.

Alle soglie dell'estate del '56, in una località di mare, Feltrinelli incontra Togliatti insieme a Del Bo, da poco promosso di rango. Cambiamenti significativi si sono verificati ai vertici della Biblioteca. Il 24 maggio Feltrinelli aveva convocato una riunione con tutti gli impiegati e buona parte dei collaboratori. Il giorno prima Franco Ferri aveva lasciato il suo posto dopo una serie di incontri ravvicinati con lui, di quelli non propriamente conviviali. Nel corso della riunione era stata ufficialmente affidata a Del Bo la guida della Biblioteca e annunciata una ferma correzione di rotta. Si chiede a tutti un'esplicita adesione: chi non si identifica nel nuovo programma è meglio che dia le dimissioni.

Quale sarà il futuro dell'"istituto" (Feltrinelli lo chiama così per la prima volta)? Diventare un "doppione di una commissione culturale o di una fondazione Gramsci" per soddisfare esigenze di carattere immediatamente divulgativo? Oppure essere un "istituto" scientifico con strumenti propri, con linea e programmi di altro respiro? E ancora: bisogna rivolgersi alla storia moderna e contemporanea in genere, con tutta la tematica gramsciana? O è preferibile orientarsi decisamente verso la storia del socialismo e lo studio delle sue origini, verso le scienze sociali, economiche o politiche? Si vuole un'impostazione limitata geograficamente oppure è preferibile collocare gli interessi storiografici italiani in un contesto più esteso?

Per Feltrinelli l'ipotesi di lavoro è molto chiara e la propone con vigore: l'istituto deve avere una natura prettamente scientifica, qualificarsi negli studi sulla storia del movimento operaio senza chiusure tematiche e metodologiche, legarsi a un orizzonte internazionale. Dove "senza chiusure" vuole dire, per esempio, non trascurare certi filoni quali la sinistra hegeliana o certi filosofi come Labriola, e "internazionale" significa attaccare la struttura culturale italiana nei suoi punti più lacunosi, vale a dire in quelle forme di corporativismo e provincialismo che limitavano anche i contributi più autorevoli. È una delle sue tipiche sterzate: riposizionamento sui principi guida degli inizi, via dallo stagno paludoso in cui si sono ficcati i compagni di viaggio. Qualcuno la chiamerà "tormentata coerenza".

Di tutto questo Togliatti, Feltrinelli e Del Bo discutono durante il loro incontro nella prima estate del '56. Il segretario, acutamente, li incoraggia ad andare avanti. È una conversazione importante, l'ultima davvero fruttuosa.

Gli avvenimenti appena successivi scompiglieranno il sodalizio, e anche il senso di una militanza.

Il 23 ottobre 1956 la gente si rivolta a Budapest, entrano i carri sovietici per ristabilire l'ordine. La breve insurrezione è soffocata al prezzo di vite umane. Nell'immediato diventa però difficile stabilire il peso della repressione; c'è chi parla di decine di morti, chi di centinaia, chi di alcune migliaia. L'articolo di fondo sull'"Unità" del 25 ottobre titola "Da una parte della barricata a difesa del socialismo". Ma il partito è alle corde, scosso come un ramoscello.

A Roma prendono subito posizione gli studenti: "L'attivo degli studenti comunisti, riunitisi il 25 ottobre, ha affermato decisamente la propria adesione al processo di democratizzazione". Ma la stessa sera giunge notizia che anche la Cgil avrebbe reagito criticamente. E tre giorni dopo, sempre a Roma, sono gli intellettuali a scendere in campo: si fanno promotori di un documento che passerà alle cronache come il "Manifesto dei 101". Le firme si raccolgono presso la redazione romana di Einaudi e alla rivista "Società": "I tragici avvenimenti d'Ungheria scuotono dolorosamente in questi giorni l'intera opinione pubblica del Paese". Il testo, censurato dai giornali comunisti, sfugge di mano ed è rilanciato da un'agenzia di stampa "borghese". I firmatari che non si dissociano sono aspramente attaccati da "l'Unità" e partito.

Non ci sono invece conseguenze pubbliche per le otto personalità comuniste, questa volta di Milano, che qualche giorno dopo firmano un analogo documento di condanna indirizzato al Comitato centrale. Nessun giornale ne parla. Eppure all'"Unità" il documento lo portano, in una notte drammatica. Fuori dalla redazione ci sono fascisti che manifestano contro Pci e Armata rossa, mentre dentro tuona Davide Lajolo detto "Ulisse", il direttore: quello scritto lui non può pubblicarlo. Mentre infuria lo scambio verbale, Feltrinelli, che è della partita, deve aver pensato di mandare tutti al diavolo, Pci, "l'Unità" e il suo direttore. Se non lo fa, è per quei fascisti giù in strada. Le loro urla rinvigoriscono il senso di appartenenza. Riesce a stare calmo e ad argomentare le ragioni alzando solo un po' la voce.

Ecco il testo della lettera al Comitato centrale (datata 29 ottobre) che i "milanesi" avrebbero voluto far pubblicare:

> I sottoscritti intellettuali comunisti deplorano che nel comunicato della Direzione del Partito del 25 ottobre u.s. i tragici avvenimenti ungheresi siano stati definiti "una sommossa controrivoluzionaria armata, apertamente volta a rovesciare il governo democratico popolare, a troncare la marcia verso il socialismo ed a restaurare un regime di reazione capitalistica" e che, sino ad ora, non sia stata presa una chiara posizione che riconosca nella origine e nella natura fondamentale del movimento ungherese una forte istanza per la democrazia socialista.
> Deplorano altresì che la chiamata delle truppe sovietiche, da parte di responsabili governativi e politici, non sia stata giudicata come l'ultimo e più grave errore di una politica che il XX Congresso del Pcus ha condannato e superato.
> Rivendicano tali posizioni – confermate dagli sviluppi degli avvenimenti – come le sole conformi agli ideali socialisti e internazionalisti del Partito ed al coerente svolgimento della sua linea politica per una via italiana al socialismo.
> Si impegnano pertanto a sostenere la posizione stessa nel dibattito congressuale, al fine di trarre una giusta impostazione della questione di indirizzo teorico e politico che quei fatti ripropongono in modo così impegnativo alla loro coscienza di militanti comunisti.

> Luigi Cortesi, della Biblioteca Feltrinelli
> Giuseppe Del Bo, dell'Istituto Feltrinelli
> Giangiacomo Feltrinelli
> Enzo Modica, della redazione milanese del "Contemporaneo"
> Giuliano Procacci, dell'Istituto Feltrinelli
> Rossana Rossanda, della Casa della Cultura
> Vando Aldrovandi, della Libreria Internazionale Einaudi
> Marcello Venturi, della redazione dell'"Unità" di Milano

I firmatari, quasi tutti nell'orbita feltrinelliana, sono convocati nel giro di poche ore e rinchiusi in una stanza della federazione per un brusco richiamo alla disciplina. Intervengono Armando Cossutta e il funzionario Italo Busetto, con il compito di ristabilire l'ordine. Cossutta, in procinto di liquidare anche i "duri" alla Alberganti in nome della "via italiana al socialismo", propone una mediazione e promette trasparenza nell'imminente campagna congressuale; si rinvia tutto, per ora state buoni!

Ma il tappo è ormai saltato e il punto vero in agenda è il "metodo di direzione delle diverse istanze del partito". L'intervento di Feltrinelli alla Commissione culturale nazionale di metà novembre è concettualmente forte. Ecco la trascrizione di una parte del suo discorso:

> La nostra azione deve dare agli errori del movimento socialista internazionale un contenuto di fatti, luoghi e avvenimenti più precisi e circostanziati, noi vogliamo dare in sostanza un contenuto reale al nostro programma e alle indicazioni che scaturiscono dalle tesi elaborate per il nostro congresso, ma gli orientamenti generali e generici non sono sufficienti per portare alla base del nostro lavoro pratico gli elementi per correggere quelle abitudini e quei metodi che invece debbono essere corretti, e rapidamente, in tutte le istanze del partito. Temo che su questa strada noi non siamo andati abbastanza avanti. Un contributo importante credo possa venire dai compagni intellettuali oltre che da tutti i compagni dirigenti e no del nostro partito, può essere dato nello studio per una concreta estrinsecazione degli errori denunciati dal XX Congresso e dal recente documento del governo sovietico sugli errori e sulle violazioni nei rapporti tra stati socialisti. Credo che tutti i compagni debbano dare un più attento contributo a questo problema, sia per quanto concerne il lavoro culturale sia per quanto concerne il lavoro del partito in genere. Di fronte alle risultanze che questi studi possono dare non bisognerà arrestarsi nelle conclusioni che da esse derivano, né nel dare un nome ai fatti e alle persone. Il nostro partito deve dare ai revisionisti un nome e un corpo e le concezioni revisionistiche criticarle nel loro contenuto preciso, ma così bisogna dare a mio avviso un nome ed un corpo a quello che si chiama lo stalinismo, i metodi staliniani, le concezioni, i metodi non solo di direzione ma di analisi delle situazioni. Ciò è necessario per chiarire, e l'esperienza lo dimostra, gli orientamenti della nostra battaglia ideologica e per evitare quegli errori, sempre possibili, che condizionano negativamente e pregiudicano lo sviluppo della nostra azione per una elaborazione della via italiana al socialismo.

Qualche giorno più tardi Feltrinelli si butta a capofitto nel Congresso della sua nuova sezione, in via Milazzo. Ore e ore di discussione per mille sigarette, cento preamboli, una sola conclusione. Asserragliati per cinque lunghissimi giorni in una riunione di quartiere a discutere di tutto, "dal tombino a Pechino". Le parole pesano come esseri vivi, vince chi dimostra più costanza.

La mozione conclusiva deplora che sia stata lesa la dignità nazionale del popolo ungherese e, insieme, critica la "genericità della critica" del vertice del Pci in tema di destalinizzazione. Non egualmente soddisfacenti saranno il Congresso provinciale, appena successivo, e quello nazionale di dicembre che si svolge a Roma.

La Galileo è la più avanzata industria ottica italiana. Uno dei suoi operai, Valerio Bertini, toscano verace con accento di Lione, viene delegato all'VIII Congresso del Pci. Conosce Feltrinelli nei corridoi del Palazzo dell'Eur. Un amico si ferma a salutare calorosamente il giovanotto alto e snello, tutto vestito di grigio, occhialuto, un poco impettito e serioso. Gli dirà poi che quello è un compagno milanese, un riccone che era stato soldato con lui nel Cvl, sulla Linea gotica durante l'inverno del '44. Un po' "fanatico", secondo i volontari romani, un tipo che usciva volentieri di pattuglia perfino durante le notti di bufera, che non cercava di scansare corvée e che si lavava a torso nudo tutte le mattine. Poco più tardi gli viene presentato da Giuliano Procacci.

Bertini ha appena concluso il suo intervento con cui pretende di convincere il Congresso a sconfessare la politica aggressiva, poco socialista e punto democratica dell'Unione Sovietica. Auspica che il partito imbocchi senza reticenze la "via italiana al socialismo". Ma il suo discorso, inutilmente aggressivo e sarcastico, troppo colorito e presuntuoso, è accolto più da mugugni che da applausi. È in questo momento che Feltrinelli gli si avvicina per dire: "Tu hai ragione. Ma non illuderti: ti taglieranno le palle". E siccome questo Bertini si vede che ha del talento, qualche tempo dopo Giangiacomo lo prende con sé, pensando a un suo impiego nelle librerie. Sa anche scrivere e l'editore gli pubblica il buon romanzo che ha nel cassetto.

Sempre a quei giorni (un paio di settimane dopo il secondo intervento in Ungheria) si riferisce lo storico Giuliano Procacci per ricordare un altro episodio indicativo:

"Una mattina vado alla Biblioteca Feltrinelli, collaboravo lì da poco, e quando arrivo (in anticipo rispetto all'orario di apertura) trovo la porta aperta. In sala c'è Giangiacomo immerso nella lettura del *Capitale*. Si vede dalla faccia che è stato sveglio tutta la notte, 'Qui non torna niente' mi fa, 'siamo nella merda fino al collo'".

Del nervosismo di Feltrinelli qualcuno si accorge presto. "Da qualche parte mi si dice che tu conserveresti talune perplessità sui risultati del Congresso", è Mario Alicata a scrivere, il 29 dicembre del '56. "Ciò posso anche comprenderlo, data la complessità dei problemi che il Partito ha dovuto e deve affrontare; ma mi sembra superfluo insistere sul fatto che solo discutendo a fondo fra compagni tali riserve possono essere superate. E questa discussione mi sembra tanto più importante averla con te, per le particolari responsabilità che incombono sulla tua persona, data la diversità e importanza delle iniziative che a te fanno capo."

Alicata è il responsabile della Commissione culturale nazionale del Pci. Dopo i fatti d'Ungheria, incontrando un compagno, ebbe a dire: "Ho preso tutti i miei dischi di Bartók e li ho rotti, rotti tutti". Pronunciando le "o" ancora più aperte di quanto prevedesse il suo accento calabrese. Propone a Feltrinelli un appuntamento in tempi strettissimi, precisando che il loro incontro sarebbe stato "tutt'altro che di carattere personale", perifrasi meravigliosa per dire che nell'occasione "vorrebbe incontrarsi con te anche il compagno Togliatti". Ma quando si vedono, all'ultimo dell'anno, compare solo Alicata. Togliatti non c'è.

La discussione non porta a grandi risultati. Si parla un po' di tutto e, in particolare, di una rivista economico-politica da fare a Milano. La si vuole dedicare all'analisi delle strutture economiche, ai riflessi della loro trasformazione, al tipo di sviluppo nei vari settori della società italiana. L'editore pone le sue condizioni: la garanzia di una ricerca libera non influenzata da schemi politici; la presenza nella redazione di un uomo già da tempo in "zona sospetta", Antonio Giolitti. Troppo, evidentemente. Infatti non se ne farà nulla.

Ma intanto, nel gennaio del '57, Feltrinelli se la prende ancora con Lajolo, il direttore dell'"Unità", perché aveva pubblicato una risposta polemica della "Pravda" a un articolo del periodico polacco "Nowa Kultura". Ulisse si era però dimenticato di riportare la posizione dei polacchi.

La casa Feltrinelli dispone di ottimi contatti con intellettuali di Jugoslavia, Ungheria e Polonia. In Polonia sono serviti i buoni uffici di Eugenio Reale, ex ambasciatore d'Italia a Varsavia, amico personale di Gomułka, sostenitore di una "terza forma" fra regime capitalista e regime socialista e, per questo, appena espulso dal Pci.

Ma è la Biblioteca l'epicentro in cui far maturare una riflessione diversa, anche sulla prospettiva politica. A Del Bo, Cortesi e Della Peruta, si aggiungono Procacci, Enzo Collotti (per la sezione tedesca), e Luciano Cafagna. Questi arriva nel gennaio del '57, è un esperto di storia economica. I sei pensano a una nuova classificazione per i fondi esistenti, promettono nuovi programmi.

La chiusura della rivista "Movimento operaio" è interpretata come un atto di intolleranza degli storici comunisti. Nella sostanza, il problema vero è quello di superare il recinto classico della storia operaia e contadina. Per questo, mentre chiude la rivista di Gianni Bosio, si dà avvio agli "Annali", la pubblicazione più importante della Biblioteca, poi Istituto. Gli "Annali" vogliono dialogare con l'"International Review of Social Science" di Amsterdam.

Fino a quel momento la ricerca storiografica italiana si limita agli studi sul movimento operaio in Italia e al periodo prefascista. La storia della Terza Internazionale e la storia stessa del Pci rappresentano un tabù, un terreno in cui è rischioso avventurarsi. Sono invece queste le tracce principali per il lavoro sugli "Annali", come appare già dai primi volumi.

Sulla stessa lunghezza d'onda si muove la collana "Il pensiero socialista", cui le edizioni Feltrinelli danno vita in stretta collaborazione con la Biblioteca. Tra i primi testi in cantiere spiccano *Il capitale finanziario* di Hilferding e *La questione agraria* di Kautsky, con prefazione di Procacci.

Tra il 1956 e il 1957, alla Biblioteca Feltrinelli si discute di come cambia la grande impresa in Italia, di sviluppo tecnologico, di relazioni industriali. La palestra ha un nome: "Centro di studi e ricerche sulla struttura economica italiana". Intorno al tavolo siedono Nino Andreatta, Antonio Giolitti, Silvio Leonardi, Siro Lombardini, Franco Momigliano, Claudio Napoleoni, Paolo Sylos Labini, Massimo Pinchera. Non male per un'istituzione considerata "organica" al Pci.

E infatti il partito reclama, sospetta, lancia strali, soprattutto per la presenza non prevista di alcuni iscritti come Vincenzo Vitello (Commissione economica del partito, Istituto Gramsci, docente), Bruno Trentin (ufficio studi della Cgil), Ruggero Spesso (idem). "Caro compagno, abbiamo appreso che hai partecipato a Milano ad una riunione indetta dalla Biblioteca Feltrinelli per dar vita ad un centro studi sulla struttura economica italiana.[...] Ci ha sorpreso che tu non abbia ritenuto corretto di discutere con noi la linea da seguire e in ogni caso che tu non abbia sentito il dovere di informarci sull'andamento e gli eventuali risultati della riunione stessa." Per la segreteria del partito firma la lettera Luigi Longo. È il 22 marzo 1957.

Risposta di Feltrinelli del 4 aprile, piuttosto seccata: "Vi sarei grato se vorreste chiarirmi la questione [della lettera] perché mi sembrerebbe davvero inconcepibile che si oppongano difficoltà allo sviluppo di un lavoro scientifico di studio e ricerca in un settore così importante [...]. D'altro canto, per la partecipazione alle riunioni ed ai contatti organizzati dalla Biblioteca non è mai stata a tutt'oggi necessaria, per i compagni, l'autorizzazione della Segreteria, quasi la Biblioteca fosse un organismo politico il cui sviluppo ed il cui lavoro non rientrasse nelle grandi linee della nostra battaglia culturale e politica".

"È evidente," puntualizza Longo l'8 aprile, "che sei stato male informato sul tenore della lettera." Nessun rimprovero, ma il mancato preavviso della partecipazione di studiosi comunisti all'incontro dà l'impressione che si voglia conservare un carattere "se non di segretezza, almeno di riservatezza". C'è il pericolo di offrire un fondamento a certe voci messe in giro dall'"avversario" sugli scopi "politici" di quelle riunioni: "D'altro canto," continua Longo, "era naturale che i comunisti che erano chiamati a parteciparvi si scambiassero preventivamente le loro idee [...], tanto più che, forse per dimenticanza, non tutti i compagni più responsabili del nostro lavoro nel campo della cultura economica erano stati dalla direzione della Biblioteca invitati al Convegno stesso".

Secondo Trentin, interrogato quarant'anni dopo, la presenza di quei comunisti nel gruppo è il segno di quanto lo scontro fosse palese, specie tra partito e sindacato.

Tra mille dubbi Feltrinelli rimane tesserato anche per il 1957, astenendosi da posizioni pubbliche e sbollendo l'insofferenza in discussioni private. Malessere, contrasti, rotture hanno coinvolto tutti gli strati del mondo comunista: dirigenti della fondazione (Fortichiari), rappresentanti del periodo clandestino (Reale), esponenti della generazione del '40 (Giolitti, Onofri) e del movimento partigiano (Raimondi, Seniga). E ora anche intellettuali come Muscetta e Calvino danno addio alla tessera, e non solo a quella. La loro defezione, nell'estate del '57, provoca uno scambio di lettere tra Feltrinelli e Giorgio Amendola, leader della "destra" pragmatica. Il carteggio fra i due è una perfetta sintesi delle tribolazioni in campo.

Su Amendola si erano concentrate diverse speranze dopo il suo intervento al Consiglio nazionale del Pci nell'aprile 1956. Commentando il xx Congresso del Pcus aveva sostenuto che i comunisti italiani dovevano sentirsi liberi da "ipoteche" esterne. Ma dopo i fatti d'Ungheria, come capita nelle logiche di potere, era diventato più realista del re, guidando l'offensiva "anti-revisionista".

L'occasione che porta Feltrinelli allo scoperto, con una lettera rimasta confidenziale, nasce da una dichiarazione dello stesso Amendola al quotidiano "Il Giorno": "La perdita di piccole frange di intellettuali non è fenomeno rilevante"; del brutto periodo passato dal Pci ne hanno risentito in pochi e "solo la frangia meno legata alla massa".

Feltrinelli gli risponde così, il 7 agosto 1957:

111

Premetto che non è mia intenzione procedere ad una non necessaria autodifesa, in quanto, senza tema di presunzione, non mi sento "frangia" né sono perduto alla classe operaia ed al Partito, né ritengo di essere uno dei "rami secchi", come D'Onofrio ha definito alcuni non meglio identificati compagni intellettuali. Sento, invece, di doverti esprimere il mio parere relativamente alle dichiarazioni sopra riportate.

Anzitutto, mi sembra che i compagni intellettuali che hanno abbandonato – non senza una lunga e penosa crisi – il Partito o che hanno, almeno temporaneamente, lasciato una attiva milizia di partito o nel fronte politico-culturale non possono essere definiti "frangia" (di che cosa, poi? del partito? del movimento socialista?) e così essere in quattro e quattrotto liquidati e sistemati.

Si tratta, per di più, non già di qualche caso isolato, ma di gruppi di studiosi di valore nazionale: filosofi, storici, letterati, giuristi e artisti. Sta di fatto, però, che questi compagni hanno rappresentato e rappresentano per il partito, per la classe operaia e per il movimento socialista non solo lustro, ma una delle forze che hanno consentito che la nostra azione fosse, dalla caduta del fascismo, ricca di iniziative politico-culturali; una delle forze che hanno permesso un più completo inserimento del partito nella società italiana, creando, così, le premesse di quella attività multiforme che ha contribuito a far vincere più di una battaglia in favore della democrazia e del socialismo. [...]

Gli spiacevoli distacchi dal partito sono gravi, inoltre, perché, contrariamente alle tue affermazioni, non toccano solo alcune "frange" (sull'improprietà di questo termine non mi soffermo oltre), ma strati ben più larghi di compagni di base, operai, casalinghe, semplici militanti delle nostre cellule e sezioni. [...]

Che questa situazione esista nel partito è grave, sia che si tratti di compagni intellettuali, sia di semplici compagni delle cellule di strada o di officina. Ed è tanto più preoccupante in quanto essa permane e si aggrava anche dopo l'8° congresso, il quale aveva gettato importanti premesse per una azione di rinnovamento e rafforzamento del partito, per una sua azione politica sempre più concretamente legata alla realtà ed alle esigenze della situazione italiana, articolando concretamente una attività politica capace di dare sostanza alle parole d'ordine della massima assise del partito.

Il congresso stesso – nell'enunciare che il partito si sarebbe sempre più mosso sulla via italiana al socialismo o accogliendo con approvazione le risultanze del xx Congresso del Pcus – poneva, implicitamente ed esplicitamente, la necessità, pur senza tralasciare quanto di vitale vi è nell'esperienza del movimento operaio internazionale, di una originale elaborazione ideologica dei problemi del socialismo.

Questo risultato – nel complesso positivo – poteva e doveva portare il partito ad essere di fatto un centro di attrazione vivo, di discussione, di elaborazione ed azione politica, non solo per tutti i compagni, ma per tutto il movimento democratico italiano. Possiamo onestamente dire che questa situazione siamo riusciti a determinarla? Non lo credo.

La risposta di Amendola non tarda ad arrivare: lunga, preoccupata, orgogliosa.

Che nel corso dell'ultimo anno un certo numero di compagni intellettuali abbia lasciato il partito non è certo fenomeno di poco rilievo. [...] Esso ci addolora anche umanamente, quando significa rottura dei vecchi rapporti di una amicizia nata nella lotta antifascista. Quale responsabilità abbiamo noi per non aver saputo impedire questi distacchi? Che cosa dobbiamo fare?

Mi sembra indubbio che, nelle drammatiche vicende del 1956, si sia manifestata in alcuni compagni, venuti al partito sull'onda della lotta antifascista e della guerra di liberazione o nel corso delle battaglie per la pace e la democrazia dell'ultimo decennio, una sostanziale divergenza ideologica, a lungo coperta, e poi esplosa apertamente. [...] Ciò apparve chiaro nel '56 quando la discussione precongressuale si sviluppò soprattutto attorno ai due problemi centrali 1) dell'internazionalismo proletario; 2) del centralismo democratico, problemi dalla cui retta soluzione dipende che le lotte democratiche siano guidate dalla classe operaia, e si sviluppino perciò come lotta per il socialismo.[...] Su questi due problemi – internazionalismo proletario e centralismo democratico – si è manifestato un contrasto ideologico, che ha spinto alcuni compagni a uscire dal partito. Quando ciò è avvenuto con una leale e sincera spiegazione, noi l'abbiamo considerato come un fatto doloroso, ma che conveniva accettare, come la espressione di divergenze di cui bisogna prendere atto. Invece abbiamo dovuto reagire con atti di lotta politica e con l'espulsione, quando coloro che se ne andavano sbattevano la porta e iniziavano una lotta diffamatoria, deformando le posizioni del partito per meglio calunniarlo. Abbiamo quindi, nei vari casi, assunto atteggiamenti diversi, dall'espulsione alla critica politica con accettazione delle dimissioni, alla semplice registrazione. [...]

Io non ho sottovalutato davvero l'importanza del ritiro dal

partito di un certo numero di compagni intellettuali. È un problema politico che ci deve interessare e preoccupare. Si tratta di aiutare i migliori a ritrovare la via del partito (e già alcuni sono tornati) e di aiutare i compagni ancora indecisi discutendo francamente con loro e non spingerli lontano dal partito. Tuttavia mi permetterai di dirti che dal 1929 che sono iscritto al partito ne ho visti molti uscire! Poco dopo la mia iscrizione usciva Silone, poi più tardi Spinelli, Rossi Doria, Bonfantini, Valiani, poi, dopo la guerra, Vittorini, Balbo e tanti altri. Tutti sono usciti dichiarando che volevano "meglio" lottare per il socialismo. Dove sono andati a finire? Che cosa hanno combinato? Noi invece siamo andati avanti, perché mentre questi uscivano, sulla base della politica svolta dal partito altri venivano a noi e ci davano la loro adesione. Anche adesso l'essenziale è di svolgere una giusta politica che, di fronte alla minaccia rappresentata per la democrazia italiana dalla Dc, sappia esprimere le esigenze di quella parte del popolo italiano che vuole avanzare sulla via del rinnovamento democratico e del socialismo. Se sapremo sviluppare una larga azione politica, come in altri momenti cruciali, nel fuoco della lotta altri gruppi verranno a noi, a rafforzare il nostro partito.

Ho l'orgoglio di essere comunista dal 1929. E più che mai mi sento di aver scelto la strada buona. E perciò mi addolora vedere compagni restare indietro e lasciarci. Perciò spero che tu, dopo aver sottolineato la gravità del fatto, darai il tuo contributo per limitarlo [...].

Giangiacomo avrà letto e riletto questa lettera, tormentandosi nervosamente i baffi a portata di denti, colpito dalla generosità della replica, forse lusingato ma per niente sollevato. Le parole di Amendola rappresentano il massimo per una risposta che, visto il contesto, non può che essere deludente.

Tra il primo roar-roar della Fiat 500 e il bip-bip dello Sputnik, sono molti gli intrighi e le divisioni della politica. Ma forse la politica non è l'unico teatro dell'esistenza, forse si può vivere senza partito, l'"apparato" non è tutto.

Matteo Secchia, fratello di Pietro, è certamente uomo d'apparato quando si reca a conferire con il secondo segretario dell'ambasciata sovietica a Roma. È il 12 agosto 1957. Il diplomatico annoterà in un diario, cinque giorni dopo, il resoconto della visita. È materiale ancora utile per la ricostruzione del contesto.

Secchia mi ha riferito che sta continuando l'ondata di fermento e criticismo nella cerchia degli intellettuali vicini al Pci. Dopo Giolitti sono usciti dal partito il professor Muscetta, lo scrittore Italo Calvino ed alcuni altri. La Segreteria del partito non dà alcuna indicazione generale ai segretari delle organizzazioni di base su come comportarsi nei confronti degli intellettuali "liberaleggianti". Recentemente, ad esempio, il segretario della sezione "Pantheon" del Pci si è rivolto al compagno Secchia pregandolo di suggerirgli come comportarsi con un gruppo di intellettuali che sta letteralmente sabotando tutto il lavoro della sezione. Questo gruppo cerca di utilizzare le assemblee della sezione e le riunioni del direttivo e delle commissioni per "processare" la Direzione del Partito. Essi affermano che nel Cc del Partito siedono solo burocrati e conservatori che si rifiutano di prendere atto dei cambiamenti avvenuti all'interno del partito e nella situazione politica del paese. Questo gruppo di intellettuali condanna ogni decisione del partito ed ogni iniziativa del Cc del Pci: di fatto, ha detto Secchia, essi svolgono un lavoro anti-partito, denigrano la Direzione del Pci e l'insieme del partito, tentano di smentire gli altri membri della sezione, ma il segretario di questa organizzazione non può adottare nessuna misura disciplinare contro di loro né escluderli dal partito, dal momento che non dispone dei poteri necessari per farlo.

Secchia ha poi fatto notare che se tali difficoltà sorgono a Roma, dove si trova l'apparato centrale del partito, in periferia la situazione è ancora più problematica. Feltrinelli ancora non ha dichiarato di voler uscire dal partito, ma ha già smesso di dare soldi al partito. Secondo alcune voci, egli finanzierebbe la rivista "Tempi moderni", il cui primo numero uscirà nel prossimo ottobre-novembre. La rivista sarà diretta da Cesarini-Sforza e Onofri, usciti recentemente dal Pci. Essi saranno affiancati da intellettuali come Crisafulli e altri, espulsi dal Pci durante i fatti di Ungheria. Si dice che l'editore Einaudi parteciperà alla pubblicazione della rivista. Secchia ha affermato che probabilmente si tratterà di una rivista forte e pericolosa, poiché potrà disporre di una solida base finanziaria ed editoriale e di collaboratori molto validi.

La ripresa autunnale nel Pci è segnata dalla relazione di Mauro Scoccimarro alla Commissione centrale di controllo. Il suo intervento rivela subito uno scarto con posizioni ufficiali precedenti. Se ne accorge la stampa non comunista, ma il contrasto è più asserito che compreso. Chi sta all'interno e conosce la macchina del partito non può però ignorare i termini della questione. Soprattutto se (e vale per molti) la militanza comunista è legata a una concreta prospettiva di rinnovamento. Ma come! All'VIII Congresso sono stati creati nuovi organismi elettivi di controllo e ancora continua il tradizionale lavorio dell'Ufficio quadri? E il nuovo statuto, che rende indipendente l'iscrizione dall'adesione ideologica, cosa vale se l'adesione al marxismo-leninismo è ritenuta decisiva per la scelta di un dirigente? Non si presume in questo modo che un iscritto non marxista debba riconoscere la superiorità del marxismo, senza tuttavia essere marxista? E allora, partito di massa o partito di quadri?

Queste domande non trovano risposte e per Feltrinelli il boccone si fa amaro quando Scoccimarro definisce una "deviazione", e non un'esigenza democratica, "il diritto dei singoli o di gruppi a una loro autonomia e indipendenza di iniziativa e di attività ideologiche e culturali". Parole pesanti. Giangiacomo annota sul suo taccuino: "La concezione antica forma un blocco omogeneo e congruente, la concezione nuova non ha saputo sinora esprimersi se non con una serie di spunti non collegati fra di loro".

Sono trascorsi più di dieci mesi dal Congresso, ha visto gente andarsene, è stato prudente, si è illuso, ha provato a dire la sua: niente, nessun segnale! È entrato in "zona sospetta". Forse è meglio togliersi di mezzo, magari senza polemiche vistose.

Intanto sta per nascere il primo grande bestseller dell'editoria contemporanea.

Comincia il "periodo blu".

4.

Ci sono segreti che restano segreti. Se accuditi e dimenticati come si deve fanno storia a parte, parallela. I segreti fra Boris Leonidovič Pasternak e Giangiacomo Feltrinelli sono invecchiati in una vecchia cassaforte da ufficio custodita in via Andegari. Mio padre ci ha nascosto anche le foto di un suo viaggio in Danimarca e memorabilia garibaldine. La chiave si è persa, ci vuole un fabbro e la fiamma ossidrica. C'è il carteggio Feltrinelli-Pasternak. Dopo quarant'anni, se un segreto passa di mano sfugge come mercurio.

Per cominciare, vorrei servirmi di un articolo apparso sul "Sunday Times" del 31 maggio 1970 a firma di Giangiacomo Feltrinelli. All'epoca è già il Feltrinelli irreperibile (nel senso di clandestino) e nessuno sa quale identità abbia in tasca. L'articolo, richiesto dal direttore Sir Denis Hamilton, si conclude con la frase "Io mi trovo dove nessuno potrà trovarmi".

Il precipitare degli eventi lo condiziona a tal punto che il testo originale è in terza persona, come se non fosse scritto da lui ma "da fonti vicine alla casa editrice". La stesura risale al 15 marzo. Per un'unica volta parla di cose ormai molto lontane.

Nel 1955, subito dopo la fondazione della mia società, la Giangiacomo Feltrinelli Editore, venni contattato da Sergio D'Angelo, all'epoca direttore della libreria del Pci a Roma ed in partenza per Mosca come redattore del partito per il programma di trasmissioni radiofoniche italo-sovietiche. Egli mi propose di agire come talent scout letterario in Urss per la mia casa editrice di Milano. Dopo qualche mese D'Angelo mi informò che uno stupefacente romanzo di un poeta russo, Boris Pasternak, stava per essere pubblicato nell'Unione Sovietica. Chiesi a D'Angelo di mettersi in contatto con l'autore per cercare di avere una copia del manoscritto e potere così iniziare subito la traduzione. Gli autori russi, dopo la prima pubblicazione in Unione Sovietica, non hanno la protezione del copyright. Iniziando la traduzione del manoscritto avrei avuto la possibilità di pubblicare contemporaneamente all'editore sovietico e di assicurarmi così il copyright per l'opera nell'Occidente. Il manoscritto, con il consenso dell'autore, mi fu consegnato a Berlino nell'estate '56.

Precisare la questione dei diritti per opere provenienti dall'Unione Sovietica è fondamentale. Se un editore, diciamo europeo o americano, pubblica *Il dottor Živago* nei trenta giorni che seguono l'uscita in Urss guadagna l'esclusiva per il mercato occidentale. La sua, in base alla Convenzione di Berna, sarebbe la prima edizione. I sovietici non hanno aderito a Berna. Basta un solo giorno oltre i trenta e l'opera diventa "cosa di tutti", chiunque può stampare una propria edizione, senza esclusiva e obbligo di royalties. L'avvocato Antonio Tesone, legale della casa editrice Feltrinelli, studia bene la pratica.

Ma, a parte gli argomenti del diritto, la ricostruzione sul "Sunday Times" corrisponde alla versione dei fatti proposta da Sergio D'Angelo in varie occasioni ed è forse utile riepilogare i diversi passaggi anteriori all'estate 1956. Sono in gran parte noti.

Un anno dopo la morte di Stalin, nella primavera del '54, il nome di Boris Pasternak torna alla ribalta per la pubblicazione di alcune poesie sulla rivista "Znamja". Sono composte come appendice a un romanzo che sta preparando, *Il dottor Živago*. Il romanzo è concluso nel '55. Pasternak invia copie alla casa editrice Goslitizdat e ad alcune riviste letterarie. Resta in attesa di una risposta per la pubblicazione.

Nell'inverno del '55, Sergio D'Angelo si accorda con Feltrinelli per un lavoro di segnalazione dalla capitale sovietica. Con la casa editrice ha già collaborato occasionalmente.

D'Angelo parte nel marzo del '56. Ha un impiego a Radio Mosca, il verbo sovietico via etere in tutte le lingue. Alcune settimane dopo il suo arrivo, nel corso di un notiziario culturale, capta la notizia della probabile pubblicazione del *Dottor Živago* di Boris Pasternak: "Si tratta di un romanzo scritto in forma di diario che abbraccia tre quarti di secolo e termina con la seconda guerra mondiale".

D'Angelo è lesto. Segnala la cosa a Milano e Luigi Diemoz lo invita a mettersi rapidamente in contatto con il poeta.

Ai primi di maggio, in una bella giornata di sole, D'Angelo raggiunge il bosco del Villaggio degli scrittori a Peredelkino, appena fuori Mosca, dove Pasternak spesso soggiorna insieme alla seconda moglie Zinaida, al figlio minore Leonid e talvolta a Evgenij, nato dal suo primo matrimonio con Evgenija Lur'e. Più o meno a millecinquecento metri in linea d'aria, oltre una lieve collina, risiede per la villeggiatura Olga Ivinskaja, la donna che il poeta ama da quasi dieci anni e che lo assiste nei lavori di traduzione.

Pasternak riceve D'Angelo e lo ascolta apparentemente sorpreso. Rimane a lungo pensieroso. Non è affatto convinto che il suo libro verrà pubblicato in Unione Sovietica: da un anno attende una risposta che non arriva. Decide infine di aderire alla richiesta del suo ospite. Del resto, aveva già lasciato in visione il romanzo a un gruppo di scrittori polacchi in visita tempo prima, ed è anche in contatto con l'editrice Svet Sovetov di Praga per l'edizione cecoslovacca.

Al momento di congedarsi, il poeta si abbandona a una frase amara e scherzosa: "Voi," dice a D'Angelo, "siete sin d'ora invitati alla mia fucilazione...".

Il 13 maggio Feltrinelli predispone la bozza di una prima lettera all'autore e, ne sono certo, capisce subito che la faccenda può farsi spinosa. Per questo preferisce muoversi di persona e, quando D'Angelo si sposta a Berlino per rinnovare un visto, lo raggiunge. È fine maggio o inizio giugno. I due cenano in un locale. Incontrano due bionde impiegate della Siemens, ballano con loro. Non perdono mai di vista il plico lasciato al tavolo avvolto nell'impermeabile. Contiene un dattiloscritto in cirillico.

Appena rientrato a Milano, Feltrinelli telegrafa allo slavista Pietro Zveteremich ("pregoti venire subito") per chiedergli un parere che gli giunge in pochi giorni. Zveteremich conclude così la scheda di lettura: "Non pubblicare un romanzo come questo costituisce un crimine contro la cultura".

Il 13 giugno Feltrinelli spedisce la prima lettera al suo prossimo autore. In francese. Almeno inizialmente usano il francese. "Se riceverete mai una lettera in altra lingua che non sia il francese, non dovrete in nessun modo eseguire ciò che vi sarà domandato – le sole lettere valide saranno quelle scritte in francese." Il messaggio di Pasternak arriva non so come, scritto su una cartina per sigarette.

L'epistolario tra editore e autore è reso difficile dai tempi di ricezione delle lettere. Ogni volta serve un tramite adatto cui affidare la busta da spedire o consegnare personalmente.

Feltrinelli introduce in seguito il metodo della banconota: il messaggero è "sicuro" se può mostrare a Pasternak la metà mancante della banconota in suo possesso.

Milano, 13 giugno 1956
Caro Signore,
vi siamo molto riconoscenti per averci fatto avere il vostro romanzo, intitolato "Il dottor Živago".
Un semplice primo esame pone in rilievo l'alto valore letterario della Vostra opera, che ci dona un vivido ritratto della realtà sovietica.
Di nuovo, vogliamo esprimerLe tutta la nostra riconoscenza per aver voluto conferire alla nostra Casa Editrice la possibilità di pubblicare per la prima volta in Europa la storia del Dottor Živago, e di averci allo stesso tempo incaricati di organizzare la pubblicazione presso altri paesi, tramite la cessione dei diritti d'autore ad altri editori.
Le sottomettiamo dunque le nostre proposte per regolare la questione dei diritti d'autore, sia per l'edizione italiana come per l'edizione in altre lingue.
Per l'edizione italiana, pensiamo di poterLe proporre la percentuale più alta in uso in Italia, sarebbe a dire il 15%. Per il forte prezzo di vendita, per i costi editoriali piuttosto elevati nel nostro paese, e infine per quello della traduzione, destinato ad incidere non indifferentemente sul costo di produzione, siamo nell'impossibilità di alzare questa percentuale.
Quanto ai diritti per l'estero, noi Vi proponiamo, come d'usanza, di versarvi il 50% dei diritti che noi incasseremo. I diritti di Vostra spettanza verranno accreditati su un conto aper-

to presso di noi, e questo potrà servirvi per viaggi o acquisti in Europa, oppure Vi saranno accreditati presso la Banca di Stato dell'Urss.

Questi sono i punti salienti del contratto che uniamo in duplice copia alla presente; Vi preghiamo di volerci ritornare una copia firmata nel caso Vi troviate d'accordo. Vogliate gradire i miei migliori omaggi.

Giangiacomo Feltrinelli

Una lettera cordiale, standard e tempestiva. Tutto dovrebbe filare liscio. Il 30 giugno risponde Pasternak, sempre in francese. Prima di spedire, mostra la lettera ai figli Leonid ed Evgenij.

Oggi Evgenij ha la stessa faccia di legno secco del padre. Gli devo molto per questa ricostruzione. All'epoca aveva trentatré anni: "Eravamo molto d'accordo con quella lettera pur sapendo che poteva portare a conseguenze pericolose. Nostro padre era disposto a qualsiasi sacrificio pur di vedere pubblicato *Il dottor Živago*. Appoggiammo pienamente la sua idea, anche noi eravamo pronti a tutto. Mio padre ci ringraziò, disse che sperava nella nostra comprensione".

Evgenij ricorda che il padre ricopiò la lettera in partenza, cosa che non faceva mai:

Mosca, 30 giugno 1956

Caro Signore,

Le Vostre proposte sono ammirevoli, firmo il contratto con piacere. Benché io non sia del tutto disinteressato al denaro, noi qui viviamo in condizioni completamente diverse dalle vostre. Non è merito mio se le questioni di denaro sono per me inesistenti o del tutto secondarie. A ogni modo serbate Voi tutto quello che mi sarà dovuto, sotto la Vostra protezione, Ve lo affido senza riserve, e non facciamone più parola da oggi fino a quando verrò io in viaggio da Voi o solleverò io stesso questo argomento. Particolarmente grande è la mia gioia per il fatto che il romanzo uscirà e verrà letto nel Vostro paese. Se la sua pubblicazione qui, promessa da parecchie delle nostre riviste, dovesse subire ritardo e la Vostra la anticiperà, io mi troverò in una situazione di tragico imbarazzo. Ma la cosa non Vi riguarda. In nome di Dio, procedete liberamente alla traduzione e alla stampa del libro, buona fortuna! Le

idee non nascono per venire nascoste o soffocate sul nascere, ma per essere comunicate agli altri.
Assicurate all'opera una buona traduzione. Il signor professor Lo Gatto a questo proposito mi ha fatto le lodi e ha rac-
comandato il poeta e traduttore Ripellino, a Roma.
Vogliate gradire, caro Signore, i miei sentimenti più affettuosi.

B. Pasternak

P.S. Abbiate la bontà di avvertirmi telegraficamente del ricevimento di questa lettera.

Una bella lettera, con sincero disinteresse per le questioni economiche. "In effetti," osserva il figlio, "mio padre
se la cavava con il minimo indispensabile. Il suo studio era
uno spazio modesto, l'abbigliamento molto semplice, evitava divertimenti futili, viaggi, ferie e tutto ciò che deriva
dal piacere di spendere denaro."
Ma il fatto clamoroso di questa prima risposta all'editore italiano è che i sovietici seppero fin dall'inizio, magari non tutto, ma qualcosa sì. Recentemente, a Mosca, è
emerso un documento importante. Il timbro è "segretissimo", la data 24 agosto 1956. Spedisce il generale Ivan Serov, presidente del Comitato di difesa nazionale del soviet
dei ministri dell'Urss (comunemente Kgb). Riceve il Comitato centrale.

Il Comitato di difesa nazionale del Soviet dei Ministri del-
l'Urss dispone di una serie di dati dai quali risulta che lo scrittore B. Pasternak, attraverso Sergio D'Angelo, speaker presso la radio del Ministero della Cultura dell'Urss, cittadino italiano e membro del Partito Comunista Italiano, nel maggio
c.a. ha consegnato all'editore italiano Feltrinelli un manoscritto del proprio romanzo inedito, "Il dottor Živago", affinché venga pubblicato in Italia.
Nella lettera del 3 luglio c.a., indirizzata a Feltrinelli, Pasternak acconsente ufficialmente alla pubblicazione del romanzo
e chiede che l'onorario a lui spettante venga lasciato in Italia.
Pasternak, al momento della consegna del romanzo, ha posto le seguenti condizioni: che la casa editrice, dopo la pubblicazione dell'opera in Italia, conceda i diritti del romanzo
agli editori francesi e inglesi.
Pasternak raccomanda che il romanzo non esca in Italia pri-

ma della pubblicazione in Urss. Feltrinelli gli risponde che il romanzo sarà pubblicato verso l'aprile del 1957.

È noto che nell'aprile c.a. Pasternak ha consegnato "Il dottor Živago" alla redazione della rivista "Novij Mir". L'opera viene recensita, ma l'assenso alla pubblicazione non viene ancora dato.

Il 9 agosto c.a. Pasternak invia una lettera a un certo Reznikov Danil Georgevič, abitante a Parigi, nella quale esprime i suoi dubbi sulla possibilità di vedere pubblicato "Il dottor Živago" in Urss: "Capisco benissimo che ora [il romanzo] non può essere pubblicato, e probabilmente sarà così per molto tempo, forse per sempre: così grande e inconsueta è la libertà di spirito con cui nell'opera si rappresenta l'esistenza, l'esistenza nella sua totalità, l'esistenza nel mondo; così libera e nuova è la sua concezione nel mondo".

Riferendosi alla consegna del romanzo all'estero, Pasternak scrive a Reznikov: "Ora qui mi sbraneranno vivo: ne ho già il presentimento, e lei sarà un lontano e triste testimone di questo fatto".

Contemporaneamente Pasternak invia a Reznikov un manoscritto di "Persone e situazioni", da lui scritto in qualità di saggio introduttivo alla raccolta di poesie edita dal Goslitizdat. Inoltre, chiede che Reznikov disponga del saggio a sua discrezione, come fosse di sua proprietà.

Il saggio rappresenta un'autobiografia dettagliata di Pasternak, accompagnata da una valutazione dell'opera di alcuni poeti sovietici, in particolare di Majakovskij, della Cvetaeva, di Jašvili. Inoltre esprime il proprio parere sulle possibili cause del loro suicidio e di quello dello scrittore Fadeev.

Pasternak Boris Leonidovič, nato nel 1890, è ebreo, non iscritto al partito, membro dell'Unione degli scrittori sovietici.

Durante la rivoluzione e negli anni successivi ha aderito alla corrente letteraria piccolo borghese degli acmeisti. Tipico delle sue opere è l'allontanamento dalla realtà sovietica e la celebrazione dell'individualismo. Pasternak per un lungo tempo non ha pubblicato quasi nessuna delle sue opere, ad eccezione di un breve ciclo di poesie.

Tra il 1946 e il 1948 ha scritto la prima parte del romanzo "Il dottor Živago", nel quale è riflessa la sua visione idealistica del mondo. La rivista "Novij Mir", cui è stato consegnato il manoscritto, si è rifiutata di pubblicare il romanzo in quanto ideologicamente inaccettabile. In seguito il manoscritto del romanzo è circolato negli ambienti letterari.

In quegli stessi anni Pasternak ha stabilito contatti con una serie di collaboratori all'ambasciata britannica di Mosca, attraverso i quali ha mantenuto la corrispondenza con la sorella che vive a Londra.

Nelle conversazioni con alcuni dei rappresentanti dell'ambasciata ha fatto dichiarazioni antisovietiche.

È stato soprattutto grazie a questi contatti che, tra il 1946 e il 1948, Pasternak si è fatto tanta propaganda sulla stampa inglese e americana, creando attorno a sé un'aureola di "grande poeta-martire" che non riesce ad adattarsi alla realtà sovietica.

Il rapporto del Kgb chiarisce e complica le cose. Nell'epistolario, quello della cassaforte coi ricordi garibaldini, non vi è traccia di lettera del 3 luglio. C'è la lettera del 30 giugno, con trama simile a quella che, secondo Serov, è datata tre giorni dopo.

I casi sono due, anzi, come sempre più di due: la prima ipotesi è che, in un remoto archivio, esista effettivamente la lettera del 3. Ma perché due lettere a distanza di tre giorni con gli stessi argomenti? Inoltre, diversamente dal messaggio di Pasternak a Danil Reznikov, nel "segretissimo" di Serov nulla che riguardi la presunta lettera del 3 luglio è virgolettato.

Sorge il ragionevole sospetto che non esista alcuna corrispondenza di quel giorno. Forse si riferiscono alla lettera del 30, forse hanno fatto confusione, forse il 3 è la data in cui la polizia intercetta lo scritto di tre giorni prima. Ma perché i sovietici avrebbero poi permesso che la lettera raggiungesse Milano? Nella busta, probabilmente, c'è anche un contratto: "firmo senza riserve", scrive Pasternak il 30 giugno. E se è vero che la documentazione è stata intercettata, perché non usarla per incastrare pubblicamente il poeta? Pretesti e processi non mancheranno.

Siamo all'ipotesi numero tre: la polizia sovietica non intercetta un bel niente. Forse qualcuno riferisce di una lettera spedita il 30 o il 3, rivelando informazioni più o meno pertinenti. Per esempio, la richiesta all'editore di cedere i diritti in Francia o in Inghilterra, oppure la raccomandazione che l'edizione italiana non preceda quella sovietica (nella lettera del 30 giugno si afferma invece il contrario), o la notizia che il romanzo sarebbe apparso in Italia nell'aprile del '57. Chi è presente "al momento della consegna del romanzo"? Chi può sapere della corrispondenza tra Pasternak e il suo editore italiano?

I familiari del poeta, con mezze frasi e forse spinti da qualche gelosia, hanno sempre alimentato il dubbio che Olga Ivinskaja abbia fornito informazioni ai servizi di sicurezza. Anche la stampa corrente, a Mosca, dà ormai per scontato che Olga sia stata una spia. Ma l'equazione rischia di portarci fuori strada, oltre a essere ingrata e rozza. Dare informazioni? Tutti davano informazioni, quella era la società più bisbigliante che potesse esserci. Se Olga ha dato informazioni lo ha fatto a fin di bene e in "positivo", omettendo cioè i particolari scomodi e presentando le versioni più rassicuranti per consentire future mediazioni. In una lettera a Chruščëv, datata 1° marzo 1961, la Ivinskaja ammette: "Al Cc mi suggerivano di allontanare Pasternak da possibili contatti con stranieri". E in un altro passo della stessa lettera: "Non serve dire che, a suo tempo, al Cc mi hanno suggerito il nome di D'Angelo e che tramite D'Angelo sono riuscita a tener ferma la pubblicazione del romanzo in Italia per un anno e mezzo".

Olga Ivinskaja aveva già scontato tre anni d'internamento (era uscita nel '53). Non è l'unica testimone della vicenda, e la soluzione del nostro mistero potrebbe condurre su altre piste, al momento non verificabili. Forse esisteva una rubizza domestica che entrava e usciva proprio mentre Pasternak e D'Angelo discutevano gli accordi, o forse lo stesso D'Angelo ha avuto un ruolo da "mediatore".

In ogni caso, nell'agosto del '56 le notizie circolano diffusamente tra gli ingranaggi dell'apparato sovietico, questo lo si può dire con certezza. Il giorno successivo alla nota di Serov, il 25 agosto, il Kgb comunica nuovamente al vertice del Pcus l'avvenuta consegna del manoscritto e, a parte, ne informa Pëtr Pospelov, vecchia conoscenza, ora segretario del Comitato centrale.

Il 31 agosto, il ministro degli Affari esteri Dimitrij Šepilov definisce il romanzo di Pasternak "un feroce libello contro l'Urss" e notifica che "il Dipartimento per i rapporti con i partiti comunisti esteri, tramite alcuni amici, sta prendendo delle misure per impedire la pubblicazione all'estero di questo libro antisovietico" (cfr. *Le dossier de l'affaire Pasternak*, Gallimard). Ciò significa che se ne sarebbe parlato intorno a qualche samovar con i dirigenti comunisti italiani, in visita per vacanza o altro (siamo tra la pubblicazione del rapporto Chruščëv e i fatti d'Ungheria).

Il tono dei sovietici è insieme preoccupato e nervoso anche se, immagino, al momento sono ancora persuasi che tutto si possa ricomporre. Magari contando proprio sulla collaborazione dei compagni italiani.

Ancora dall'articolo di Giangiacomo per il "Sunday Times":

> Mentre la traduzione italiana stava procedendo, la pubblicazione a Mosca veniva posticipata e cominciò a circolare la voce che io avevo avuto una copia del Dottor Živago. Il Pci (di cui allora ero membro) ricevette richiesta di verificare questa voce. Io confermai il fatto in un colloquio con Togliatti, segretario generale del partito. Non mi fu fatta in quel momento alcuna richiesta di sospendere la pubblicazione in Italia, ma solo la richiesta che la pubblicazione in Occidente avvenisse in concomitanza con la pubblicazione a Mosca.

L'autunno è carico di avvenimenti.

In attesa che i sovietici si decidano, Feltrinelli è invitato a restituire momentaneamente l'originale del *Dottor Živago*. L'invito gli viene da Pietro Secchia e Paolo Robotti, di ritorno da un viaggio a Mosca. Ai due dirigenti comunisti italiani i sovietici hanno chiesto di adottare ogni misura per far rientrare il "caso". Secchia aveva parlato dei suoi buoni rapporti con l'editore, rassicurandoli: ci avrebbero provato.

Il 24 ottobre il Dipartimento per i rapporti con i partiti comunisti stranieri riceve, via ambasciata, un messaggio euforico di Robotti: la questione è risolta! Entro breve il manoscritto sarebbe rientrato a Mosca. La comunicazione è vistata da Leonid Brežnev (cfr. *Le dossier de l'affaire Pasternak*).

Ma è vero il contrario: Feltrinelli, allarmato per la pressione ricevuta, si cura di custodire il dattiloscritto (fino a quel momento nelle mani di Zveteremich a Roma) in casa sua.

Il gennaio del '57 è ricco di colpi di scena.

A Mosca giunge l'ennesima delegazione del Pci, guidata dal vicesegretario Luigi Longo. Malgrado un ordine del giorno già sufficientemente fitto, i vari Suslov e Ponomarëv sollevano la faccenda *Živago*, mostrando lettere di scrittori locali indignati con Pasternak per il suo atteggiamento estraneo all'ideologia.

I sovietici sono delusi. Dopo mesi di conciliaboli, rassicurazioni, trattative interpartitiche si ritrovano con un pugno di mosche. Chiedono ancora una volta la collaborazione dei dirigenti del Pci che, allargando le braccia, si guardano negli occhi con desolata mimica italiana. Irritati, a Mosca decidono di cambiare tattica: avrebbero preso il toro per le corna, rompendo il minaccioso silenzio nei confronti di Pasternak.

Cambiano tattica e, come in una partita a scacchi, sbagliano mossa, innescando l'inesorabile corsa verso il matto. Pasternak è convocato da Aleksej Surkov, il segretario dell'Unione scrittori, che gli propone un formale contratto di edizione predisposto dalla Goslitizdat, la casa editrice delle Edizioni di stato. Ma gli si fa intendere la necessità di fare qualche taglio e magari una revisione completa. Poi è costretto a inviare un telegramma al suo promesso editore. L'obiettivo è quello di prendere tempo.

secondo la preghiera della casa editoriale goslitizdat novaia basmannaja 18 mosca prego ritenere la pubblicazione italiana del romanzo il dottore givago durante un mezzo anno fin lo primo settembre 1957 e l'uscita del romanzo nel edizione sovietica la risposta telegrafica dirigere al goslitizdat

pasternak

Il telegramma giunge a Milano il 14 febbraio 1957. È più o meno in italiano. Ma Pasternak, uscito dall'ufficio di Surkov, scrive subito a mio padre, questa volta in francese. La data è 6 febbraio.

Caro Signore,
Le nostre Edizioni di Stato fanno pressione su di me perché io vi mandi un telegramma pregandovi di sospendere la pubblicazione italiana del mio romanzo fino a quando non sarà uscita la versione modificata presso le Edizioni. Vi proporrei un termine limite di rinvio, di sei mesi, a esempio. Concedete questa dilazione, se non è contrario ai vostri piani, e telegrafate una risposta non a me bensì all'indirizzo delle Edizioni: Mosca Novaia Basmannaja 18 Goslitizdat.
Ma la tristezza che mi causa, naturalmente, l'imminente alterazione del mio testo sarebbe ben più grave qualora io sapessi che voi intendete farvi riferimento per la traduzione ita-

127

liana, a dispetto del mio persistente desiderio che la vostra edizione sia strettamente fedele al manoscritto autentico. Un'altra domanda: sono io stesso ad avervi addossato gli oneri delle questioni trattate nell'art. 4 del contratto e ad avervi incaricato per le altre traduzioni estere. Negli ultimi tempi, mi sono fatto dei nuovi grandi amici in Francia, che sono disposti a lavorare insieme a me e che sono legati alle migliori case editrici, Gallimard e Fasquelle, per esempio. Sono pronto a offrirvi qualsivoglia riconoscimento supplementare con relazione all'articolo 2, se voi voleste cedere la faccenda dell'edizione francese al gruppo di traduttori francesi di cui vi scriverà Madame Jacqueline de Proyart, mia rappresentante a Parigi per le questioni letterarie e figura principale del gruppo. Oppure, se non desiderate cedere la gestione delle vicende del romanzo in Francia, prendete almeno in considerazione Mme de Proyart, Mlle Hélène Peltier, M.M. Michel Aucouturier e Martinez come traduttori, a cui dovrete ricorrere secondo il senso e lo scopo dell'art. 4. Prendete accordi con loro, fatelo davvero, ve ne prego, è un mio assillante desiderio. E perdonate se vi importuno tanto. Vostro

B. Pasternak

Jacqueline de Proyart, studentessa di stanza a Parigi, con nobili natali, fervente cattolica, giunge a Mosca agli inizi del '57. Sa poco o niente di Pasternak, nemmeno se sia vivo o morto. Per combinazione le capita di incontrarlo. Lui è il più affascinante degli uomini e lei gli propone di aiutarlo per la traduzione delle sue opere in lingua francese. È amica della casa Gallimard, farà lei qualcosa per il romanzo, perlomeno in Francia. E poi chi è mai questo sconosciuto editore italiano?

Ricevuta la lettera di Pasternak, Feltrinelli informa immediatamente Zveteremich: "Ti scrivo solo per dirti che è necessario riuscire a terminare tra 3 mesi il Past. In settembre esce l'edizione russa e perché il nostro contratto sia valido, cioè perché si possano vendere i diritti, occorre che il 2 settembre il libro sia in vendita. Sono disposto a fare qualche sacrificio, un compromesso, purché per quella data io possa andare in tipografia. Assicurami e fammi eventuali proposte. Ho accennato a Moravia per la revisione ma non mi è sembrato entusiasta. Ne riparlerò con Bassani. Intanto affrettati". Poi attende l'occasione di un messaggero sicuro e il 22 marzo scrive a Mosca:

Caro Signore,
già da qualche settimana ho ricevuto la notizia che il Vostro romanzo, "La storia del dott. Živago", verrà pubblicato a Mosca nel prossimo settembre. Permettetemi di dirvi quanto la notizia mi faccia piacere. La traduzione italiana sta procedendo e dopo la notizia della prossima pubblicazione a Mosca ho insistito presso il mio traduttore affinché la traduzione venga terminata nel più breve tempo possibile. Vogliate gradire, caro Signore, i miei saluti più cordiali.

Giangiacomo Feltrinelli

Nonostante tutte le assicurazioni, i giorni passano troppo lentamente per Pasternak, la sua salute e il morale ne risentono, mentre il tempo guadagnato dalle autorità sovietiche è quello tra fulmine e tuono. Inoltre c'è forte tensione ai vertici del Pcus. Ciò sarà ben visibile durante l'estate, con l'espulsione del cosiddetto "gruppo antipartito" (Molotov e compagni) e con i giri di vite ordinati da Chruščëv.

In questa atmosfera, i sovietici ricevono la lettera di Feltrinelli che informa le Edizioni di stato delle sue intenzioni. È datata 10 giugno, ben tre mesi dopo il telegramma di Pasternak:

Cari Compagni,
con la presente desideriamo darvi conferma che non procederemo alla pubblicazione del romanzo di Pasternak "Storia del dottor Živago" prima della sua uscita in Urss nel mese di settembre. Essendoci finalmente concesso di esprimere un giudizio sul manoscritto, possiamo affermare che ci troviamo di fronte a un romanzo di notevole valore letterario, il cui autore si colloca al livello dei grandi scrittori russi del XIX secolo. A nostro parere, la prosa di Pasternak ricorda quella di Puškin. Egli rappresenta perfettamente la Russia, la sua natura, la sua anima e la sua storia: personaggi, cose e fatti sono tratteggiati in modo chiaro e concreto nello spirito del miglior realismo, di un realismo che cessa di essere moda per diventare arte.
Le considerazioni del protagonista e dei vari personaggi del romanzo sul loro destino personale e su quello del paese si collocano a un livello così alto da superare i confini dell'attualità politica contingente, e questo è al di là del fatto che il lettore condivida o meno i loro giudizi politici. Si tratta di un aspetto dell'opera che potrebbe dare luogo a qualche controversia. Mi sem-

bra tuttavia che il peso che nel libro assumono queste riflessioni è irrilevante e del resto, dopo il xx congresso, la divulgazione di alcuni fatti non riesce più né a stupirci né a turbarci. Sarebbe peraltro la prima volta che il lettore occidentale viene a contatto con la voce di un grande artista, di un grande poeta che compie, in forma artistica, una minuziosa analisi dello svolgimento della rivoluzione d'Ottobre, foriera di una nuova epoca in cui il socialismo è diventato l'unica forma naturale di vita sociale. Per il pubblico occidentale, il fatto che questa voce appartenga a un uomo estraneo a ogni attività politica è garanzia della sincerità del suo discorso rendendolo degno di fiducia. I nostri lettori non potranno non apprezzare questo sconvolgente affresco di eventi della storia del popolo russo, al di fuori di ogni schematismo ideologico, né ignorarne l'importanza e le prospettive positive che ne sono derivate. Maturerà così la convinzione che il cammino percorso ha fatto progredire il vostro popolo, che la storia del capitalismo volge alla sua fine e che una nuova era è iniziata.

Vi abbiamo espresso in tutta sincerità la nostra opinione sull'opera di Pasternak e riteniamo che i suoi aspetti discutibili siano largamente compensati dagli argomenti a favore della sua pubblicazione. A questa conclusione siamo giunti non solo in considerazione dei nostri interessi di editore, ma anche coerentemente con le nostre convinzioni politiche che vi sono ben note. Del resto sapete bene che, per noi, opinioni politiche e agire editoriale sono inscindibili.

È per noi importante potere esprimere il nostro punto di vista, considerato che c'è stato in passato qualche malinteso intorno al libro di Pasternak e che ci avete sospettato di volere dare a questa pubblicazione un carattere sensazionale, ciò che non è assolutamente nelle nostre intenzioni.

Vi inviamo, cari compagni, i nostri saluti più cordiali.

Giangiacomo Feltrinelli

Otto giorni dopo, Zveteremich telegrafa a Milano ("Caro Feltrinelli, ho terminato la traduzione del Dottor Živago...") e il 20 dello stesso mese Pasternak spedisce un nuovo messaggio:

Caro Signore,
è oramai da più di tre mesi che sono malato, prima a casa, poi in ospedale e ora in un sanatorio nei pressi di Mosca. Vi ringrazio ancora per aver accordato la proroga richiesta dalle Edizioni di Stato (Goslitizdat). Ma è proprio tutto quello

che ho da pretendere da voi. Tutto il resto è superfluo. Se l'opera non apparirà il 1 settembre in italiano presso la vostra casa editrice, fedele al primo manoscritto russo, la cosa mi addolorerebbe molto, dandomi la più grande delle amarezze. Il ritardo dell'edizione italiana ostacolerebbe la comparsa delle altre traduzioni straniere, la cui attuazione è sempre stata costantemente da me sottoposta al vostro controllo (per esempio in Francia, in Inghilterra, in Cecoslovacchia e altrove). Da noi il romanzo non uscirà mai. I guai e le sventure che forse mi attendono anche solo nel caso della pubblicazione all'estero, senza cioè un'analoga pubblicazione in Unione Sovietica, sono faccende che non ci devono riguardare, né a me, né a voi. Quello che ci preme è che l'opera veda quanto meno la luce, e non negatemi il vostro aiuto. Con i sensi dell'affetto più vivo

B. Pasternak

Nel luglio del '57, rimossa dal Politburo la fronda di Molotov, Chruščëv è saldamente in sella. Lazar Fleishman, il miglior biografo di Pasternak, precisa bene il momento: "Quella stessa estate fu pubblicata una scelta dei suoi [di Chruščëv] discorsi alle riunioni dell'intelligencija artistica che doveva fungere da direttiva guida del partito. Dai tempi di Ždanov, nessun dirigente sovietico aveva espresso le proprie opinioni su questioni letterarie e artistiche. Era la prima volta che Chruščëv interveniva sul tema e la pubblicazione di quei discorsi non lasciò alcun dubbio sul fatto che fosse lo schieramento conservatore e non quello liberale a godere del suo pieno appoggio nel campo della politica culturale". E sempre Fleishman ricorda che, nell'estate, sono avvenuti due episodi che hanno fatto imbestialire le autorità sovietiche. Per prima cosa, la pubblicazione di alcuni brani del *Dottor Živago* sulle pagine di un trimestrale polacco, peraltro perfettamente in linea con la cultura ufficiale. Com'è potuto accadere? Evidentemente ci sono molte copie di *Živago* in circolazione e questa anteprima – pensano – può essere l'alibi per una successiva comparsa del romanzo in Occidente. Tanto più che una rivista dell'emigrazione russa a Monaco, e questo è il secondo motivo di scorno, ha stampato alcune poesie attribuibili a Pasternak senza citarlo come autore. Bisogna intervenire.

Spiega Evgenij Pasternak: "All'inizio di agosto, al Cc del

Pcus, su richiesta di Suslov e Pospelov, vennero preparate alcune dichiarazioni per far fronte ai progetti di pubblicazione del romanzo in Polonia e in Italia. Alla Goslitizdat volevano far modificare il testo, sperando che Feltrinelli avrebbe aspettato le correzioni dell'autore sino a settembre".

Sono nuovamente informati i dirigenti comunisti italiani perché prendano le opportune contromisure. A Mosca, in occasione del Festival mondiale della gioventù, è presente una nutrita delegazione del Pci, con Longo, Alicata e Spano. Anche il giovane slavista Vittorio Strada è in visita, per la prima volta, e trova il modo di incontrarsi e familiarizzare con Pasternak, trascorrendo con lui diverse ore a Peredelkino. Strada ricorda ancora la sua sorpresa quando, al momento di congedarsi, Pasternak lo chiamò in disparte per sussurrargli con assoluta serenità: "Vittorio, riferisca questo a Feltrinelli: gli dica che io voglio che il mio libro esca a ogni costo".

Torniamo ancora all'articolo sul "Sunday Times" del maggio 1970:

> Nell'estate del '57 mi giunsero voci circa l'annullamento definitivo dei progetti di pubblicazione del Dottor Živago. Poco dopo vi fu una richiesta dell'autore di procedere alla pubblicazione in Italia e in Occidente, indipendentemente della pubblicazione a Mosca, e di non prendere in considerazione altre istruzioni che l'autore fosse stato successivamente costretto a trasmettermi. L'accordo fra me e Pasternak era che mi sarei assunto tutta la responsabilità per la pubblicazione, per dare così all'autore una protezione di fronte alle autorità sovietiche.

Durante l'agosto comincia l'orchestrazione di Dimitrij Polikarpov, massimo dirigente della sezione culturale del Cc, e di Aleksej Surkov, segretario dell'Unione scrittori, entrambi scorbutici come i loro nomi. Preparano convocazioni ultimative per incontri umilianti, dove a parole severe seguono minacce. A rappresentare Pasternak, debilitato fisicamente, i due trovano spesso Olga. Una nuova revoca, ecco cosa si pretende da lui, un ultimo tentativo per fermare tutto. Altrimenti, senza troppi giri di parole, lo avrebbero arrestato.

> Ho ripreso a lavorare sul manoscritto del mio romanzo Il dottor Živago e sono ormai convinto che quello che ho scritto non può in nessun modo essere considerato un'opera com-

piuta. Considero la copia del manoscritto in vostro possesso come la prima versione di un'opera futura che richiederà una profonda rielaborazione.
Ritengo impossibile la pubblicazione del libro nell'attuale stesura. Sarebbe contrario alla mia regola di pubblicare opere solamente nella loro stesura definitiva.
Vogliate per cortesia dare disposizioni perché mi sia restituito nei tempi più brevi, al mio indirizzo di Mosca, il manoscritto del mio romanzo Il dottor Živago che è indispensabile per il mio lavoro.

Boris Pasternak

Il testo di questa lettera è concordato con Polikarpov e Surkov il 21 agosto, trascritto in lingua russa e inviato come telegramma.

Sergio D'Angelo, ancora una volta presente, descriverà gli avvenimenti in un lungo articolo per una rivista di studi sovietici. Ricorda come Olga sia corsa a cercarlo, con le lacrime agli occhi, chiedendo il suo aiuto per convincere Pasternak ad accettare l'invio del telegramma. Quando i due lo raggiungono, il poeta li accoglie con parole rabbiose: nessun motivo di amicizia o affetto può giustificare la loro "missione caritatevole", gli stanno mancando di rispetto, lo trattano come un uomo privo di dignità. E poi, cosa avrebbe pensato l'editore Feltrinelli cui poco prima aveva scritto dicendo che la pubblicazione del Dottor Živago è lo scopo principale della sua vita? Lo avrebbe preso per un pazzo, per un vigliacco.

Solo dopo un'estenuante discussione, Pasternak si convince che, visti i precedenti, nessun ulteriore messaggio (specie se non in francese) avrebbe trovato credito. In ogni caso, non è più possibile bloccare l'uscita del romanzo. Così accetta, finalmente, la soluzione del telegramma.

"Se l'arresto non avvenne," scrive Sergio D'Angelo, "il merito fu di Olga Ivinskaja."

Velio Spano, "ministro degli esteri" del Pci, una volta rientrato a Roma presenta la sua relazione alla segreteria del partito. È il 14 settembre: "Durante la riunione del Comitato centrale del Pcus è ritornata in discussione la quistione di Pasternak e del suo libro. I compagni sovietici, sempre preoccupati della eventuale pubblicazione da parte di Feltrinelli o di qualche editore occidentale, ci chiedono di intervenire ancora. A questo proposito essi ci hanno rimesso la lettera di diffida di Pasternak con la sua firma autografa e mi pregano di fare in modo che qualcuno di noi la faccia vedere a Feltrinelli per avvalorare la presa di posizione di Pasternak stesso".

È Alicata, sempre lui, a venire a Milano con la copia del testo utilizzato per il telegramma. L'incontro con Feltrinelli è programmato nelle stanze della federazione milanese, in piazza XXV Aprile. Mario De Micheli s'imbatte nell'editore accovacciato sui gradini davanti alla sede, dieci minuti prima della riunione: "Io tengo botta", gli sente dire. Lo storico dell'arte ricorda anche quanto sia stato violento Alicata mentre sventolava, furioso, la falsa diffida di Pasternak.

Negli stessi giorni il traduttore Zveteremich, in contatto da tempo con Pasternak, si trova a Mosca e parla del suo soggiorno in una lettera a Feltrinelli del 5 ottobre:

> A Mosca l'atmosfera creata intorno al libro è molto brutta. Ne fanno un grosso scandalo. Definiscono la sua uscita "un colpo contro la rivoluzione". Evidentemente in malafede. Tanto più che ho avuto piena conferma che il libro doveva uscire in Urss. Ho visto il contratto di P. con la casa editrice sovietica datato il 7/1/57, nonché una lettera a P. d'uno scrittore che gli parlava dell'intenzione di una rivista di pubblicarne brani. Ho conosciuto il redattore editoriale incaricato della revisione. Pare che al Cc del Pcus, Pospelov e altri fossero dell'avviso di pubblicarlo. Tutto è cambiato a causa delle pressioni dell'Unione Scrittori, che in questo caso è stata più intransigente del partito e gli ha forzato la mano. [...] P. ti raccomanda di non tenerne conto e non vede l'ora che il libro esca. Ciò benché lo minaccino di affamarlo e già gli abbiano tolto lavori già commissionati. P. ti prega di non far trapelare che tu hai con lui un contratto in base al quale gli assegni una certa cifra. Un accordo sì, ma nulla di concreto rispetto al compenso. Questo aggraverebbe in modo imprevedibile la sua situazione. La sua salvezza è che si creda che lui non percepisca nulla. [...] D'Angelo non teme alcuna conseguenza dello scandalo dovuto alla pubblicazione del P., se non, eventualmente, che lo mandino via dall'Urss, cosa che non lo preoccupa. Ti ringrazia perciò della preoccupazione e mi incarica di rassicurarti.

Durante la sua visita, Zveteremich riceve da Pasternak anche un breve messaggio per il suo editore.

Caro signore,
vorrei inviarvi i miei più sentiti ringraziamenti per le vostre
cure commoventi. Perdonatemi per le ingiurie che cadono su
di voi e per quelle che forse ancora arriveranno provocate dalla mia misera sorte. Che il nostro futuro lontano, la fede che
mi aiuta a vivere, possa proteggervi.

Boris Pasternak

Tra la fine di settembre e l'inizio di ottobre, piomba a
Milano il presidente dell'Unione scrittori Aleksej Surkov.
Dove non sono riuscite le false lettere, i messaggi trasversali, le pressioni, ora deve farcela lui, in un incontro a due
con Feltrinelli. Si chiudono nell'ufficio dell'editore per tre
ore, le urla echeggiano in tutto il piano. Surkov ("una iena cosparsa di sciroppo", secondo Giangiacomo) non può
fare a meno di notare la foto sbiadita di Pasternak appesa al muro oltre le spalle del suo ospite. Visto come si mettono le cose, spende anche lui la carta del telegramma,
quello estorto a Pasternak. Risposta: "So bene come si ottengono documenti del genere". Ancora una volta niente
da fare.

Con molta calma, ormai è solo questione di forma, Feltrinelli risponde il 10 ottobre al telegramma di fine agosto.

Caro Signore,
ho ricevuto la Vostra lettera e il Vostro telegramma con il seguente testo [...]. Mi premuro di comunicarVi la mia meraviglia e quanto segue:
1) Noi non vediamo nel testo in nostro possesso le manche-
volezze che Voi rimproverate al manoscritto e precisamente
che si tratti di un'"opera incompiuta", "di una versione preli-
minare che necessita di un'accurata revisione".
2) Abbiamo con Voi un accordo secondo il quale Voi ci avete
concesso il diritto di pubblicare il Vostro libro. Questo accordo è stato preso dopo che Voi avevate firmato, con la casa Goslitizdat, un contratto per la pubblicazione in lingua russa. Tale contratto non contiene alcuna clausola che subordi-
ni la pubblicazione del libro all'estero alla pubblicazione in
Unione Sovietica.
3) In seguito a un telegramma che avevate inviato all'inizio
di quest'anno nel quale ci domandavate di aspettare un po' di
tempo, in attesa della pubblicazione del romanzo in Unione
Sovietica, noi abbiamo volentieri accordato una proroga alla pubblicazione all'estero. Ma oggi, vedendo che l'editore so-

135

vietico non ha alcuna intenzione di pubblicare la Vostra opera, non vediamo più alcuna ragione per un rinvio.
4) Al fine di non creare negli ambienti letterari occidentali ulteriori situazioni di tensione, createsi in seguito al Vostro telegramma del tutto inopportuno, e in seguito alle diverse conversazioni tenutesi a Mosca tra i delegati stranieri e alcuni rappresentanti di ambienti politici e letterari sovietici, ci permettiamo di consigliare di non cercare di impedire ulteriormente l'apparizione del libro, cosa che, lungi dall'arrestare la pubblicazione stessa, darebbe a tutta la questione un tono di scandalo politico che noi non abbiamo mai cercato e che non ci auguriamo. In tutti i casi, in seguito alle Vostre iniziative e a quelle dell'Unione scrittori (in Italia e in Inghilterra), declineremo tutte le responsabilità relative alla ripercussione che l'apparizione dell'opera avrà senz'altro come conseguenza della mancanza di tatto da parte dei Vostri funzionari. Vogliate gradire, caro Signore, i miei più cordiali saluti.

Gg. Feltrinelli

Non sappiamo quando Pasternak abbia ricevuto questa lettera, certo è che gli arriva con molto ritardo. L'assenza di una risposta pronta è un segnale positivo: i giochi sono fatti, idealmente è il momento del grande brindisi. Rovina l'atmosfera il dover firmare pseudodichiarazioni, ancora, per impressionare l'editore italiano e i suoi colleghi francesi o inglesi. Il testo è più o meno uguale per tutti. Ecco cosa Pasternak dovrà scrivere a Feltrinelli (siamo al 23 di ottobre):

Signor Feltrinelli,
sono stupefatto per non avere ancora ricevuto una Vostra risposta al mio telegramma. Chiedevo che mi fosse al più presto restituito il manoscritto del mio romanzo perché ero giunto alla convinzione che l'opera avesse ancora bisogno di essere perfezionata e che non fosse ancora compiuta. Credo che qualsiasi editore rispettoso della letteratura e del proprio nome non possa sottrarsi alla richiesta di un autore che considera provvisorio il suo manoscritto e che per questo chiede che gli sia restituito.
La Vostra mancata risposta mi fa pensare che Voi, disdegnando le dirette disposizioni dell'autore e malgrado la sua chiara ed espressa volontà, abbiate deciso di pubblicare ugualmente il romanzo. Io non so se le leggi del Vostro paese Vi

diano un simile diritto. E non si tratta neppure di un diritto formale, perché sia il mio telegramma del 13 febbraio 1957, sia la lettera successiva hanno espresso senza alcun dubbio la mia volontà di non pubblicare il romanzo in una versione ancora provvisoria.

La correttezza fa obbligo di esaudire le richieste dell'autore. Né io, né alcun altro scrittore del mio paese potrebbe accettare che un suo manoscritto possa essere pubblicato a dispetto della sua volontà. Sarebbe una netta e grossolana violazione dei diritti che l'artista ha sulla sua opera, una violenza alla sua volontà e alla libertà rispetto a ciò che esce dalla sua penna.

La richiesta che il manoscritto del romanzo sia restituito vale anche per quelle case editrici inglesi e francesi alle quali avete dato copia.

Boris Pasternak

Di ben altra natura è la lettera spedita a Feltrinelli pochi giorni dopo, il 2 novembre. È inedita e sono le vere parole:

Caro Signore,
non trovo parole sufficienti per esprimervi la mia riconoscenza. L'avvenire ci ricompenserà, Voi e me, per le vili umiliazioni patite. Oh, come sono felice per il fatto che né Voi, né Gallimard, né Collins vi siate lasciati ingannare da quegli appelli idioti e brutali accompagnati dalle mie firme (!), firme pressoché false e contraffatte, tanto mi erano state carpite con una mistura di frode e di violenza. Arrivare all'inaudita arroganza di indignarsi per la "violenza" da Voi esercitata contro la mia "libertà letteraria", usando nei miei confronti proprio la medesima violenza, senza menzionarla. E tutto questo vandalismo, camuffato da sollecitudine per me, per diritti sacri dell'artista! Ma noi avremo presto degli Živago italiani, degli Živago francesi e inglesi, tedeschi – e un giorno forse degli Živago geograficamente lontani, ma russi! Ed è molto, è tantissimo, facciamo del nostro meglio e succeda quel che deve succedere!

Non vi preoccupate per i soldi che mi spettano. Rimandiamo le questioni pecuniarie (per me non ne esiste alcuna) a quando avremo un sistema più sensibile e più umano, quando, nel XX secolo, si potrà di nuovo essere in corrispondenza, viaggiare. Ho una illimitata fiducia in Voi e sono sicuro che sa-

prete custodire ciò che avete destinato a me. Soltanto nel caso sciagurato che mi sopprimano i sussidi e mi taglino i viveri (sarebbe un caso straordinario e niente lo lascia prevedere), bene, cercherei il modo di avvertirvi per approfittare delle offerte che mi fate tramite Sergio, il quale, conformemente al suo nome, è un vero angelo e prodiga tutto il suo tempo e la sua anima in questa vicenda incresciosa.
Vogliate accogliere i miei omaggi più sentiti, vostro

B. Pasternak

È il tipo di lettera che ogni publisher vorrebbe ricevere almeno una volta nella vita.

Lo scritto contiene anche un importante cenno al pagamento dei diritti per *Il dottor Živago*. A giudicare dalle ricevute custodite nella famosa cassaforte, dal dicembre 1957 hanno inizio periodiche rimesse in rubli. Le ricevute, scritte e firmate da Pasternak o da Olga Ivinskaja, riportano 12.800 rubli consegnati il 21 dicembre del '57, 4000 il 7 giugno del '58 e ancora 1000 nello stesso mese, 10.000 nell'ottobre, 5000 il 17 febbraio del '59, 3000 il 28 marzo, 5000 il primo agosto. Tutto ciò serve a dare un'idea, non è la vera somma.

Inizialmente, il tramite per le consegne è proprio D'Angelo; poi, come vedremo, saranno utilizzati altri canali.

Tornando all'autunno del '57, il 25 novembre Pasternak si rivolge nuovamente a Feltrinelli:

Caro Signore,
finalmente ieri ho ricevuto la Vostra pregiata risposta, datata 10 ottobre, che ha quindi vagato non si sa dove per più di un mese e mezzo. Non potendo entrare nei dettagli, mi affretto a ringraziarVi di gran cuore per il fatto che tutto è stato felicemente condotto a buon fine, grazie alla Vostra attenta previdenza, che si è addentrata in tutte le ramificazioni di questa vicenda fuori dal comune. Vi sono enormemente obbligato.
Sono lontano dalla impudica stupidaggine di identificarmi con la voce della verità in persona; ma ho l'audacia di sperare di condividere la tensione e le aspirazioni di tutti coloro che amano di un amore diligente e grato la loro patria, la vi-

ta, il vero e il bello. Ora, avendomi Voi fatto un bene enorme, al di là di ogni misura, vi siete molto adoperato per la bella, giusta causa.

Era per me motivo di gran pena essermi fatto un certo nome solo grazie a cose da nulla come qualche verso disparato, com'è la poesia contemporanea in generale (e la mia), frammentaria, limitata a mezze parole, incompleta, in tempi tanto grandiosi, che esigono si viva in modo responsabile e chiaro, esprimendo il proprio pensiero sino in fondo. Grazie a una prosa ampia, costata un lungo e difficile lavoro, è stato possibile mettere fine a questo stato di pena e di vergogna, e aprire un nuovo capitolo della mia vocazione, un nuovo periodo della mia vita, infinitamente tardivo, ma arrivato, finalmente giunto. Giudicate voi quindi quanto io vi sia grato per averlo aiutato a nascere!

Ho in serbo per Voi una questione importante. Niente di tutto questo avrebbe potuto verificarsi senza l'assistenza di S. D'A., che è stato il nostro infaticabile angelo custode. Benché un aiuto così profondo non si misuri in denaro, fatemi un grande piacere, ripagatelo, quando tornerà da Voi, di tutte le innumerevoli perdite di tempo e delle energie profuse, nel modo seguente. Trattenete dalla somma, che avete l'intenzione di conservarc in futuro e destinare a me, una parte considerevole a favore di S. D'A., nella misura che Voi e lui troverete conveniente, e raddoppiatela. Arrivederci in un futuro lontano, caro caro artefice della mia buona sorte novella (a dispetto delle sue temibili conseguenze)! Vostro

B. Pasternak

D'Angelo, cui Pasternak legge e consegna questa lettera, appone a margine del brano che lo riguarda un grande "no", barrando a matita il testo. Dopo la morte di Pasternak, dirà di non aver mai rifiutato quel generosissimo compenso (peraltro privo di qualsiasi requisito formale): si era solo "riservato di accettare". A distanza di anni, avrebbe rivendicato per sé ben la metà dei diritti maturati dall'autore.

È evidente che, nella lettera, Pasternak usa l'espressione "raddoppiatela" riferendosi al compenso per D'Angelo. Ma una ricompensa doppia è ben altro che la metà di tutti i profitti.

D'Angelo, nel '65, cinque anni dopo la morte di Pasternak, farà causa alla casa editrice. Il tribunale gli darà torto.

Ventitré novembre 1957: *Il dottor Živago* è di tutti. Le prime notizie dalle librerie del centro di Milano sono confortanti: la tiratura (12.000 copie) va a ruba. L'editore presenta il libro con la copertina disegnata da Albe Steiner (molto apprezzata dall'autore, semplice, elegante: "très bon goût... très noble"). Il testo del romanzo è introdotto da una *Nota dell'editore* che riassume la versione "ufficiale" della pubblicazione. L'aveva suggerito Pasternak a Zveteremich al loro incontro: nessun riferimento a contratto o a corrispondenza tra autore ed editore.

In relazione alla preparazione dell'edizione italiana, è intercorsa una corrispondenza tra l'editore e la casa editrice sovietica intorno ai valori del libro ed alla sua data di pubblicazione. In tale occasione, fu raggiunto un accordo che l'edizione italiana non venisse pubblicata prima del mese di settembre 1957. Alla fine dell'estate, quando oramai imminente era la pubblicazione del Dottor Živago e nulla faceva prevedere che nell'Urss fossero sorte difficoltà circa la pubblicazione, abbiamo avuto una richiesta di restituzione del manoscritto da parte dell'autore, il quale manifestava il desiderio di rivederlo. Ci siamo trovati nell'impossibilità di accedere al desiderio dell'autore in quanto il libro era già in avanzato stato di lavorazione e pronto per la stampa anche in altri paesi, e non ci sono d'altra parte pervenute in tempo le modifiche che l'autore intenderebbe apportarvi [...].

Nell'inverno del '57 *Il dottor Živago* è in traduzione presso le case editrici più importanti: S. Fischer, Collins, Pantheon, Gallimard. Da noi si ristampa ogni due settimane.

Nell'unica intervista di quelle settimane, Feltrinelli dichiara che la pubblicazione del libro vale come "esplicita protesta", è un momento della "battaglia per la tolleranza" di cui l'onorevole Togliatti, anni prima e nella sua pregevole prefazione a Voltaire, aveva scritto spiegando che essa è "ancora attuale e non facile a vincersi". Con questa citazione da un libro Colip, per una volta impertinente, si chiude il primo capitolo del "romanzo nel romanzo".

"Prevalse in quell'editore la cupidigia (non necessariamente mercantile) d'un colpo grosso editoriale o si fece strada, nell'animo suo e dei suoi consiglieri, l'intento di compiere una provocazione ai danni del paese del socialismo?" Forse nessuna delle due ipotesi, compagno Alicata.

Riepilogo. *Il dottor Živago* doveva essere pubblicato in Unione Sovietica e, per la non adesione dell'Urss alla convenzione di Berna sul diritto d'autore, l'Occidente poteva pubblicarlo senza contratto e riconoscimenti economici. Solo se qualcuno avesse avuto la traduzione pronta entro i fatidici trenta giorni dall'uscita in Urss avrebbe ottenuto l'esclusiva per il mondo che conta economicamente e fornito protezione all'opera.

Da parte italiana non mancò la disponibilità ad attendere l'edizione originale, almeno fino a quando giunsero le vere lettere di Pasternak. Ma, dopo la pubblicazione in Italia, di contratti e lettere non si doveva più parlare, anche nel caso di attacchi molto personali. E, in effetti, lettere e contratti non sono più apparsi: sono "il segreto".

Feltrinelli si assume la totale responsabilità di stampare il libro e lo fa non come paladino dell'antisovietismo (nemmeno Pasternak lo avrebbe voluto) ma semplicemente perché è convinto dell'opera. Nei ranghi stretti della dirigenza sovietica si pensa fino all'ultimo che il romanzo non sarà pubblicato in Italia (se non dopo l'uscita a Mosca): Feltrinelli, in fondo, è dei "nostri". Ciò rende più tagliente e nitida la sconfitta diplomatica, politica, culturale della prima o seconda potenza del mondo. Certo, Chruščëv avrebbe potuto prendersi la briga di leggere quel romanzo troppo lungo, cosa che molto più tardi ammetterà di non avere fatto. È il caso di dire che sottovalutò la potenza di un libro.

Esiste una foto emblema della sconfitta sovietica. Un paparazzo immortala Anastas Mikojan, vicepresidente del Consiglio dei ministri, mentre osserva cupo la vetrina della più grande libreria newyorkese. Succede durante una sua visita ufficiale nell'inverno 1958. *Živago* è l'unico titolo esposto, in molti esemplari.

Se fosse stata la Cia o chi per essa a orchestrare la pubblicazione del romanzo, l'impatto sarebbe stato diverso: una metà del mondo avrebbe trovato da ridire, gridando al complotto, alla più ignominiosa delle ignominiose speculazioni. Invece, così, spiazzati tutti: troppo complicato montare la controinformazione all'ultimo minuto.

Tra parentesi, la Cia uno zampino magari ce l'ha, forse nei tentativi di pirateria del libro. Ho letto da qualche parte che anche il servizio di Sua Maestà sarebbe intervenuto. Avrebbe fotografato il dattilo all'aeroporto di Malta durante una finta sosta d'emergenza dell'aereo su cui viaggiava Feltrinelli. Ma cosa ci facesse James Bond nell'ultima fila vicino al finestrino, a fumare miscela turca, è una storia ancora tutta da scoprire.

La cosa strana, almeno leggendo questa vicenda con gli occhi del presente, è che Feltrinelli non diventa paladino dell'antisovietismo neanche dopo, a pubblicazione avvenuta. Eppure, avrebbe avuto i suoi vantaggi (e forse un'ascesa all'Empire State Building). Il dramma della storia del comunismo è che essere antisovietici significa sempre essere anticomunisti e davvero non si può essere comunisti e andare contro la Rivoluzione d'ottobre, la sua eco è ancora troppo grandiosa.

Da Giangiacomo non verrà un rigo nel linguaggio tipico da ex e, per dirla tutta, un ex non lo sarà mai. La sua intima posizione sul *Dottor Živago* è ben spiegata in un passo della stupefacente lettera inviata a Bert Andreas, il 23 dicembre 1957. Lo studioso tedesco gli aveva scritto poco prima, preoccupato per il clamore sorto attorno al caso Pasternak. Andreas sosteneva le ragioni della pubblicazione del romanzo, ma temeva ripercussioni sulle iniziative dell'Istituto Feltrinelli. Mio padre gli risponde così:

Pasternak. La questione non è puramente letteraria ma ha anche un significato politico. Non posso, né voglio evitarlo. Il significato politico non è sicuramente contrario all'Unione Sovietica tout-court, bensì a certe forze che continuano a detenere una posizione molto importante. In questo senso l'intera faccenda mi è stata consigliata proprio dall'Unione Sovietica. Se Tito e Gomułka assumono una posizione autonoma, la cosa ha anche un significato politico di fronte all'Unione Sovietica, ma non per questo costoro rientrano nelle grazie degli imperialisti.

Diverse persone capiscono tutto ciò, anche in Urss. All'Istituto non può venirne alcun danno. Le signore di M. non saranno così stupide. Quando erano qui hanno dimostrato di comprendere piuttosto bene la situazione. Ordini dall'alto possono ostacolare i buoni rapporti, ma se così avvenisse questi si ristabiliranno in futuro. È giocoforza e non può essere diversamente. D'altra parte tutto ciò non può che migliorare i rapporti con altri Istituti.

La frase "l'intera faccenda mi è stata consigliata proprio dall'Unione Sovietica" introduce un nuovo mistero: con chi è in contatto Feltrinelli? C'è veramente una "sponda" tra le "signore di M."?

Comprendo solo la dinamica delle cose. Un editore italiano è antagonista ai plenipotenziari di un sistema politico in cui si riconosce, ma che considera privo di innovazione. Sconfitto il moloch sclerotico, dall'Urss sarebbero venuti vigorosi segnali di emancipazione. Feltrinelli è plenipotenziario di una sua particolarissima repubblica, rappresentata da se stesso, dai suoi libri, dai suoi autori, dalle sue idee, dai suoi soldi. Vuole trattare alla pari. È la sua politica.

Il "romanzo nel romanzo" vivrà ancora molte puntate, sempre con l'editore che difende il suo copyright e le ragioni di una scelta editoriale. Dopo gli entusiasmi iniziali, entrano però in scena gli interessi privati, gli opportunismi, le speculazioni alla Alicata. È o non è il primo grande bestseller dell'editoria contemporanea?

A Feltrinelli lo *Živago* rimane nelle vene come la più esaltante delle droghe, come la più profonda delle esperienze umane. Ha avuto la prova che il suo mestiere può influire su questioni decisive.

Ecco quanto scrive a Boris, di suo pugno, in calce a una lettera del settembre 1958:

Grazie per lo Živago, per tutto quello che ha fatto per noi. In questi tempi, in cui i valori umani vengono dimenticati, in cui gli esseri umani sono ridotti a dei robot, in cui la maggior parte delle persone cerca solo di fuggire via da se stessa, e di risolvere i problemi del proprio ego vivendo nello stress e mortificando ciò che resta della sensibilità umana, lo Živago è stato un insegnamento che non si potrà dimenticare. E tutte le volte che non saprò riconoscere la mia strada, so che potrò tornare allo Živago e imparare da lui la più grande lezione della vita. Lo Živago mi aiuterà sempre a ritrovare i semplici e profondi valori della vita, anche quando mi sembreranno definitivamente perduti.

"Živago", lo si capisce, diventa la parola chiave per tutto ciò che è avventura e senso del vivere.

Dopo la pubblicazione del romanzo, Feltrinelli dovrà reggere l'offensiva del Pci, puntuale come un orologio svizzero.

Il vertice del partito non ha potuto digerire la sequenza degli avvenimenti legati a *Živago*, e tantomeno le dichiarazioni al "Corriere d'informazione", la "protesta esplicita", la "battaglia per la tolleranza". E che dire del cocktail nel ridotto del lussuoso Continental, a due passi dalla casa editrice, dove Paolo Milano, critico dell'"Espresso", ha presentato il libro? Alcuni dirigenti lo hanno ritenuto offensivo, un vero schiaffo morale. La faccenda va presa di petto.

Alicata è incaricato dalla segreteria di gestire la ricognizione sull'attività e sulle posizioni di Feltrinelli. I primi a esprimersi sono Alberganti e Scotti, per la federazione di Milano, incontratisi all'uopo con mio padre. Il loro rapporto è inviato ad Alicata il 18 novembre del 1957:

Feltrinelli ha ribadito quanto ebbe a dirci separatamente in una conversazione precedente:
– timore e, per alcuni settori, convinzione che nell'Urss non si attua appieno il XX Congresso;
– la correzione degli errori non potrà farsi seriamente fino a quando non ci sarà separazione di poteri fra Partito e Stato;
– dubbi sull'intenzione dei dirigenti sovietici di attenuare o eliminare l'accentramento burocratico con le misure del decentramento industriale.
Riguardo al nostro Partito:

– non si va avanti per la strada tracciata dall'ottavo Congresso;
– il nostro quotidiano è malfatto e male orientato.
Alle nostre obiezioni ed argomentazioni ha in parte corretto e attenuato alcuni suoi giudizi, pur restando sostanzialmente sulle posizioni di partenza. Ha dichiarato più volte che esprimeva quelle opinioni proprio perché si sente militante del nostro Partito, nel quale intende rimanere.

Nel Pci di allora, l'esame di un caso particolarmente spinoso veniva promosso a tutti i livelli. Ora dev'essere Alicata a dire la sua. Ecco cosa ne pensa, nel suo rapporto inviato alla segreteria il 28 novembre:

Sull'attività della Biblioteca Feltrinelli non ci sono osservazioni particolari da fare. Per il momento essa è orientata in senso strettamente tecnico, più ancora che scientifico, senza nessuna implicazione d'ordine politico. L'orientamento dei compagni che ci lavorano è buono per quanto riguarda i compagni Procacci, Cortesi e Della Peruta, più equivoco e incerto per quanto riguarda Del Bo. Cafagna per il momento mantiene un atteggiamento assai riservato e non ha preso nessuna posizione pubblica contro il Partito. Anche sulla nuova sezione economica ora creata non c'è per il momento alcuna osservazione da fare, salvo che nel comitato direttivo c'è, insieme però a numerosi non comunisti, anche Giolitti. Leonardi, che la dirige, sostiene ch'essa svolgerà un'attività di ricerca rigorosamente scientifica. Nel comitato direttivo della sezione c'è anche il compagno Trentin. Diversa è la situazione alla Casa Editrice. In primo luogo, Feltrinelli s'è sbarazzato in un modo o nell'altro di tutti i compagni che resistevano in modo attivo alla sua "nuova" politica editoriale, trasferendo Diemoz a Roma, licenziando Occhetto. (Con evidente scopo di rappresaglia ha licenziato dalla sede romana della sua società di distribuzione anche la moglie di Terenzi.) Feltrinelli finanzia la rivista di Giolitti, finanzia e distribuisce la rivistina di Fortini-Guiducci, "Ragionamenti", ha fatto sviluppare sulla rivista "Cinema Nuovo" una campagna disfattista contro la politica culturale del Partito, alla quale hanno purtroppo partecipato alcuni compagni quali Massimo Puccini di Roma e Paolo Gobetti (la rivista è diretta da un indipendente di sinistra, Aristarco). Per la produzione libraria, Feltrinelli ha decisamente rallentato il vecchio programma, e spinto avanti la pubblicazione di una serie di testi "neocapitalistici"; si accinge a pubblicare la "storia della rivoluzione russa" del Sukanov. Egli inoltre ha dato (nonostante le sue promesse) un tono nettamente scandalistico alla pubblicazione del libro di Pasternak, alimentando per 2-3 settimane una campagna su "L'Espresso" e su altri quotidiani milanesi, concedendo un'intervista, che si acclude, al "Corriere d'informazione", organizzando una conferenza stampa in un albergo di Milano (si acclude ritaglio del "Popolo" che ne dà la notizia). Questi i fatti. Debbo aggiungere che il compagno Ulisse sollecita una nostra decisione in merito all'atteggiamento che "l'Unità" deve prendere di fronte alla questione Pasternak e più in particolare sul libro; che alla riunione della Commissione Cultura Nazionale, i compagni Trombadori, Rossanda, Ragionieri hanno posto tutti la questione fra il Partito e Feltrinelli; che il compagno Alberganti, mentre firma la lettera che si acclude, fa capire che "se la cosa dipendesse da lui, saprebbe come risolverla". La compagna Rossanda ha convocato nei giorni scorsi alla federazione di Milano Feltrinelli e ha avuto con lui una discussione, di cui però non ho avuto ancora nessuna relazione.

L'8 dicembre Rossana Rossanda invia il suo rapporto ad Alicata.

Caro Mario, come ho già detto ai compagni Longo, Amendola e Barca, ho avuto il previsto colloquio con Feltrinelli. Ti riassumo brevemente le posizioni che ne sono uscite, ed il mio punto di vista.
1) Inizialmente, F. ha respinto la mia accusa di aver "montato" uno scandalo a fini pubblicitari. Ha dichiarato che questo non era nelle sue intenzioni; che nessuno scandalo ci sarebbe stato se il volume non fosse stato proibito; che egli si era limitato a dare alcune interviste per "condizionare" la stampa avversaria. Su questo punto, che io ho distrutto in modo piuttosto pesante, ha finito col riconoscere di aver fatto male a dare le interviste; e che queste costituivano obiettivamente un danno per il Partito. Mi ha dichiarato di essere profondamente dispiaciuto dello sdegno dei compagni.
2) Per il futuro, ha ammesso di dover controllare attentamente la pubblicità della casa ed ha promesso che non ci saranno più scandali. Mi ha informato di avere in corso di pubblicazione una serie di volumi, uno o due dei quali potevano assumere un carattere delicato, come una raccolta di scritti sui sindacati nell'Urss, a cura del figlio di Longo, o un vecchio libro di Nagy. Mi ha detto che è disposto a discutere con noi tutta la sua produzione. Su questo punto, io ho detto semplicemente che, a mio avviso e prescindendo dalla posizione

che il P. avrebbe preso verso di lui, in quanto egli restasse nel P. bisognava assolutamente che questa discussione ci fosse, franca e continuativa – e non su un terreno personale, ma proprio politico. Egli ha dichiarato di desiderarle, per ovviare ad altri inconvenienti.

3) Per quanto riguarda il suo posto nel P. avendogli io detto che eravamo tutti arrabbiati che un membro del P., con la tessera in tasca, facesse quel genere di campagna; che nessuno di noi era disposto ad ammettere che questi fossero dei termini d'una qualsiasi battaglia politica; e che se egli non intendeva difendere le proprie posizioni correttamente, come tutti noi, io e molti compagni come me ritenevano preferibile metterlo fuori, e che se ne andasse – egli mi è parso sinceramente colpito e preoccupato. Ha sostenuto con calore di essere un fedele persuaso della linea dell'VIII Congresso, di voler restare nel Partito.

In conclusione, la conversazione è durata due ore e mezza. Egli era molto preoccupato, confuso e, se non sbaglio completamente il mio giudizio, a un certo punto persino turbato. Mi ha pregato di seguirlo e aiutarlo, non in via personale, ma come Partito; pur mantenendo alcune posizioni confuse, di principio, sulla libertà della discussione eccetera. La stessa agitazione ha dimostrato verso quelli di noi che sono andati al cocktail: decisione presa da me per smontare ogni carattere di scandalo ulteriore. Infatti la nostra presenza è stata notata, molti sono venuti a parlare con noi, che abbiamo detto schietto quello che pensavamo, prendendo alquanto in giro la faccenda. Il Feltr. ci ha circondato, ringraziato, si è scusato. A questo punto la cosa è finita in nulla; recensito appena dai giornali, il libro è già scomparso dalle vetrine. L'impressione generale è che il P. si sia comportato con equilibrio e, dando alla cosa poca importanza, abbia dato una prova di forza. Questa è la cronaca. Il mio parere è che nel F. agiscano vanità e confusione, non una effettiva malafede. Una sua "direzione", o almeno "condizionamento", è possibile; non c'è da nascondersi però che è anche faticoso, e per il carattere debole di lui, e per l'atmosfera che lo circonda – anche se tutti i suoi hanno avuto la netta impressione di aver tirato la corda, e sono stati presi da un certo spavento e desiderio di scaricare le responsabilità. D'altra parte, se un "condizionamento" è difficile, è tuttavia sempre preferibile al lasciar andare la Casa e gli Istituti alla deriva, fuori da ogni nostra possibile azione e controllo. Ritengo che un provvedimento disciplinare di espulsione non allontanerebbe tutti i compagni e le simpatie da questi organismi: creandovi una certa atmosfera di vittimismo, potrebbe accrescere la confusione. Resta, eventualmente, il problema di far sentire ufficialmente al F., come personalmente ho fatto io e forse altri, che ha passato il segno. Mantengo l'opinione che questo potrebbe avvenire in forme regolari, a Milano, e perfino nella sua cellula: ma sono la sola a pensarla così; un biasimo della cellula, duro, sarebbe la cosa a mio avviso più pedagogica, per lui e per tutti. I compagni Longo, Amendola e anche Alberganti e Scotti sono invece d'opinione di trattare le cose a Roma.

Rossana Rossanda

Qui bisogna andare in dissolvenza (c'è già tutto per capire): Rossanda è una figura di rilievo nella sinistra italiana e quelli erano altri tempi. Successivamente i suoi percorsi politici saranno diversi, ma tutte le volte che l'ho incontrata non ho potuto fare a meno d'immaginare quel party all'Hotel Continental. La vedo silenziosa, con la bacchetta nella manica del cappotto che non si è tolto.

Istruita per bene la pratica contro Feltrinelli, si decide di fissare un incontro con lui a Roma: "La Segreteria del partito ritiene necessario che i compagni Longo, Ingrao e Alicata abbiano un incontro con te per chiarire alcune questioni".

Il 17 dicembre, alle quattro del pomeriggio, Fetrinelli entra con passo lungo a Botteghe Oscure e, per tre ore, si intrattiene al secondo piano con Longo, Alicata e Bonazzi. Ingrao non c'è o non viene. Introduce Longo, con parole negative su tutta la linea, "inizio duro", annota l'editore. Riprende Alicata, facendo risalire al giugno '56 le prime difficoltà nei rapporti. Rettifica Feltrinelli, ricordando che sì, in effetti, proprio allora c'era stato "l'ultimo colloquio franco" (forse quello con Togliatti in cui parlarono della Biblioteca?). In ogni caso, "la periodizzazione di Alicata è esatta e grave, in quanto egli segna l'inizio della tensione col partito dal momento in cui termina la cogestione dell'Istituto, con la partenza di Ferri". Ma ecco i "capi d'accusa", seguendo gli appunti di Feltrinelli:

– Il libro di Fortini. "Cosa significa?" domandano i tre. *Dieci inverni (1947-1957, contributi a un discorso socialista)* è appena apparso nelle librerie e contiene una raccolta di testi scritti tra l'esperienza del "Politecnico", di cui Fortini è stato redattore, e la rivista "Ragionamenti" che lui ha contribuito a fondare nel '55. Qui si tentava una ricerca autonoma tra un gruppo indipendente di intellettuali comunisti o socialisti e altre correnti.

– Pasternak. Lo scandalo e le ripercussioni sui sovietici, nonché la posizione personale nei confronti dell'Urss. È curioso, e se si vuole tipico, ma questo punto appare solo come secondo nella lista. Si ha quasi l'impressione che venga trattato in modo generico, con imbarazzo.

– La casa editrice: "non ci sono stati più scambi di idee, se non per Pasternak". Certo, nessun contatto, risponde Feltrinelli, "ma guardate il vostro atteggiamento!".

– Mancanza di rapporti tra l'Istituto Feltrinelli e la casa editrice. Nell'Istituto non c'è più "cogestione" e nella casa editrice continua a esserci un gruppo di intellettuali non ortodossi, non "organici".

– Posizione personale sul partito e nei confronti del partito. Longo è molto esplicito: "La battaglia del partito si svolge negli organismi politici. La posizione che si ha non può però non riflettersi anche nella posizione della casa [editrice], senza però che questa entri attivamente nella 'lotta' interna del partito". Considerazioni a margine dell'editore: "Interessante l'ammissione non ripetuta circa la corrispondenza tra posizione politica e posizione editoriale. Ripiegamento più cauto di Alicata in un secondo tempo. Specificato: la casa editrice non intende inserirsi nella 'battaglia' interna del partito".

In conclusione, Longo e Alicata chiedono una discussione preventiva sui casi spinosi che si potrebbero affacciare in futuro. Secco commento di risposta: "Inaccettabile, porta alla paralisi e al controllo totale".

La riunione finisce, ognuno va per la sua strada. La Segreteria produce una nota interna di deplorazione dei comportamenti di Feltrinelli, giudicati "incompatibili con i doveri di ogni militante comunista". Doveri che comportano di "realizzare, nel proprio campo di attività, la politica del partito" e di "difendere il partito da ogni attacco". Lo stabilisce anche l'articolo cinque dello statuto.

Gli atteggiamenti [di Feltrinelli], che sono apparsi diretti ad alimentare la campagna antisovietica e anticomunista dei nostri nemici di classe e di certi gruppi politici ed intellettuali schieratisi contro il partito, non possono essere giustificati nemmeno nel quadro della libertà di ricerca culturale e di autonomia degli organismi che fanno capo al compagno Feltrinelli. La Segreteria del Partito, di conseguenza, invita il compagno Feltrinelli a tenere conto di questa critica e dei suoi doveri di militante, in modo che non abbiano più a ripetersi i fatti lamentati.

In altre parole, compagno Feltrinelli bye bye...

La periodizzazione del giugno 1956, come ultimo momento in cui si hanno "rapporti franchi", è significativa. Tra maggio e i primi di agosto accade proprio di tutto: è il momento del cambio di guardia alla direzione della Biblioteca Feltrinelli, dell'incontro tra Feltrinelli, Togliatti e Del Bo, dell'arrivo dello *Živago* dattiloscritto, dello scambio di lettere tra Feltrinelli e Amendola. Per ironia della sorte, e a rendere tutta la vicenda più bizzarra, giugno è anche il mese in cui Nikita Chruščëv decide di scrivere a Palmiro Togliatti, a proposito di quelle lettere... Sì, "le carte della Rivoluzione", il carteggio Marx-Engels di cui si era già parlato due anni prima, l'Istituto di Amsterdam, gli americani che volevano comprare...

Al compagno Togliatti
Il Comitato Centrale del Pcus è venuto a conoscenza che negli ultimi tempi l'Università di Columbia/Usa sta trattando con l'Istituto di Storia Sociale di Amsterdam per l'acquisto dell'archivio di questo Istituto in cui sono conservati una serie di documenti originali di Marx e Engels, che prima si conservavano nell'Archivio del Partito Socialdemocratico tedesco, alcuni documenti di Lenin, e anche materiali sulla storia del movimento operaio internazionale. Da quanto ci risulta il compagno Feltrinelli ha dei contatti con l'Istituto di Amsterdam e gode la fiducia del detto Istituto. Noi riteniamo che col suo aiuto si potrebbero ricevere informazioni sulle possibilità di assicurarsi documenti e materiali per noi interessanti. In concreto, vorremmo ricevere un elenco preciso dei documenti originali di Marx, Engels e Lenin e anche il parere del compagno Feltrinelli sulla cifra per cui i proprietari dell'archivio sarebbero disposti a cederlo. È chiaro che se durante le trattative i possessori degli archivi dovessero proporre la vendita, insieme ai documenti più interessanti, di altri documenti, dovremmo accettare. In questo caso sarebbe auspicabile conoscere il contenuto dei materiali proposti, il valore complessivo, e le altre condizioni per la cessione. Nel ca-

so estremo che la cessione dei documenti originali non fosse possibile, chiederemo al compagno Feltrinelli di farsi dire quali sono le condizioni per ottenere fotocopie.

Vi preghiamo di parlare con il compagno Feltrinelli su quest'argomento di nostro interesse e comunicarci se egli è d'accordo di adempiere a questa missione e quali sarebbero le sue proposte. Intendiamo che sia le trattative preliminari che l'ulteriore eventuale acquisto dei materiali siano effettuati dal compagno Feltrinelli a proprio nome, per la propria biblioteca, senza rendere noto l'interesse dell'Istituto del Marxismo-Leninismo. Tutte le spese legate all'acquisto di questi materiali saranno totalmente rimborsate da noi.

Un saluto da compagno

Il Segretario del Comitato Centrale del Pcus
Kruscev

Togliatti incarica Alicata di incontrare Feltrinelli e mostrargli la lettera. L'editore, assunte le opportune informazioni, risponde ad Alicata per iscritto, questi relaziona a Togliatti e il vertice del Pci risponde ai sovietici con un'altra lettera che, essenzialmente, ripete la comunicazione di Feltrinelli ad Alicata.

23.7.56

Cari compagni,
il compagno Feltrinelli ci ha fornito le seguenti informazioni sulle trattative intercorse tra la Columbia University e l'Istituto di Storia Sociale di Amsterdam.

1 – Le trattative si svolsero 3-4 anni fa nell'atmosfera creata dalla guerra fredda internazionale. Formalmente fu raggiunto un accordo su queste basi: la Columbia University stanziava 5 milioni di dollari per gli archivi Marx-Engels dell'Istituto che sarebbero stati trasferiti in America per il tempo necessario alla fotocopia e alla pubblicazione dei documenti, ma sarebbero rimasti di proprietà dell'Istituto di Amsterdam. Di fatto l'accordo non venne realizzato e decadette un anno dopo la stipulazione. Non risulta che il lavoro di collaborazione, previsto dall'accordo, sia stato intrapreso e sia attualmente in corso.

2 – L'Istituto di Amsterdam non ha mai avuto e non ha intenzione di vendere gli archivi, il che pare sia anche espressamente proibito dal suo statuto.

3 – L'anno scorso l'Istituto ha portato a termine un inventario sommario dell'archivio Marx-Engels. Una copia di questo

inventario che si è riusciti a ottenere è stata trasmessa all'Istituto Marx-Engels di Mosca.

4 – È, nella situazione attuale, praticamente impossibile accedere agli archivi dell'Istituto e in particolar modo agli archivi Marx-Engels. La direzione dell'Istituto prevede, a lungo termine ed in rapporto diretto alle sue forze economiche e di uomini, la pubblicazione dei suoi archivi. È da tenere tuttavia presente che l'Istituto, il cui orientamento è vagamente socialdemocratico, trae i suoi finanziamenti da elargizioni bancarie e dal Ministero dell'Educazione Olandese e che quindi non è da prevedere fino a che perdura l'attuale situazione politica che il lavoro di pubblicazione degli archivi Marx-Engels venga intrapreso con particolare energia.

5 – Data questa situazione, proporre l'acquisto o chiedere la fotocopia del materiale esistente nell'Istituto di Amsterdam non darebbe nessun risultato.

Per conoscere i documenti che ci interessano il compagno Feltrinelli vede possibile una sola strada e precisamente di offrire all'Istituto di Amsterdam una collaborazione di uomini e mezzi finanziari per la pubblicazione dei suoi archivi, ivi compresi naturalmente gli archivi Marx-Engels. Una simile proposta era già stata avanzata dal compagno Feltrinelli all'epoca delle trattative tra l'Istituto di Amsterdam e la Columbia University, ma la proposta, pur senza essere respinta, non ebbe seguito.

Attualmente il compagno Feltrinelli potrebbe rinnovare la proposta qualora vi fossero le necessarie disponibilità finanziarie (non certo 5 milioni di dollari, ma tuttavia una somma ingente) tanto più che egli sta progettando la costruzione di un Istituto in Svizzera, da lui controllato, attraverso il quale sarebbe facile agire. L'accettazione di questa proposta da parte dell'Istituto di Amsterdam renderebbe necessaria da parte nostra la costituzione di un efficiente gruppo di studiosi e specialisti, ma il compagno Feltrinelli ritiene che con le forze marxiste esistenti in Italia e in altri paesi sarebbe possibile svolgere il lavoro con il massimo rigore scientifico.

Vi preghiamo di darci la vostra opinione in merito alle comunicazioni del compagno Feltrinelli e se ritenete che egli debba fare la proposta all'Istituto di Amsterdam.

Saluti fraterni

Come abbiamo visto, gli eventi appena successivi sconvolgeranno ogni piano. La disponibilità degli attori verrà meno, la trattativa s'interrompe. Lo *Živago* avrebbe travolto tutto e tutti.

Il secondo atto della persecuzione di Boris Pasternak ha inizio nell'ottobre del '58, dopo l'annuncio chc gli è stato conferito il Nobel per la letteratura. Dai quotidiani sovietici si leva una valanga di accuse, l'Unione scrittori decreta la sua espulsione e, se avesse osato accettare il premio, lo avrebbero privato della cittadinanza e relegato al confino. Ancora una volta è Polikarpov, in accordo con Suslov, a gestire tutta l'operazione.

Gerd Ruge, inviato della televisione tedesca a Mosca, in un recente libro di memorie ha ben descritto cosa stesse capitando attorno a Pasternak: "La campagna stampa cresceva di giorno in giorno. La 'Literaturnaja Gazeta' introdusse una rubrica speciale intitolata 'Collera e indignazione' con lettere piene d'odio dei lettori, scritte da gente che non conosceva il romanzo e che condannava duramente l'autore. Durante un'adunata pubblica di giovani comunisti, cui partecipò anche Nikita Chruščëv, il capo del Komsomol, Semitastnyj, definì Pasternak 'un maiale che insozza il proprio trogolo', chiedendo l'espulsione dello scrittore dalla patria". E ancora, gruppi di giovani comunisti manifestano davanti alla casa di Peredelkino agitando striscioni con la scritta "Giuda" e un servizio di guardia sorveglia che la casa non sia presa d'assalto e incendiata. C'è un medico sempre pronto a intervenire nel caso Pasternak tenti di togliersi la vita, alla Majakovskij o alla Esenin: un altro suicidio avrebbe sconvolto milioni di lettori ed esasperato lo scandalo. In effetti, secondo le memorie di Olga

Ivinskaja, il 28 ottobre Pasternak le avrebbe chiesto se non fosse meglio suicidarsi insieme.

Pasternak si convince infine a rifiutare il premio, spedisce un telegramma all'Accademia svedese il 29 e si rivolge direttamente a Chruščëv, due giorni dopo, per spiegare come il ventilato esilio in Occidente avrebbe significato per lui la morte. Forse sente che l'ultima stagione della sua vita è arrivata.

Eppure il 1958 era iniziato con la grande gioia di sfogliare l'edizione italiana del *Dottor Živago*.

Ecco la sua reazione, in una lettera all'editore del 12 gennaio di quell'anno:

> Caro Signore,
> non so quando potrò avere un'altra occasione per manifestarvi la mia immensa riconoscenza per tutte le vostre stupefacenti imprese, di cui sono stato beneficiario e testimone. Sono ammirato per la prudenza con cui avete rilasciato interviste, dei riguardi che mi usate e che riesco a intuire, dall'aspetto del libro, presentatomi da un giornalista tedesco, dall'eccellente traduzione, che ovunque viene osannata. La fortuna che arride al mio libro, le edizioni rapidamente esaurite, tutto ciò si deve principalmente a voi, e io mi inchino pieno di riverenza davanti alla vostra gentilezza, al vostro talento, alla vostra buona stella.
> Se a mia volta vi sono stato in qualche modo d'aiuto, avrei una richiesta da farvi – esaudite questo mio desiderio.
> Dal momento che la vostra edizione ha avuto una diffusione così favolosa, permettetemi di esprimere una speranza, la speranza di vedere l'opera pubblicata esattamente come è stata scritta, in lingua originale. Ebbene, lasciate che io affidi questa delicata faccenda (legata a delle conseguenze forse funeste per me come, d'altra parte, tutta le fantasmagorie zivaghesche) nelle mani prudenti di una mia grande amica di Parigi, Madame Jacqueline de Proyart. Dopo aver chiarito con voi le questioni economiche, la signora, credo, sceglierà di pubblicare l'opera presso la casa editrice Mouton a L'Aia, la più consona dal punto di vista politico. Non vedo in cosa ciò potrebbe pregiudicare o ledere i vostri interessi, dal momento che ogni libro russo messo in vendita porterà scritta sotto il titolo la menzione dei vostri diritti riservati sulle traduzioni straniere, le dichiarazioni più ampie del vostro copyright. Se ciononostante la mia richiesta fosse contraria ai vostri intenti, venitemi tuttavia incontro, ve ne prego, e io vi indennizzerò delle perdite nei modi previsti dalle clausole conte-

nute nell'articolo 2 del contratto. Lasciate che io conferisca materialmente il potere relativo a tutte le questioni letterarie concernenti i miei testi russi a Madame de Proyart, e non intralciatela in questa attività. Io vi annovero tra i miei amici più meravigliosi, nei cui confronti sarò per sempre un debitore insolvente. Tra di essi vi è anche, ancora più preziosa, Madame de Proyart. Non voglio che i miei amici siano in disaccordo fra di loro. Per favore, sistemate le cose per il meglio con Madame. Non scrivetemi, non sollevate delle questioni di soldi. Comportatevi nello stesso modo in cui vi comportate con me, serbate lo stesso silenzio. Abbraccio D'Angelo affettuosamente, tempestosamente. Tutti i suoi conoscenti lo salutano con grandissima tenerezza. Fate giungere i miei complimenti entusiastici, la mia gratitudine infinita al caro Zveteremich, che nel suo lavoro si è dimostrato un trionfatore, un mago.

Vostro
Boris Pasternak

Questa lettera, al di là degli attestati di amicizia, è assai importante perché spiega alcune questioni di futura rilevanza. La prima riguarda la posizione di D'Angelo, tornato in Italia e assunto per breve tempo alla casa editrice. La seconda, più importante, concerne il ruolo della de Proyart. La signora aveva conosciuto il poeta nel gennaio del '57, diventandogli amica e, forte della confidenza, ritiene ora di avere un ruolo nella gestione dei suoi interessi.

Il fatto curioso è che la lettera spedita il 12 gennaio 1958 non è mai giunta a Feltrinelli. Consegnata da Pasternak a Hélène Peltier, una delle traduttrici francesi in visita a Mosca proprio in quel gennaio, è in una busta che contiene anche corrispondenza per la de Proyart. Lei però tiene tutto per sé, senza mandare nulla a Milano. Forse perché non sono specificati con sufficiente precisione i suoi diritti legali di procuratrice o, chissà, forse la signora pensa di essere molto più di una semplice procuratrice, oppure ignora che, secondo la normativa internazionale, Il dottor Živago è a tutti gli effetti un libro "italiano" e un'edizione in lingua russa comporta gli stessi obblighi contrattuali di una traduzione inglese o tedesca o francese.

La lettera è stata solo recentemente consegnata da Jacqueline de Proyart a Evgenij Pasternak e la sua mancata trasmissione, all'epoca, ha generato notevoli equivoci e anche attriti fra l'editore e la premurosa amica del poeta. Ma si può seguire meglio l'evoluzione di tutta la vicenda attraverso le parole di Feltrinelli. Dal "Sunday Times":

Mentre il mondo letterario lodava Il dottor Živago e il suo autore, cominciarono a sentirsi le avvisaglie di una lunga battaglia fra me e varie persone e istituzioni (tutte legate alla stessa cerchia di attività anti-sovietica che, in un modo o nell'altro, è sempre legata alla Cia). Avevo ordinato a uno stampatore olandese un numero limitato di copie del Dottor Živago in edizione russa e, con mia sorpresa, apparve in Olanda una diversa edizione in russo, contrabbandata. Qualcuno aveva, a quanto pare, stampato un'edizione su richiesta di emigrati russi a Parigi, che avevano certi rapporti americani. Contemporaneamente a Bruxelles, all'Expo Internazionale venivano distribuite copie di un'altra edizione di contrabbando, da parte di emigrati russi, presso lo stand del Vaticano! Questi fatti mi misero in allarme.
Mi opposi quindi fortemente all'uso politico che i circoli antisovietici potevano fare del libro e delle conseguenze che questo poteva avere per l'autore. Ero anche seriamente preoccupato che il mio copyright potesse essere compromesso. Intrapresi quindi delle azioni contro le edizioni pirata in Olanda, Grecia, Argentina e in tutti i casi riuscii a raggiungere un accordo amichevole.

Cosa vi fosse di plausibile in questi sospetti (magari erano certezze), davvero non saprei.

Conosco invece, per diretta testimonianza, le peripezie dell'avvocato Tesone, allora agli inizi della professione, catapultato nel più complicato intrigo internazionale in materia di copyright. Era interesse di tutti difendere il contratto da una caduta in pubblico dominio dell'opera. Per bloccare un'edizione pirata, Tesone volò fino a Buenos Aires: quella volta sarà per lui un gioco da ragazzi. "Appena arrivato, andai al Plaza ma non potevo dormire per il fuso e scesi per una passeggiata in calle Florida. Dopo cento metri fui assalito da uno strillone con una copia del Dottor Živago. Scovai lo stampatore in due giorni."

Per tutto il 1958 la corrispondenza fra l'editore e Pasternak subisce un rallentamento. Entrambi usano la massima cautela. Il 5 settembre, quasi un anno dopo l'uscita dell'edizione italiana, Feltrinelli invia al suo autore un affettuoso bilancio.

Caro Amico,
innanzitutto permettetemi di stringervi la mano con sentimenti di viva amicizia e riconoscenza.
Di tanto in tanto, ho avuto indirettamente vostre notizie, a volte buone, a volte tali da procurarmi qualche preoccupazione per il Vostro stato di salute. Mi auguro, e le ultime nuove giunte me lo confermano, che voi vi siate ora ristabilito, dopo l'indisposizione di primavera, e io vi prego, anche a nome degli innumerevoli amici che avete dovunque, di aver cura di voi e di nulla rischiare per la vostra salute.
Vorrei ora dirvi qualche parola sulla vicenda del successo del Dottor Živago. In cifre: noi abbiamo venduto in Italia circa 30.000 esemplari. Una cifra enorme per il mercato italiano e molto difficilmente raggiunta anche dagli autori più famosi. Ma queste cifre hanno un significato che va ben più lontano. Abbiamo casi di ragazzi che, durante le ore di lezione scolastiche, leggono Il dottor Živago, pagina dopo pagina, passandoselo tra di loro. Abbiamo le testimonianze di dozzine di persone che mi hanno scritto, ringraziandomi di aver pubblicato questa opera. Dovunque vada, mi parlano del Dottor Živago, il libro più amato al momento in Italia. E vi cito solamente qualche rigo che mi ha inviato lo scrittore italiano Carlo Cassola.
"Ho finito oggi di leggere Il dottor Živago. Nessun libro contemporaneo aveva suscitato in me tanto entusiasmo, tanta commozione, tanto piacere intellettuale, mi aveva dato tanto sollievo e serenità come questo."
Il dottor Živago è già apparso in francese e ora uscirà in Inghilterra, America, Germania, Olanda, Danimarca, Svezia, Finlandia, Norvegia, Israele, Messico. In Svezia si è già avuto un interesse molto grande nell'ambiente dell'Accademia di Svezia.
E ancora, in Italia Il dottor Živago ha avuto il premio letterario dei librai, cosa che conferma l'apprezzamento per la qualità letteraria e il successo delle vendite riportate dal libro. Vi mando inoltre le recensioni più importanti apparse sulla stampa italiana e alcune giuntemi dall'estero.
Ora stiamo preparando l'edizione del vostro saggio autobiografico per il novembre prossimo, e vorrei domandarvi, caro Amico, di incaricare qualcuno dei vostri amici a Mosca di ricercare le foto menzionate nella lista che vi allego. Noi vorremmo in effetti illustrare il libro con le foto dei personaggi, delle opere, con riproduzioni da riviste ecc., che sono qui men-

zionati. Vi accludo anche una copia dei cahiers di Cechov, che abbiamo pubblicato l'anno scorso, per mostrarvi come il vostro saggio verrà presentato. Potete interessare qualcuno per ricercare il materiale di cui abbiamo bisogno? Forse che lo avete nel vostro archivio? Spero di non importunarvi con le mie richieste, ma siamo molto stretti con i tempi: dovremmo avere il tutto al più presto!

Termino questa lettera, caro Amico, nella speranza di incontrarvi finalmente un giorno. Grazie per Il dottor Živago. Suo

Giangiacomo Feltrinelli

Pasternak segna alcune voci sulla lista dei materiali richiesti, cancellandone altre. In quei giorni pensa di mandare a Feltrinelli un disegno del padre pittore in cui è raffigurato il principe Trubeckoj intento a scolpire le figure dei giovani nipoti. Nel suo testo autobiografico Pasternak racconta del principe, insegnante come il padre alla scuola di pittura. A Trubeckoj era stato assegnato un nuovo studio con il lucernario che dava proprio sulla cucina della famiglia di Boris. Quel quadro è un bel regalo per Feltrinelli, e Pasternak scrive a tergo della tela: "Vi invio questo disegno come dono, mio caro amico. È proprio in questo atelier, costruito contro la finestra della nostra cucina, com'è descritto nella mia autobiografia, che il principe modellava i suoi nipoti".

È il 19 ottobre del '58. Il poeta non avrà il tempo per provvedere alla complicata consegna. Quattro giorni dopo, la sua vita torna sottosopra: ha vinto il Nobel!

"Infinitamente riconoscente, commosso, fiero, sbalordito, confuso": è la sua prima risposta via telegrafo all'Accademia di Stoccolma. Anche Giannalisa pensa bene di congratularsi col vincitore: è o non è, per una volta, la madre dell'editore?

5.

L'Aurelia è uno strano presepe estivo con oleandri, bul-
bi elettrici, canneti da chiosco, spaghetti al burro, manifesti ai muri, pini arbre magique, altarini con televisore, luce chiara di sabbia tutt'intorno. Nella notte di San Lorenzo (è il 1957), la solita Citroën scivola verso l'Argentario.
Con Giangiacomo c'è una ragazza romana forse non bellissima, ma dicono che sia un tipo. I due raggiungono la casa dove Giannalisa ha lasciato svernare le figlie dopo la lunga stagione newyorkese. Con loro c'è solo la governante numero 17. Giangiacomo sveglia Benedetta, la più grande:
"Vieni, c'è una persona che devi conoscere". Le presentazioni avvengono nel chiostro fra i tetti, sdraiati sulla pietra
ancora calda con le stelle in caduta libera. Questo è il ricordo di Benedetta.

La ragazza romana è Nanni De Stefanis, figlia di un noto commediografo. Feltrinelli capita sempre più volentieri a Roma: basta nebbie, riunioni notturne in sezione, or-
ribili tende da ufficio; a Roma, per un colpo di vita, servono solo una camicia bianca e due tzigani alla Django
Reinhardt. Nanni è nel giro dei poeti e le trattorie sono ancora trattorie.

Con Bianca pare che le cose andassero male da tempo,
anzi si sono praticamente separati. Lui, prima di Roma,
correva troppo spesso a Parigi, da Françoise; lei, nel '55,
era stata circuita da Renato Mieli, già segretario di Togliatti, ex direttore dell'"Unità", in odor di uscita dal Pci e
sospettato di essere una spia inglese. Credo che Giangia-

como volesse bene a Bianca, nonostante una sua rigidità di carattere. In Italia il divorzio è di là da venire, e per liberarsi da una moglie c'è un unico modo, uxoricidio escluso: serve la sentenza di annullamento in un paese straniero e il successivo avallo di una corte italiana. Una cosa da ricchi, indubbiamente, tortuosa e costosa. Il cavillo, di solito, è quello dell'impotentia coeundi del marito.

Nanni doveva essere la compagna giusta, avrebbe portato a Milano qualcosa di Roma che a Milano non c'è. Con lei la vita avrebbe preso una piega più stimolante, forse più divertente. Per cominciare, i due vanno a vivere nella casa di famiglia, in via Andegari, rimessa a nuovo per l'occasione.

Un giorno prendono la macchina e dopo un gelato in piazza a Vigevano, superate la Lomellina, le risaie di Mortara, le zanzare di Casale, scoprono lo scheletro di un antico castello in cima alla collina monferrina. Ai suoi piedi c'è un paese. A metà del Settecento, un giovane seguace della scuola juvaresca, senz'altro un dilettante, si era sbizzarrito in un'impresa unica. Aveva progettato un belvedere bifronte che doveva congiungersi al paese con uno strano sistema di scale, passaggi sotterranei, camminamenti, sentieri. Immaginò una costruzione di nessuna profondità ma di grande scenografia. Intorno all'asse della torre centrale, sfruttando la pendenza del terreno, terrazzi, torri, archi, antri, esedre, balaustre vengono concepiti per fondersi con piante esotiche, giardini, palmizi, aranceti, limoneti. Tutto obbedisce a una rigorosa simmetria che coinvolge la disposizione di ogni albero. Lo spettacolo è neoclassico, la sintassi strettamente barocca, la quiete arcadica.

Ma non è questo lo scenario che appare a Giangiacomo durante la sua prima escursione con Nanni. L'unica ricognizione archeologica, ai tempi, fornisce altra immagine. Dal "Bollettino storico-bibliografico subalpino", rapporto del 1942: "La costruzione abbandonata alle intemperie e alla noncuranza versa in condizioni disperate. [...] Il castello giace inerte, scrostato, scoperchiato ed in qualche punto, come le volte delle scale dei giardini, si cominciano a verificare profondi crolli". Al posto dei giardini pensili e delle coltivazioni floreali "sterpi, edere e ortiche".

Il paese sottostante è Villadeati. Nel '44 era stato teatro

di una rappresaglia nazista, culminata con l'eccidio di undici persone. Un manipolo di partigiani aveva cercato rifugio proprio nel rudere del castello.

Ci vorranno forse uno, due, tre anni, e camion di ghiaia, mattoni da impilare, sementi da interrare, ma alla fine ce l'avrebbe fatta: il luogo gli somiglia. Secondo lo storico d'arte André Corboz, il castello di Villadeati è "un insieme atipico, impossibile da classificare sotto un'etichetta". È un capriccio, "dove la qualità formale prevale tuttavia sulla vanità borghese. A Villadeati lo spazio è già quello delle mongolfiere, e non più quello delle carrozze". Ci sono foto di Feltrinelli con la carriola della malta alle prese con un criptoportico. Tenta di costruirsi un pezzo di futuro.

E invece no, niente da fare. Non si capisce se fa finta, ma Nanni è labile. Vuole sì sposarlo, ma non rinunciare alle sue relazioni romane. Non si trova nella nuova città. Il matrimonio, celebrato il 19 giugno del '57, non dura di fatto neppure un anno. Cose che capitano, capitano e fanno male. Due matrimoni, due fallimenti. Forse è il caso di andarsene, cambiare aria, rimanere soli.

E infatti, nel luglio del '58, Giangiacomo parte con zaino e tenda in direzione nord, verso la Scandinavia, con tappa ad Amburgo per incontrare alcuni editori tedeschi. Al suo amico della laguna di Grado, il pittore Giuseppe Zigaina, prossimo alle nozze, scrive durante il viaggio una lunga lettera in cui confida tutto se stesso anche a se stesso.

Caro Pino, il viaggio continua e spero che tu continui a fare giudizio e che non abbia crisi o reticenze all'ultimo minuto. Credo proprio, caro Pino, non debba avere dubbi. E non è per veder capitare ad altri i guai che capitano a me. Ma per quel poco, ahimè molto poco, che posso capire, e soprattutto in quanto non coinvolto emotivamente nella faccenda, credo tu non potessi scegliere meglio. D'altra parte anche se bruciato, scottato, vilipeso, per me vale sempre quel discorso sul matrimonio fatto quasi due anni or sono da Zompitta. Nulla può a mio avviso essere di meglio, per un uomo come te, ricco di esperienze, che scegliersi la donna giusta ed avere da lei quello che solo una moglie può dare, se ti ama, se è una persona equilibrata, moralmente, intellettualmente e fisicamente. E quando verranno i momenti di crisi, di incertezza o di difficoltà, troverai sempre nel suo amore il conforto di cui un uomo ha bisogno. E poi ci sono i figli. Vedi, Pino, ti invidio. Credo tu potrai avere tutto quello che ho desiderato e desidero avere e che non ho. Una volta per inesperienza mia ed anche di entrambi e forse anche per cattiveria o leggerezza mia, sciupai e distrussi qualche cosa di bello e sano. La seconda volta mi fu resa la pariglia e raccolsi il male che a un'altra avevo fatto. Ti invidio Pino. Perché hai tutta l'esperienza di cui un uomo ha bisogno per saper scegliere, per sapere cosa fare e non fare, ed in Maria mi sembra di vedere le qualità di Bianca. Solo con molta più dolcezza ed umanità di quanto avesse allora. Se non fai fesserie, potrai essere molto felice. Salutami dunque Maria, ed a entrambi il più affettuoso augurio. E dato che siamo in argomento, è triste Pino, arrivare a 32 anni, trovarsi la strada sbarrata, e considerare che quando si è avuto l'amore sincero di una donna, piena di difetti, ma sempre una creatura sincera ed onesta, si è giocato con la vita e con l'amore sino a buttare via tutto. E quando si era maturi di dare e di apprezzare quello che si poteva e si doveva ricevere, niente, non c'era niente da ricevere sotto un sottile strato di apparenza. Ma basta – se no si cade nell'autocommiserazione. Ma no. Ho preso molta forza e tranquillità nelle ultime settimane. Lo stare solo, il contatto con la natura, il viaggiare mi ha dato serenità, per cui posso parlare di queste cose con calma e consapevolezza. Mi trovo in questo momento in viaggio da Naurk a Honnersgung (Nordkapp) a bordo di una piccola motonave. Stiamo viaggiando nei fiordi della Norvegia, tra montagne ancora cariche di neve, su un mare, direi color pervinca scuro e con il sole che non scende mai all'orizzonte. È uno spettacolo grandioso, a momenti quasi terrificante. Ho lasciato la macchina a Kiruna in Svezia e domenica mattina, quando vi sarò di ritorno voglio riprendere la strada per il Nord, e rivedere questi stessi posti dalla terra. La solitudine qui è una cosa immensa. Settimana scorsa, dopo 7-8 giorni di visita a Stockholm, ho attraversato, facendo una strada interna, tutta la Svezia (1800 km) e fra una decina di giorni conto di essere a Helsinki. Credo che questo sia uno dei più bei viaggi che ho fatto. Da una parte mi dispiace essere solo, perché molte cose sono troppo belle da essere viste da soli. Dall'altra non mi rammarico di essere solo e mi trovo quasi bene. Le svedesine sono uno spettacolo delizioso e sono di una bellezza davvero affascinante. Avventure però nessuna. Un po' perché ero in vena contemplativa e un po' perché non esistendo il problema sessuale, l'ipotesi sessuale non è ragione sufficiente perché due persone si incontrino. Almeno questa è la mia teoria. Sto rompendomi la testa per trovare per te e Maria un regalo bello e utile. Bene Pino, andrò in coperta a fare un'ispezione e controllare che tutto sia a posto. Un abbraccio molto affettuoso a te e Maria, dal vostro Giangiacomo

Sarà per scaramanzia, ma qui non si fa cenno alla fotoreporter di Amburgo incrociata all'andata del viaggio, nell'ufficio di Heinrich Maria Ledig Rowohlt. "Li presentai, la invitai a un party in onore di Giangiacomo. Si conobbero meglio, simpatizzarono, direi che si intesero subito e, quando lasciarono la festa, credo non avessero bisogno di nessun altro..." Può darsi che dopo quell'incontro, nato sotto gli auspici dell'editore amico di Faulkner e di Hemingway, ci sia stato un appuntamento volante sulla via del ritorno. Magari a Copenaghen, presso la corte di un altro editore, Otto Lindhardt, con cui ancora oggi è piacevole parlare di libri.

La ragazza, dice Rowohlt, si è fatta conoscere per aver fotografato Pablo Picasso, Ernest Hemingway, Gary Cooper, Gérard Philippe, Greta Garbo, Anna Magnani, e ha imparato la fotografia intervistando a New York Erwin Blumenfeld. La ragazza sembra un misto di Audrey Hepburn e Leslie Caron.

"Hai letto il *Gattopardo*? Ti è piaciuto il *Gattopardo*?"
Così inizia un articolo di costume pubblicato nell'inverno
1958-59: "Quando uscì il libro la domanda veniva dagli amici che bazzicavano la letteratura; poi è venuta dai colleghi,
poi dai conoscenti. La sentiamo oramai fare a teatro o al
cinema nella fila di dietro. Insomma qualsiasi copertina
gialla di brutto cartone, rovesciata su un tavolo, sporgente
da una tasca o da una borsa, adesso fa pensare a una copia
del *Gattopardo*. Chi acquistò o ricevette il libro appena uscito se lo tenga caro: è, difatti, quasi una rarità bibliografica". "Eppure," si incarica di spiegare altrove Eugenio Montale, "Lampedusa, chi era costui? Fino a ieri nessuno poteva dire che questo fosse il nome di uno scrittore..."

Il Gattopardo appare in libreria nel dicembre del '58. Per
un errore. Il libro, infatti, è previsto per l'inizio del nuovo
anno. Il programma natalizio è già molto fitto e Osenga, il
responsabile commerciale, insiste perché abbiano la precedenza volumi più "sicuri". Ma, per un contrattempo, alcune copie civetta raggiungono i critici e Carlo Bo esce a
sorpresa con una recensione per "La Stampa". Non resta
che anticipare il lancio in fretta e furia.

L'editore ammetterà, nel corso di un'intervista, la ca-
sualità dell'"Operazione Gattopardo": "*Živago* richiese una
decisione difficile e solitaria. Chi avrebbe potuto consi-
gliarmi in quel frangente? Insomma non fu, come è quasi
sempre per i bestseller, come è stato con *Il Gattopardo*, un
colpo di fortuna".

In realtà, le storie editoriali dei due libri hanno qualche analogia. Come nel caso di Pasternak, Feltrinelli non riuscirà mai a incontrare di persona l'autore del suo secondo, enorme, colpo editoriale. Giuseppe Tomasi duca di Palma è morto di cancro ai polmoni nel luglio del '57. Il suo sarà un successo postumo e travolgente. "Nelle librerie, delicate signore di una certa età, giovani 'arrabbiate', piccoli borghesi lettori dei rotocalchi chiedono *Il Gattopardo*, quasi con la stessa furia un po' incosciente con cui tempo fa chiedevano *Il dottor Živago*." Così riescono a scrivere su "Rinascita", la rivista teorica del Pci, incappando nelle ironie del critico Geno Pampaloni: "In un paese diviso in una massa di indifferenti e in una discorde consorteria di raffinati, il fatto che il libro non solo si venda a decine di migliaia di copie ma pretenda oltretutto di essere 'valido' è di per sé, più che stupefacente, scandaloso. E la diffidenza lo accomuna, in costoro, al *Dottor Živago*".

Come per lo *Živago*, anche nella storia editoriale del nuovo bestseller c'è un clamoroso rifiuto. Anzi, inizialmente, c'è la svista della Mondadori, complice qualche lettore distratto, e Vittorini, che forse inizialmente non aveva neppure letto il manoscritto. Tutto si spiega, come le anomalie del romanzo nel contesto ideologico che hanno provocato il no di Einaudi "per scelta coerente". Vittorini argomenta le sue ragioni in una lunga lettera all'autore, ripetendole pubblicamente: anche se "serio e onesto", si tratta di un libro statico, oleografico, che nega la storia. Meglio *Il soldato* di Cassola o *Il ponte della Ghisolfa* di Testori, più vitali e "dentro la nostra storia", anch'essi appena usciti con il marchio Feltrinelli.

Le vicende che portano alla pubblicazione del *Gattopardo* formano un nuovo, sia pure minore, "romanzo nel romanzo". Protagonisti una "persona amica", Elena Croce, ricordatasi del manoscritto tenuto a lungo in un cassetto e finalmente inviato a Giorgio Bassani, e Bassani stesso, lo "sparviero", da poco reclutato durante le frequentazioni romane di Feltrinelli per dirigere una collana di autori contemporanei. La figlia di Croce aveva scritto a Bassani dicendogli che il romanzo proveniva da "aristocratica signorina palermitana". Questi si lanciò sul testo riuscendo a recuperare, attraverso non poche peripezie diplomatico-investigative, il finale del famoso ballo e anche il manoscritto originale. Poi, dopo la pubblicazione, la grande fiera della critica: se il romanzo sia o no "di destra", e che cosa invece debba considerarsi "di sinistra".

Per Feltrinelli ormai sono polemiche senza senso: ancora Mario Alicata a bollare come "decadente" un suo libro? Probabilmente la questione gli sembra noiosa quanto il cinguettio delle nobili carampane con cappello (al massimo del loro fulgore) che occupano l'anfiteatro in cui il premio Strega edizione '59 celebra il libro di Tomasi.

Il principe di Salina e il dottor Jurij, inattesi protagonisti di romanzi storici e insieme astorici o sovrastorici, convivono da qualche parte come due personaggi speculari. Si guardano e si riconoscono da lontano. Se *Il Gattopardo* è "l'inquieto fantasma della letteratura italiana del secondo dopoguerra" (la definizione è di Alfonso Berardinelli), *Il dottor Živago*, nella sua terra, è fantasma anche più ingombrante.

Nel 1958 Feltrinelli è formalmente un "ex": dopo quattordici anni, per la prima volta, senza tessera del Pci. Anzi, "starebbe per aderire al Psi, dove si presenterebbe candidato alle prossime elezioni politiche". Così si dice in un rapporto confidenziale al capo della polizia dell'11 gennaio. L'indiscrezione è successivamente smentita da due "ottimi" informatori che operano all'insaputa l'uno dell'altro: "la notizia non ha fondamento" (7.2.1958).

Dopo anni di militanza, rompere con il partito prelude spesso a scombiccheramenti esistenziali dagli effetti non sempre liberatori. C'è una vera casistica: quanti ex abbiamo avuto e abbiamo ancora? Inoltre, proprio perché il partito è una cosa seria, non può perdonare. Il contesto è infatti sempre "esasperato" e il momento, il momento è sempre "decisivo". E non poter perdonare significa il disprezzo che, da un giorno all'altro, ti arriva sul coppino e non sai più da che parte voltarti. A destra ci sono le facce che hai sempre odiato, a sinistra c'è quella strana famiglia che non ti ama più.

La separazione di Feltrinelli non si accompagna ad atti pubblici clamorosi, né da una parte né dall'altra. Feltrinelli si dichiara "deluso". E basta.

Ma che la rottura sia reale lo dice anche l'ineffabile autore del rapporto alla polizia (4.2.1959): "Pare che oggi, specialmente dopo la pubblicazione del 'Dott. Živago' e delle opere di alcuni autori americani, il distacco del Feltrinelli dai comunisti sia completo". Alla stessa conclusione giungono i funzionari del Dipartimento di stato americano che curano la sua richiesta di visto per una visita negli Usa.

Il console generale a Milano, Charles Rogers, invia a Washington il memorandum di un suo incontro con l'editore italiano.

Feltrinelli è un uomo giovane, elegante e ha l'aspetto di chi appartiene a una classe sociale benestante. Soprattutto dà l'impressione di una persona che si prende molto sul serio. Ha un'espressione grave e attribuisce molta importanza alle idee che esprime. Ha una missione, quella di costruire un mondo migliore per i "diseredati". A giudicare dalle idee da lui espresse durante il nostro colloquio, il suo pensiero sembra più simile a quello del riformatore sociale ottocentesco piuttosto che a quello di un uomo che è membro del Partito Comunista Italiano da 12 anni. Al principio della nostra conversazione è parso a disagio, tuttavia, man mano che il colloquio prendeva la forma di una discussione sulle sue idee politiche, è sembrato rilassarsi.

Ha detto di essersi iscritto al Partito Comunista nel 1947 perché al tempo, a causa della "contingenza storica", quello gli era sembrato lo strumento più efficace per combattere il fascismo e per aiutare lo sviluppo della democrazia in Italia. Con questo intendeva non solo una semplice democrazia parlamentare ma uno stato in cui le condizioni di vita delle classi più basse sarebbero migliorate rapidamente e in maniera cospicua. Ha abbandonato il partito nel 1957 quando si è convinto che la suddetta contingenza storica non esistesse più e che il Partito Comunista, a causa dei suoi rapporti con il Partito Comunista Sovietico, sia in senso pratico che filosofico, non fosse più lo strumento adatto per il raggiungimento degli obiettivi che lui voleva sostenere. Quando ha lasciato il partito lo ha fatto in sordina e senza destare scalpore perché questo avrebbe contribuito a creare l'immagine di lui come "anticomunista". Il suo obiettivo è proporsi come leader degli intellettuali di sinistra e, per mantenere la sua influenza nei circoli di sinistra, desidera evitare di essere etichettato come anticomunista. Solo una volta ha dichiarato in pubblico di non essere più membro del partito. Questo è accaduto nel corso di una conferenza stampa a Londra nell'autunno del 1958. Attualmente il suo campo d'azione come leader degli intellettuali di sinistra è l'Istituto Giangiacomo Feltrinelli di Milano, un centro di studi sul socialismo, di cui ha parlato con una nota d'orgoglio. [...]

Al momento Feltrinelli non ha intenzione di associarsi a nessun altro partito politico in Italia. Non è disposto ad accettare slogan politici che non possa prima comprovare per poterne accertare la validità. Quando gli ho chiesto di dare una definizione del suo pensiero politico, è rifuggito dal termine "marxista" o "revisionista". Nella situazione attuale, ha detto, è impossibile definire che cosa sia un "marxista". Come padre del pensiero politico Marx ha indubbiamente dato un grande contributo allo sviluppo umano ma alla luce di 100 anni di esperienza molte delle sue affermazioni e delle sue tesi sono evidentemente errate. In risposta alla mia domanda su quale fosse la sua opinione di Lenin, Feltrinelli ha risposto di sentirsi ambivalente. Se è vero infatti che Lenin è stato un ideologo politico di grande acume e di enorme statura, non si possono trascurare gli esiti del suo operare. Sarebbe perciò difficile separare le idee e le intenzioni di Lenin dalle loro conseguenze. A proposito di "Stato e rivoluzione", Feltrinelli ha espresso la convinzione che i poteri del governo centrale in circostanze ideali dovrebbero essere ridotti e che molte funzioni di governo dovrebbero essere demandate alle comunità locali. Non prende in considerazione l'ipotesi che il governo centrale potesse essere "spazzato" via del tutto poiché adempie a funzioni e doveri che non possono essere svolti e risolti localmente. In questo contesto ha menzionato di essere appena tornato dalla Sicilia ma non c'è stata l'opportunità di porgli ulteriori domande sulla sua attività lì.

Feltrinelli è interessato soprattutto al problema del rapporto fra l'individuo e la società nella civiltà tecnologica. Sembra credere che esista un parallelo fra le pressioni a cui è sottoposto l'individuo come esito dell'imposizione della dottrina del governo tirannico sotto il comunismo e quelle pressioni autoindotte dalla standardizzazione e dalle convenzioni sociali nel capitalismo. Per questi motivi, ha sostenuto, è particolarmente ansioso di osservare personalmente gli effetti dell'evoluzione della società moderna nella democrazia americana. Ha molte entrature nei diversi circoli intellettuali degli Stati Uniti.

Negli Stati Uniti d'America Feltrinelli non era tornato dai tempi del professor Gottlieb, o come diavolo si chiamava il dentista di Giannalisa. Era il migliore. Quando trasferì il suo studio da Vienna a New York, alla nonna parve logico restargli fedele e non rinunciare, anche per i bambini, alla sua mano preziosa.

Ma dal 1945, per la sua tessera comunista, Feltrinelli non potrà più farsi vedere negli Usa. Anche come "ex" non ne avrebbe diritto. Invece, ora, bastano tre settimane perché Washington conceda il benestare, probabilmente sull'onda dell'"effetto Pasternak". Infatti l'editore ha chiesto di trattare personalmente negli Stati Uniti affari legati alla gestione dei diritti del suo autore più importante. L'"Herald Tribune" e il "Washington Post" danno risalto al nulla osta firmato dal ministro della Giustizia William Rogers.

Giangiacomo questa volta parte per l'America con il suo nuovo amore di nome Inge. Inge Schoenthal. Sarà un viaggio lungo. Prima Città del Messico e un ufficio per matrimoni svelti, poi gli Stati Uniti e l'apertura di un universo di contatti editoriali, Cuba alla ricerca di Hemingway e ancora States. Tutto in quattro mesi: da Natale all'aprile del '59, con un breve ritorno in Italia nel mezzo. Questa permanenza oltreoceano è la linea di demarcazione tra una vita e un'altra che si prepara, completamente nuova. Sancita da una luna di miele tra Zihuatanejo e Bassa California.

"Abbiamo iniziato a pubblicare nel 1955 e, tranne rare eccezioni, quei primi libri erano piuttosto brutti. Ora sono venuto in America perché pubblichiamo libri migliori, decisamente migliori, e vorremmo pubblicarne ancora di migliori. Ho pensato che un contatto personale con editori americani poteva essere un passo importante per sviluppare la nostra attività e per avere una diretta cognizione della produzione letteraria." Con queste parole Feltrinelli apre la sua prima intervista radiofonica americana. Parla un ottimo inglese e chi lo sottopone al fuoco delle domande – Barney Rosset, editore di "Evergreen Review", la migliore rivista dell'avanguardia culturale – lo presenta come un uomo "intenso", che desta forte impressione.

A New York l'accoglienza è davvero speciale. Gli americani avvertono una felice similitudine tra il signor Feltrinelli e il signor dottor Živago. Ma anche l'aura del *Gattopardo* contribuisce ad accendere la curiosità. Una curiosità ricambiata.

Ci sono incontri importanti e sono in arrivo nuovi amici. Uno di questi è proprio Barney Rosset, di casa a Grove Press, "quarantenne sveglio e dinamico", annota l'ospite italiano. Parlano a lungo di Beckett. Feltrinelli opziona ma, purtroppo, non conclude. In compenso simpatizzano subito. Lo stesso accade con Jason Epstein (futuro fondatore della "New York Review of Books"), giunto a ventotto anni alla testa di Random, "un vero enfant prodige, una specie di Brega". E anche con Mike Bessie, allora presso Harpers, "intelligente e brillante, grande conoscitore dell'Europa", amico perfino di Luigi Barzini. E con Bill Jovanovich, il montenegrino a capo di Harcourt Brace, con Roger Straus, ancora oggi alla testa di una delle più ammirate case editrici, e soprattutto con Kurt Wolff, l'editore di Pasternak negli States, il vero padrone di casa.

Saranno questi i suoi amici editori, insieme a Heinrich Maria Ledig Rowohlt e a Gottfried Bermann Fischer, intimo della famiglia Mann e compagno di cello elettrico di Albert Einstein. Sono i nomi della vecchia generazione, quella che disegna la cornice di un'epoca in cui i libri non sono ancora dadi glutammatici.

Rosset, in un brutto giorno, dirà belle parole su Feltrinelli: "Noi avevamo le convinzioni, lui aveva il coraggio". E anche Wolff: "È stato il primo e unico homo novus che abbia incontrato". Forse erano entrambi memori di quei primi frenetici incontri nell'inverno newyorkese del '59.

E dopo gli editori non possono mancare i contatti con gli autori: nella sua intervista radiofonica Feltrinelli dichiara di essere sulle tracce di Jack Kerouac. Ed è noto un suo tentativo con il vecchio Nabokov a proposito di *Lolita*, sostanzialmente fallito per incompatibilità di carattere. Feltrinelli gli propone un'edizione in lingua russa incorrendo negli strali (abbastanza benevoli) di Alberto Mondadori che aveva l'autore sotto contratto. Con Karen Blixen va meglio: ostriche, champagne e un impegno per *La mia Africa*. C'è poi un salto a casa di Arthur Miller. La moglie famosa si cambia e si ricambia nella stanza accanto, Giangiacomo e Inge parlano e parlano, prendono tempo, ma la moglie famosa non si fa vedere.

A qualcuno piace caldo e, caldo per caldo, i miei genitori si spostano all'Avana, à la recherche di Hemingway. Inge lo aveva intervistato tre anni prima e ora vuole presentarlo al suo compagno. Nei grandi casinò le palline della ruota girano ancora ma solo per inerzia e al posto di Hemingway, andatosene perché in cattivo stato, i due trovano una rivoluzione giovane di alcune settimane. "Città magnifica," scrive Feltrinelli alla fedele Tina, "molto caotica, con spagnoli, neri e cinesi, piena di vita, di colore, di brusio. Ogni tanto, sparsi qui o là, si incontrano barbuti guerrieri, con tanto di pistole e mitra, stravaccati su seggioloni davanti agli edifici pubblici, a guardia contro il nemico."

Preso uno degli ultimi voli per Miami, il viaggio prosegue in automobile verso Washington, Baltimora e ancora New York. Una Mustang rimane nel retrovisore per buona parte del viaggio: Fbi?

Al suo rientro in Italia, l'editore si rituffa nelle vicende zivaghesche. Deve trovare un accordo con la Michigan Press dell'università di Ann Arbour per regolamentare una nuova edizione del romanzo in lingua russa. Per cautela, decide di mettere in cantiere una propria edizione in cirillico.

Intanto l'*Autobiografia* di Pasternak era stata pubblicata in Italia nel dicembre del '59, insieme a una raccolta di poesie, con la traduzione di Sergio D'Angelo. Ma riprendiamo il filo dall'articolo di Feltrinelli sul "Sunday Times":

> Mi arrivarono diverse lettere da Madame Jacqueline de Proyart di Parigi, con le istruzioni per la pubblicazione dell'Autobiografia. Madame de Proyart diceva che aveva avuto da Pasternak la più ampia procura. Non sapevo nulla circa la posizione di Madame de Proyart e i nostri rapporti si fecero più intensi. Ero preoccupato perché, in una questione così delicata, poteva essere pericoloso coinvolgere una terza persona che non era al corrente di tutti i particolari. Francamente ero anche risentito per il privilegio che lei aveva di poter viaggiare ed avere contatti diretti con l'autore, cosa che io non potevo fare perché non avevo il visto sovietico.

Riprende anche la sequenza di domande e risposte da affidare a una busta chiusa, alla pancia di un aereo, a mani che smistano posta in un hangar. Da Peredelkino, il 2 febbraio 1959, Pasternak spedisce via Parigi la risposta alla lettera di Feltrinelli del 5 settembre 1958. L'editore gli aveva scritto un primo bilancio del *Dottor Živago* a un anno dalla pubblicazione, con un grato post scriptum in inglese ("Grazie per lo Živago, per tutto quanto ci ha insegnato").

Carissimo amico,
inizio questa mia pregandovi di trasmettere alla vostra signora madre, Giannalisa Feltrinelli, le mie più umili scuse, i miei più amari rimorsi, come pure i miei più calorosi ringraziamenti per il bel telegramma ispirato, di cui mi ha onorato nel giorno, per me tanto fatale, della mia gioia. Dite alla cara, cara Signora Giannalisa che leggendo le sue righe, tra le altre ricevute quel giorno, non riuscivo a trattenere le lacrime e ora, scrivendo d'impeto, resisto appena a un nuovo assalto, al solo ricordo. Ditele anche – poiché parole tanto sollecite e penetranti esprimono sempre tutto l'essere di chi le ha pronunciate, meglio di cento ritratti – ditele che Ella resterà per tutta la vita così giovane, adorabile e appassionata, cosa che avverrà, del resto, anche senza i miei auspici. Mi inchino rispettosamente davanti a Lei.
Ringrazio anche voi di tutte le lusinghiere esagerazioni che mi avete amabilmente scritto nella vostra lettera del 5 settembre '58 – del cinque settembre, pensate un po', com'è già lontano! Ma non stupiamoci del fatto che io abbia trovato solo ora il tempo per rispondervi.
Ai sentimenti che nutro nei vostri riguardi, che voi ben conoscete, non possono bastare le parole, anche se vi esprimessi la mia gratitudine giorno e notte. Vi ho spesso assicurato, e lo ripeto, che è a voi che debbo non solo il successo del libro, ma ben di più: tutta questa fase della mia vita, angosciosa, mortalmente pericolosa, ma piena di senso e di responsabilità, vertiginosamente avvincente, degna di essere accettata e vissuta nella lieta e riconoscente obbedienza a Dio. Io confermerò tutto a chiunque muova critiche o mostri interesse e curiosità: intendo dire i vostri diritti sulla pubblicazione del Dr. Živago, tradotto in tutte le lingue, la vostra onestà, la vostra generosità nei miei confronti, la vostra equità in tutte le controversie concernenti lo Živago tradotto. Un esempio: quando gli editori indiani si sono rivolti a me, ho inoltrato e girato a voi direttamente le loro proposte.
Allo stesso modo, alla richiesta della "Galeria Libertad" di Montevideo, che contestava i Vostri diritti della pubblicazione del Dr. in spagnolo (nella questione della "Firma Noguer de España") ho confermato loro questi Vostri diritti e la futilità di una simile contestazione.
Ma parliamo di tutt'altro. Si è creato, in questi ultimi tempi,

un numeroso gruppo di critici, di traduttori, di editori, sensibili, devoti e benevoli nei miei confronti, che scrivono di me, mi traducono, mi pubblicano. E invece di trovare in me riconoscenza e gioia, come avrebbero tutte le ragioni di aspettarsi, visto che mi hanno colmato di doni e di letizia, trovano in me, dicevo, ingratitudine e un senso di enigmatico smarrimento. E si rattristano, i poveretti, perdendosi in congetture sull'errore commesso per meritarsi la mia malevolenza, chiedendosi che cosa mai possono avermi fatto, se non del bene allo stato puro. Hanno torto. Non è per causa loro che soffro, è di me che sono scontento e irritato. Di me, del mio viso su qualcuna delle loro foto, così vere per aver colto i tratti di una bruttezza tipica, ma che io non mi sarei fatto un vanto di riprodurre. Di alcuni brani della mia prosa, di alcun miei versi vecchi e incompleti, che io avrei preferito dimenticare e della cui imperfezione mi rammento grazie alla perfezione delle loro traduzioni.

E se almeno io sapessi che farne, come regolarmi, se avessi dei punti di vista fermi al riguardo, se fossi in grado di dare delle istruzioni chiare e precise! Si può sopprimere tutto quello che ho fatto prima del Dr., l'Autobiografia, le poesie recenti, la traduzione di Faust? Forse ho torto nel criticare, rifiutando tutto in blocco? Quindici anni del mio lavoro li ho forzatamente consacrati alle traduzioni, innumerevoli, ingombranti, tutto uno scaffale nella libreria. La mia opera in lingua originale non è vasta, è limitata nella scelta. Posso interamente trascurare questa parte? Quando sono io ad aver sottomano i miei scritti posso farne una selezione. Ho messo insieme la raccolta dei miei versi scelti di tutti i periodi per le Ed. di Stato. Speravo che questo libro, una volta uscito, sarebbe servito da modello per tutte le traduzioni straniere. Ma è stato cassato. Non si stamperà più nulla di mio qui, né le mie traduzioni, né i miei lavori in lingua originale. E trattare, prendere decisioni, mettersi d'accordo a mezzo di una posta tanto insicura, lenta e maldisposta, da tali distanze, con scadenze tanto ravvicinate – è un tormento, è un problema insolubile, è una sventura.

Ecco quindi la necessità, lo scopo per cui mi sono trovato costretto, pur serbando piena fiducia in voi, a creare, a riconoscere oltre frontiera un altro me stesso, un consigliere, che risponda ai miei bisogni di gusto, di selezione rigorosa, di competenza critica, a me affine nell'idea di ciò che ci sia da fare, accettare, evitare, rifiutare, desiderare, tentare in mezzo a tutte le occasioni eccessive che si presentano un po' troppo e praticamente dovunque a mio favore.

Non posso immaginare né rivalità né conflitti tra lei e Mada-

me de Proyart, il mio alter ego, che conosce e valuta bene
quanto me la posizione forzatamente ambigua che io vi ho
imposto, avendovi la necessità costretto a sopportare tacita-
mente senza obiezioni le mie dichiarazioni, quantunque rare e riservate, ma pur sempre ipocritamente calunniatrici del
vostro onore, secondo cui voi avreste agito a mia insaputa o
contro il mio parere, dichiarazioni da me fatte con il vostro
permesso – e di cui il mondo ha saputo capire e perdonare la
falsità – unicamente in condizioni di estrema e indicibile coer-
cizione. Bene. Ma c'era sempre un bel numero di allocchi che,
non immaginandosi il peso mortale di questo giogo, di questa crudeltà melensa e dorata, prendevano per oro colato le
mie false accuse, allo scopo, forse, di rovinare la vostra re-
putazione con ingiuste critiche. Io vi sono costato caro, e me
ne dolgo, e la mia seconda anima, Madame de Proyart, non
dimenticherà mai i vostri meriti e le vostre pene in tutta questa situazione equivoca e delicata.
Per finire questa interminabile lettera, parlerò di denaro e vi
farò qualche domanda. Mi auguro che tutto l'insieme (del denaro) sia custodito da qualche parte sotto la vostra tutela. Di
ciò vi sono infinitamente riconoscente e vorrei pregarvi di fare in modo che tutto continui alla stessa maniera. Il fatto che
da parte mia manchi la curiosità di sapere a quanto ammon-
ta il tutto e gli altri dettagli non vi deve meravigliare e nemmeno ferire, quasi si trattasse di una sorta di apparente indifferenza. Io non sono sinceramente avido di sapere tutto
ciò, non osando e non avendo il diritto e la possibilità di pensarci effettivamente. Credo che solo in un caso ipotetico, e
cioè che mi si volesse prendere per fame, mi sarei deciso a ricorrere a un invio ufficiale di denaro da oltre frontiera. Le autorità finanziarie avrebbero acconsentito a questo deposito
di valute straniere, ma tutto il resto della mia vita sarebbe stato avvelenato dalla perpetua accusa di venir mantenuto a tradimento con capitali stranieri.
Ma io voglio cominciare a far uso di questo denaro in un altro modo. Voglio fare con il suo aiuto e il suo permesso dei
piccoli doni pecuniari, tramite bonifici bancari, ad alcune persone. Eccovi la lista (dei nomi e delle somme); la prego di trasferire:
1) Diecimila dollari a mia sorella minore Mrs Lydia Slater, 20
Park Town, Oxford, England.
2) Diecimila dollari a mia sorella maggiore Josephine Pasternak (all'indirizzo della minore, nel caso che il suo non si
reperisse).
3) Diecimila dollari a Mme Jacqueline de Proyart, 21 rue Fresnel, Paris XVI.

4) Diecimila dollari a Mlle Hélène Peltier-Zamoyska, Maison St-Jean presso St-Clar-de-Rivière, Haute Garonne, France.
5) Cinquemila dollari a Mr Michel Aucouturie.
6) Cinquemila dollari a Mr Martincz (richiedere entrambi gli indirizzi a Mme de Proyart).
7) Cinquemila dollari al traduttore italiano Pietro Zveteremich. Il sig. Feltrinelli è al corrente del suo indirizzo.
8) Diecimila dollari a Mr Sergio D'Angelo, via Pietro d'Assisi 11, Roma.
9) Duemila dollari a Mr Garritano, da pagarsi in Italia o al suo domicilio temporaneo di Mosca.
10) Cinquemila dollari a Max Hayward.
11) Cinquemila dollari a Mrs Harari (due traduttori inglesi, il cui indirizzo inglese è da reperire presso Collins).
12) Cinquemila dollari al traduttore danese Ivan Malinovski a Copenaghen, all'indirizzo delle Ed. Gyldendal.
13) Cinquemila dollari a Reinhold v. Walter presso S. Fischer Verlag.
14) Cinquemila dollari a Mr Karl Theens, direttore di un museo, Stuttgart-Degerloch, Albstrasse 17, Deutschland.
15) Cinquemila dollari a Mme Renate Schweitzer, Berlin West 30, Marburgerstr. 16.
16) Cinquemila dollari a John Harris, 3 Park Road, Dertington, Totnes, Devon, England.
17) Diecimila dollari a Gerd Ruge in Germania.
Concludo questa lettera in gran fretta. Mille grazie a voi.

Vostro B. Pasternak

Come in precedenza, anche questa lettera non giunge mai a destinazione e rimane nell'archivio personale di madame de Proyart. Per quale motivo? Forse, ancora una volta, Jacqueline de Proyart non è del tutto soddisfatta o non si accontenta. Pasternak le aveva fatto balenare l'idea che avrebbe potuto assumere una precisa funzione nella gestione delle sue proprietà letterarie. Ma, ora, il suo ruolo è descritto in modo un po' confuso e imbarazzato, senza la necessaria chiarezza. La sua posizione potrebbe essere ancora fraintesa come quella di una semplice confidente per le questioni di gusto o di selezione critica.

Questa volta la de Proyart esprime a Pasternak i suoi argomenti. Lui si dichiara d'accordo nel lasciar perdere la lettera, ne avrebbe scritta una nuova. Feltrinelli avrebbe saputo della de Proyart direttamente dalla de Proyart, senza il preventivo annuncio di Pasternak.

Anche D'Angelo, rientrato in Italia, in rotta con il Pci e per breve tempo assunto alla Feltrinelli, è autonomamente in contatto con la de Proyart e con lo stesso Pasternak, grazie al corrispondente dell'"Unità" a Mosca Giuseppe Garritano, nominato nella lista delle regalie. Per inciso, uno dei motivi del mancato recapito della lettera del 2 febbraio potrebbe essere stato un intervento in extremis di Olga Ivinskaja, sollecitato proprio da Garritano che, forse per paura di qualcosa, non voleva saperne di comparire nella lista.

La sensazione è che molto stia avvenendo all'insaputa di Feltrinelli.

Ignaro di questi movimenti, l'editore riceve posta da Jacqueline de Proyart. La signora si presenta formalmente, con tanto di procura, per sovrintendere a "tutti i diritti" in Occidente delle opere di Pasternak. Stupito, Feltrinelli non può che rivolgersi nuovamente al suo autore. Lo fa il 16 febbraio 1959, durante un breve rientro in Italia dagli Usa.

D'ora in poi, il riferimento più costante per il recapito della corrispondenza con il poeta sarà soprattutto Heinz Schewe, inviato del quotidiano "Die Welt" nella capitale sovietica. Il Ruge, di cui si parla nella lettera che segue, è Gerd Ruge, inviato della televisione tedesca e collega di Schewe, anch'egli coinvolto in questo genere di missioni.

Caro Pasternak, caro Amico,
il mese scorso ho cercato di raggiungervi in tutti i modi, ma inutilmente, ogni sforzo è stato vano; ora ho trovato una nuova via, e spero che questa lettera vi giunga.
Sono passati dei mesi dalla mia ultima lettera, mesi pieni d'angoscia e di vita, di sofferenza e di ammirazione, di umiliazione e di gioia.
Dopo che la bagarre politica che ha movimentato gli ultimi mesi si è taciuta, il Dr. Živago continua a essere letto da migliaia e centinaia di migliaia di persone in tutto il mondo, e continua ad essere apprezzato per il suo valore, per tutto quello che è in grado di dare e insegnare all'umanità.
Ruge mi ha portato di recente vostre notizie, mi ha detto

che siete in buona salute, e la cosa ci ha tranquillizzato.
Caro Amico, abbiate cura di Voi.

Abbiamo appena pubblicato l'Autobiografia, di cui vi mando una copia. Soltanto dopo che era stata stampata ho avuto notizia di una tale Madame de Proyart, che mi ha fatto sapere che voi desiderereste veder pubblicata solo la seconda versione, con un diverso finale.

Ahimè, è la prima versione quella che voi mi avete consegnato, e io non avevo avuto prima alcuna indicazione intorno al fatto che voi avreste preferito la seconda, che abbiamo visto pubblicare da Gallimard.

E a proposito di Madame de Proyart, debbo confessarvi che sono dolorosamente colpito dal fatto che voi abbiate voluto nominarla vostra rappresentante in Europa, senza dirmi niente, quando per lungo tempo ero io ad avere in pratica l'onore e la responsabilità di rappresentarvi. Madame de Proyart, per delle ragioni a me incomprensibili, ha l'idea di dichiararsi solo ora, rimproverandomi quasi di non aver saputo quello che lei stessa mi ha tenuto a lungo nascosto.

Ho subito ogni sorta di umiliazione senza battere ciglio, ma quest'ultima è quella che mi colpisce più duramente. Tutte le operazioni editoriali, gravate di non poche responsabilità, sono state da me condotte, credo, conformemente alle vostre istruzioni, o, quando queste mancavano, nello spirito dei vostri desideri. Ora, vedermi privato della vostra fiducia, del sostegno della vostra autorità, è una sorpresa inaspettata, e assai dolorosa.

Madame de Proyart mi crea un sacco di problemi e di preoccupazioni a motivo dell'Autobiografia, che mi avete affidato voi e di cui, anche se non abbiamo potuto redigere un contratto, io mi sono sentito responsabile, trattandone la pubblicazione in diversi paesi, come per il Dr. Živago. La signora in realtà mette in discussione tutto quello che ho fatto io, intralciandomi e minacciando azioni legali, per iniziative prese prima che lei dichiarasse la sua posizione. Esige che io le passi tutti i contratti. D'accordo, lo farò, se è questa la vostra volontà.

Mi domando, caro Amico, perché mai io debba essere minacciato e trattato come un mistificatore da Madame de Proyart. Anche questa è una umiliazione che non credo di aver meritato.

Ma, caro Amico, chiaritemi ancora una volta i seguenti punti, su cui il vostro pensiero, anche nelle lettere a Madame de Proyart, non è chiaro:

1) Le edizioni in russo del Dr. Živago, una in Europa e una in America, possono essere considerate incluse nel contratto che noi abbiamo stipulato per quest'opera?

2) Per quanto riguarda i profitti derivanti dalle edizioni del Dr. Živago, quali sono i vostri desideri? Che io li affidi a Madame de Proyart, che io li conservi per voi qui o in Svizzera, che ve li faccia pervenire per vie diverse e in che quantità annua, o che siano affidati a una gestione comune mia e di Madame de Proyart?

3) Il nostro contratto per il Dr. Živago non contempla i diritti per la riduzione cinematografica. Che cosa desiderate? Che ne venga tratto un film? (In questo caso, per favore, firmate la lettera qui allegata e rispeditemela [documento n. 1]). Io sarei dell'opinione che si possa ricavarne un film tra uno o due anni, ma questo dipende da voi, io non posso sapere quali sono i vostri desideri. Che percentuale desiderereste? La stessa delle traduzioni del Dr. Živago? Avete sufficiente fiducia in me da lasciare a me solo il controllo della produzione? (Non vi nascondo che so per certo che la collaborazione di Madame de Proyart porterebbe in pratica a un disastro: non c'è che l'incompetenza per mandare a monte ogni iniziativa.)

Caro Pasternak, sono desolato di avervi sottoposto tante questioni di natura commerciale, e di avervi seccato con le mie preoccupazioni e i miei crucci, ma per me è indispensabile conoscere il vostro parere.

Caro Amico, fatemi sapere tutto quello che vi occorre e desiderate.

Io Vi sono, come sempre, amico.

Giangiacomo Feltrinelli

P.S. È comunque necessario che Voi firmiate la procura qui allegata (documento n. 2) indispensabile perché io possa meglio agire contro ogni arbitraria iniziativa.

Firmate pertanto entrambi i documenti, per cortesia, e inviatemeli, con i Vostri desideri e opinioni.

Giangiacomo Feltrinelli

P.S. Vogliate inviare la Vostra risposta a Olga. Mr. Schewe verrà a prenderla dopo una settimana.

I due documenti allegati per la firma sono una lettera di precisazione sui diritti del *Dottor Živago* e una procura per il cinema. È giunta notizia di due progetti per lo sfruttamento cinematografico del romanzo, ma né Feltrinelli né la de Proyart hanno un mandato. Anche in questo caso l'editore deve intervenire con avvocati per bloccare le iniziative sul nascere. Senza disposizioni chiare, il copyright non può essere difeso a lungo. Ma Pasternak, per il momento, non firma.

Per la prima volta, Feltrinelli si trova ad affrontare il tema dei rapporti con Parigi. Si sarà chiesto a lungo il motivo delle recenti decisioni di Pasternak sulla de Proyart: cosa stanno combinando? Perché nominare un nuovo procuratore? Probabilmente, pensa Feltrinelli, Pasternak ha fiducia nella signora, e anche nei consigli del marito avvocato. Con loro può comunicare senza troppi rischi, e poi lei si rivolge al poeta da slavista, chiedendogli consigli sulle accortezze filologiche per le diverse traduzioni, e quindi, certo, va bene "per i bisogni di gusto, di rigorosa selezione, di competenza critica". Ma basta questo a sovvertire un perfetto sodalizio editoriale?

Come dimostra la corrispondenza, è difficile immaginare un Pasternak insoddisfatto per la gestione dei suoi contratti. Nemmeno sotto il profilo economico. Sa che i suoi guadagni si trovano in Occidente e che difficilmente in quel momento può disporne per sé. Le sue royalties sono collocate dagli editori di tutto il mondo in una banca svizzera. *Il dottor Živago* è per diritto un libro "italiano", il cui contratto però non può essere né mostrato né depositato ufficialmente in Italia: sarebbe la prova che Pasternak si è accordato direttamente con un editore straniero. Per questo, Feltrinelli ottiene che gli editori stranieri paghino in Svizzera e lui stesso fa così per le percentuali delle vendite in Italia.

Schewe, nel frattempo, è diventato il tramite più sicuro delle consegne di denaro a Mosca, quelle per cui Pasternak o Olga siglano le ricevute. Le loro entrate principali derivano dai rubli comprati di nascosto in qualche nordico porto europeo.

Ma, tornando a madame de Proyart, sebbene abbia sinceramente a cuore tutto ciò che può favorire o aiutare Pasternak, dal suo comportamento emergono tratti di ambizione e velleità. Per esempio, quando pensa di fare meglio di altri un mestiere che non conosce. Sovrapponendosi a Feltrinelli nella gestione dei diritti dell'*Autobiografia* crea sconcerto tra gli editori di Pasternak. Nel suo attivismo ci sono anche punti oscuri, come il ruolo svolto nella vicenda dell'edizione pirata del *Dottor Živago* in lingua russa, distribuita presso lo stand del Vaticano all'Expo di Bruxelles.

Questa edizione sarà successivamente adottata dalla Michigan Press, con numerosi refusi di cui Pasternak si lamenterà con gli italiani, come vedremo tra breve.

È bene ricordare che la de Proyart non ha fatto arrivare a Feltrinelli la lettera che Pasternak aveva inviato un anno prima, proprio con il riferimento all'edizione di Mouton. Entrambi sono rimasti ignari di quel mancato recapito. E Feltrinelli si troverà a fare i salti mortali per apporre, all'ultimo momento, il proprio copyright a un'edizione illegale e certamente non perfetta; Pasternak, a sua volta, pensa che Feltrinelli non abbia voluto seguire le sue indicazioni per l'edizione in russo del libro. La de Proyart, forte della confidenza con l'autore, ha fatto di testa sua e, sospettano fortissimamente in Italia, magari anche per conto di altri.

A metà febbraio del 1959 la questione dei rapporti con la de Proyart precipita: chiamano allarmati gli editori di tutto il mondo. Cinque giorni dopo la sua ultima lettera, Feltrinelli scrive nuovamente a Pasternak.

Milano, 21 febbraio 1959

Caro Amico,
più penso alla situazione che si è creata in seguito alla presa di posizione di Madame de Proyart e più sono costernato.
Oggi la telefonata da New York di Kurt Wolff – stupefatto e indignato per quanto accade in conseguenza del mandato che voi avete conferito alla signora – mi convince della necessità di rivolgermi direttamente a voi con la richiesta di revocare automaticamente ogni potere a Madame de Proyart firmando l'allegato n. 1 e aggiungendo a mano il titolo dell'Autobiografia. Il tutto deve essere firmato alla presenza di Ruge o di Schewe, facendo loro controfirmare i suddetti documenti (senza dimenticare la data).
Caro Amico, immagino che, affidando a Madame de Proyart il mandato, voi intendevate fare solo del bene, ma in tutta franchezza permettetemi di dire che la cosa ha avuto effetti molto negativi.
Vi sconsiglio di prendere in futuro iniziative analoghe. Se volete che io versi del denaro alla signora, ditemi l'importo, e io lo farò.
Voi avete raggiunto una posizione per la quale tutti vi stimano e ora occorre molta prudenza sia negli affari sia nelle dichiarazioni alla stampa.
A mio avviso voi potete avere fiducia in due persone, Ruge e

Schewe, e se un giorno non saranno più a Mosca io riuscirò comunque a stabilire un contatto con voi. In caso di urgenze fate portare da qualcuno di fiducia una lettera indirizzata a me all'Ambasciata italiana: mi arriverà nel giro di pochi giorni. Caro Amico, perdonate la mia franchezza. Fatemi sapere quanto vi occorre.

Non fate dichiarazioni alla stampa riguardo ai vostri prossimi libri. Se state scrivendo, scrivete. Poi, si vedrà.

Se potessi venire a Mosca vorrei tanto abbracciarvi, e chiacchierare con voi e spiegarvi tante cose. Eppure sento che un giorno sarà possibile.

Giangiacomo Feltrinelli

La corrispondenza tra autore ed editore si sta ingarbugliando, soprattutto per i tempi incerti di trasmissione e di recapito. Le lettere per Pasternak sono spedite all'ufficio tedesco di Schewe e quindi, attraverso una specie di posta diplomatica, inviate al suo domicilio di Mosca. Schewe, infine, le porta a Olga.

Quando, agli inizi di aprile, Pasternak riscrive la lettera del 2 febbraio (quella rimasta ferma a Parigi), non sembra aver ancora ricevuto quelle spedite da Feltrinelli il 16 e 21 febbraio.

Caro e grande, e nobile amico,
allo sconforto che mi ha accompagnato negli ultimi tempi si aggiunge il grande rammarico causato dal sospetto che la mia lettera di gennaio, da me indirizzata a voi e alla Signora vostra madre, l'ammirevole e meravigliosa Signora Giannalisa Feltrinelli, sia andata smarrita da qualche parte e resti irrecuperabile. Non potrei al momento restituirvene il contenuto e nemmeno è necessario. Ripeterò solamente i miei ringraziamenti più calorosi, rivolti nella lettera scomparsa alla Signora vostra madre per l'onore che mi ha voluto generosamente rivolgere con le sue felicitazioni di autunno; tornerò anche ad esprimere la mia gratitudine nei vostri confronti, Signore, per la vostra cara e lunga lettera bilingue (per metà in francese, per metà in inglese), per la generosità, per i sentimenti che avete mostrato nei miei confronti e per tutto quello che avete patito per causa mia (ignobili accuse di inadempienze immaginarie a mio danno o di fittizie negligenze, che voi avete avuto la bontà di simulare), per tutto, per tutto. Voi sapete bene che io sono ostacolato nei miei affari fino alla paralisi, che non posso né prendere alcuna decisione in propo-

sito, né deliberare, né tenere una corrispondenza, che ho le mani legate nel curarli a distanza e persino nell'interessarmene. In simili condizioni di completa separazione da me – voi avete agito con un'infallibilità sovrannaturale, come una divinità del caso, non ho alcun rimprovero da muovervi se non quello di avermi viziato e abbagliato con i vostri splendidi, inesausti successi. Se mi è dato il diritto di sognare e sperare di sopravvivere, voglio immaginare un periodo completamente diverso, da qui a due o tre anni, più calmo, più lieto e tollerante, in cui avrò la possibilità di dimenticare il Dr. Živago, soppiantato, messo in fuga da tre nuove opere, sulle quali negozierò con voi per primo tramite uno scambio di lettere completamente libero e lecito, o ancor meglio, incontrandovi di persona quando vi farò visita durante i miei viaggi in Europa.

Mi riprometto di scrivere 1) un lavoro teatrale in prosa sui servi della gleba alla vigilia della loro liberazione; 2) un poema in versi consacrato al tema dell'amore e della libertà, personificato da qualche figura femminile serba (sete istintiva, appassionata dell'indipendenza, i monti, il mare, il mondo dell'Adriatico un po' alla Mérimée); 3) un romanzo in prosa sull'intreccio di antichità e nostra attualità, sui primi tempi della nostra era da qualche parte nella penisola iberica e qualche scavo di fantasia nel Caucaso. (Voi potreste incoraggiare e benedire l'impresa spedendomi materiale, dei libri sui punti 2 e 3, per avere delucidazioni sulla situazione jugoslava e sull'argomento degli scavi archeologici – vita, fatti, documenti, spunti drammatici e interessanti, e anche trasmettere a Collins e Fisher la stessa richiesta di fonti pubblicate.)

Nell'attesa, la singolarità della situazione presente ha creato, accanto ai miei rapporti con voi, altre relazioni, che non intaccano in nulla né i vostri diritti e interessi, né la mia stima nei vostri confronti, ma che pur tuttavia non sono meno importanti e rispettabili.

La vostra bella edizione del romanzo in russo abbonda di errata, di cui una parte considerevole potrebbe probabilmente essere evitata se la redazione venisse affidata a Mme de Proyart che conosce bene il testo, non solo perché come slavista ha preso parte alla traduzione francese dell'opera, ma anche perché ancora dispone dei manoscritti da me revisionati e verificati personalmente.

È una conseguenza del tutto naturale dei nostri incontri se la Signora, essendosi familiarizzata ai progetti che io le confidavo e agli scritti che le affidavo, si è assunta questo fastidioso incarico ed è divenuta mia mandataria via via sempre più esclusiva e plenipotenziaria. In tutto questo non c'è alcuna traccia di preferenza offensiva ai danni di qualsivoglia altro mio amico, né di scontento o disapprovazione nei confronti di chicchessia. Voglio che durante la mia lunga impossibilità di agire, di esercitare un ascendente sulle cose, di scegliere, di tenere corrispondenza, di gioire dei frutti della vostra attività e del mio pensiero, durante questo mio stato di incapacità di sapere i risultati di tutto ciò e persino di potere e volerli conoscere, voglio che le vostre due funzioni, la vostra e la sua, siano separate distintamente ed efficacemente. Voglio che voi continuiate a trarre profitto dal vostro contratto sul romanzo tradotto (con tanto di doppio vantaggio per me, sia morale, sia materiale) oppure che vi possiate valere di ogni atto nuovo che voi intenderete concludere con il consenso e il beneplacito di Mme de Proyart.

Voglio che la Signora ai vostri occhi mi supplisca, faccia le mie veci per quanto riguarda le vostre esigenze di contabilità, per le delibere sulla destinazione dei fondi o le consulenze finalizzate a nuove iniziative. Perché per il momento (e ciò durerà ancora a lungo) io non esisto né per lei, né per voi, dovete dimenticare che c'è stato un uomo con questo nome, dovete cancellarlo dalla memoria.

Erano queste le mie intenzioni nell'indirizzare a voi lo scritto qui allegato. Lo allego, ricopiato parola per parola di mia mano, anche alla lettera che mi accingo a scrivere e a inviare a Mme de Proyart. Credete alla mia devota riconoscenza. Vi devo tanto! Tutto potrebbe andare diversamente, non fosse per questa mia privazione delle facoltà più elementari.

B. Pasternak

P.S. (molto importante) Nella mia lettera indirizzata a voi andata persa, si trovava una lista che elencava le somme e le persone a cui io volevo inviare queste somme in forma di dono (tra cui diecimila a Sergio D'Angelo, diecimila, che ora correggo in quindicimila, a Gerd Ruge, ecc ecc). Fortunamente una copia di questa lista è pervenuta a Mme de Proyart e si trova in sue mani.

Non ostacoli e non ritardi queste disposizioni, caro signore. Desidero che queste donazioni alle diverse persone menzionate siano fatte il più presto possibile. Mr S. D'Angelo mi propone un aiuto materiale nel caso estremo in cui io non sappia dove sbattere la testa. Forse, a rigore, sarò costretto a valermi della sua offerta, ma al riguardo dovrà consultare Madame de Proyart, come da certificazione qui allegata, senza disturbare voi con questa questione. B.P.

Alla lettera è acclusa questa dichiarazione, datata 4 aprile 1959:

Ho l'onore di confermarvi, caro Signore, che do incarico a Madame Jacqueline de Proyart de Baillescourt per la piena gestione di tutti i miei diritti d'autore e parimenti del controllo sui trasferimenti di cui vi farò richiesta. È a Madame de Proyart che io desidero che voi abbiate la compiacenza di render conto in mia assenza su tutti i miei diritti d'autore, ivi compresi quelli del romanzo. Ne affido a Madame de Proyart o alla persona che lei vorrà designare in caso di decesso, la libera disposizione.

B. Pasternak

Feltrinelli deve aver pensato al peggio leggendo queste disposizioni. Non capisce il comportamento di Pasternak. Se solo potessero incontrarsi! La distanza, in questi casi, distorce così tanto da confondere le idee.

Ma il punto vero, forse, è che Pasternak non vuole più saperne di contratti; e l'idea di crearsi un "alter ego" cui rimettere ogni cosa, benché non possa reggere nella pratica, è un espediente per facilitarsi la vita. L'ambizione iperprotettiva della de Proyart completa il quadro: se pensa diversamente da Feltrinelli, e certamente non lo capisce, è pur sempre la confidente del poeta.

Nell'estate del '59 si deve scendere a patti con lei. L'editore diffida da morire, pur facendo di necessità virtù.

Le parti si incontrano a Milano il 21 luglio e Feltrinelli aggiorna per iscritto Schewe che è in costante contatto con Pasternak. Sotto la pressione della de Proyart, "teoricamente" si raggiunge un accordo per l'edizione russa dello Živago. È anche previsto che i contratti internazionali dell'Autobiografia finiscano nelle mani di madame. I de Proyart mettono sul tavolo la lista delle regalie in denaro acclusa alla famosa lettera mai recapitata. L'editore dà il via al pagamento dei 120.000 dollari a favore delle persone nominate da Pasternak, ma prende tempo nel consegnare i contratti. Le case editrici di mezzo mondo, Kurt Wolff in testa, si preoccupano per l'eventualità di un cambio di guardia nella gestione di Pasternak. Feltrinelli temporeggia: "Aspetto ancora un segnale dal nostro comune amico", scrive a Schewe. "Il signor P. la prega di avere un poco di pazienza. Le risponderà presto. Non diventi impaziente e non dubiti di lui", comunica Schewe alla fine di luglio.

Senza accorgersene, si è già in piena estate.

Incontro Schewe nel luglio del 1994. Ha settantadue anni portati bene. Ci vediamo a Vienna, la città in cui abita. D'aspetto parrebbe un impiegato. In verità, ha passato la vita a fare il corrispondente in alcune grandi capitali del mondo: Londra, Mosca, Gerusalemme. Sbrigativamente potremmo definirlo un cronista vecchio stampo, in bianco e nero, da Guerra fredda. Deve aver esercitato il mestiere con profonda dedizione per il suo giornale. Ora, in pensione, con ancora cinque anni di sopravvivenza economica, almeno così dice, conduce vita apparentemente solitaria o, meglio, "ritirata". Quando sono andato a trovarlo non ho avuto il coraggio di chiedergli se avesse una famiglia, una moglie, degli amici, ma se ci fossero la cosa mi stupirebbe.

Schewe non nasconde la nostalgia per quel periodo della sua vita iniziato nell'aprile del '58, quando l'editore Axel Springer lo manda in Unione Sovietica, inviato per "Die Welt". "Sono entrato nella vicenda Pasternak solo grazie a Feltrinelli, lui aveva infatti bisogno di un contatto sicuro a Mosca e Springer mi segnalò alla signora Inge."

Olga Ivinskaja lo descrive con affetto nella sua autobiografia, ne parla come un amico "fidato e devoto", capace di stemperare la tensione anche nei momenti più accesi, e Schewe, per tutti questi anni, è rimasto legato a Olga e alla figlia Irina. Di Feltrinelli dice: "Era tutto quello che avrei voluto essere e non ero". Di Pasternak ricorda gli incontri a casa di Olga, oltre la collina, che il poeta raggiungeva sbucando dal bosco: "È come se lo vedessi. Ci veniva incontro quasi di corsa, fino a restare senza fiato, e ci abbracciava e parlava solo lui (con me in uno splendido tedesco di Marburgo), e raccontava tutto ciò che aveva visto, sentito, ricevuto".

Vado al sodo e gli domando di quel 1959: cosa passava nella testa di Pasternak? E la querelle Feltrinelli-de Proyart? "L'atmosfera intorno a Pasternak e alla sua famiglia diventò esplosiva dopo il Nobel. Le condizioni di vita si fecero durissime quando gli tolsero ogni possibilità di guadagno. In più, vi erano le campagne stampa, i controlli polizieschi, la paura perenne di commettere errori." Aggravava il quadro, secondo Schewe, la naïvité del poeta: "Era un vero bambino, incapace di scontentare o dire di no a tutti quelli che, magari anche in buona fede, cercavano di legarsi al carro dello *Živago*... Olga doveva proteggerlo sempre".

Nei ricordi del giornalista sono ben presenti le avvisaglie di turbolenza tra Feltrinelli, la de Proyart e Sergio D'Angelo. Pasternak ne soffriva: "Lui era un uomo generoso, per nulla avido. Nei momenti di serenità, quando la depressione non lo invadeva, scherzava sui denari che aveva fuori dall'Unione Sovietica e, come un vero nobile russo, gli piaceva fare regali, sempre con lo slancio di un ragazzo".

E dei rubli introdotti illegalmente in territorio sovietico, cosa ricorda Schewe? "Ho portato somme per conto di Feltrinelli, sette o otto volte, per un totale di circa centomila rubli. Ovviamente per questo rischiavo l'arresto e chissà cos'altro, anche se talvolta ho avuto l'impressione che i miei angeli custodi mi lasciassero fare, considerando che, per cautela, non portavo mai in una sola volta somme troppo vistose... Credo che anche Ruge abbia fatto consegne in denaro a nome di Feltrinelli."

A un certo momento Pasternak e la Ivinskaja pensano di mettere al riparo Irina, la figlia di Olga, facendola sposare con un occidentale per garantirle un espatrio. Potrebbe sposare proprio Schewe; ma lei, sebbene gli fosse affezionata, non ne vuole sapere.

"È un mio grande dispiacere che F. e J.P. non abbiano trovato un linguaggio comune", scrive Pasternak all'amica francese Hélène Peltier il 21 luglio del '59. La procura totale affidata alla de Proyart non lo avrebbe alleggerito dei problemi di gestione delle sue opere. Feltrinelli, da parte sua, morde il freno, sentendosi penalizzato senza ragione. "Sono per tutti i suoi progetti, mai gli rifiuterei nulla", confida ancora Pasternak alla Peltier. Ma adesso firmare i documenti inviati da Milano all'inizio della primavera (li aveva finalmente ricevuti) significa annullare le prerogative concesse alla de Proyart.

Olga dà la netta impressione di stare dalla parte di Feltrinelli. Schewe riporta un suo commento: "Gli argomenti di Giangiacomo esprimono quello che penso e dico da chissà quanto tempo".

La situazione distoglie il poeta da ciò che conta veramente per lui, dal lavoro sui suoi testi. Finalmente, raccolte le forze, decide di scrivere a mio padre e anche alla de Proyart. D'ora in poi è il tedesco la lingua di cui si servono per comunicare.

Primi di agosto del '59

Caro amico,
contrariamente all'abitudine di rivolgermi a voi in francese, questa volta vi scrivo in tedesco, perché questo mio scritto verrà letto dal nostro comune amico tedesco, che in tal modo sarà in grado di giudicare meglio la chiarezza del mio te-

191

sto, insieme al senso e all'utilità delle mie decisioni. Amico mio, io devo a voi e a Madame de Proyart le stesse identiche scuse. La confusione che ho creato intorno a voi e tra di voi è offensiva in pari modo per la Signora come per voi. Di tutto ciò sono colpevole, sia nei confronti della Signora che nei vostri. Non ho bisogno di darvi nuove prove della mia fiducia illimitata, della mia stima e ammirazione. Oggi più che mai sono pronto a ripetere: ammesso che io in qualche modo sia colui che ha scritto il romanzo, voi siete e restate l'unico creatore e autore del suo pellegrinare intorno al mondo, del suo destino, del suo successo. Devo forse ancora aggiungere quanto grande e spontaneo deve essere ed è l'entusiasmo e la riconoscenza per tutto ciò? Non voglio negare di sapere della vostra lettera e del testo del contratto ormai da quasi un mese. Perdonatemi del ritardo, con cui probabilmente vi avrò messo in croce. Perdonatemi anche la sincerità con cui mi confesso con voi a cuore aperto. Ho rinviato terribilmente la lettura dei vostri scritti perché mi aspettavo che me ne venissero preoccupazioni assai maggiori di quelle che effettivamente oggi, leggendoli di sfuggita, ho avuto – ma le cose sono andate in maniera tale che nello stesso momento, all'incirca un mese fa, mi sono messo finalmente a un lavoro che pareva proprio allora venir alla luce, – e non osavo correre il rischio di mettere in fuga con dei pensieri cupi il lavoro appena iniziato, prima che mettesse saldamente radici nella mia esistenza. Voglio subito schizzare i confini di questa mia lettera. Sarà impossibile esaurire in essa tutti gli argomenti. Mi resta un'ora per completarla e per buttar giù qualche riga a Mme de Pr. I miei sforzi odierni devono quindi essere rivolti soltanto a far sì che entrambi possiamo metterci nuovamente l'animo tranquillo.

Che voi oltre a un genio dell'azione vi siate anche dimostrato un cavaliere dall'animo cordiale e disinteressato nei miei confronti lo sa anche Mme de Proyart e non lo negherà mai. Quando due anni fa ho iniziato a conferire pieni poteri alla Signora non intendevo con ciò limitare la mia fiducia in voi. Di certo non avrete potuto credere a una cosa del genere! Ma chi di noi poteva immaginarsi allora che il mondo ci avrebbe dimostrato un interesse tanto grande? Non sarebbe stata una pretesa ridicola da parte mia se io, già in quei giorni, avessi addossato a voi oltre all'onere del contratto del romanzo anche quello di un'infinità di impegni? Non c'era modo di prevedere tanto successo (dal punto di vista commerciale, non del mio segreto amor proprio). Per questo ho dato incarico a Mme de Proyart di occuparsi dell'autobiografia, del romanzo in russo e dei testi poetici, ecc. – nel senso di un lavoro aggiuntivo e complementare ai miei rapporti con voi, non di un'imposizione a voi di un limite o di una barriera.

La parte che segue è indirizzata in parte a voi, in parte a Mme de Pr. Alla fine capirete il perché.

Ho riletto le lettere di Feltrinelli. Ho avuto torto. Non minaccia nessuno di niente. È mio dovere difenderlo. Non è ricorso a tali mezzi vili. Ma ha ragione. Io ho imbrogliato le cose oltremodo e sono colpevole davanti a lui e più ancora colpevole davanti a voi. Perdonatemi, dunque, entrambi.
Quali sono i miei auspici? (Quelli di sempre, ma per amor di brevità non parlerò del passato e mi limiterò al presente e al futuro.) Voglio che la diffusione delle mie opere di oggi e di domani prosperi all'estero e non incontri ostacoli di sorta e che questa diffusione senza restrizioni, in tutte le forme delle edizioni, dei testi originali e tradotti, delle riduzioni cinematografiche e radiofoniche, ecc. ecc., venga realizzata, condotta, diretta e sorvegliata dal signor Giangiacomo Feltrinelli a Milano, mio editore principe. Ragion per cui io aderisco a tutte le idee e proposte, da lui fatte e redatte in forma di contratto, pur essendo io impossibilitato legalmente a firmare contratti, stato di necessità questo tra i tanti in previsione del quale ho dato incarico a Madame de Proyart di volersi sostituire a me con la sua autorevolezza, il suo consiglio, il suo nome, la sua firma. Nel sostituirsi a me ella ai miei occhi diviene colei che nutre la mia stessa fiducia incondizionata nel sig. Feltrinelli, una sorta di sostegno morale alle sue iniziative sempre tanto belle e fortunate.
Come mi immaginavo il ruolo di Mme de Proyart in veste di mio sostituto? Pensavo che se il sig. Feltrinelli avesse avuto bisogno del mio parere (di un parere solidale, non di un veto) avrebbe potuto chiederlo a Mme de P. Se lui (non io) trovasse utile per se medesimo rendermi conto della contabilità annuale è a Mme de Proyart che potrebbe rivolgersi, senza nemmeno che io lo sappia, visto che tutte queste questioni per me al momento sono impossibili, inaccessibili e indifferenti. Infine, se il sig. Feltrinelli (lui e non io) volesse fare delle detrazioni o dei pagamenti in mio favore (ne ho bisogno) dovrebbe considerare Mme de Pr. come proprietaria, senza nemmeno informarmi. Che la Signora mi perdoni l'esiguità delle funzioni a cui ho ridotto i suoi compiti e l'informalità dell'incarico di fare le mie veci, ma si tratta di essere Pasternak per Feltrinelli, nei rari casi in cui abbia bisogno di me, come si ha bisogno di un'altra persona quando la propria non basta più.

Il mio desiderio è che Madame de Proyart con la sua bontà e la sua amicizia per me e il signor Feltrinelli forte della sua esperienza, savoir-faire, talento per iniziative ispirate e fortunate, della sua generosità elaborino i due poli di questo biforcuto mandato plenipotenziario, oppure, se è impossibile, vogliano cortesemente inventare qualche altro sistema di procura e di regolamentazione, adeguato allo stato di impotenza in cui mi trovo, che entrambi devono capire e che è giocoforza rispettare.

[...]
Siate tanto gentile da ricopiare tutta questa parte scritta in francese per la signora de Proyart, e speditegliela in rue Fresnel, Paris XVI. Volevo farlo io stesso, ma non posso per la gran fretta e non voglio far tardare la lettera. Una cosa ancora. Qui nulla ci è necessario. L'idea dell'aiuto da parte di S. D'Angelo era sorta durante una crisi acuta, che pare ormai superata. Non posso promettervi niente di regolare, niente di regolamentare. Mi fido più di voi che della mia coscienza e della mia memoria. Niente viene registrato, e di ricevute non ne vedrete. Se arrivano dei soldi, vengono consumati e solo la riconoscenza che ne deriva non viene dimenticata e cresce. Tutto il resto sfugge alla memoria. Ma a trasferire in più riprese tutto qui non pensi nemmeno, è una follia. Per questo c'è per voi la signora Proyart. Accogliete, vi prego, i sensi della mia più profonda ammirazione, gratitudine dedizione e amicizia.

Vostro B.P.

Spedisco senza nemmeno rileggere.

Questa lettera è l'estrema mediazione per dirimere una vicenda che non si risolve. Feltrinelli, sollevato dalla riconfermata fiducia del suo autore, si convince di avere la soluzione in tasca. Prende un aereo per Parigi ma, pieno d'ottimismo, finisce col rimbalzare contro la porta dei de Proyart a rue de Fresnel.

Milano, 25 ottobre 1959

Caro, stimatissimo Amico e Maestro,
non è certamente motivo di gioia per me ripensare ai giorni appena trascorsi e alle trattative, purtroppo infruttuose, di Parigi! Principalmente perché ho la sensazione che tutte que-

ste complicazioni vi disturbino e irritino nel profondo, e poi perché mi pare di non essere riuscito per la prima volta a portare a termine un compito da voi affidatomi. Vogliate ad ogni buon conto perdonarmi se oggi – cosa che farò ancora la settimana prossima – mi rivolgo a voi parlando e scrivendo di questioni, che a me per primo risultano alquanto penose.

Ho mostrato al signor Pr. la vostra lettera a me indirizzata (di cui vi ho inviato nuovamente una fotocopia), e ho fatto di tutto per rendere possibile l'unificazione da voi auspicata. Mi sono addirittura impegnato, secondo il desiderio di Pr., a far sì che: a) a Madame Proyart venga lasciato diritto di veto su ogni iniziativa e trattativa riguardante i diritti derivati (film, televisione, ecc.) del Dr. Živago; b) io renda naturalmente conto con regolarità a Madame de Proyart della situazione finanziaria.

Come contropartita ho chiesto: a) un contratto per l'edizione russa del Dr. Ž. (secondo i nostri accordi epistolari); b) un contratto riguardante i diritti derivati del Dr. Ž. (con le limitazioni summenzionate); c) un contratto (conforme al contratto già redatto per lo Ž.) per l'Autobiografia; d) un'opzione formale per la diffusione delle vostre future opere.

Tutto ciò è stato "opposed": mancanza di tempo per la verifica dei documenti, assenza (nella prima settimana) di Madame Proyart, e contestazione continua delle limitazioni alla procura menzionate nella vostra lettera, finché sono arrivato alla certezza che i Pr. non volessero alcun accordo, fintantoché non avessero provato a farvi cadere con l'imbroglio in contraddizione con quanto mi avete scritto. A questo punto ho interrotto le trattative.

Le cose stanno purtroppo così: esistono due diversi modi di intendere la vostra procura – la vostra interpretazione, espressa molto chiaramente nella lettera a me indirizzata, e quella di Proyart.

Quella di Proyart si differenzia dalla vostra non soltanto per quanto riguarda il ruolo e la responsabilità ricoperti dai Proyart o da me in tutte le questioni editoriali, bensì anche per il fatto che i Proyart credono di essere, in rapporto a me, non solo i vostri rappresentanti, ma anche i "proprietari" di tutti i diritti. E in veste di "proprietari" trattano con me badando ai propri interessi, rispettando la vostra volontà solo e unicamente quando la vostra volontà coincide con gli interessi dei Pr. *Leggete subito per favore la postilla a fine lettera.** Questo stato di cose prova che il *pouvoir bifurqué* da voi previsto non funziona e non può funzionare! Il compito da voi affidatomi di diffondere in Occidente le vostre opere e di difenderle dagli attacchi di speculatori e pirati viene reso impossibile, o comunque difficoltoso, adesso e in futuro, dalla procura da voi data ai Proyart. Impossibile, perché i Proyart si rifiutano di mettere a disposizione i documenti contrattuali da voi predisposti – difficoltoso, perché di editoria e di relativi problemi giuridici non capiscono niente (per essere avvocato in materia editoriale occorre essere altamente specializzati, con un training che dura anni e che il signor Pr. non ha).

Se devo continuare a svolgere ancora la funzione di vostro *editore principe* bisogna trovare una soluzione completamente diversa. A questo proposito ho parlato a lungo con il mio avvocato della casa editrice, signor Tesone, soffermandomi in particolare sui vostri problemi di sicurezza, sulla vostra volontà di pubblicare e diffondere le vostre opere senza limitazioni nel mondo intero, sulle nostre possibilità di rispettare gli impegni da noi presi verso di voi a questo riguardo. Siamo arrivati a delineare determinate modalità e possibilità che esigono determinate decisioni da parte vostra – di tutto ciò vi parlerò più diffusamente nella prossima lettera, sulla scorta di documenti (che sono in preparazione).

E ora parliamo d'altro!

Avete ricevuto i libri? Cappotto e pullover vanno bene? Che ne pensate del "Gattopardo" e del Durrell? Le vostre idee e opinioni mi interessano davvero molto. Leggete l'italiano?

Vorrei tanto farvi conoscere l'opera di uno dei nostri giovani autori italiani. Al momento non esistono ancora traduzioni di Testori, temo anche che nelle traduzioni andrebbe perso il meglio.

Che c'è oggi di nuovo e di importante nella letteratura russa? Mi potreste riferire qualcosa in proposito? Potrebbe darsi che io venga a Mosca con una delegazione dello Stato italiano, nell'ambito degli accordi di scambi culturali, che verranno sottoscritti dall'Italia e dall'Urss tra breve. Ho già intrapreso i primi passi in questa direzione. Credete che, una volta a Mosca, io possa venire a trovarvi, o sarete costretto proprio allora ad accettare un invito nel Caucaso?

Perdonatemi per favore questa lunga epistola, ma era davvero necessario dire tutto! Non negatemi la vostra amicizia. Un cordiale saluto.

Vostro Giangiacomo Feltrinelli

* Questo atteggiamento dei Proyart nei miei confronti non è voluto dalla signora Proyart, ma solo dal marito che, essendo avvocato, conosce bene i suoi interessi. La signora Pr. non ha neanche un'infarinatura di cose giuridiche e deve sottoporre tutte le trattative e le interpretazioni giuridiche al ma-

rito. Che non sia totalmente dell'opinione del marito lo si capisce dall'esempio seguente: di recente mi ha mostrato una vostra lettera che il marito le aveva proibito di mostrarmi!

Schewe, in quell'anno, aveva preso le ferie quando l'estate era già sul finire e tornerà alla postazione moscovita solo alla metà di ottobre. Consegna alcuni regali a Olga e, parlandole, si rende conto della delicatezza del momento. La cosa lo riguarda direttamente, visto che una lettera di Irina, speditagli quando si trovava in vacanza, era stata intercettata dalle autorità sovietiche. Un paio di uomini rudi si erano presentati a Olga, facendole esplicitamente capire che Irina avrebbe fatto meglio a starsene lontana da lui.

Che Schewe fosse controllato è fuori dubbio. Ogni corrispondente straniero lo era, e lui, nella sua improbabile veste di agente segreto, doveva per forza mantenere un profilo basso, senza esporsi a rischi eccessivi o compiere azioni sfacciate.

Schewe si premura di prendere contatto con il poeta e la domenica del 24 ottobre, grazie ai buoni uffici di Olga, ottiene un incontro alla casa di Peredelkino. Forse Boris ci arriva di corsa, sbuffando per la gran fatica, di certo si ferma a parlare per ben tre ore. "Non capisco come i miei amici non si possano mettere d'accordo, ci sarà pure un modo..." dice entrando subito in tema. Si sente responsabile di tutte queste incomprensioni: "Sono troppo inesperto di questioni contrattuali". Non sa davvero cosa fare, spaventato dall'idea di nuocere a una delle parti.

"Tutta questa storia," scrive Schewe a Feltrinelli, "gli provoca grande amarezza, indebolendo la sua concentrazione per il lavoro."

Il lavoro consiste in alcune traduzioni da cui avrebbe ricavato qualche entrata. Quando Pasternak accenna al dramma teatrale che ha in testa, a Schewe sembra nuovamente "un uomo pieno di forze e aspettative". "Anche se qui da noi capiterà come con *Il dottor Živago*," gli sente dire, "si terranno il manoscritto per un'eternità, per controllarlo e ricontrollarlo, ma alla fine non se ne farà nulla."

Di possibili viaggi all'estero (circola la voce di un visto per Belgrado o Varsavia), Pasternak non vuole saperne e

Schewe consiglia Feltrinelli di abbandonare ogni proposito di incontri rocamboleschi.

Il fatto importante per Schewe, in quella domenica a Peredelkino, con il rumore della prima neve compressa sotto le scarpe, è la decisa posizione di Olga a favore del suo editore: "Lei sta in tutto e per tutto dalla vostra parte, facendo pesare la sua influenza su P.". Olga gli confida che dalla Francia giungono continuamente corrispondenza, protocolli, lettere d'impegnativa da firmare e anche una copia del *Dottor Živago* nell'edizione Gallimard, con tanto di dedica della de Proyart. Tutto questo "Papierkrieg" ancora una volta disarma l'animo di Pasternak che, sempre su consiglio di Olga, si impone quattro settimane di silenzio: non avrebbe più risposto ad alcuna lettera dalla Francia.

È il momento di fare la mossa giusta e rischiare: Feltrinelli vuole forzare il chiarimento, inviando alla firma un nuovo e definitivo contratto. "È l'ultimo tentativo che faccio per trovare un accordo e non porre a Pasternak l'alternativa di dover scegliere fra Madame Pr. e me", scrive a Schewe. E ancora: "Dal 1956 mi sono fatto carico di tutte le responsabilità e di tutte le conseguenze, positive o negative che fossero, non può adesso voltarmi le spalle".

Il testo del documento predisposto dall'avvocato Tesone ricalca quello del '56 e, per non estinguere la continuità del contratto originale, quello nuovo è retrodatato. La novità, rispetto al contratto iniziale, riguarda i diritti cinematografici e un impegno sulle future opere dell'autore. Il resto è ben evidenziato nella lettera di accompagnamento.

Milano, 13 novembre 1959

Caro e stimatissimo Boris Pasternak,
di certo non avrete voglia di occuparvi troppo a lungo della controversia Proyart-Feltrinelli. Per questo oggi ne tratterò in questa mia molto brevemente. Allego una bozza di contratto, che vi prego di firmare, per i seguenti motivi:
1) Si tratta di un contratto praticamente complementare a quello a suo tempo da noi sottoscritto, nel 1956. Per questo porta anche la data del 30 giugno 1956. Vi sono state apportate le integrazioni indicate dalla vostra ultima lettera dell'agosto 1959.
2) Il contratto è da situarsi nell'ambito della procura da voi data a Madame Proyart. Non contraddice questa procura!

3) Questo contratto verrà sicuramente riconosciuto da Madame Pr. (Alla vostra lettera di agosto purtroppo non è stato riconosciuto lo stato di autorevole dichiarazione di volontà, fatto da cui deriva l'odierna penosa situazione, che rende nuovamente necessario un vostro intervento in tutta la vicenda.)
4) Questo contratto impedirà ogni ulteriore futuro malinteso con Madame Pr.
5) Questo contratto non significa dover scegliere tra Madame Pr. e me (scelta che a volte mi è parsa ineluttabile!). Non comporta nessuna ingiustizia o indelicatezza nei confronti di nessuno.
6) Questo contratto completa la procura di Madame Pr. per quanto riguarda i diritti cinematografici. Questi diritti non sono compresi nella procura. Per poter fare un film, oggi o tra venti anni, deve venir comunque firmato da voi un contratto, nello specifico questo contratto.
7) Mi impegno a non rendere MAI pubblico questo contratto, anche nel caso di controversie giudiziarie. L'aspetto vantaggioso di questo contratto consiste nel fatto di poter risolvere in via extragiudiziale controversie per cui si dovrebbe adire alle vie legali. Senza questo contratto, in qualità di rappresentante dei vostri interessi, o al fine di difendere i vostri interessi, sarà inevitabile dover comparire davanti al tribunale, o trascinare altri davanti al tribunale. Il ricorso pubblico alla procura (che in trattative private è più raro) vi metterebbe in grosse difficoltà. Potreste ritirare la procura. Se non lo fate sareste in ogni momento, agli occhi del vostro governo, pienamente responsabile di ogni azione del procuratore!!!
8) Sarei molto felice se fossi riuscito a delinearvi con chiarezza la situazione e a convincervi degli aspetti vantaggiosi di questo contratto e della necessità di firmarlo. In caso contrario ne sarei molto rattristato. Non starò ora a tediarvi con mille spiegazioni. Con gli auguri più calorosi, il vostro

Giangiacomo Feltrinelli

A questa ormai estenuante e non sincronizzata corrispondenza si aggiunge, nel frattempo, una nuova lettera di Pasternak che non ha ancora ricevuto le ultime due dall'Italia. Questa lettera è andata perduta (non c'è nella cassaforte), ma dev'essere stata portatrice di buone nuove: Giangiacomo ne è assai contento. Prende carta e penna per scrivere una risposta, forse un po' sdolcinata.

Milano, 19.11.59

Mio caro Boris Pasternak,
non potete immaginare quanta gioia mi ha procurato la vostra ultima lettera! (Che si è incrociata con la mia.)
Sono lieto di quello che mi scrivete di voi e del vostro lavoro, anche se purtroppo il tono di fondo della lettera era assai triste e depresso. Mi fa un grandissimo piacere sapere che vi stiate nuovamente concentrando su una grande opera e che in futuro non dovrete più occuparvi di traduzioni. Naturalmente io vi farò avere con regolarità delle "rimesse" tramite il nostro amico H. Ma posso permettervi di consigliarvi, per motivi diplomatici, di non trascurare al cento per cento le traduzioni?
Aspetto con grande ansia la "Bellezza cieca", il titolo è splendido. Ma sarebbe meglio se non fossero in tanti a conoscerlo già ora, ne nascerebbe altrimenti un gran polverone e una spiacevole "publicity" per noi tutti, non è vero?
Quanto scrivete a proposito delle "umilianti concessioni" a cui siete costretto mi ha sconvolto. Sono orgoglioso di voi e pieno di ammirazione, per la fedeltà che serbate a voi stesso, senza abbassarvi ad alcun compromesso.
Se almeno qui in Occidente le cose si sistemassero, di modo che voi non abbiate più motivo di tristezza, né la necessità di preoccuparvi di tutte queste faccende!
I miei regali di Natale arriveranno purtroppo solo dopo le festività, dal momento che il nostro amico H. tornerà a M. soltanto all'inizio di gennaio. Consegnategli per favore una lista di TUTTI i libri che vi interessano. Con gli auguri di ogni bene, il vostro devotissimo

Giangiacomo Feltrinelli

Il 5 novembre del '59 Schewe spedisce a Milano un primo piano di Pasternak, scattato a Peredelkino durante la domenica del 25 ottobre. Così soddisfa una promessa. In cambio Giangiacomo gli farà avere una sua foto con Inge per il poeta. Quella domenica a Peredelkino furono scattate anche immagini con Olga e la figlia, ma le due donne pensarono di non essere venute granché bene. Le avrebbero rifatte alla prossima occasione.

Olga, intanto, lascia trapelare confidenze importanti che Schewe riporta, virgolettate, nella sua corrispondenza a Feltrinelli. Pasternak teme che lo scontro tra Feltrinelli e i de Proyart sfoci in un processo e quindi in uno scandalo pubblico. In Unione Sovietica la sua posizione è sempre appesa a un filo, l'atmosfera intorno a lui si è solo leggermente mitigata e ritrovarsi pubblicamente esposto per qualsiasi motivo potrebbe scatenare un nuovo giro di vite, forse definitivo. Pronta giunge la rassicurazione di Feltrinelli, via Schewe, del 23 novembre: "Non permetterò in alcun caso che si arrivi a un processo fra M.me de Pr. e me".

Un'altra confidenza è ancora più seria: "Der Klassiker fühlt dass er älter wird", ovvero "il Classico [così lo chiamano Schewe e la Ivinskaja] sente che sta invecchiando". "Gli capita spesso di essere stanco. Non vorrebbe sentirsi sempre sotto la frusta, e lavorare sempre a nuove traduzioni per guadagnare qualche rublo. Preferirebbe concentrarsi in tutto e per tutto sul suo progetto di dramma teatrale. Ma questo lo potrebbe fare solo se fosse del tutto autosufficiente."

Annota Schewe: "Il Classico ha avuto negli ultimi tempi alcune proposte da parte di persone che gli hanno offerto grosse somme in dollari, derivanti dagli introiti dello *Živago*. Gli promettono di convertire tali somme in rubli e di farglieli avere a Peredelkino in qualche modo. Sull'argomento è intervenuta la signora Olga: 'Per me sarebbe meglio se tutto rimanesse nelle mani esclusive di Giangiacomo. Di lui possiamo fidarci. Abbiamo paura di coinvolgere altra gente in questa storia. Tanto, vogliono tutti una parte dei soldi!' ".

Queste parole sono trascritte per Feltrinelli e spedite, insieme alla fotografia del "Classico", il 5 novembre del '59.

Sergio D'Angelo, dall'inizio del '59, aveva cominciato a scrivere a Pasternak offrendogli aiuto per un immediato accesso ai suoi soldi. Riteneva di poter introdurre del denaro in territorio sovietico senza pericolo. Nel settembre aveva scritto a Olga di un suo incontro a Parigi con Jacqueline de Proyart. La signora gli aveva suggerito di portare direttamente i soldi a Pasternak. Alla Ivinskaja, D'Angelo consiglia di chiedere 100.000 dollari, per ogni evenienza.

Ormai, a distanza di tempo, bisogna dare il giudizio migliore su quel che avvenne. In fondo, si trattava di aiutare un amico importante, ridotto ai limiti della sussistenza. Tuttavia, così va il mondo, le conseguenze gravi, gravissime, di queste azioni trasversali saranno scaricate, da un certo ambiente italiano, sulle spalle di Feltrinelli.

In quel novembre, nonostante l'editore abbia inviato ancora alcuni "panini" (così lui e Schewe chiamano gli invii in rubli), e malgrado altri "panini" siano stati spediti subito dopo, Pasternak si decide ad accettare la proposta di D'Angelo. "Pasternak, con la sua forza interiore," commenta oggi Schewe, "aveva sempre pensato di poter vivere trecento anni, mal sopportando compleanni, mazzi di fiori e qualsiasi cosa potesse ricordargli il trascorrere del tempo. Forse, proprio in quell'inverno, alle soglie della settantina, dopo tutte le emozioni, si era reso conto di essere arrivato alla fine della vita. Un uomo così sensibile non poteva non accorgersi che le forze lo stavano lasciando. E allora, vivendo in difficoltà tremende, sapendo di poter attingere a molto denaro all'estero, deve aver pensato 'facciamoli arrivare, il più possibile, adesso, subito...'. Ciò sarebbe stato già difficile in condizioni normali, figuriamoci in quella stagione così particolare."

Peredelkino presso Mosca,
il 6 dicembre 1959

Con la presente il sottoscritto delega il signor Sergio D'Angelo a prelevare centomila dollari (100.000) dei miei onorari per gli scopi e per gli impieghi che vorrà comunicare e spiegare a due altre persone di mia fiducia, la signora Jacqueline de Proyart ed il signor Giangiacomo Feltrinelli.

B. Pasternak

Negli stessi giorni, il poeta invia una richiesta di diccimila dollari da versare a D'Angelo. È difficile stabilire se sia stata una specie di commissione per l'operazione dei centomila. Nel giro di tre mesi, entrambe le somme saranno trasferite da Feltrinelli a D'Angelo.

Può essere utile, a questo punto, tentare un consuntivo strettamente economico del *Dottor Živago*, fino a quando Pasternak è ancora in vita. Sommando ciò che l'autore aveva chiesto per le donazioni disposte nella sua lettera del 2 febbraio '59 al più recente versamento via D'Angelo, si arriva a 235.000 dollari. A ciò bisogna aggiungere una somma imprecisata per l'acquisto dei rubli da trasferire a Mosca. Considerando che le vendite iniziali dei diritti per Germania, Inghilterra e Stati Uniti dovrebbero aver fruttato 150.000 dollari a testa per autore ed editore, si può presumere che buona parte dei diritti acquisiti per gli anni '57 e '58 sia stata pagata mentre Pasternak era ancora in vita. È tanto? È poco? Quanto vale un dollaro in un mercato in cui non esistono Stephen King e John Grisham?

Purtroppo, l'autore del più avventuroso e imprevisto dei bestseller, un bestseller prima maniera, potrà godere per sé solo di una parte irrisoria di quei profitti.

Il Natale del 1959, com'è giusto, sembra portare a una tregua, almeno nella corrispondenza tra Pasternak e il suo editore. In verità, il poeta riceve mediamente oltre trenta lettere al giorno da ogni parte del mondo e questo lo distrae dal suo lavoro teatrale, anche per i doveri di risposta. Giungono inoltre lettere preoccupate da Parigi: i de Proyart hanno probabilmente intuito il pericolo di un nuovo accordo tra l'autore e Feltrinelli.

Firmare o non firmare il nuovo contratto diventa ora il vero problema per Pasternak; da un lato, un suo autografo avrebbe chiarito definitivamente una questione che lo infastidisce fin troppo, di cui vuole sbarazzarsi; dall'altro, potrebbero sorgere due ulteriori problemi. Il primo riguarda ancora la de Proyart. C'è il rischio che si creino controversie sulla gestione del mandato nel periodo in cui ha svolto la funzione di procuratrice. Il secondo timore, in realtà, è un'angoscia: se il nuovo contratto vincola l'autore anche per il futuro, allora può ripetersi ciò che è già accaduto per *Il dottor Živago*. Per esempio, nel caso di una pubblicazione della *Bellezza cieca*, il dramma teatrale, le autorità sovietiche potrebbero considerare reiterata e intenzionale la volontà di stabilire accordi diretti con un editore occidentale. E questo prelude, di certo, a un nuovo scandalo. Perché i sovietici sono venuti a sapere che un contratto giace sulla scrivania di Pasternak. Come, ancora una volta, non si sa.

Rientrato a Mosca (con "panini") dopo le vacanze di fine anno, Schewe informa Feltrinelli, pregandolo di usare ogni cautela nello scambio di lettere e consigliandogli, per il futuro, incontri "al sicuro", in qualche città europea. "Nei luoghi che contano sanno, questo è certo, che sono io il tramite", gli dice.

Anche Pasternak e Olga sono nervosi: "Pensano di essere sorvegliati e temono perfino che vi siano microfoni nei muri".

Tra la fine di gennaio e l'inizio di febbraio, gli incontri a Peredelkino con Schewe sono numerosi e, nonostante tutto, non mancano momenti di grande serenità. Le rassicurazioni, poi riportate via lettera dal giornalista, sono chiare. Feltrinelli deve stare tranquillo, la fiducia nei suoi confronti non è venuta meno; ora è lui a offrire una soluzione chiarificatrice e, senz'altro, sulla *Bellezza cieca* può contarci.

Ma è giusto firmare il contratto? Non è un rischio troppo grande?

Pasternak intanto lo firma, poi preferisce attendere ancora e pensarci su.

Il 20 gennaio 1960 scrive una nuova lettera: è stufo di questa situazione che non sa come risolvere. Deduco dalla corrispondenza con Schewe che, dieci giorni dopo, Feltrinelli gli avrebbe scritto a sua volta. Anche di questa lettera, purtroppo, non esiste copia.

20 gennaio 1960

Caro amico,
ho preso conoscenza del vostro nuovo progetto relativo ai diritti d'autore allargati, a una gestione dei miei affari letterari più saldamente in mano vostra e alla cessione integrale di tutto quello che ho scritto e scriverò in futuro. Sono d'accordo. Ero pronto a firmare il contratto. L'ho addirittura firmato quando all'improvviso mi sono accorto di un inconveniente. Approvo la vostra idea di retrodatare il contratto e di redigerlo in forma di supplemento. Do il mio pieno assenso. Non ho bisogno delle vostre assicurazioni, so benissimo che non abuserete mai di questa simulazione formale. Ma non potrebbe darsi che un giorno, a vostra insaputa e contro la vostra volontà, da questa retrodatazione risultino delle conseguenze fastidiose per una serie di persone, prima fra tutte Madame de Proyart, e per una serie di atti, risalenti ad un pe-

riodo intermedio di anni passati tra la retrodatazione e i giorni nostri? Riprendo alcuni passaggi della vostra lettera.
2) Il contratto è da situarsi nell'ambito della procura da voi data a Madame de Proyart. Non contraddice questa procura.
3) Questo contratto verrà sicuramente riconosciuto da Madame de Proyart.
4) Questo contratto impedirà ogni ulteriore futuro malinteso con Madame de Pr.
6) Questo contratto completa la procura di Madame de Proyart per quanto riguarda i diritti cinematografici.
ecc. ecc.
Avete ragione sotto molti aspetti. Ma fate in modo che io venga a sapere tutto ciò da lei; in altre parole, sistemate tutte queste vecchie questioni alla luce di questa nuovissima concezione insieme a lei; garantitela da ogni possibile abuso delle vostre clausole supplementari, indennizzate la signora se c'è qualcosa da risarcire, diritti da riscattare, casi di non ottemperanza di qualche vostro o mio obbligo nei suoi confronti. In una parola, fate in modo che nella parte concernente la signora le vostre proposte siano accettabili e auspicabili dalla signora, mia amica e mandataria e (come voi stesso vedrete subito, alla fine di questa lettera) nobilmente altruista e preziosa alleata in ogni circostanza. Scriverò alla signora, in modo che sappia che il mio desiderio corrisponde al vostro, vale a dire che io sono del tutto favorevole alla netta divisione di funzioni tra voi due e alla concentrazione di ogni iniziativa e di tutti i poteri effettivi nelle vostre mani. Ma non dimenticate che, a seguito dei vostri nuovi diritti e della vostra nuova attività, io non metterò in piedi tutto un ufficio di casa mia per ricevere le vostre lettere a riguardo dei minimi particolari delle vostre iniziative, per prendere decisioni e rispondervi. Io non mi immischierò in niente. Non bisogna disturbarmi e impedirmi di lavorare. Ci saranno quindi sempre dei casi gravi in cui avrete bisogno del mio vicario, del mio alter ego, per metterlo al corrente di qualche cosa o per richiederne il parere. Questo alter ego per me non può essere nessun altro che la mia mandataria, mia supplente o sostituta.
Mi auguro di cuore che tutto proceda ormai nella direzione e nel senso del vostro contratto. Aiutatemi a far sì che venga concluso. E (non offendetevi, vi prego) liberatemi dalla necessità di trascurare il mio lavoro e di scrivere lunghe lettere.

Vostro B. Pasternak

Nell'aprile del '60 Pasternak solleva Jacqueline de Proyart dal suo mandato di procuratrice, con attestati di estrema gratitudine. Fino a quel mese *Il dottor Živago* ha venduto in Italia 156.000 copie.

Schewe rientra a Mosca nella tarda primavera e solo ora Feltrinelli è in grado di scrivere al poeta una lettera finalmente diversa, senza più toccare quei temi che avevano rischiato di logorare i loro rapporti. Purtroppo è tardi.

Milano, 15 maggio 1960

Caro, stimatissimo Boris Pasternak,
purtroppo l'assenza del nostro comune amico H.S. ha interrotto negli ultimi mesi il nostro scambio epistolare. Naturalmente ora colgo la prima occasione per inviarvi con questa mia, e anche a viva voce, tramite H.S., i miei più cordiali saluti. Ci sono molte novità da riferire. La nuova edizione russa del Dr. Ž. sarà pronta per la fine dell'estate. Il testo è stato rivisto da Madame P. e corrisponde al manoscritto originale, che si trova a Parigi. Spero che siate d'accordo. Conformemente al desiderio da voi espresso per lettera (nella lettera che ho ricevuto tramite lo stesso D'Angelo) ho trasferito al nostro amico Sergio D'Angelo 100.000 dollari delle vostre royalties, e mi auguro che a tutt'oggi le abbiate ricevute anche voi, almeno in parte. Fatemi sapere, ad ogni buon conto, tramite H.S., un rigo di conferma. La cosa mi farebbe piacere e mi tranquillizzerebbe.

Il Dr. Ž. adesso vende a rilento, ma ancora regolarmente. In autunno uscirà nei tascabili, al prezzo di 700 lire (al posto delle 3000 lire dell'edizione rilegata). Ne verranno stampate ancora dalle 30.000 alle 50.000 copie. Anche in America circola già da tempo un'edizione tascabile. A Roma va per le lunghe un processo tra noi e due case cinematografiche (un processo riguardante il copyright del Dr. Ž.).

Quanto al resto, è primavera, o meglio, già estate. Fa caldo, la gente pensa alle prossime vacanze, al mare, alla montagna, a viaggi all'estero. Soltanto in casa editrice ferve l'attività. Ci si occupa già delle prossime feste natalizie, in parte anche del programma per la primavera '61. Di letteratura eccelsa non se ne vede molta. In Inghilterra e in America si fa al momento un gran parlare del "Gattopardo" (il libro che vi ho mandato a Natale nell'edizione tedesca). In Francia "Le dernier des Justes" è stato un grande successo (un libro sulla secolare persecuzione degli ebrei). Camus, l'unico personaggio della generazione di mezzo da cui ci fosse ancora qualcosa da aspettarsi, purtroppo, come certamente saprete è morto in un incidente d'auto. Dagli altri grandi protagonisti della scena letteraria non viene più granché di nuovo. I giovani francesi, quelli della Nouvelle Vague, tentano di sviluppare ulteriormente la loro scuola letteraria – ma sono approdati ad uno sperimentalismo formale quasi sterile, benché i loro esordi rappresentassero una ricerca di nuovi temi. Qualcosa di veramente nuovo – frutto di una combinazione della forma classica evoluta con un contenuto che vada oltre allo schema stereotipico "io ti amo, tu ami un altro, l'altro ama un'altra che a sua volta mi ama senza essere riamata" – non si trova. In ciò gioca un ruolo molto negativo anche la situazione politica francese, l'interminabile guerra coloniale in Algeria, condotta da anni con inaudita brutalità, la spaccatura della Francia sul senso o sull'assurdità di questa guerra, la presa di potere di De Gaulle e il rifiuto del sistema democratico (lo stesso De Gaulle non è stato in grado di trovare una "issue" in Algeria – *neither peace nor war*), il ricatto che tutta la Francia subisce da parte dell'esercito, che vuole la vittoria sugli africani e impone il suo potere sul territorio metropolitano, tutto ciò ha spezzato l'"élan", la spina dorsale dei giovani. Il quarto Impero è l'era del compromesso, dei soldi e della miseria intellettuale.

In Spagna, dove gli scrittori vivono da vent'anni sotto la dittatura di Franco e della chiesa cattolica, forse il romanzo è in fase di crescita. Dopo la grande delusione del 1945 (speravamo tutti che la fine della guerra fosse anche la fine di Franco) gli spagnoli si ribellano di nuovo e trovano il loro "outlet" (quantunque ciò sia proibito nel loro paese) nella letteratura. In Italia esistono due correnti: il tratto fondamentale della prima è il formalismo, che conduce ad acrobazie letterarie, l'altra utilizza la letteratura come strumento di una rappresentazione sociologica. Il tentativo di un romanzo con un protagonista, con delle idee, con l'esposizione di problematiche relative all'individuo, con un'umanità profonda, viene rigettato quasi per principio.

Ma tutti questi lunghi discorsi mi hanno distolto dal punto focale della mia lettera. Come state, voi e la vostra famiglia? come va la salute e il vostro lavoro? noi tutti aspettiamo moltissimo da voi, dalla vostra prossima opera!!! Con i miei auguri più sinceri e i saluti più cordiali,

Giangiacomo Feltrinelli

Non passa nemmeno una settimana e Feltrinelli deve leggere una notizia che lo fa sobbalzare. Ecco la sua reazione:

22 maggio '60

Mio caro, stimatissimo Boris Pasternak,
non ho fatto a tempo a spedire la mia lettera del 15, quando già ricevevo, purtroppo, risposta ai miei interrogativi!!
Desolato ho appreso dai giornali la notizia della vostra malattia, come pure, nei giorni seguenti, l'annuncio che la crisi era stata superata, il che ha lenito in parte la mia angoscia riguardo alla vostra salute.
Spero che siate in buone mani. Nel caso vi occorra un medico di·qui, avvertitemi subito, e io farò di tutto per venirvi in aiuto. Non c'è bisogno di aggiungere che, se vi servono anche delle medicine o chissà cos'altro, non dovete indugiare neanche un secondo, e farmelo subito sapere.
Non negatemi, vi prego, l'opportunità di potervi aiutare anche in questo momento difficile.

Mille auguri e i saluti più affettuosi
dal vostro
Giangiacomo Feltrinelli

Schewe non riesce a recapitare quest'ultima busta, Pasternak è in ospedale e muore il 30 maggio.

In una lettera a Jacqueline de Proyart, sei mesi prima, aveva auspicato che Feltrinelli pagasse qualsiasi cifra per sottrarre la propria salma alle autorità sovietiche. Voleva essere seppellito a Milano, dove Olga avrebbe custodito la sua tomba. Il funerale si fa invece a Peredelkino; l'editore italiano non è gradito e di un visto non se ne parla. Ci andrà Schewe. Mi sembra verosimile l'immagine che lo descrive silenzioso e composto, a fianco della bara. A un collega fattosi largo nella folla pare abbia detto: "Sì, lo so, non sto prendendo appunti né facendo fotografie... ma sto seppellendo un amico".

Tempestato da tutte le parti, Feltrinelli detta un breve comunicato: "La morte di Pasternak è un colpo come se fosse mancato il mio migliore amico. Ha rappresentato la personificazione dei miei ideali di anticonformismo combinati con saggezza e profonda cultura".

Il contratto firmato del *Dottor Živago* sarà consegnato da Olga Ivinskaja a Heinz Schewe perché lo porti a Milano.

Nel 1959 la casa editrice traduce *Il re della pioggia* di Saul Bellow, *La mia Africa* di Karen Blixen, *La madre dei Re* di Kazimierz Brandys, *L'Aleph* di Jorge Luis Borges, *Il sole si spegne* di Osamu Dazai, *Zenzero* di J.P. Donleavy, *La promessa* di Friedrich Dürrenmatt, *Casa Howard* di E.M. Forster, *Homo Faber* di Max Frisch, *L'abitudine di amare* di Doris Lessing, *Ritratto d'ignoto* di Nathalie Sarraute... "Ci fu un momento in cui la Feltrinelli era una casa editrice italiana solo perché aveva sede legale a Milano. Non credo che sia mai successo a nessun altro editore italiano di ricevere forse più manoscritti dall'estero che dall'Italia", ha scritto Valerio Riva. E, più recentemente, Michele Ranchetti: "Eravamo un punto di riferimento per tutti gli editori del mondo, che da noi si aspettavano indicazioni di marcia. Giangiacomo aveva una capacità di presenza assoluta".

Verso la fine degli anni cinquanta, Feltrinelli viaggia il mondo e, tranne che in Unione Sovietica, tutte le porte gli sono aperte. Durante un soggiorno londinese, i giornali parlano di lui come di un "miracle man". Un giornalista britannico lo insegue tra un appuntamento e l'altro per un'intervista: "Sono riuscito a parlargli solo mentre correva verso il Reform Club, dove si è fatto attendere per oltre venti minuti da Sir Stanley Unwin. Questa è una cosa che un editore inglese non lascia capitare facilmente".

Invece Doris Lessing riceve un invito al Ritz per la prima colazione: "A quei tempi non erano ancora stati inventati i 'breakfast di lavoro', ma all'incontro scoprimmo che entrambi di solito non facevamo colazione. Prendemmo solo dei caffè e dei succhi d'arancia". Feltrinelli le racconta dei problemi con il romanzo di Pasternak e dice di apprezzare i suoi libri. Doris Lessing: "Mi colpì per la sua vitalità. Essere vitali effettivamente spesso coincide con l'essere persone celebri".

Quando finiscono gli anni cinquanta il signor Feltrinelli ha appena trentatré anni e un paio di grandi baffi neri.

6.

Adesso chiedo a Ingelein. Noi ci capiamo subito, la invito per un drink e assumo il tono delle grandi occasioni. Sarebbe pronta a dirmi molte cose. La sua parte è decisiva, non si è mai tirata indietro, complice e protagonista.

Può facilmente ricordare i momenti cruciali, gli incontri, gli scontri, i viaggi, chi c'era e chi non c'era, le giornate sempre piene di notizie. In teoria potrei attaccare con le domande e prendere appunti. In teoria. Perché possiamo fare a meno della sciarada. Sono cose sue, quando vorrà, se vorrà, farà da sola. Forse ne abbiamo già parlato in ogni minuto obliquo trascorso insieme e ora non c'è più molto da aggiungere. Sì, lo so, bisogna lottare e non credere nell'impossibile: con fortuna e coraggio non esiste l'impossibile.

Quando cominciano gli anni sessanta, così diversi, così "possibili"?

Se i sessanta sono davvero come la storia del tappeto volante (tutti ne parlano ma pochi l'hanno visto atterrare davanti a casa), allora dovrei dire che io l'ho visto. Qualcuno ha aperto brevemente l'uscio e per un attimo l'ho visto. Era rosso, fiammante, ma forse ho preso lucciole per lanterne, vetro per diamante. Si vorrebbe, ma non si dura nel reale, esistono solo tempi separati per individui sempre uguali. E, per dirla tutta: "Nessun periodo del passato ci è tanto ignoto quanto i tre, quattro o cinque decenni che dividono i nostri vent'anni da quelli di nostro padre". Lo ha scritto un importante autore austriaco.

Evidentemente, i sessanta cominciano quando finalmente si riesce a far finire i cinquanta (sembra banale ma non lo è). Per Feltrinelli cominciano in via Andegari, dove ha riunito famiglia, affari, casa editrice e adesso anche la sua importante biblioteca: "Qui, in questa vecchia casa, nel centro di Milano, dove ha abitato mio Padre, al quale in questo momento penso con infinita riconoscenza, per quanto mi ha permesso di fare e far fare". Sono parole appropriate per inaugurare la sede dell'Istituto Giangiacomo Feltrinelli. È il 25 marzo 1961. A fianco del ministro della Pubblica istruzione c'è la sedia vuota destinata a Palmiro Togliatti, invitato ma impegnato altrove.

Quando nasce Carlo Fitzgerald Feltrinelli il quarto piano è completamente inondato di fiori. Perfino nei bagni. Una vera festa, gli evviva non si contano. Dalla famiglia Agnelli a Pietro Secchia, telegrafa mezza Italia. Secchia, in particolare, ha anche la premura di venire di persona. L'amicizia con mio padre risale alle vecchie storie della politica.

Strano, Feltrinelli è uscito dal Pci "a destra" ma rimane in rapporti proprio con Secchia, il "duro" del partito, ormai soltanto senatore. Si potrebbe sospettare un forte legame politico tra i due, ma per Giangiacomo la vita interna del Pci non è più così all'ordine del giorno. Con Togliatti i contatti sono fitti ma indiretti (e riguardano solo l'attività dell'Istituto), mentre Secchia è un amico e lo si vede di tanto in tanto.

L'"uomo forte" della Resistenza, conclusa la visita per le felicitazioni di rito, confida al segretario-autista che lo aspetta in macchina il suo strano rovello: "Chissà perché scegliere proprio 'Fitzgerald' come secondo nome per un figlio? Non c'entrerà mica il presidente americano?". Dopo aver passato in rassegna i pochi altri Fitzgerald di cui ha nozione, Secchia probabilmente non ci pensa più.

Per Enrico Filippini, giovane germanista di sicuro avvenire, in via Andegari si respira aria nuova, qualcosa è cambiato. Ne parla in un brillante articolo di costume, qualche tempo dopo:

Un giorno le pareti della casa editrice cambiano colore: diventano tutte *fauves*, giallo cadmio, rosso segnale, verde scuro, forse con lo zampino di Inge: i libri diventano più aggressivi, più liberi, più nervosi: il giovanotto ha capito che la sovversione ora si fa altrimenti, che i gesti devono diventare più radicali e più spregiudicati. [...]
Economicamente parlando fare l'editore vuol dire o disporre di molto denaro ed arrischiarlo, oppure non averne affatto e volerne guadagnare molto. Nel secondo caso, spesso i risultati sono nocivi per il pubblico; nel primo occorre perlomeno che uno abbia qualche buona ragione, per esempio, che ritenga la cultura una cosa molto importante, per cui valga la pena di alzarsi ogni mattina a ore micidiali, di lavorare dodici ore al giorno, di sobbarcarsi pranzi discussioni cene discussioni viaggi discussioni pranzi, di convivere coi disadattati e i nevropatici, di suscitare un po' di mondanità, di far rumore... La cultura: i classici, la storia, la letteratura, la psicoanalisi, la psichiatria, l'economia, la politica, la storia, i classici... I beats, la pianificazione, l'avanguardia, la retroguardia, il problema razziale, la fisica dei neutroni... tutto ciò che avviene nel profondo universo... Eppure la cultura non è un mero massacro di problemi, un cimitero di concetti: la cultura è quella che ci hanno insegnato in collegio e all'università oppure è quella nuova, quella che si fa, quella che cerca di disperdere i miasmi ristagnanti della prima. La cultura rischia sempre di contenere qualche cosa di sovversivo... E, dunque, attenzione: il giovanotto potrebbe essere, è un sovversivo [...]. Passa la sua giornata e talvolta anche la sua notte in un ufficio giallo cadmio pieno di libri, di portaceneri, di poltrone Mies van der Rohe per le riunioni, di fotografie, guida l'automobile a velocità allarmanti, passa settimane sul suo yacht nel mare del Nord, il venerdì sera parte con moglie e figlio per un castello appollaiato sopra il villaggio di Villadeati, e lì escogita e disfa collane, progetti, contratti, tra trofei di caccia, una sauna proprio finlandese e una piscina, tra un libro di storia nazionale e un volume di sessuologia, tra i quality paperbacks e i romanzi d'avanguardia, in mezzo alle riviste in quattro lingue [...].
Il giovanotto ha cominciato la sua attività nei bui anni cinquanta, guerra fredda, neorealismo, immobilità, e allora si vestiva alla neorealista, un gilè di lana e una camicia qualunque: *engagement*... La sua ultima edizione è francamente

migliore: abiti chiari, camicie a righine, cravatte stupende...
E non è questione di moda, è questione di cultura...

L'editore, di solito, è al lavoro alle sette e mezzo. È una buona ora per cominciare qualche lettera o magari fare il punto con i collaboratori. L'appartamento di famiglia è allo stesso piano dell'ufficio. "La casa editrice era deserta e stranamente silenziosa," ricorda il filosofo Paolo Rossi, "mentre normalmente vi si respirava un'atmosfera molto affannata." La porta del suo studio è aperta e il visitatore non lo trova alla scrivania ma in poltrona accanto alla finestra (a destra appena entrati). Sul pavimento ci sono libri, giornali, posta, appunti, un pacchetto di Senior Service già aperto.

In questa stanza, quando gli uffici si riempiono di movimento, Tina scandisce il ritmo degli appuntamenti. Oggi è il turno del critico Cesare Garboli, siamo pressappoco agli inizi del '62 e si sta concludendo un contratto di curatela per una nuova edizione delle opere minori di Dante nell'Universale Economica.

Garboli rammenta la scena nel suo *Falbalas*:

> Feltrinelli era seduto di là dalla scrivania, e m'interrogava sul mio lavoro dantesco. "E sono interessanti, queste opere minori?" Non ho la battuta pronta, purtroppo. Il mio istinto è di soccorrere, non di colpire. Penso che Feltrinelli intendesse, con la sua domanda, discutere, o esaminare, l'opportunità di riaffidare al torchio delle opere già così vulgate attraverso ogni tipo di stampa. Inoltre, la presenza fisica di qualcuno, l'evento che si manifesta quando si è alla presenza di qualcuno in carne ed ossa, insomma la forza teatrale della realtà, prevale, in me, su ogni altra facoltà e mette in crisi tutto, non so difendermi; esso è più forte, per così dire, della mia forza mentale; e mi lascio invadere perché mi sembra giusto onorare la realtà nel suo imprevisto diritto di esistere. Per un istante, dubitai che la *Vita nuova*, il *Convivio*, il *De vulgari eloquentia*, le opere che sono, per me, la prova dell'esistenza della realtà, che dico, la prova della mia stessa esistenza, fossero "da ripubblicarsi", opere degne di riapparire in pubblico e di essere riammesse in un circuito culturale. Mai le opere minori di Dante sono uscite così malconce come da quel colloquio.

Qualcosa del genere sarà avvenuto altre volte. Se molti hanno sentito Feltrinelli parlare con competenza di libri e di cultura, altri come Garboli lo ricordano "ignorante come un tacco di frate" (è l'espressione di Bianciardi). Trascurando i toscanismi, forse valgono entrambe le versioni. "Leggi molti libri?" domandai durante una partita a scacchi sul finire dei sessanta. Mi rispose che ne leggeva tanti ma non tantissimi.

In un articolo per la rivista "King", Feltrinelli propone alcune brillanti definizioni del suo mestiere. Dice che un editore lo si potrebbe definire in mille modi: che difficilmente potrà cambiare il mondo ("un editore non può nemmeno cambiare editore"), che non deve prendersi troppo sul serio e che non ha proprio niente da insegnare. "L'editore," sostiene, "è una carretta, uno che 'porta carta scritta', è un veicolo di messaggi [...]. Senza sapere nulla deve far sapere tutto, tutto quel che serve."

L'idea di fondo è che l'editore deve assumersi la responsabilità di scegliere cosa sia auspicabile che le persone leggano e dare voce ai libri "necessari". Una persona che legge è comunque più ricca di una che non legge. È più autonoma, si orienta meglio e ci sono tante cose che è bene che le persone sappiano. Non servono granché i vecchi décor ereditati da tradizioni autarchiche, non serve la langue de bois, né il sapere tramandato pomposo e ritardato. Servono strumenti e linguaggi nuovi: "perché tutto deve cambiare e cambierà".

Ma Feltrinelli non è l'editore Barnum che sceglie libri saltando nei cerchi di fuoco. Le famose mattine nell'ufficio deserto servono per istruire e programmare collane come "Filosofia della scienza" creata da Ludovico Geymonat nel '60, "Biblioteca di psicologia e psichiatria clinica" diretta dal '61 da Gaetano Benedetti e Pier Francesco Galli, la "grande" Fisb ("I fatti e le idee. Saggi e biografie"), la "Collana di matematica" inaugurata nel '63 da Lucio Lombardo Radice e Edoardo Vesentini, la "Storia della scienza" curata da Paolo Rossi e Libero Sosio. Parecchie cose innovative (consult the playlist!), libri giacobini di sicuro effetto sprovincializzante.

Da "Filosofia della scienza" a "Storia della scienza", scorrendo il catalogo tra due collane sorte agli estremi del decennio, risalta il tentativo di pensare la cultura contemporanea come una cultura intrinsecamente scientifica. Ma quali sono i campi? Logica, matematica, naturalmente, ma anche psicologia, antropologia ("storia fredda" contro "storia calda"), "scienze umane" e letteratura, cioè filologia, linguistica, semiotica.

In una prefazione a Charles Snow, Geymonat scrive: "Nessuno può, oggi, essere così cieco da non rendersi conto che l'esistenza di due culture, tanto diverse e tanto lontane l'una dall'altra quanto la cultura letterario-umanistica e quella scientifico-tecnica, costituisce un grave motivo di crisi della nostra civiltà; essa vi segna una frattura che si inasprisce di giorno in giorno, e minaccia di trasformarsi in un vero muro di incomprensione, più profondo e più nefasto di ogni altra suddivisione". Ridurre la frattura tra "due culture" è, in sintesi, la base teorica del progetto editoriale.

"Fu un avventuroso artigianato," stabilisce oggi un testimone che vuole restare anonimo, "una navigazione fatta di passioni, senza deferenza per le tradizioni. Rispetto ad altri, la Feltrinelli non insegue una 'politica culturale'." Vive di febbre propria.

Per dimostrare la mia capacità di ricordo devo dire dei quattro alberi.

Sul primo si rimaneva acquattati e zitti. Ci sono i cervi intorno e di solito è Natale. Ne abbiamo già parlato.

Il secondo è un cedro del Libano che sfiora i venti metri e vive felice dai tempi di Napoleone. Un fulmine gli ha storpiato la cima ma è solo un fatto estetico; la corteccia è a prova di cannone. Ci sono molte cose da scoprire sotto al cedro: tane, forre, piste per automobili, vite nascoste, radici che si immergono. Dove finisce la sua ombra inizia il prato. È il prato all'inglese di Villadeati, d'estate ci impazza la gramigna. Le dita alla nicotina di mio padre tentano di stanarla e io con lui, coinvolto nell'impresa. Ma lo seguo anche tra i filari per la vendemmia, se c'è una pianta da potare, la serra da scaldare, un motore da aggiustare, la piscina da ripulire. Saul Bellow sostiene che nella piscina crescevano alghe (genere Mar Adriatico). Ne parla in un suo racconto. Non sono alghe, Saul, ma aghi di cedro del Libano, e io galleggiavo con loro in una vita senza insidie. Una mattina di nebbia vidi mio padre partire, non dal cammino principale ma dal sentiero che attraversa l'ombra del grande cedro. Le mie giornate non sarebbero più state così pacifiche.

Il terzo albero è il piu grande casco di magnolia che abbia mai visto. Dei fiori bianchi non parlo, tutto è dolce in riva al Garda, anche il pomodoro nella pastasciutta. Quella casa (il "mausoleo bavarese") è in realtà un azzardo, tanto è facile perdersi tra corridoi e antistanze. Ci sono specchi, scale, biliardi, baldacchini, e anche un bunker fatto scavare dai tedeschi. Le cornette per l'sos penzolano nel buio, in paese si mormora di fantasmi ma c'è calore nei nostri pranzi in cucina e gli scalini della veranda sono l'angolo giusto per parlare. Da qui guardiamo il lago, e il Monte Baldo con spruzzo di neve è da cartolina giapponese. Una volta al giorno passa il battello delle gite. La guida locale spiega che questa è l'ultima dimora di Mussolini e che ci avrebbe vissuto anche il famoso dottor Živago. I turisti scattano foto: è raro vedere magnolie del genere.

Il quarto albero è perfettamente rettilineo, con sartie al posto dei rami. L'*Eskimosa* ha lo scafo di circa sedici metri e staziona a Porto Ercole. La barca si chiama così per Ingelein e per i suoi zigomi di tipo lappone o eschimese. Il berretto bianco con visiera nera e fascia granata è da studente danese, ma al capitano sta da capitano. Se il capitano fosse stato solo irruenza più impazienza, non avrebbe sopportato tutto ciò che serve a tenere in linea la prua. Il motore mai, se non c'è vento ci sono le sfide a scacchi nel pozzetto. Entrando in porto, le vele restano su fino all'ultimo e la manovra finale sarà silenziosa.

Biagio Sabatini marinaio portoercolese ha lasciato un testo di memorie. Scelgo una pagina molto nordica dell'estate 1961. Biagio è da poco imbarcato sull'*Eskimosa*:

Il 22 luglio eravamo a Bergen. Nei due giorni successivi navigammo nei dintorni di Bergen, in esplorazione. Pioggia e vento ci obbligarono a prendere porto a Teisthl. Appena fu possibile riprendemmo la navigazione, il signor Feltrinelli aveva deciso di spingersi più a nord che fosse possibile. Arrivammo fino a Trondheim. Esplorammo il Sogne Fjord, l'Alesund, il Kristiansund e molti altri fiordi più piccoli. Ci fermavamo solo per fare rifornimenti. Il tempo non fu mai veramente buono: sempre piovaschi e raffiche di vento. Ma ce lo aspettavamo, la stagione cominciava ad essere avanzata per quei paesi, eravamo circa alla metà d'agosto. A Trondheim vennero a bordo dei giornalisti. Ci fecero un mucchio di domande, in inglese. Rispondeva soltanto il signor Feltrinelli. Io non capivo che quello che mi veniva tradotto. Mi venne il sospetto che da quelle parti non avessero mai visto un panfilo da passeggio battente bandiera italiana. Trondheim è una città veramente graziosa, distribuita sui vari rami del Trondheims Fjord, ma noi non avemmo il tempo di visitarla a nostro agio. Ripartimmo quasi subito, dopo avere visto partire in aereo la signora Feltrinelli ed una sua ospite per Bergen, dove ci avrebbero aspettato.

Fuori dal fiordo di Trondheim ci imbattemmo in una bufera. Venti da sud ci soffiavano di prora. Fummo costretti a terzarolare la randa e ad andare avanti solo con l'aiuto della trinchettina e della mezzana. Speravamo sempre che facesse un po' di calma, mentre avanzavamo, invece la situazione peggiorò sensibilmente. Il signor Feltrinelli si rese conto che non potevamo tirare avanti senza pericolo, così decise che ci saremmo ancorati nel primo luogo riparato che avremmo incontrato.

Pressappoco dieci miglia davanti a noi c'era un fiordo, riparato dietro un promontorio. Decidemmo di prendere porto là dentro. Ma il vento e le correnti contrarie che incontrammo all'altezza della punta dietro la quale si apriva il fiordo bloccarono letteralmente la barca, non si andava più avanti di un metro malgrado i nostri sforzi. E come se queste difficoltà non fossero state più che sufficienti ad impensierirci, anche la trinchetta, cedendo a una ventata, si staccò dal boma. Corsi a recuperarla prima che il vento la trascinasse a mare. Il signor Feltrinelli pensò di mettere in moto il motore, ma non fu possibile perché le batterie si erano scaricate. Non ci restò che tentare di avanzare issando il fiocco tempesta, una vela di dimensioni ridotte e molto resistente. Per metterlo fu dura. Dovevo aprire uno schiavetto e non mi riusciva, occorreva un cacciavite. Bisognava andarlo a prendere fra gli attrezzi nell'interno del panfilo, ma io non mi potevo muovere da prua altrimenti il vento avrebbe trascinato a mare il fiocco. Il signor Feltrinelli era inchiodato al timone, occupato a governare la barca in pericolo, neppure pensarci a smuoverlo. Con noi c'era un ospite, un signore di Milano, ma pativa tanto il mal di mare che solo quando non fu possibile fare altrimenti ci decidemmo a chiedergli aiuto. Strisciando sulla coperta, soffrendo Dio sa cosa, fermandosi spesso a vomitare, riuscì a passarmi il cacciavite. Ce la feci a issare il fiocco tempesta. Però il vento e le correnti contrarie continuarono, malgrado la vela issata, a impedirci l'ingresso nel fiordo; la situazione restava precaria. Il signor Feltrinelli mi consegnò il timone e andò a controllare la carta nautica. Non ci restava che trovare un rifugio alle nostre spalle. Ne scoprì uno a poche miglia di poppa a noi, Hovofjord, una minuscola insenatura con un ingresso particolarmente difficile, largo non più di cinque metri, mentre l'*Eskimosa* ha una larghezza di circa 3,80 metri. Ci dava coraggio a tentare il passaggio il fatto che avevamo il vento in poppa. Però era rischioso e il signor Feltrinelli e io tremavamo per la barca. Lui mi domandava ogni minuto: "Di' Biagio, ce la faremo?". Rispondevo scherzando che se per caso non ce l'avessimo fatta la terra era tanto vicina che bastava un salto per raggiungerla. Per fortuna tutto andò bene. Dentro l'insenatura trovammo calma perfetta, sembrava un bacino: come se la fine del mondo che c'era in mare aperto non riguardasse questo angolo del pianeta.

Cuba, Cuba, Cuba. Tutti hanno parlato di Cuba. Da vicino o da lontano, nei primi sessanta, bisogna fare i conti con Fidel Castro. Per molti è sinonimo di pericolosa extravaganza che si tramuta presto in ossessione; per altri ha un significato molto diverso. Scrive Eric J. Hobsbawm nel suo *Secolo breve*: "Probabimente nessun capo nel Secolo breve [...] ebbe ascoltatori più entusiasti e appassionati di questo uomo barbuto, con la mimetica sgualcita, che si presentava sempre in ritardo ai comizi e poi parlava per ore, ininterrottamente, comunicando i suoi pensieri piuttosto confusi alle moltitudini attente e consenzienti, delle quali anch'io ho fatto parte. Per una volta la rivoluzione venne sperimentata come una specie di luna di miele collettiva. Dove avrebbe condotto? Da qualche parte doveva pur esserci un futuro migliore".

È risaputo che un certo giorno anche Feltrinelli farà scalo all'aeroporto "José Martí", ma il suo è un approdo ragionato, niente folgorazione sulla via di Damasco e soprattutto niente servizio militare a Cuneo. Secondo Nadine Gordimer, di cui la casa editrice pubblica nel '61 *Un mondo di stranieri*, è l'unico a sapere, già allora, della miserevole sorte del popolo curdo.

Gli inizi dei sessanta sono l'ultimo atto per i vecchi imperi coloniali. L'esito della crisi di Suez (contemporanea ai fatti d'Ungheria) accelera un processo che in Asia si è già fatto strada. Ora tocca ai paesi africani lottare per l'indipendenza.

Sono argomenti che interessano Feltrinelli, sia come editore sia per la politica (le due cose coincidono). I primi segnali o sintomi sono una sua lettera a Ben Barka, leader dell'Unione nazionale delle forze popolari marocchine, e una a Sékou Touré, presidente della Repubblica di Guinea. La Guinea è indipendente dal '58. Nell'estate del '62, Feltrinelli raggiunge prima la Nigeria e poi il Ghana (ex Costa d'Oro britannica, indipendente dal '57) per partecipare, credo unico editore, all'assemblea di Accra. Promosso dal presidente ghanese Kwame Nkrumah, il convegno è uno dei primi incontri internazionali tra personalità "non allineate". Il tema è il disarmo nucleare. Per l'Italia c'è pure Lelio Basso, figura autorevole della sinistra socialista. Il laburista Lord Kenneth, anch'egli della partita, oggi osserva divertito che, con ogni probabilità, tutto era stato organizzato dal presidente ghanese per il proprio prestigio. Comunque sia andata, qualcuno avrà pur creduto che valesse la pena di spingersi giù fino a Accra.

Feltrinelli aveva fatto la sua parte di editore fin dal '56, presentando la traduzione di *Algeria fuorilegge* dei coniugi francesi Jeanson, un testo considerato da alcuni come il breviario teorico della nascente militanza anticolonialista in Europa. Nel '60 è la volta di *Gli algerini in guerra*, reportage di Dominique Darbois e Philippe Vigneu. Una copia del libro è spedita all'Avana: primo contatto con Castro, che ringrazia. Nel '62, sempre di Francis Jeanson, Feltrinelli pubblica *Problemi e prospettive della rivoluzione algerina*. Il libro non trova editori in Francia e viene stampato anche in francese, sempre col marchio Feltrinelli, per una distribuzione oltralpe.

Una vicenda simile capita al romanzo di Juan Goytisolo, *La risacca*, proibito nella Spagna franchista e giunto in Italia come l'opera migliore della nuova generazione spagnola, molto vicino – si legge in quarta di copertina – ai *Ragazzi di vita* di Pasolini. Il libro è presentato nel febbraio del '61 in un teatro milanese, accompagnato dalla proiezione di un documentario sulle condizioni dell'emigrazione interna spagnola. Non c'è neppure tempo di cominciare che un gruppo di ex paracadutisti, successivamente fermati dalla polizia, interrompe la manifestazione e lancia fumogeni. La stampa di Madrid dà un certo risalto all'episodio, denuncia il significato provocatorio della serata e specula sulla dinamica degli incidenti. Per tutta risposta, Feltrinelli invia a Barcellona due funzionari della casa editrice per protestare e per smentire ma con il segreto intento di promuovere una distribuzione dei suoi libri in Spagna. Non se ne fa nulla, a parte un certo clamore sulla stampa locale. Ma il nome dell'editore italiano diventa tabù da quelle parti e anche, cosa più importante, un lasciapassare negli ambienti dell'opposizione intellettuale.

Il problema della libertà di stampa calamita con accenti nuovi l'attenzione della sfera pubblica europea. Per Feltrinelli il quadro è tutt'altro che idilliaco. In Italia, un mese sì e uno no, gli editori vedono sequestrati i loro libri da procuratori della Repubblica che affidano al tribunale la codificazione di un principio estetico universale. In Francia si processano editori e scrittori che hanno denunciato i crimini dell'esercito, come nel caso del *Disertore*, il libro che descrive il dramma di un giovane rifiutatosi di combattere in Algeria. In Germania occidentale, nell'autunno '62, scoppia il caso "Spiegel" quando il ministro della Difesa Franz Josef Strauss accusa il settimanale di aver violato segreti di stato e provoca l'arresto del suo direttore Rudolf Augstein.

Feltrinelli, dopo aver inviato qualche decina di telegrammi in mezza Europa, prepara una lettera di denuncia per l'ambasciatore tedesco a Roma. La fa firmare, fra gli altri, a Giorgio Bassani, Paolo Grassi, Alberto Mondadori, Elio Vittorini, Eugenio Scalfari. Anche l'Ufficio affari riservati del nostro ministero degli Interni si occupa della cosa: chi avrebbe fornito la scottante documentazione allo "Spiegel"? Feltrinelli naturalmente! Feltrinelli contro Strauss, principale riferimento della Nato in Europa. Suggestivo ma inverosimile: la mia fonte tedesca non conferma.

Ma tornando alla recrudescenza contro la libertà d'informazione, bisogna dire della censura preventiva che si applica nei paesi socialisti, dove le poche case editrici sono dello stato e ciò impedisce a priori la pubblicazione di certe opere. In Spagna, invece, gli editori sono costretti a sottoporre i propri manoscritti agli uffici del ministero dell'Informazione, che restituiscono il tutto con tagli, segni di matita rossa e blu, velina accompagnatoria non intestata, per un sì o per un no.

Intorno a questi argomenti si discute dappertutto, animatamente.

Alla fine del '61, in un incontro organizzato da una delle più qualificate riviste di Berlino Ovest, Feltrinelli risponde a domande su Pasternak, sull'*Arialda*, su Miller. Farà lo stesso a Parigi alcuni mesi dopo, e anche in Italia non mancano le occasioni.

A Milano scende in campo la "società civile". La pubblicità condiziona la libera stampa? È giusto l'impasto di notizia e commento? Ultimamente, anche di questo si parla al Circolo culturale Turati. Sorto il primo maggio del '61, con sede in via Brera, il "club" si propone di contribuire "alle scelte politiche e all'inserimento dei lavoratori negli ordinamenti e nel governo dello stato democratico". Feltrinelli, al momento non distante da una certa area socialista, ne sostiene la fondazione e siede nel comitato direttivo con i vari Grassi, Scalfari, Bassetti, Olcese. Aldo Bassetti: "Credevamo tutti nel centrosinistra".

Ancora Algeria: nel momento più caldo trovano asilo all'Istituto Feltrinelli due o tre rifugiati politici o "disertori", proprio mentre a Milano cresce convinta la mobilitazione.

Il primo novembre del '61 esce su diversi giornali un appello a pagamento, buona sintesi del clima politico e della posta in palio:

> Da 7 anni le forze conservatrici francesi conducono una guerra spietata contro il popolo algerino. Un popolo viene oppresso e sterminato perché chiede libertà, indipendenza, progresso economico e giustizia sociale.
> 800.000 morti sono il sanguinoso bilancio di questa guerra: uomini, donne e bambini sono stati uccisi in combattimenti, trucidati e torturati nel corso di rastrellamenti ed operazioni di polizia.
> 1.500.000 di algerini si trovano nei campi di concentramento dell'Africa settentrionale.
> Decine di migliaia sono da anni incarcerati in Francia.

Le forze colonialiste, per difendere i loro interessi economici contro ogni interesse del popolo francese, tendono ad aprire le porte al fascismo e alla dittatura militare.
Calpestate le tradizioni illuministiche e democratiche, le forze conservatrici e alcuni circoli militari francesi rappresentano una minaccia alla democrazia, un focolaio di intrighi contro le forze democratiche e progressiste in Europa.
La libertà di stampa è gravemente minacciata in Francia. Algerini e cittadini francesi vengono perseguitati e braccati con metodi che richiamano all'opinione pubblica mondiale i metodi nazifascisti.
Italiani, è necessario – nel Centenario dell'Unità d'Italia, memori delle tradizioni di libertà del nostro Risorgimento, delle tradizioni di democrazia e progresso espresse da Garibaldi e Mazzini – appoggiare oggi l'azione degli Algerini in lotta per la loro indipendenza e l'azione delle forze democratiche e progressiste francesi.
La loro lotta è la nostra lotta. Italiani, vi chiediamo di esprimere fortemente il vostro sdegno contro le forze fasciste operanti in Francia e contro la guerra in Algeria.

I primi firmatari sono Basso, Feltrinelli, Grassi, Piovene, Vittorini. Seguono tempestive adesioni dal mondo accademico e intellettuale.

Intanto, in Francia, le forze attorno al Partito socialista unificato (patrocinato da Pierre Mendès-France), con i cattolici di sinistra di "Témoignage Chrétien", affrontano una delicatissima battaglia. A parte i pericoli non dissipati di un putsch dei generali e delle forze dell'Oas, la fine della guerra in Algeria pone l'imperativo di un ritorno della Francia alle sue tradizioni democratiche. Bisogna invertire un processo che tende sempre più a limitare le prerogative parlamentari sull'onda dell'emergenza. Dalla Francia giungono richieste di solidarietà politica, intellettuale e anche economica.

La mappa di chi accoglie questi appelli definisce bene la Milano dell'epoca. Feltrinelli, cui aveva scritto Gilles Martinet (uno dei fondatori del Psu), s'impegna a chiedere l'adesione dei suoi scrittori, ma anche quella di editori come Alberto Mondadori, di imprenditori come Roberto Olivetti, di giornalisti come Italo Pietra. Lo stesso dovrà fare Paolo Grassi che, oltre al mondo teatrale, copre l'area socialista e quella dei finanziatori del Piccolo Teatro. Anche Aldo

Bassetti ha un elenco e così il libraio Vando Aldrovandi che coinvolge gli editori Einaudi e Lerici e i rappresentanti di grandi famiglie imprenditoriali come Giulia Devoto Falck e Giulia Maria Crespi.

È la Milano che capita al Biffi per un risotto al salto e un buon bicchiere. Il giornalista Eugenio Scalfari dice che almeno una volta alla settimana si ritrovavano allo stesso tavolo lui, il banchiere Renato Cantoni e Giangiacomo Feltrinelli.

Ma non è vero che Feltrinelli sia sempre e comunque pronto a manifestazioni, appelli o richieste d'aiuto. Ha imparato a farsi rispettare e a prendere le distanze dall'attivismo a comando. Quando Giovanni Pirelli e Rossana Rossanda, troppo sicuri della sua disponibilità, ritengono scontato un contributo per l'allestimento di una mostra a nome del "Comitato per la nascita della nazione algerina", la risposta è secca: "Mi dispiace per voi, ma non intendo aderire alla vostra intimazione a pagare una quota-parte delle spese di allestimento della mostra. Non avrei certo rifiutato il mio contributo alla bella iniziativa qualora questo mi fosse stato chiesto in una forma più civile. Diciassette anni di attività politica vi avrebbero dovuto insegnare che non si può procedere per 'intimazione'".

Dopo la morte di Boris Pasternak, il "romanzo nel romanzo" si apre al suo capitolo più fosco con l'arresto di Olga Ivinskaja e di sua figlia Irina. Sono condannate ai campi di lavoro: otto anni per Olga, tre per Irina. Il fermo di Olga risale a metà agosto 1960, quello di Irina a settembre.

Durante il mese di giugno, circa la metà dei centomila dollari richiesti da Pasternak sono portati a Mosca da fiduciari di Sergio D'Angelo. I coniugi Benedetti arrivano in macchina, con un visto turistico, senza problemi alla frontiera. Eppure hanno nel baule una valigia piena di rubli, in tutto quasi mezzo milione, anche se sono banconote da poco uscite di corso, difficili da convertire. Si trascurano tutte le più elementari misure di cautela. Vi sono testimoni alle consegne del denaro e Olga acquista subito per il figlio più giovane una motoretta nuova nuova... troppo anche per la più docile delle polizie.

Poche settimane prima, mentre Pasternak era ancora in vita, anche i coniugi Garritano (lui è il corrispondente dell'"Unità") avevano portato una forte somma di rubli. Il mittente era sempre D'Angelo. Alla coppia, negli stessi giorni, era stato chiesto di trasmettere a Feltrinelli una busta con delle ricevute e una disposizione testamentaria di Boris a favore di Olga. Benché i Garritano avessero tentato di mettere in cattiva luce l'editore in più di un'occasione, Olga si era rivolta a loro per mandare quelle carte in Italia. (Heinz Schewe, al momento, non si trovava in Unione Sovietica.) I Garritano le dicono che sarebbero partiti l'indomani per Roma, invece visitano il Caucaso e perdono (o si fanno sottrarre) i documenti nel mezzo di un feroce acquazzone. Una "leggerezza", sostiene oggi Giuseppe Garritano. Lo dice come se parlasse di una ferita per lui ancora aperta.

Olga, dopo l'"incidente" dei Garritano, interrompe i rapporti con altri che non siano Schewe e Feltrinelli. A loro manda lettere disperate, preoccupata per ciò che avrebbe potuto accaderle e puntualmente accadrà. Quando la arrestano, la polizia segreta perquisisce la casa e trova una lettera italiana in cui si consiglia di comunicare solo con Schewe. Già in precedenza, l'editore l'aveva messa in guardia su D'Angelo: "Purtroppo," si legge nell'autobiografia della Ivinskaja, "a causa delle circostanze (e spesso anche della nostra sconsideratezza), noi disobbedimmo agli avvertimenti di Feltrinelli e continuammo a scrivere al 'caro Sergio'. Per questo pagammo duramente". Per questo scoperchiarono la "nostra ingenua cospirazione": Olga, molti anni dopo, poco prima di morire, me ne ha parlato così. Si riferiva a Pasternak, a se stessa, a Feltrinelli, agli emissari di D'Angelo, alle valigie di carta moneta, alle lettere, alla fretta, a tutte le mosse suscitate dalla paura.

I fatti di Mosca dell'estate 1960 fanno ancora una volta il giro del mondo. Feltrinelli spedisce un comunicato alle agenzie: "È mia opinione che Olga Ivinskaja non è responsabile né del trasferimento delle somme, né della destinazione delle stesse. Perché, da un lato, l'ordine di trasferimento fu impartito esclusivamente da Pasternak e, dall'altro, fu Pasternak stesso a volere che la somma convertita in rubli fosse indifferentemente consegnata in mani sue o della Ivinskaja". Nel comunicato si precisa anche la questione dei rubli provenienti da fondi a disposizione di Pasternak in Occidente e il ruolo di D'Angelo (non citato) per la trasmissione di una loro parte a Mosca.

Di lì a poco, un settimanale di terz'ordine, zona "grigia", destra democristiana, scatenerà gragnole di accuse contro Feltrinelli. Lo si accusa di aver volontariamente dato in pasto la Ivinskaja alla polizia sovietica. Commento di Feltrinelli a Schewe: "È una provocazione così vigliacca che ti rimane il fiato in gola dalla rabbia". Gli articoli sarebbero orchestrati dall'ex comunista Reale e dallo stesso D'Angelo, presto corrispondente negli Stati Uniti per il "Fiorino", appartenente allo stesso gruppo editoriale. Il sospetto che D'Angelo e Garritano, per qualche loro motivo, fossero in realtà collegati a una sponda americana o sovietica (più probabile) s'insinua nei discorsi fra l'editore e Schewe.

Feltrinelli e Schewe restano in contatto per registrare ogni notizia proveniente dal lager 385/14. Lì, a cinquecento chilometri da Mosca, il vento è così forte che ti fa camminare all'indietro. Bisogna aiutare Olga. Ma come? Provocare un nuovo testa a testa con le autorità sovietiche? Sollevare la protesta della comunità internazionale? O, invece, affrontare il problema nell'altro verso: cercare cioè uno spiraglio di trattativa, una mediazione?

Nel '61 accadono alcuni fatti importanti. Emergono da un rapporto datato 9 maggio dell'ex segretario del Comitato centrale del Pcus Pospelov, ritornato da poco a capo dell'Istituto del marxismo-leninismo. "Dal 25 al 29 marzo 1961 il compagno E.A. Boltin, vicedirettore dell'Istituto per il marxismo-leninismo presso il Cc del Pcus, trovandosi in missione di lavoro in Italia, ha visitato su nostro incarico l'Istituto di ricerca sociale Giangiacomo Feltrinelli di Milano allo scopo di conoscerne il lavoro, e ha avuto incontri sull'attività dello stesso Istituto con il compagno Luigi Longo, vicesegretario generale del Cc del Pci, con il compagno Secchia, membro del Cc del Pci, e con altri dirigenti del partito." Segue una descrizione sull'attività dell'Istituto Feltrinelli e si ricorda la presenza, presso la Biblioteca, di molte edizioni sovietiche e delle lettere di Marx e di Engels. Solo un cenno all'esistenza della casa editrice, "proprio quella che ha pubblicato il romanzo di B. Pasternak, *Il dottor Živago*". Infine, la proposta al Comitato centrale di invitare i vertici dell'Istituto Feltrinelli "per stabilire un contatto scientifico e chiarire le possibilità e le forme di collaborazione".

Era stato Del Bo, fin dall'inizio del '59, a tessere le fila per un riavvicinamento con Mosca. Lo riteneva necessario per completare alcuni progetti di capitale importanza, come la ricerca bibliografica sulle opere di Marx ed Engels che impegnava l'Istituto Feltrinelli da diversi anni. La ricerca era destinata a uno dei successivi "Annali". Del Bo aveva scritto a Togliatti il 26 febbraio del '59, spiegandogli la situazione. Con l'Istituto del marxismo-leninismo di Berlino i contatti erano buoni e anche con analoghi centri di ricerca a Praga, Varsavia, Budapest: "Questi rapporti ci hanno procurato, oltre che un arricchimento di documentazione, contatti e legami con singoli studiosi che promettono nuovi, interessanti sviluppi". Con l'Istituto di Mosca, almeno apparentemente, le cose non andavano male: lo scambio di documentazione era "notevolissimo".

Del Bo non dice quanto fosse faticoso dialogare con loro. Ricorda solo che non c'erano più stati incontri diretti. L'ultimo risaliva al '57, con la visita milanese della compagna Evgenija Stepanova, poco prima della pubblicazione del *Dottor Živago*. Nell'occasione, la storica dell'Imel aveva lanciato l'idea di un viaggio di Del Bo a Mosca.

Del Bo, a distanza di quasi due anni, aveva chiesto a Togliatti se non fosse venuto il momento di accettare l'invito: "Qual è la via che devo seguire? [...] Pensi sia opportuno che mi rivolga a loro direttamente, oppure devo rimettere a te la questione?". Fa capire che una ripresa dei contatti potrebbe essere "veramente utile e importante".

Dopo la rottura tra Feltrinelli e il Pci (dicembre 1957), era stato sempre Del Bo a tenere i contatti con Botteghe Oscure. Lo faceva in modo puntuale. Scriveva ad Alicata, il "ministro della Cultura", riferendo sulle attività dell'Istituto. Ma le lettere erano troppo vaghe e Alicata se ne lamentava. Con Togliatti l'approccio era invece molto deferente. In fondo, il segretario era anche uno "dei migliori collaboratori degli Annali". Del Bo gliel'aveva scritto, congratulandosi per il saggio sulla formazione del gruppo dirigente comunista tra il '23 e il '24. Il contributo di Togliatti, che sarà pubblicato nel terzo volume della serie, contiene un'importante e inedita parola d'ordine: ricostruire la storia del Pci come parte integrante della nostra storia nazionale. Che il saggio togliattiano sia pubblicato negli "Annali" dell'Istituto Feltrinelli è un segnale da non sottovalutare.

Sui progetti di Del Bo per il viaggio a Mosca, Togliatti aveva cercato un consiglio da Alicata, che darà il suo parere alla fine del '59: "Io credo che noi dovremmo indicare ai compagni sovietici l'opportunità d'una ripresa di contatti fra l'Istituto del marxismo-leninismo e la Biblioteca Feltrinelli. Tuttavia bisognerebbe far capire a Del Bo, nei modi opportuni, che senza il nostro intervento tale contatto non si potrebbe, almeno per il momento, realizzare, dato l'atteggiamento di riserva che nei dirigenti dell'Istituto del marxismo-leninismo c'è verso l'attività complessiva di Feltrinelli".

Nel '60, con il precipitare della vicenda zivaghesca, non era stato possibile alcun passo ulteriore. L'economista Piero Sraffa registra il 5 settembre 1960 questa frase di Del Bo: "A causa di Pasternak, i sovietici non vogliono rapporti con Feltrinelli né come editore, né come Istituto". Invece nel '61, dopo la visita dei sovietici a Milano, si concretizza finalmente la trasferta moscovita di Del Bo. Lo accompagna lo storico Enzo Collotti. A estate inoltrata, per quasi due settimane, la delegazione è ospite all'Imel e gli incontri si sviluppano, come si dice, in un clima cordiale e assai proficuo, soprattutto per gli scambi documentari. Nei ricordi di Collotti, il generale Boltin (famoso storico militare) attende la delegazione italiana alla scaletta dell'aeroplano con tutti gli onori e tutte le medaglie appuntate al petto. Non dev'essere lontano dal vero supporre che Del Bo abbia sfruttato la circostanza, e anche le sue doti curialesche, per sondare le soluzioni conciliatorie sul caso dell'Ivinskaja e di sua figlia. Secondo Collotti, che nulla avrebbe dovuto sapere, la questione Pasternak era, in effetti, uno dei motivi centrali del viaggio.

Sta di fatto che alcune settimane dopo il rientro di Del Bo in Italia, avviene il secondo episodio importante dell'anno. Feltrinelli decide di consegnare ai sovietici, cioè ai vertici dell'Imel, gli originali di una parte delle lettere di Pasternak ricevute nei mesi turbolenti della pubblicazione del romanzo. Che senso ha il suo gesto? È lui stesso a spiegarlo a Pospelov: "È inutile che le dica l'importanza che per me, da un punto di vista umano, hanno avuto queste carte. Me ne privo volentieri se questa decisione potrà venire considerata come un passo per la chiusura della vicenda".

Feltrinelli e Del Bo danno molta importanza all'iniziativa. A Secchia il plico delle lettere è consegnato con precise istruzioni. L'11 ottobre, Del Bo raccomanda: "Fai in modo che T. lo porti con sé e lo consegni personalmente a Pospelov. È estremamente importante, secondo me. Nel caso che T. non ritenga opportuno di portarlo, restituisci il plico a Leonardi e riflettiamo sul da farsi qui a Milano. D'accordo? Non seguire altre strade. Grazie e interpreta le parole di Giangiacomo come un passo concreto con buone intenzioni per tutti". "T." sta ovviamente per Togliatti, che dal 14 è a Mosca per il XXII Congresso del Pcus. Il 12 ottobre anche Feltrinelli scrive a Secchia:

> Spero che questo mio gesto di "disarmo unilaterale" possa portare, nella sede opportuna, a considerare l'opportunità di alleviare la sorte dell'Ivinskaja e di sua figlia: un atto di grazia o un alleggerimento della pena che portasse comunque al loro rilascio oltre che essere per me di sollievo, avrebbe anche, per i sovietici, il vantaggio di chiudere in bellezza la polemica con i circoli intellettuali e politici di Londra e Parigi, polemica che altrimenti rischia di trascinarsi per le lunghe. È forse possibile richiamare l'attenzione dei sovietici sull'opportunità che quando si arrivasse in un prossimo futuro ad una distensione della politica internazionale essi potrebbero includere nei vari atti e gesti che andranno compiendo anche qualche cosa che concernesse le due Ivinskaja. Ti sarò veramente grato se potrai direttamente o indirettamente intervenire in questo senso. Ti allego un articolo inglese che riporta alcune dichiarazioni di Surkov, il cui stile non si addice ad una polemica tra una personalità sovietica ed il mondo occidentale.

Secchia non fa mancare una sua risposta: "Ho avuto il plico che ho immediatamente recapitato a chi eravamo intesi; sono stato anzi fortunato nel senso che ho potuto parlargli subito. Il tuo gesto e la tua iniziativa sono apprezzati e da lui e da me e speriamo lo possano essere anche dagli amici a cui è diretto nel senso auspicato". Quanto gli "amici" abbiano effettivamente gradito non sappiamo, ma dalla primavera del '62 comincia a circolare qualche fievole voce possibilista sulle sorti di Olga e Irina. Irina è liberata alle soglie dell'estate, a metà della pena. È l'effetto della missione "diplomatica" affidata ai buoni uffici di Secchia e Togliatti? Forse. Feltrinelli scrive così a Schewe il 2 luglio 1962:

> Il tanto o il poco che sono riuscito a fare per la liberazione di O. e I. mi sembra non debba esser fatto circolare, specialmente riguardo a Irina. È stato preso contatto fra il Partito di qui e il Partito a M. Ho fatto forse un favore ai russi nel consegnargli la documentazione che lei conosce. Ma questo

non lo deve sapere Irina. Tutto quanto hanno fatto i russi in relazione alla liberazione di Irina e magari, in breve, a quella di Olga lo hanno fatto di loro spontanea volontà, senza pressioni o trattative. Dobbiamo salvargli la faccia ed è meglio che la ragazza sia il meno possibile a conoscenza degli antefatti.

Per la liberazione di Olga, avvenuta nel '64, l'editore avrebbe fatto anche pressioni su Fidel Castro, incontrato proprio all'inizio di quell'anno. Così almeno mi ha raccontato Olga che nella vita non riuscì mai a vedere mio padre.

Appena liberata, si provvede al sostegno suo e della figlia attraverso l'invio di denaro dall'Occidente. Non sono in grado di stabilire se questo aiuto, ormai tollerato dalle autorità, dipendesse da quel tanto o da quel poco che Giangiacomo era riuscito a fare in precedenza.

Nei primi mesi del '64 Giangiacomo Feltrinelli e la Metro-Goldwin-Mayer realizzano un accordo per la riduzione cinematografica del *Dottor Živago*, sulla base di un forfait di 450.000 dollari. Nelle prime stesure del contratto sono menzionati dieci potenziali registi: Federico Fellini, Luchino Visconti, Vittorio De Sica, David Lean, Carol Reed, Elia Kazan, Stanley Kubrick, Billy Wilder, Peter Ustinov, Joseph L. Mankiewicz. La scelta cade subito su Lean. Da parte italiana si insiste particolarmente perché soggetto, sceneggiatura e dialoghi derivino strettamente dalla traduzione italiana di Zveteremich. Per evitare che eventuali errori contenuti in altre traduzioni "travisino ed alterino il pensiero dell'autore in modo da attribuirgli un significato e un orientamento politico difforme dalla sua volontà". Così scrive Feltrinelli al produttore Carlo Ponti.

Dopo tanti anni, chiamo Ponti a Los Angeles per saperne di più. Non ha un ricordo simpatico della lunga e difficile trattativa per il film. Lo sento gracchiare categorico: "Sin dall'inizio era previsto che il regista fosse David Lean e, quanto a Feltrinelli, lui se ne fregava, l'unica cosa che voleva erano i soldi".

Comunque sia andata, gli americani fecero del loro meglio per confezionare un prodotto di cui, in fondo, anche un occhio sofisticato può dirsi contento. Vincitore di cinque Oscar, *Il dottor Živago* supera ogni record di permanenza nei cinema di prima visione (seicento giorni), ed è ancora al settimo posto nella graduatoria assoluta dei più visti. "È stato il top di un film commerciale e artistico allo stesso tempo", dice Ponti. "Eppure," secondo il produttore, "Feltrinelli non venne neppure alla prima, mortificando i vertici della Metro che volevano un suo parere, lui se ne fregava, se ne fregava di tutto e di tutti..."

Inizialmente, per l'ambientazione delle riprese si pensa a una particolare regione della Jugoslavia, l'unica nazione nell'immediato est di Trieste ad aver pubblicato il libro. Qui, peraltro, costa meno reclutare comparse. Feltrinelli delega l'avvocato Filippo Carpi de' Resmini, suo amico fidato nonché cugino, a trattare da Roma le faccende che hanno a che fare con il cinema.

Filippo, una specie di zio per me, raccontava sempre la storia di quando lui, Carlo Ponti e signora visitarono la residenza estiva del maresciallo Tito per perorare la causa del film: il maresciallo riceve tutti sul molo, è cordiale, un vero gentleman con Sophia, ma nicchia sulla proposta della sparuta delegazione italiana, meglio sorvolare.

Ponti nega l'episodio. Tito lo conosceva bene da tempo, lui avrebbe fatto fare subito il film: era il regista Lean a non volere, troppo anticomunista. Il produttore svela però un aneddoto brillante: tramite l'ambasciata di Londra, i sovietici fecero avere una lettera al regista, invitandolo a visitare l'Unione Sovietica in lungo e in largo. Conosciuta la realtà del nostro popolo, gli dissero, non avrebbe più voluto fare un film tratto dal *Dottor Živago*.

I baffi di Omar Sharif, lo sguardo chiaro di Julie Christie si trasferiscono con David Lean in Spagna, dove viene ricostruita un'intera parte di Mosca. Il film si gira anche in altri paesi. C'è una foto del set in terra finlandese, con l'editore che incontra Jurij Živago nella neve. Ma questo Ponti non lo ricorda: "Lui se ne fregava, se ne fregava e basta".

Più o meno nello stesso periodo, poco dopo la liberazione di Olga, Feltrinelli entra ufficialmente in contatto con le autorità sovietiche e in particolare con il professor Volchov, presidente del Collegio dei giuristi internazionali di Mosca, rappresentante ufficiale della famiglia Pasternak,

Olga Ivinskaja esclusa. È una grossa novità: per la prima volta ci si può sedere intorno a un tavolo e trattare come si fa normalmente. Dopo una lunga ricognizione sulle reali intenzioni delle parti, i sovietici visitano una prima volta Milano e nominano propri rappresentanti italiani. Da parte Feltrinelli, si presenta un rendiconto degli incassi realizzati dal *Dottor Živago*. Sulle prime, specie dopo il film, i sovietici mirano a un silente accordo che dovrebbe sanare, solo per il passato, una questione di natura esclusivamente economica. La posizione di Feltrinelli è diversa. Ecco quanto scrive al professor Volchov durante l'estate del '66:

A me sembra giunto il momento della chiarezza e della lealtà, tanto più doverose in omaggio alla memoria del Poeta scomparso. Io non posso dimenticare che Pasternak proprio e soltanto perché mi diede a suo tempo il mandato di pubblicare e diffondere la sua opera ha subito persecuzioni e condanne durissime, che hanno profondamente amareggiato gli ultimi anni della sua vita. Non posso dimenticare che solo per questo è stato espulso dall'Unione degli scrittori, posto al bando della comunità letteraria, pubblicamente accusato di tradimento e slealtà verso la sua patria, indotto a sconfessare persino di avermi mai attribuito un incarico di edizione del suo grande romanzo. In una parola, ferito nei suoi sentimenti più sacri e moralmente linciato per avermi affidato il compito di presentare al mondo dei lettori la sua famosa opera.
Tutto ciò appartiene a un recente passato, vivo nella memoria di tutti e purtroppo non ancora superato. Ma io ho fiducia nell'evoluzione dei tempi e sono certo che anche Lei, da uomo d'onore, condivida l'esigenza di non proseguire su questa linea, come avverrebbe ove si pretendesse di seppellire la triste vicenda in un discreto silenzio: con la presentazione e la liquidazione di un conto economico eretto sulla base di quanto è stato ufficialmente bollato d'infamia, quasi fosse davvero un atto di tradimento e di indegnità. Per buona sorte, però, alcune cose vanno cambiando, com'è provato anche dal fatto che tali richieste a contenuto economico possono essere patrocinate, oggi, dal più autorevole esponente dell'organo ufficiale dell'Avvocatura sovietica, vale a dire dal Presidente del Collegio internazionale dei giuristi di Mosca. Presentato e accompagnato, nei colloqui intervenuti con me, da un funzionario dell'Ambasciata dell'Urss in Roma.
La situazione è dunque matura, a mio avviso, per un passo più aperto e leale da parte di tutti, compresi coloro che hanno infierito a suo tempo sulla nobile figura del Poeta scom-

parso. Del resto, sento che tradirei la fiducia riposta in me
dal compianto Autore, se non mi preoccupassi di assicurare
– purtroppo, oramai, solo alla sua memoria – almeno la ri-
parazione (minima) che è doverosa nei confronti delle sue
qualità di uomo, di cittadino e di scrittore.
A tal fine, reputo indispensabile dissipare la cappa di clandestinità che ha sinora pesato sul mio rapporto con Pasternak e uscire finalmente – come si suol dire da noi – alla luce
del sole. Sono pertanto autorizzato a proporLe, in nome della Casa editrice da me rappresentata, la stipulazione di un regolare contratto di edizione con gli eredi del Poeta, che defi-
nisca il passato e nel contempo riscuota tutti gli opportuni
crismi, beneplaciti e autorizzazioni da parte delle Organizzazioni, Associazioni, ed Enti competenti in materia, nel vostro paese. Con l'espressa adesione, in ogni caso, dell'Unione
degli scrittori sovietici e attraverso quelle forme di pubblicità
ragionevole che potranno essere realisticamente discusse e
concordate.

Seguono molti mesi, addirittura anni, tre o quattro in
tutto, per definire un accordo. Per il passato, per il futuro
e per Olga che, formalmente, non ha diritto a nulla. I sovietici vengono a Milano a più riprese, imparano ad arro-
tolare gli spaghetti, si svagano, discutono. È una trattativa
dura, durissima. Il professor Volchov non si separa mai dalla sua stilografica, con cui dice di aver firmato le sentenze
di morte al processo di Norimberga. Ma, durante un pomeriggio interminabile, preso dalla rabbia la scaglia contro il muro. Quella penna è il suo orgoglio e la rompe per
sempre.

Il 1969 porta finalmente a una stretta di mano: l'Avvocatura di stato avrebbe incassato in dollari una somma a
sei cifre (temo molto meno gli eredi, loro clienti). Si giunge al calcolo finale deducendo ciò che era stato trasferito
con Pasternak ancora in vita (l'Avvocatura accetta il principio) e anche le notevoli spese sostenute per la gestione del
copyright. Un regolare contratto avrebbe vincolato le parti (compresa Olga Ivinskaja) per i successivi vent'anni.

Dopo tante battaglie, questa è per tutti la logica conclusione, forse non ideale, di una trattativa ormai viziata
dal tempo.

Nel 1989, a Mosca, l'avvocato Tesone ha rinnovato i diritti per *Il dottor Živago* e concordato la prima uscita del romanzo in territorio sovietico. C'era la perestrojka. Come già previsto nel contratto del '70, i diritti erano gratuitamente disponibili. La rivista "Novij Mir", che avrebbe dovuto pubblicare l'opera trentacinque anni prima, era pronta a farlo adesso. Sono state richieste solo quattro parole nel colophon: "© Giangiacomo Feltrinelli Editore Milano". Così sarà. È la fine simbolica e solenne del "romanzo nel romanzo".

Quando già l'Unione Sovietica non esisteva più, ho incontrato a Mosca Olga Ivinskaja poco prima che morisse. Non era in grado di muoversi dal letto, ma non ha fatto mancare vodka e fumo per un lungo abbraccio. Poi mi ha scritto una lettera su Feltrinelli e Pasternak e su due stelle che si incontrano nello spazio come nei versi del poeta Lermontov. Il giorno dopo il nostro unico incontro, sono passato da Peredelkino dove mio padre avrebbe molto amato andare.

Andrej Voznesenskij spedì una raccolta di suoi versi a Boris Pasternak quando aveva solo quattordici anni. Era il 1946. Come nei sogni, il maestro rispose, concedendogli amicizia per il resto della vita. Un giorno pronunciò la parola "Feltrinelli" davanti al giovane allievo e, per ventura, anche Andrej si troverà a fare i conti con quel nome. Gli capita quando Pasternak è morto da solo pochi mesi, e il mondo sembra andar via così spedito che a Mosca si parla di Jack (Kerouac), mentre a Londra va di moda proprio lui, Andrej. "È salito come un razzo nel firmamento stellato della poesia", scrive l'"Observer".

Nelle pagine che seguono si parla di un incontro parigino con mio padre (fine 1961, inizio 1962?) mentre l'adunanza al Cremlino, quella in cui Chruščëv interrompe polemicamente il discorso di Voznesenskij, è del marzo 1963. I fatti sono rievocati da Voznesenskij nel gennaio del '97:

> Un bel giorno chiamarono al mio albergo di Parigi e una voce caramellosa mi comunicò che il signor Feltrinelli era arrivato per incontrarmi. Chiese se avrei accettato.
> Bisogna precisare che per me quello era il primo viaggio all'estero. Ero estasiato per l'accoglienza dei più importanti giornali francesi ("Le Figaro", "France Soir" e "Le Monde") ai miei recital di poesia; avevo letteralmente perso la testa.
> Una limousine nera con le tendine abbassate mi aspettava all'angolo dell'albergo. Sul viso del silenzioso accompagnatore aleggiava un sorriso da serpente. Sembrava la scena di un th-

riller. Non ricordo in che luogo mi avessero portato, forse era una villa di periferia o un appartamento segreto. Siamo rimasti ad aspettare in salotto.

Ed ecco che entra lui, impetuosamente. Alto, fisico da tennista, spalle leggermente incurvate, vestito in abito grigio. Ha negli occhi una luce triste e frenetica. Ma la cosa più importante sono i suoi baffi, piegati in giù, come quelli dei terroristi ucraini. Esiste un tipo di bruco che vive nei boschi e si muove inarcando il dorso: è comunemente chiamato "agrimensore", dicono che porti fortuna. E i baffi "agrimensori" di Feltrinelli mi porteranno fortuna oppure no?

Sentii in Feltrinelli una certa passione avventurosa a me così cara. Forse, proprio per questo, è passata tra noi una corrente di reciproca simpatia. Lui faceva la parte di chi si diverte a incendiare i principi universali, io ero il mito degli stadi moscoviti. Aveva i pantaloni col risvolto, come i miei, mentre l'accompagnatore silenzioso li aveva senza risvolto, come tutti i parigini di allora. Divertito, glielo feci notare. Parlammo brevemente di "Živago" e lui arricciò i baffi per raccontarmi, con meraviglia unita a disgusto, l'episodio in cui quella iena melliflua di Surkov era andato a trovarlo, presentandosi in nome di Pasternak, per chiedere di bloccare la pubblicazione del suo romanzo.

Feltrinelli mi propose un contratto vitalizio per i diritti d'autore a livello mondiale. Io fino a quel momento non avevo mai firmato contratti: le leggi sovietiche vietavano contatti diretti con gli editori. Ora mi si presentava l'occasione! Quasi un ingaggio! Accettai, ma solamente per i diritti in Italia. Mi comportavo come un attore consumato, mandando giù il whisky in un colpo solo. Come anticipo mi offrirono una cifra incredibile. Ora non ricordo, ma per uno come me, che non aveva ricevuto neanche un soldo dagli editori, si trattava di una somma da capogiro. Rimasi impietrito per la sorpresa. Rifiutai. L'accompagnatore silenzioso ammutolì ancora di più per la mia sfrontatezza. "Quanto vuole, allora?" Facendomi forza, sparai una cifra dieci volte più alta. È così, pensavo, che si tratta con gli editori. Feltrinelli sbiancò, precipitandosi fuori dalla stanza. L'accompagnatore mi lancia uno sguardo al di sopra delle lenti, sicuramente pensando qualcosa del tipo "Ma guarda 'sto pazzo di russo!". Mi sono detto: "Andrjuša, sei fritto!".

Tre minuti dopo si spalanca la porta; Feltrinelli entra con un fare pacato ma deciso. Dice: "D'accordo. Come vuole essere pagato? Con assegno, o preferisce un bonifico su un conto in banca?". "No. Tutto subito. In contanti!" Degli assegni a quel tempo non sapevo neppure l'esistenza, mentre un conto in banca per le autorità sovietiche voleva dire, in pratica, essere un agente della Cia. "Va bene, va bene – dissero i baffi agrimensori, tastando l'aria – ma in questo caso dovrà venire in Italia."

Così perpetrai il secondo delitto. I cittadini sovietici non potevano chiedere direttamente il visto ai consolati stranieri. Era possibile solo tramite Mosca, dopo il vaglio di una speciale commissione. Invece sono andato al consolato italiano a Parigi e, tre giorni dopo, eccomi a Roma. Al tassista dico, imitando l'accento americano: "Mi porti al migliore hotel". Il lussuosissimo hotel in piazza di Spagna brulica di americani e ricchi cardinali. Sapevo che avrei dovuto spendere tutto il denaro nell'arco di una sola settimana. Ero certo che, al mio rientro a Mosca, la strada per l'Europa mi sarebbe stata chiusa per sempre. Così comprai pellicce e gioielli per tutti i miei amici. Mi misi a bere fino a morire e, quando lasciai l'albergo, dimenticai nella stanza un disegno di Picasso che mi avevano regalato.

[...]

Nel giro di poco tempo arriverà il castigo, con Chruščëv che agita i pugni furibondo: "Signor Voznesenskij! – urla – fuori da questo paese! Non fa che diffondere calunnie sul nostro sistema; lei qui vuole provocare una rivoluzione ungherese! Se ne vada dai suoi amici all'estero...". La sala delle grandi adunanze, al Cremlino, risuona di schiamazzi: "Vergogna! Vergogna! Fuori dal paese!".

Tutto ciò perché avevo detto che Lermontov, il geniale Pasternak e la Achmadulina appartengono a un'unica discendenza che procede in linea verticale. Il che fece montare su tutte le furie il segretario generale. Proprio lui, poco tempo prima, aveva definito Pasternak un maiale che caga nel suo piatto, e ora questo qui si mette a dire che era un genio! E per giunta in linea verticale! Quel pallone gonfiato di Chruščëv non riusciva ad apprezzare le linee verticali. Feltrinelli era di linea verticale.

Non so se il gran dirigente fosse venuto a conoscenza, dal mio dossier, del rapporto criminoso con Feltrinelli. Nei velenosi articoli che mi riguardavano non se ne parlava, ma secondo me la vera causa delle accuse era proprio questa. "Adesso Selepin le preparerà il passaporto!" grida la potenza atomica. Selepin, il ministro del Kbg, sbotta: "Lei non si è presentato al Cremlino con giacca e cravatta ma con un maglione addosso. Lei è un beatnik!". Nessuno in sala sapeva cosa fosse un "beatnik", ma tutti gridavano in coro: "Beatnik! Fuori da questo paese!...".

Ingenuamente, illudendomi che non mi avrebbero trovato, mi rifugiai in uno dei paesi baltici. Passavo le ore a osservare il cielo disteso nei boschi. A un certo punto, su un ramo secco contro lo sfondo del cielo, vidi muoversi lenta una minuscola figura. Lo riconobbi: era un bruco agrimensore. Andava verso il cielo inarcando il dorso. Lentamente. Poi si nascose dietro l'orizzonte.

Sono sicuro che Giangiacomo è felice di pubblicare *I sotterranei* di Jack Kerouac, ancor più quando sequestrano il libro per il suo supposto contenuto osceno. Barney Rosset giunge dall'America in veste di primo editore dell'opera, e Kerouac invia una lettera al giudice (credo fosse di Varese) ammettendo di non avere alcuna infarinatura in diritto ma di conoscere l'unico fondamento della giurisprudenza: "Il giudice ha sempre ragione!".

E *L'Arialda* del Testori? Stesso anno e stessa sorte: "Grandemente offensivo del comune senso del pudore, per la turpitudine e la trivialità dei fatti considerati". Visconti sta lavorando a *Rocco e i suoi fratelli*, fin troppo liberamente tratto (nel senso di niente diritti) dal *Ponte della Ghisolfa*. Gli capita in mano il testo dell'*Arialda* e, entusiasta, lo fa rappresentare a Paolo Stoppa. Alla prima milanese, la compagnia è addirittura costretta a interrompere la rappresentazione. In sala, fischi, urla, insulti bigotti. L'editore è in piedi, contro la folla inferocita: "Provocatori, smettetela, provocatori!". La Commissione di sorveglianza per i copioni teatrali si mette in moto sotto il sole non ozonato del 1960.

La censura per le opere considerate "oscene" pone al vaglio altri libri Feltrinelli. In particolare, quello di Selby, con le sue storie di "invertiti", e i due *Tropici* di Henry Miller. Con Miller, fin dal '60, i miei genitori hanno diversi incontri in Italia. I *Tropici* sono impubblicabili qui da noi. Ma in casa editrice li vogliono tutti. In vista di un inevitabile processo, l'editore chiede un parere a eminenti psichiatri perché demoliscano il paradigma dell'"osceno", ossia quel non so che di corrotto che secondo il legislatore provoca irrimediabile danno psichico.

Questa volta Giangiacomo non riesce a convincere l'avvocato Tesone, cui regala anche un prezioso libretto, *The Trial of Lady Chatterley*, perché si prepari a un processo di "dimensioni mai raggiunte in Italia". I due litigano aspramente: l'avvocato giudica troppo alto il rischio Tropici e rimette il mandato per qualche tempo. Feltrinelli prosegue per la sua strada. Ma con una variante... *Tropico del cancro* inizia a circolare nel '62, in un'edizione Feltrinelli stampata a Bellinzona e messa a stock nei magazzini della Gondrand di Basilea. In copertina c'è la dicitura "edizione brossurata esclusivamente destinata al mercato estero, l'Editore ne vieta l'esportazione e la vendita in Italia". Serve a evitare il sequestro, ma – ricorda il ragionier Pozzi – "noi facevamo venire il libro da Basilea alla Maison du Livre Italien di Nizza. Poi andavamo a prenderli in automobile, passando la dogana di Ventimiglia con due o trecento copie, mai di più. Lo portavamo in Italia e si vendeva sottobanco, ma non alle librerie Feltrinelli". A quelle pensa il libraio Bertini: "Ritirai i *Tropici* alla Fiera di Francoforte del '62. Feltrinelli me li fece pagare. Volle un assegno. Se vai in galera sono cazzi tuoi, mi disse". Al ritorno, Bertini evita la Svizzera e passa la frontiera al Brennero. Ma in dogana fermano la sua Appia terza serie, forse un po' giù di balestre, troppo bassa con quel carico. "Ero pieno zeppo di *Tropici*, mescolati a cataloghi di editori stranieri. Gli dissi che venivo dalla Fiera del libro, da Francoforte. Mi sentivo morire. 'Quanti libri sul cancro', fece il finanziere. 'Brutta bestia', dissi io."

"Grazie per tutto ciò che state facendo, tanto di cappello a voi italiani per aver lavorato così seriamente, grazie per essere così umano..." scrive Henry Miller al suo editore e anche a Veraldi, Riva, Bianciardi e Praz che si erano impegnati in un puntiglioso lavoro di redazione e traduzione.

Conoscendo le abitudini dell'autore, durante una sua visita a Gargnano l'editore procura un ping-pong per accese partite sotto la grande magnolia. I *Tropici*, in volume unico, verranno ufficialmente pubblicati in Italia solo nel '67. Un giudice (credo fosse di Lodi) avvia un nuovo processo. Ma sono già altri tempi.

La sera del 13 febbraio 1965 Nanni Balestrini, redattore e poeta, s'incammina dalle parti di via del Corso, a Roma, per assistere a una pièce. In un teatrino della zona danno la prima del *Vicario*, con Gian Maria Volonté, tratto dal libro di Rolf Hochhuth. Quando arriva trova cinque jeep, un'autoblinda, due furgoni celere: non lasciano entrare nessuno, lo spettacolo è vietato. Segue parapiglia e il giovane poeta, preso per le ascelle, è trascinato via dai poliziotti. Le sue suole sfregano l'asfalto. È a questo punto che avvista il suo datore di lavoro, lo vede venire tutto elegante, in compagnia di Mary McCarthy. Baffo contro baffo, lo sente gridare in faccia al poliziotto: "Lasciatelo, è un mio collaboratore". La scena è così paradossale che l'ostaggio viene liberato. Lo spettacolo vietato crea scandalo per l'intervento brutale della polizia. Il pubblico è composto da critici italiani, ma anche da osservatori stranieri. Si rende necessaria una nota del ministero degli Interni del governo Moro. Due giorni dopo, lo spettacolo è messo in scena nel magazzino della libreria Feltrinelli di via del Babuino.

Il *Vicario* è un atto d'accusa sui silenzi di Pio XII di fronte alle atrocità naziste e alle responsabilità politiche e morali della chiesa cattolica. Feltrinelli crede molto nel libro: "*Il dottor Živago*, il *Vicario* di Hochhuth e le opere sperimentali dell'avanguardia italiana," scrive sul catalogo storico della casa editrice per il primo decennale, "furono episodi di una stessa battaglia per la libertà di espressione contro qualsiasi potere che ritenga l'analisi, la critica o l'attività creativa di un poeta o di uno scienziato possa rappresentare un'offesa a ideali legittimi, a uomini illustri o tradizioni gloriose, ma tuttavia mai assolute e intoccabili, mai situate fuori dalla critica storica o letteraria".

Per l'anniversario della casa editrice, nell'estate 1965, c'è una grande festa a Gargnano. Grisha Von Rezzori si presenta con Anita Pallenberg, morosa di Keith o di Mick degli Stones.

Santo cielo, il Gruppo 63! Breve riassunto scolastico.

Tutto parte in ottobre a Palermo, ai margini di una rassegna di musica neocolta. È l'era dei convegni che aprono ai dibattiti "interdisciplinari", l'idea è che linguaggi diversi possano coincidere. Perché non fare della settimana palermitana anche un'occasione di incontro sulla nuova letteratura? La proposta era stata buttata lì da Filippini e Riva e il giovane poeta-redattore Nanni Balestrini si è occupato di organizzarla. Il "tutti a Palermo" diventa un appello che scuote l'Italia intellettuale. Nasce l'"avanguardia in vagone letto".

Il concetto di opera aperta non è più una questione di mera poetica, diventa una concezione dell'operare a tutto campo in una società complessa. Ciò esige autori capaci di usare simultaneamente diversi linguaggi specifici. Ecco il Gruppo 63: grande eclettismo e massimo aggiornamento, dove ciò che conta, ancora prima dei risultati, è l'atteggiamento. I discorsi dell'establishment (si diceva così?), simili ormai sia nel conservatorismo di sinistra che nel conservatorismo tout court, avevano rivelato per la prima volta un disagio. È un clima generale che muta, forse era mutato da tempo, ma non aveva trovato il punto di precipitazione finché non ci si è messa di mezzo la letteratura.

Il Gruppo 63 era stato prefigurato nel 1956, con la fondazione del "Verri" di Luciano Anceschi (primo precettore di Giangiacomo Feltrinelli). Intorno alla rivista si era riunito il gruppo dei "Novissimi": non è più possibile scrivere un certo tipo di poesia. Ed è giusto l'insegnamento di Anceschi: fenomenologia più strutturalismo, il secolo è centrato in pieno. Poi, tre anni dopo, Umberto Eco scrive un saggio intitolato *L'opera in movimento e la coscienza dell'epoca* che sarà pubblicato in testa a *Opera aperta* (Bompiani), nel '62: è il principio della "civiltà" degli anni sessanta.

La formula Gruppo 63 è mutuata da un precedente tedesco, il Gruppo 47, di cui la casa editrice Feltrinelli si era già occupata. Il riferimento al gruppo tedesco sta nel richiamo al metodo. Gli autori leggono pubblicamente i loro lavori, confutano la "tradizione", provocano l'innovazione, accettano le conseguenze di una discussione ricusativa, demolitoria, anche autodemolitoria: una novità per le nostre arcadie. Ma con contorno di feste, balli, bagni, risse, mostre, concerti. Non so quanto sembrassero implacabili. Una certa sfrontatezza, semmai, sapranno svilupparla in seguito.

L'idea del gruppo nasce negli uffici di Milano, ma il quartier generale è la libreria romana di via del Babuino. Non si può dire che la Feltrinelli abbia l'esclusiva del Gruppo 63, ma (con Bompiani) ne è il principale riferimento editoriale.

Però, dice Arbasino, "la Feltrinelli aveva il lusso di possedere due anime". È la casa editrice del non capito *Gattopardo*, della collana di Bassani, ma anche dei giovani scrittori che definiscono Bassani e Cassola le "Liala del '63".

Era veramente "becero, soffocante, trionfalmente soddisfatto di sé" il mondo letterario degli anni cinquanta? E i "parrucconi provinciali" della redazione romana della Feltrinelli, in via Arenula, incapaci di rifare annualmente il miracolo del *Gattopardo*, erano davvero tanti "mangiapane a ufo"? D'altro canto: la glaciazione teorica del Gruppo 63 sul serio imponeva pedaggi, oppure oboli funerari, da versare alla scrittura? E quando Feltrinelli caccia Giorgio Bassani, immagina di celebrare in questo modo "uno dei giorni più brutti della letteratura italiana"? Oh, certo, lo fa scassinandogli di notte i cassetti della scrivania, facendogli sigillare l'ufficio. E alza pure la voce quando Bassani si presenta, tardi, il giorno dopo. Ma, per questo, niente inizio degli anni di piombo in letteratura, niente notte di San Bartolomeo. C'è solo la giustificata pretesa che il proprio personale, i propri uffici, i propri archivi, la propria carta da lettere e gli stipendi non servano a dirottare i propri autori – Luigi Meneghello per esempio – verso altri editori. Bassani non ammetterà mai questo punto, se la prenderà solo con il "cosiddetto" Gruppo 63.

Per Feltrinelli i libri dell'avanguardia sono "necessari", rappresentano una delle anime della casa editrice. Ottengono per questo una collana, "I materiali", dal '64 . Nel ricordo del grande anticipatore Edoardo Sanguineti, l'editore "compariva poco", lasciando fare ai suoi autori. E mentre gli smart boys della redazione milanese salutano, in partenza per Punta Raisi, qualcuno giura di aver visto un lampo ironico nei suoi occhi.

Fratelli d'Italia (1963) è l'opera che sigla questo momento della letteratura italiana. Nasce osteggiata dal suo stesso direttore di collana (è Bassani) che non gradisce la caotica commistione dei generi, non vi ritrova il "filtro della memoria" e non ne sopporta il virtuosismo e la frammentarietà. L'editore, in una nota per la stampa, taglia corto con le dispute interne ed esterne: "Non desidero entrare nelle polemiche sul romanzo. Quello di Alberto Arbasino è a mio avviso anzitutto un libro, che alcuni leggeranno come un romanzo, altri come un saggio, altri forse ancora come un pamphlet o un repertorio giornalistico".

Alberto, in un libro successivo (*Paese senza*), descrive diffusamente la sua stagione con Feltrinelli:

Giangiacomo aveva un carattere tipicamente timido e aggressivo, molto puritano e capace di scoppi d'allegria esagerata, però quasi incapace di relax. Bisogni, niente. Desideri, non se ne parla. Aveva alcuni tratti grandi-borghesi precisi: il valutare direttamente e senza perifrasi di cortesia l'economicità delle operazioni, addirittura con un'affettazione manageriale di calcoli di costi e ricavi improvvisati con carta e matita lì al momento, il cambiar tema facendo cortesi domande su argomenti interessanti per l'interlocutore, quando la conversazione arrivava a una impasse; il timore non confessato ma visibile di venir frequentato solo per i suoi soldi, e dunque un certo ritegno e difficoltà nello stabilire rapporti semplici e distesi. Ma il tono manageriale scompariva immediatamente quando si usciva dall'ufficio e si passava al pranzo o al weekend: come se si proponesse di diversificare vistosamente il Privato dal Business.

Non vorrei mostrare delle false ingenuità, ma non capisco perché ogni tanto veniva considerato un eccentrico milanese: certo, in un milieu dove novantanove andavano a Portofino, e tutt'al più a un safari in Kenya, uno che va a Cuba sembra più stravagante che non a Londra, dove su uno che va a Brighton gli altri novantanove vanno a Samarcanda o nel Kashmir. Ma attraverso la continua irrequietezza e i tanti entusiasmi successivi, si sentiva soprattutto una grande vivacità, una inesauribile capacità di esuberanza. Ricordo, per esempio, il progetto lungamente coltivato di una Storia del Gusto nell'Italia del Novecento (che non si fece perché mi passò la voglia), e una euforia per i tovaglioli e i giochi di carta colorata, che riempirono per qualche tempo le librerie Feltrinelli. (Se il cinema italiano non fosse cretino e vago, con tali materiali un piccolo nuovo Orson Welles poteva fare un piccolo nuovo *Citizen Kane*.)
Nel lavoro in comune, la progettazione e messa a punto di libri diversissimi l'uno dall'altro, i colloqui professionali e le trattative a due me li ricordo molto efficienti e competenti. Anche con punte di ironia: mai Rizzoli avrebbe potuto portargli via un autore, sorrideva, perché altrimenti lui avrebbe sfrattato dal pianterreno di via Andegari la squadra del Milan, di cui un Rizzoli era allora presidente, e che teneva a quella sede moltissimo. E se si circondava di collaboratori più sperimentali che professionali, tanto meglio per il futuro: ai miei volumi più avventurosi, mettevamo in copertina un Fra Galgario o un Cy Twombly. [...] Verso il '62, quando fu pronto il manoscritto di Fratelli d'Italia, Giorgio Bassani (che dirigeva la collezione narrativa) era contrario perché il romanzo gli pareva un coacervo disordinato e scandaloso di saggistica e fiction, e temeva inoltre letture basate solo sulla polemica e sul pettegolezzo. Giangiacomo osservò soltanto: l'eventuale biasimo se lo prende il direttore di collana quando scopre e avalla sciocchezze. Ma se la sciocchezza appartiene a un autore già noto, tutto il biasimo ricade su di lui.

Le scorribande dei *Fratelli d'Italia* sono percepite in molti ambienti come una diffamazione mondana su scala nazionale. Ancora Feltrinelli: "Questo libro è un prodotto di questa società, né meglio né peggio di essa: una certa società si è, forse per la prima volta, vista nello specchio. Capisco la sorpresa, mi sorprende l'indignazione che sa di malafede. Ciascuno è quello che vuole essere, e perché vergognarsi di quello che si è e che si vuole essere? [...] Nel romanzo Arbasino descrive luoghi, abitudini, espressioni e avvenimenti comuni a una certa società italiana. Intendo dire quel misto di café society letteraria teatrale, insomma, quel mondo snob degli intellettuali romani e milanesi. Intelligenti, spregiudicati, cinici talvolta. Talvolta presuntuosi e arroganti".

L'ombra del grande cedro del Libano accoglie Arbasino per il lancio di *Fratelli d'Italia*:

> Villadeati, con vino locale e salame e grappa, era un piacevolissimo "alto luogo" di conversazione e relax primaverile e autunnale. [...]
> Lì continuiamo a ricordare, sempre più lontana – siamo quasi tutti morti – una affollata festa settembrina, una grande colazione domenicale e rustica, in una Italia ancora spensierata, con una Milano giovane e civilissima che oggi può sembrare un mixed grill fra l'Urbino di Baldassar Castiglione e il salotto della Contessa Maffei. [...]
> Ma a Villadeati in quella domenica ormai lontana come *Via col vento* la banda del paese suonava monferrine da una loggia, e "c'era tutta Milano", Giangiacomo dava le salsicce e il pollo a Wally che diceva (come Gadda, con sostantivi morali) "che bontà che bontà" seduta sul prato, Giannalisa e Inge vestite di rosso si parlavano in tedesco da una torretta a un balcone, e Pietrino Bianchi guardava estasiato in su esclamando "così, così doveva essere il cinema italiano, così bisognava fare *La notte*"... E poi Pietro Ferraro (morto) si abbassò con l'aereo lanciando volantini augurali per Giangiacomo e Inge che andarono a finire perfino nel piatto di dolci che stavo dividendo con Ernesto Rogers (morto)...

Milano è orgogliosa di essere la capitale tecnocratica del neocapitalismo italiano. In città si aprono duecento gallerie d'arte e gli artisti concettuali sostano alla Torre Velasca con moquette e segretarie trilingue. Le mamme dei miei compagni di asilo parlano di safari natalizio nella loro Morris rossa, le più secche commentano la morte di un vecchiaccio comunista, Giovanni XXIII. Camilla Cederna veglia su tutti noi con attenzione da entomologa sovversiva.

Al secondo piano di via Andegari, sopra la sede del Milan associazione calcio, c'è la "foresteria" per gli ospiti e gli amici della casa editrice.

Bisogna dire del ruolo che ha Inge Feltrinelli, perché qui è lei il personaggio principale. Dice di essersi ispirata ai racconti di Gottfried e Brigitte Fischer sulla loro casa di Berlino, prima della guerra. Se una volta era Thomas Mann, la sera dopo ecco Albert Einstein per il caffè.

Quasi cinquant'anni più tardi, la "foresteria" vuole essere un po' la stessa cosa e il suo libro-firme è una lista fascinosa di uomini diversi e internazionali. Non è propriamente un rito mondano: l'idea è che ciascuno passi lasciando cadere un'idea. Un esempio? Spring-summer tour 1965: Ernesto Sábato, Robert Maxwell, James Baldwin, George Sadoul, John Polanyi (Nobel per la chimica), Gregory Corso, Max Frisch, Ingeborg Bachmann. A un certo punto irrompe anche Gaia Servadio: impossibile non accorgersene.

Gli amici. Vorrei ricordarne uno a me molto caro, Roberto Olivetti. C'entra proprio con quegli anni. Lui, Roberto, è il figlio di Adriano (scomparso nel '60). Con il padre, Feltrinelli aveva avuto rapporti di amicizia. Torna utile un documento del ministero degli Interni che narra di un loro incontro, risalente al 1958.

In occasione di una festa del libro nel Canavese, Giangiacomo Feltrinelli si è recato ad Ivrea ed ha avuto un lungo e proficuo colloquio con l'ing. Adriano Olivetti. I due industriali di sinistra hanno fraternizzato; si son – a quanto essi affermano – ben compresi ed hanno gettato le basi per un lavoro comune. L'incontro è stato in gran parte opera dell'ing. Olivetti, che, a sue spese, ha indetto una festa del libro delle edizioni Feltrinelli ed ha fatto trovare la città tappezzata di manifesti in cui si leggeva a caratteri cubitali il nome di Feltrinelli. Il miliardario milanese è rimasto molto commosso e spera con tutto l'animo di avere la forza di uscire dal Pci [...].

Roberto, agli inizi dei sessanta, si era buttato nell'azienda di famiglia, sinceramente appassionato ai problemi dell'elettronica e alle nuove tecnologie. È l'ultima stagione della "vecchia" Olivetti dell'ingegner Tchou.

Un'amicizia come quella con Roberto, magari implicitamente, porta Giangiacomo a essere meno outsider rispetto ai circuiti, anche mondani, della vita intorno. A casa Agnelli si era già andati, niente di speciale; molto meglio Porto Ercole a piedi nudi sul molo, oppure una sauna invernale con tuffo a Villadeati; e molto meglio l'irruenza di due coetanei belli, ricchi e curiosi di un mondo fatto di poche lontananze. E poi Anna e Inge sono amiche, diventano madri, ci sono io, c'è Desire, si fa vita insieme.

Roberto non ha avuto fortuna all'Olivetti. L'azionariato familiare non gli darà tregua, lui troppo all'avanguardia, intestardito com'è sui microcomputer (non si parla ancora di microcomputer). Abbandonate le cariche più importanti, dopo essersi occupato delle Edizioni di Comunità, sostiene la casa editrice Adelphi e "L'Espresso".

Si rese conto, penso subito, che i tempi delle idee possono essere sfasati rispetto ai tempi delle vite individuali. Per questo l'ho sempre considerato un uomo saggio e ironico. Ha preso molto a cuore la mia formazione, aiutandomi nei momenti difficili (anni settanta e ottanta) e non è mai stato lontano, anche quando saprà di un cancro ai polmoni che non lo avrebbe fatto vivere oltre i cinquantasette.

Ingredienti del "miracolo economico" italiano: prima integrazione nel mercato europeo, centrosinistra, movimento sindacale verso l'unità, nuovo schema di potere democristiano, Pci sempre più assimilato. E, soprattutto, modello di sviluppo basato sull'automobile e progressiva affermazione di una società dei consumi. Verso la metà degli anni sessanta si comincia a parlare di "recessione", di "congiuntura", di fine del "miracolo".

L'imprenditore Feltrinelli assiste a questo passaggio della società italiana con le idee non del tutto chiare. La casa editrice esiste ormai da un decennio e, visto il tipo di iniziativa, assorbe grandi energie e risorse. Successo e prestigio non le mancano, ma la sua dimensione non è paragonabile a quella delle grandi compagnie editoriali. Ci fu un momento in cui Feltrinelli trattò per entrare nel settimanale "L'Espresso", forse per dare un peso diverso al suo gruppo. Alla fine non si misero d'accordo sul prezzo e su chi dovesse detenere la maggioranza.

Ciò che si è detto per la casa editrice vale anche per l'Istituto Feltrinelli. È ormai accreditato in tutto il mondo, ma è il tipo di avventura che è difficile sostenere in solitudine. E non si può contare sulla premura delle istituzioni pubbliche di casa nostra.

Nel 1964 Feltrinelli considera seriamente l'ipotesi di una cessione della Biblioteca. Intanto la mette "sotto ghiaccio", come scrive allo storico Edward Thompson, chiude il servizio al pubblico, riduce il personale e i programmi di ricerca. Ci sarà qualche contatto con il comune di Milano, ma presto diventa evidente che gli unici acquirenti in grado di garantire costi e continuità si trovano all'estero. Dagli Stati Uniti si fanno vivi la Harvard University Library e la Hoover dell'università di Stanford; dalla Repubblica federale tedesca s'informa lo storico Ernst Nolte; da Parigi corrisponde Michel Bernstein; in Gran Bretagna Thompson si adopera, informando anche il suo governo, per garantire una collocazione "europea", meglio ancora se britannica, agli archivi di Milano. Spunta anche il nome dell'onnivoro e già potentissimo editore Robert Maxwell.

Oltre a questi segnali, arrivano numerose proposte d'acquisto per singole collezioni della Biblioteca. Ma l'intenzione non è quella di vendere a pezzi e, comunque, nell'ipotesi di una cessione, si vorrebbe che il frutto di tanto lavoro rimanga dentro i confini italiani.

Circolano voci misteriose sui movimenti in via Andegari. Rossana Rossanda istruisce la pratica e prende informazioni. La sua relazione a Togliatti, datata agosto 1963, è breve e preoccupata. Parla di licenziamenti, a suo dire "politici", di molti collaboratori della casa editrice e dell'Istituto, causa momentanea chiusura. Prospetta la possibilità di provocare agitazioni sindacali. (Per contrasto, l'ultima parte del suo rapporto è tutta incentrata sulla situazione all'Einaudi: qui non ci sono problemi.)

Togliatti, cui Feltrinelli fa riferire da Del Bo, segue da vicino le vicende dell'Istituto. Ne parla allarmato durante il suo ultimo incontro con Piero Sraffa, nel luglio del '64. Sraffa è da tempo in contatto con Del Bo. Anche Nenni, allora vicepresidente del Consiglio, invia una lettera preoccupata, a nome della "cultura socialista". Quando diventano più insistenti le voci di chiusura e di vendita della Biblioteca, Togliatti decide per un intervento in prima persona. Scrive a Raffaele Mattioli, nume della finanza milanese, per altro da sempre in ottimi rapporti con mio padre. La lettera è del 23 luglio 1964 e il suo incipit contiene una vezzosa bugia.

Caro Mattioli,
non ho mai avuto occasione di scrivere una lettera ad un banchiere. Non so, quindi, se riuscirò ad esprimermi in maniera pertinente. Si tratta dell'Istituto Feltrinelli e delle sue sorti,

che ad ogni studioso italiano debbono stare a cuore. La mia opinione, formatasi attraverso contatti abbastanza diretti, è che sia necessario un intervento d'una certa urgenza. Non mi sembra però consigliabile una misura che escluda il Feltrinelli dalla testa dell'Istituto. Questo dovrebbe essere, mi pare, trasformato in "fondazione", mantenendo il nome e anche la persona del fondatore. Ottenuto questo, bisognerebbe però garantire ciò che annualmente è necessario per la gestione. Le cifre credo che le conosca anche Lei. Ora, non Le sembra possibile raccogliere questa somma con l'impegno, almeno per un certo numero di anni, di un gruppo di banche o simili? Questo è il problema che Le pongo, considerando che la soluzione che io affaccio potrebbe essere ben accolta. Ma forse Lei ne conosce più di me! Tenga in un certo conto, se può, la mia opinione. E accolga un saluto sempre cordiale e affettuoso.

Togliatti

Il segretario del Pci, deceduto alcune settimane dopo, non può ricevere la difficile risposta.

Ma, tornando a considerazioni più generali, si può dire che in quel '64 per Feltrinelli giunge il momento di fare delle scelte: rilanciare, cercare nuove alleanze oppure dismettere alcune attività. L'Avana è un buon argomento per continuare come sempre.

Vendere e diffondere libri in Italia non è mai stato facile, colpa della scuola, mancano le biblioteche e da sempre le statistiche dovrebbero far impallidire, se solo ci fosse qualcuno disposto a impallidire. Poi c'è sempre la storia che i libri sono "buoni", che ci rendono migliori, e magari fanno pure bene alla salute, cosa che gli editori lasciano intendere ancor prima di aver provato con il "marketing". In realtà leggere costa fatica, tempo, e quando si esagera rende "orbi, tisici, scoliotici, peptici", direbbe Valerio Riva.

Intorno alla metà degli anni sessanta, si parla però di un piccolo "boom librario italiano". O meglio, è uno di quei momenti in cui nel libro sembra che cambi tutto. La rivoluzione tecnologica, il pocket-book in edicola, i nodi della distribuzione, gli uffici pubblicità: finirà davvero l'editoria familiare? Si passerà davvero "dal consumo della letteratura al consumo di libri"? Il libro sarà un oggetto di consumo come tanti altri? La cosa preoccupa gli operatori più tradizionali.

Come diffondere la lettura nel Belpaese? In una discussione televisiva con Valentino Bompiani e Livio Garzanti, Feltrinelli insiste sul ruolo del tascabile e lamenta la mancanza di tempo per leggere: la sua tesi è che devono diminuire le ore di lavoro settimanali. Sugli stessi argomenti, dal "Corriere", risponde ai colleghi Einaudi e Mondadori. Il primo punta le sue carte sullo sviluppo delle biblioteche comunali, il secondo vede nuovi sbocchi nelle vendite rateali, postali, nella creazione dei "club" del libro e in altre

257

iniziative commerciali fuori dalla consueta rete distributiva. La tesi di Feltrinelli è espressa in una lettera pubblicata il 2 agosto 1964:

Caro Direttore,
da qualche tempo ho cercato di lasciar cadere i pregiudizi e ho voluto vedere se era proprio vero che il peggior modo di vender libri fosse quello di venderli attraverso le librerie.
Lei sa che io sono ancora giovane e un po' impetuoso: mi piace fare da me le esperienze che servono al mio lavoro. Insomma, per saper quale era la verità, mi sono fatto io stesso libraio; sono andato in libreria a vedere come si vendevano i libri, chi li acquistava, chi li pagava e chi (ahimè) li comprava a credito o (peggio ancora) li sfogliava soltanto. Ho cercato di calarmi nei panni del libraio, ma sempre senza dimenticare d'essere un editore. E le dirò che ho fatto delle scoperte abbastanza interessanti: e la prima di tutte è che le critiche che si fanno a questo strumento che è la libreria spesso sono orecchiate, ingiuste, infondate e magari addirittura (involontariamente) diffamatorie.
In Italia in questi ultimi anni si sono fatte molte cose nuove (e alcune novità, mi perdoni, le ho introdotte anch'io). Ho pensato che si dovesse soprattutto rivoluzionare il modo di esposizione dei libri, e la scelta degli "stock". Nella mia libreria di Milano, in via Manzoni, non ho paura di esporre due o tre volte in due o tre punti diversi lo stesso libro, di mettere libri di facciata invece che di costa, di far spuntare sopra ognuno di essi il cartellino del prezzo, o addirittura di presentarli dentro i cestini di ferro che i fruttivendoli adoperano per presentare ai loro clienti la verdura e la frutta.
Ma certo non ci sono solo le librerie Feltrinelli. [...] A Milano soltanto abbiamo 250 librerie: non si può certo parlare di una rete insufficiente.
Anche il personale è andato notevolmente migliorando negli ultimi anni. Non ci sono ancora le scuole per librai, che esistono per esempio in Germania o in Olanda, ma esistono già librai giovani che non si accontentano soltanto di sapere a memoria i cataloghi delle case editrici. Certo che, se avessimo una scuola moderna per librai, molti nostri problemi sarebbero risolti: e io mi domando cosa costi di più, se giganteschi apparati di pubblicità e complesse amministrazioni di clienti e pesanti organizzazioni di "public relations", o una bella scuola da cui ogni anno potessero uscire cinquanta librai nuovi con idee nuove e un'esperienza moderna.

Nel giugno del '66, a trent'anni dal rugginoso mondo di www.amazon.com, un giornalista della "Nazione" chiede a Feltrinelli come sarà la libreria del futuro. Annota confusamente sul suo taccuino cose di cui non ha mai sentito parlare: librerie come juke-box, senza libri, soltanto tasti e bottoni. Uno entra, sceglie il titolo, pigia un pulsante. Una telescrivente collegata alla più vicina tipografia trasmette l'ordine. L'ordine passa al deposito, arriva al nastro perforato che contiene il testo del libro scelto. Un'enorme macchina offset, in un battibaleno, stampa e fa arrivare in libreria il volume richiesto, nel carattere tipografico, nella lingua e nella rilegatura prescelti. "O magari nell'edizione popolare, con le pagine legate dall'alto invece che di fianco, e destinata a essere gettata via a lettura avvenuta."

Per il giornalista, incredulo, si rende necessaria una tavola rotonda.

Le librerie Feltrinelli vivono la loro principale evoluzione nella prima parte degli anni sessanta, quando sarà definita meglio la formula che permette il grande sviluppo di una catena libraria. I primi esperimenti, promossi fin dal '57, erano serviti da prova generale per ottenere informazioni sull'andamento delle vendite e sul mercato. Rispetto alle tradizionali librerie familiari, quelle con il bancone tra cliente e commesso in spolverino scuro, le Feltrinelli sono già una realtà innovativa: niente testi scolastici, massiccia presenza di tascabili, i cataloghi dei migliori editori esposti di piatto e non di costa e molte altre invenzioni.

Intorno al 1960, Feltrinelli realizza l'idea di un chiosco selfservice fatto progettare in Germania. Se ne piazzano diversi a Milano e in località balneari ma, privi di licenza per vendere i giornali, falliscono in breve tempo. L'iniziativa suggerisce però molti spunti per utilizzare ogni centimetro buono di scaffale quando, tra il '63 e il '65, nascono le librerie di "seconda" generazione.

Modificati i vertici della Feltrinelli Libra, si cercano locali più ampi, in vie centrali e frequentate. Il futuro sindaco di Bologna, lo storico Renato Zangheri (collaboratore dell'Istituto Feltrinelli), accompagna Giangiacomo nelle strade della sua città per calcolare i flussi dello struscio commerciale. Prende forma il nucleo storico delle librerie più importanti: a Bologna sotto le due torri, a Milano in via Manzoni, a Roma in via del Babuino, a Firenze in via Cavour (con benedizione del sindaco La Pira). Ogni libreria vive una propria storia legata anche alla personalità del libraio scelto per dirigerla.

La parola d'ordine è portare a tutti i costi la gente a comprare i libri. Romano Montroni da Bologna rammenta il suo primo impatto con questa filosofia.

Ricordo un episodio capitatomi una ventina di giorni dopo che ero diventato direttore della libreria. Feltrinelli era incazzato perché le vendite non aumentavano, anzi. C'erano delle giornate assolutamente nere, non entrava nessuno, non si vendeva nulla. Dovevamo stare anche d'inverno con le porte spalancate, con i banchini dei tascabili sui marciapiedi. Feltrinelli ci aveva comprato dei maglioni rossi apposta. Ma erano venti giorni che avevo in mano la faccenda e ancora non sapevo mica cosa inventare. La nostra libreria era nuova, certo, e anche molto bella, ma la gente non aveva motivo di abbandonare le vecchie librerie per venire alla Feltrinelli. La gente passava dritto. Allora lui venne a Bologna e disse: "Facciamo una svendita". Io ero stupito. Una svendita? Con che cosa dovevamo farla? Allora lui disse, sempre incazzato: "Con tutto!". "Ma sono libri nuovi", dissi. Allora Feltrinelli prese una pila di libri e cominciò ad ammaccarne gli angoli. "Ora non lo sono più", mi risponde. "Ma non è necessario rovinarli tutti. Svendi tutto. Fai subito dei cartelli con la scritta 30% di sconto." Fece fare una manchette sul giornale. Noi non avevamo mai fatto sconti, anzi, eravamo contrari alla politica degli sconti generalizzati praticata da quasi tutte le librerie. Fu un casino, quella svendita fu il primo choc. La città si rese conto che c'era una nuova libreria...

Ma la svendita è solo un episodio. Sono altri i metodi, meno convenzionali, per attrarre il pubblico. A Firenze si offrono caldarroste, a Milano capita Joan Baez a piedi nudi, a Bologna si organizzano i primi grandi incontri con gli autori, e a Roma... "A Roma sembrava che tutta la vita culturale circolasse nel triangolo tra la trattoria di Cesaretto, la galleria di Plinio e la libreria del Babuino", ricorda il libraio Carlo Conticelli.

Ma i marziani versione ye-ye non erano ancora sbarcati in piazza San Pietro. Ancora da Roma, la libraia Franca Fortini:

Una libreria con il flipper. Lo aveva fatto mettere Feltrinelli naturalmente, e quando arrivava, per prima cosa si metteva a giocare con quegli aggeggi, non so se per divertimento o per scaricarsi. Portarono il flipper nella sala dietro, ma nemmeno il distributore voleva credere ai suoi occhi. I flipper andavano tutt'al più in qualche bar frequentato da giovanissimi, in quei tempi lì, siamo nel sessantacinque. L'avevamo visto d'estate al mare, in certi posti di mezza campagna... E accanto al flipper il baraccone della Coca-Cola, il tiro a segno con le freccette, tanti manifesti alle pareti e anche un juke-box fece mettere, bellissimo, tipo saloon del Far-West, pieno di cromature e con dei dischi di musica rock, dei Beatles che cominciavano a furoreggiare e con dei dischi delle canzoni di Sanremo. Cosa c'era? Johnny Dorelli. Era un ragazzino ma aveva vinto lui. E Modugno. Nel blu dipinto di blu... "penso che un sogno così non torni mai più"... E la Mina, Celentano e Buscaglione. Venivano i ragazzi delle scuole, del ginnasio e si mettevano a ballare, fu la prima discoteca di Roma la libreria Feltrinelli. Era uno scandalo, questi ragazzetti di quattordici, quindici anni che si mettevano a ballare in libreria al suono del juke-box. Non era una cosa di tutti i giorni ma insomma, ogni tanto capitava e ci si divertiva anche un sacco di gente seria.

Ci deve essere stato anche un rovinoso viaggio di Giangiacomo a Londra; era ritornato con gadget, badge e ogni cosa all'ultimo grido: Marilyn sembiante Mao Zedong, cinture d'argento a forma di serpente, cravatte, minigonne verde prato, cappelli finto pelo di leopardo. Tutto ciò sarebbe finito in grandi cesti di vimini, come nei mercati, alle casse delle librerie. Aveva fatto produrre un disco orario per le soste in automobile con la scritta "fate l'amore e non la guerra", e relativo simbolo. E la famosa bomboletta spray "Dipingi di Giallo il Tuo Poliziotto"? Quando a Roma la polizia viene per il sequestro, se la prende con Conticelli, il direttore. "Ci vorrebbe dipingere di giallo?" gli dicono. E lui: "Per carità! È solo uno scherzo. Magari il padrone, oppure mia moglie possono essere il mio poliziotto". Segue denuncia, con relativo rapporto agli Interni.

Giangiacomo cerca memorabilia non solo in Carnaby Street. Anche a Brera. C'è la boutique con una giovanissima ragazza bionda che vende vestiario pop e chincaglierie liberty. Fa subito colpo su di lui: la invita a cena fuori porta.

Quattro brevi racconti contengono la cifra 1966. Non che siano importanti, non celebrano alcun significato: se chiudo gli occhi non mi viene in mente nulla a proposito del sessantasei (forse dovrei sapere che tra i miei genitori non va più così bene, ma non ricordo). Sono quattro episodi arenatisi per caso, senza legame, ma contengono tutti la cifra 1966. Che l'aneddotica stantuffi senza pretese!

Nel gennaio del 1966 mio padre è a New York. Non so a far cosa, ma so che in città c'è anche Luigi Barzini. I due s'incrociano per strada, l'uno cambia marciapiede, l'altro finge di non vedere. Anche Benedetta, la secondogenita di Barzini, è in città per motivi suoi.

Molto bella, molto anoressica, Benedetta aveva smesso di nutrirsi convenzionalmente a quindici anni tentando l'unica via di fuga a portata di mano. Nel '58 era stata condotta in una clinica di Zurigo, e poi a Ginevra e anche a Parigi. Quando sarà in grado di rinunciare alla fleboclisi, Giangiacomo la prende con sé in via Andegari. Le dice "adesso mi occupo io di te", ma per quanto voglia proteggerla non riesce a occuparsene sul serio. "Sarebbe stato troppo doloroso: la mia malattia era il segnale visibile di un malessere che lui aveva conosciuto", dice oggi Benedetta. Morale: la ragazza trova ugualmente la sua strada. Nel '63, una casuale foto per "Vogue Italia" le apre una porta per gli Stati Uniti, alla corte di Irving Penn con cui lavora per un paio d'anni. Benedetta è l'unica a tenere il passo con le modelle di colore, lei mediterranea e quindi "esotica". Il resto è Twiggy e biondine slavate.

In quel gennaio del '66 ha ventitré anni. La sera in cui incontra il fratello a New York decidono che è tempo di fare festa. Benedetta propone di fargli conoscere Andy Warhol. "Ero orgogliosissima: per la prima volta lo portavo in un posto che era un mio posto." Andy è lì, nel suo studio, chiacchierano e Giangiacomo è messo davanti a una telecamera per dieci minuti di sequenza filmata. Ho trovato alcuni fotogrammi della session in un libro di Warhol e Gerard Malanga. È la volta che l'editore del *Dottor Živago* finisce accanto a Lou Reed, Nico e Sally Kirkland.

A proposito di Lou Reed. Di mio padre a Milano, in ufficio e nella nostra casa, mi manca un ricordo nitido. Certo, non posso dimenticare quando accorse dal dentista per un mio problema di anestesia, o quando si agghindò da Santa Claus per me e i miei compagni di scuola, o l'espressione che fece per una mia incursione in ufficio. Una volta lo accompagnai al consolato di un paese africano, ma non ho molte immagini casalinghe. Solo extracasalinghe. E, a proposito di via Andegari, devo far leva sul paesaggio sonoro per tentare una digressione acusmatica se non psichedelica.

Nasco da genitori con poco orecchio per la musica. Ma se per la madre il ballo è l'occasione preferita, per il padre c'è sempre il fatto della canzone popolare, la Resistenza, i curdi, i guatemaltechi, i messicani... Così, non lontano dal camino, al quarto piano di via Andegari, un giradischi di ottima marca tedesca, squadrato ed essenzialmente elegante, fa la sua bella figura. E ci sono le coste sottili dei dischi allineati: un po' di classica, molta moderna. Intendo dire, i dischi del Sole, curdi, guatemaltechi e messicani e, certo, le antologie della Folkway Records, della Columbia Library, Cisco, Leadbelly, Big Bill Broonzy... Ma anche *After Math*, Françoise Hardy, *Sgt. Pepper's*, Coltrane, Jannacci, i Rockets, Lotte Lenya canta Brecht, *Bringing It All Back Home*, Mina. Popular music, insomma, per tutti i gusti e di tutti i generi. Ho stabilito con precisione che, insieme agli

263

inni degli spartachisti, era *Sgt. Pepper* il disco favorito di mio padre, quello con il collage delle facce in copertina.

A me, invece, incuriosisce la copertina di *Bringing It All Back Home*. La scopro quando sono già fuori dalla storia del bambino. E non voglio parlare delle canzoni, per la prima volta "elettriche", ma proprio della copertina. Intanto, la copia scovata nello scaffale porta una dedica misteriosa, con l'inchiostro blu in alto a destra: "Für Giangiacomo, von Manuela". E anche una data: "16.3.66". Quanto alla foto al centro dell'album, è meglio dire come la descrive Robert Shelton: "La fotografia è di Daniel Kramer, scattata attraverso un obiettivo ad effetto: un vero saggio di simboli. Dylan accarezza il suo gatto Rolling Stone. Dietro di lui si vedono gli album di Von Schmidt, Lotte Lenya, Robert Johnson. C'è poi l'indicazione di un rifugio atomico, una copia del Time, un ritratto dell'Ottocento. A sinistra sul caminetto si vede *The Clown*, un collage in vetro che Bob aveva fatto per Bernard Paturel, utilizzando pezzetti di vetro colorato che Bernard stava buttando via".

Con ogni probabilità, il "saggio di simboli" è una creazione del tutto involontaria, così come è frutto di pura suggestione pensare ciò che pensai, e continuo a pensare, della fotografia di *Bringing It All Back Home*: quella foto l'hanno scattata in casa nostra, proprio nella stanza in cui ci si siede per parlare, vicino al giradischi, riconosco tutto! Quando Manuela (?) regala il disco a mio padre, il 16 marzo 1966, lui forse lo ascolta (un regalo di Manuela si ascolta almeno una volta) e intorno non manca nulla: ci sono camino, Time, sofà, rifugio atomico, disco, ritratto, Ottocento (ma anche Quattrocento), collage, pezzi di vetro, "elettricità"... Ancora oggi si può fare il confronto: sono passati trent'anni e il camino è ancora al suo posto, abbastanza uguale, qualche libro in più e qualche simbolo in meno.

In quella stanza, da bambino, trovo una comunità che non faccio in tempo a giudicare strana perché già ci sono abituato. A molte facce e voci ho associato successivamente, e con una certa lentezza, elementi per una biografia. Come per quel tale che telefonava dall'aeroporto dicendo di chiamarsi Henry Kissinger. Era Henry Kissinger, brillante professore a Harvard.

Ma, tornando al paesaggio sonoro, c'è una canzone che s'incastra perfettamente e mette in moto tutto il film. In effetti è la colonna sonora di un film, proprio del 1966. Di *Un homme et une femme* ho visto solo spezzoni in tv, il regista è Lelouch, recitano Jean-Louis Trintignant e Anouk Aimée. E non conosco nemmeno il titolo della canzone, direi che è una specie di samba alla francese, suadente, femminile, sexy. Ogni tanto passa ancora in radio ed è come ritrovare il mio sacco arancione imbottito di polistirolo. Mi ci sdraiavo sopra a guatare il branco di adulti alle mangiatoie.

Nel 1966, al liceo classico G. Parini di Milano c'è un clima eccitato. È per la "La Zanzara", il giornalino su cui appare l'inchiesta sfuggita all'occhio del preside. Scolare e scolari di un liceo blasonato s'interrogano sull'uso della famosa pillola, niente di morboso. Ma è sufficiente perché tre studenti maggiorenni finiscano sotto processo. Il caso diventa nazionale: arringhe di pubblici ministeri, fiumi d'inchiostro di seppia, polemiche a tutto spiano... Un bottone d'epoca a chi indovina quale libreria milanese fece da cassa di risonanza all'evento e quale casa editrice ne ha pubblicato la cronistoria. "Signor Feltrinelli, una domanda nel suo caso attualissima, perché partecipa ai movimenti dei giovani in Italia?" "Mi ponga una domanda più precisa, è dalle otto di mattina che discuto e ho bisogno di riscaldarmi."

A Firenze le liceali devono indossare un grembiule nero per essere ammesse a scuola. Durante una pubblica assemblea sul caso "Zanzara", dopo discorsi di avvocati e professori, prendono la parola due simpatici ragazzi. Si presentano: "Siamo studenti del Parini". La loro presenza provoca imbarazzo nei pochi o nei tanti non ancora accortisi delle novità. Eppure, non distante, i ragazzi di Don Milani già lottano pubblicamente contro l'apologia di reato per chi difende il diritto di fare altro che il servizio militare; a Roma la fine di Paolo Rossi (universitario socialista, omicidio neofascista) diventa problema di governo; la facoltà di scienze sociali a Trento è in agitazione... È sempre più difficile non accorgersi.

Il municipio di Firenze, in prossimità dell'estate, inaugura una manifestazione cittadina intitolata "Settimana britannica". Anche questo è 1966. Per l'occasione, alla libreria di via Cavour decidono di organizzare una mostra di libri Penguin, le ceste sono piene di gadget londinesi importati da Feltrinelli, il direttore Bertini riesce a ingaggiare Mal e i suoi Primitives, un gruppo inglese regolarmente in scena al Piper di Roma. L'idea è di farli esibire in libreria tutti i pomeriggi, dalle sei alle sei e mezzo, giusto per richiamare un po' di gente. Ma dalla prima sera l'accoglienza è tale che Mal è costretto a qualche bis. L'indomani aumenta l'amperaggio degli amplificatori e le cose si complicano. Il baccano dell'orchestrina arriva fino al Duomo, il traffico è bloccato da centinaia di ragazzi sul marciapiede della libreria.

L'ultimo giorno della "Settimana britannica" si decide per un happening a oltranza, sempre tra libri e scaffali. Capitano a sorpresa Patty Pravo e anche Inge e Giangiacomo. La festa si protrae fino alle quattro di mattina. "Fu un trionfo", Valerio Bertini ricorda che in una settimana vendettero quasi tutto, libri e non libri. Quel che resta in magazzino sarà inghiottito da un'acqua schiumeggiante: il 4 novembre, a Firenze, è il momento della storica alluvione.

Il giorno in cui l'Arno tracima e Ponte Vecchio rischia di crollare, ne va di mezzo anche la libreria: in fondo al negozio, due metri e venti di massa nerastra e puzzolente rovinano tutto. I pochi libri sopravvissuti si gonfiano negli scaffali. Ci vuole il piccone. Chiama il ragionier Pozzi da Milano: "Come vanno le vendite?". Bertini bestemmia.

Il 6 novembre per le strade ci sono solo ambulanze, gipponi militari e il presidente della Repubblica in carro armato. I ragazzi della libreria cercano di liberarsi dal fango. A sorpresa piomba in via Cavour l'editore in persona. È a piedi, equipaggiato da montagna e con un grosso zaino rigonfio in spalla, come se venisse di là dal fronte dopo aver attraversato le linee nemiche. Come ha fatto a passare? È venuto in treno? Macché! Non dice come, ma è riuscito a infiltrarsi tra le maglie e i divieti, arrivando con la Ds tutta sollevata fino a via Sangallo, a meno di cento metri dalla libreria. La Ds e lo zaino sono colmi di ogni ben di dio: michette al prosciutto, latte, antibiotici, lampade a gas, cera per lucidare gli scaffali, disinfettanti vari, pasta e riso, stracci. Si affaccia in cima alle cantine piene di melma per chiedere un primo inventario dei danni. Prima di ripartire ringrazia tutti, uno a uno. "Servo l'Unione Sovietica!" urla Bertini salutandolo. I ragazzi ridono, anche quelli che non sono stati Pionieri.

Nel dicembre 1966 si svolge a Milano un raduno internazionale, con la partecipazione di diversi gruppi libertari. Feltrinelli ci va per alcune sere e ospita un paio di Provos olandesi. Nello stesso mese, appare in città il numero zero della rivista "Mondo beat", ciclostilata con mezzi di fortuna in una sezione anarchica.

Una piccola banda giovanile, più vicina al beatnik americano di quanto lo fossero le versioni commerciali del beat musicale, innalza una piccola tendopoli. Vogliono vivere in "comune" sulle rive del Vettabbia, in fondo a via Ripamonti. Tempo sei mesi e lo "squallido bivacco" di "New Barbonia" sarà sciolto dai lanciafiamme della polizia, nel mezzo di una campagna stampa paranoica e granguignolesca. Fanno appena in tempo a stampare un numero di "Mondo beat". In prima pagina: "Lo sciopero dei consumi da parte dei Beatnik è uno sciopero totale contro il sistema capitalistico!". L'autore dell'articolo, tale Gigi Effe, dà una mano alla rivista dopo il "repulisti" poliziesco. È l'unico ad avere nel cassetto le copie nuove fiammanti di "Oracle" e "Berkeley Barb". Con le vendite dell'ultimo numero, alcuni ragazzi di "Mondo beat" lasciano il Vettabbia con destinazione Essaouira.

Giuseppe Zigaina è un ottimo e riconosciuto pittore. Guardando i suoi quadri si capisce perché non se ne sia mai andato dal Friuli. Paesaggi carsici, lunari, lagunari, a volte con ceppaia, a volte con girasole, continuano a essere la sua ossessione. La casa, sulla rotta che da Cervignano porta ad Aquileia, è sempre la stessa: interni con molto legno, odore di pasta colorata nelle stanze, il pratone incurvato nella corte. Secondo Giorgio Bocca, su quel prato Feltrinelli si esercitava a lanciare bombe a mano. Non è il genere di cose che si fanno qui; semmai ci si rilassa, si va per mosaici, a Zompitta per la griglia o a Sistiana per il pesce.

Zigaina ha scelto una specie di esilio pur di non mollare le sue radici. Ha dalla sua le suggestioni di una terra epica, di guerra e di confine. Qualche volta sono stato con lui ben oltre le ciminiere di Umago, con l'*Edipo Re*, un ex peschereccio acquistato nel 1969. Prima di allora, Zigaina aveva l'*Istanbul*, una scialuppa su cui rischiò di affogare con Maria Callas quando recitava *Medea* in laguna.

Zigaina era grande amico di Pasolini, dai tempi di Casarsa, appena finita la guerra. Era anche grande amico di Giangiacomo, più o meno dallo stesso periodo. Con lui aveva condiviso i momenti e le discussioni delle prime mostre milanesi, le conversazioni con Vidali, la costruzione della casa del popolo di Cervignano, il fallito tentativo di una libreria Feltrinelli a Trieste, e molto altro ancora.

Un giorno Peppino parla di Pasolini a Giangiacomo: potrebbe essere lui a curare la nuova collana di poesia. Senonché c'è chi preme per un altro carro – romano – e l'editore non decide o cambia idea, la collana non parte. Pasolini, forse già interpellato, saprà del suo ballottaggio proprio dai giri romani. È l'unico antefatto, di nessun auspicio, al suo unico incontro con Feltrinelli. Capita nei primi anni sessanta, d'estate, a Cervignano. Naturalmente a casa di Peppino. Molto teso l'anfitrione, aria gelida fra i due ospiti. Serve un po' di bianco per favore! Zigaina: "Pasolini era nella sua versione scorbutica, la sua timidezza fece il resto. Di Giangiacomo sono sicuro, matematicamente sicuro, che non avesse dentro di sé gran simpatia per Pierpaolo, non la posso chiamare diffidenza, ma una certa freddezza sì...". Fatto sta che il vino fa qualcosa, il clima si rilassa, la chiacchiera prende piede. A un certo punto Feltrinelli parte con il sogno della notte prima, che ricorda nitidamente. Racconta di essersi trovato tra le fauci di una grande tigre, una storia del genere. Pasolini immediatamente chiosa l'aneddoto con una battuta: "Questo è complesso di castrazione!". Nei ricordi di Zigaina la serata finisce qui. Giangiacomo se la prende a morte e i due non si parleranno più. "Incomprensibilmente, la stessa storia si ripete la volta che portai Pasolini a Gorizia per incontrare Basaglia, in comunità terapeutica. Anche qui Pasolini se ne esce subito con la battuta del complesso di castrazione, colpa di un tic che Basaglia aveva all'occhio. Il discorso si chiuse subito e con una scusa fummo congedati. È perché era timido, capisci?"

Non ricordo più su quale imbarcazione uscimmo in laguna con mio padre e Peppino, se *Edipo Re* o *Istanbul*. Sarà stato un anno o qualche mese prima dell'inverno 1969. Per me era la prima volta all'isola dell'Anfora. Molto divertente sfiorare le onde sospeso da bordo con una cintura; una giornata riuscitissima. Mio padre mi presentò la ragazza della boutique di Brera come la sua fidanzata, ma non si fecero altri commenti. Tornammo al tramonto, grida di animali notturni. In laguna, dice Peppino, si parla poco.

A partire da un certo momento, alla Feltrinelli si vive un clima di "rivoluzione permanente": "le opposizioni dei giovani sono le nostre opposizioni", e i giovani sono sempre più all'opposizione. In redazione si parla di "resistenza passiva", abolizione del motore a scoppio, fame nel mondo, struttura della famiglia italiana, nevrosi libidiche (reagire a una cattività immanente superando la Regola, come le scimmie sessualmente sregolate di uno zoo), Libri Bianchi e America Latina.

I ragionamenti dell'editore virano via via verso l'apocalittico. Da vero radicale non sa cosa sia la gestione del ritardo nella critica sociale: il mondo capitalista è sull'"orlo del vulcano", la rivoluzione cova sotto le ceneri.

Del nuovo clima si avvedono gli autori. Sempre Arbasino, da *Paese senza*: "Nel '68, stavo lavorando a due libri anche troppo letterari (*Super-Eliogabalo* e *Sessanta posizioni*) rispetto all'immagine ormai molto politicizzata e ideologizzata della casa; e glielo dissi, che forse non mi sembrava il caso, forse gli imbarazzavano quell'immagine di pamphlets. E invece li volle, malgrado tutto: ci fu anzi un grande abbraccio commosso, seguito addirittura (tanto eravamo imbarazzati tutt'e due) da bacio".

Lascia la redazione Mario Spagnol, passa a Mondadori; Valerio Riva si separa consensualmente nell'estate del '68; e quando Filippini annuncia che se ne va, Feltrinelli gli punta contro una pistola. Finisce in sbornia d'addio al bar del Continental. Le redini editoriali toccano ora a Giampiero Brega, tornato alla base dopo una parentesi esterna. È un versatile, alla francese (raro qui da noi), coltissimo. Ha radici nel Pci ma lo attirano le tesi più avanzate del marxismo contemporaneo. Però frena l'irruenza politica di Giangiacomo, la raffina, mantiene ampio il tipo di proposta, sorveglia le diverse anime della casa. Tra il 1967 e il 1969 Feltrinelli pubblica Castro (*Orazione funebre per Ernesto Che Guevara*), il libretto del presidente Mao, le strategie di Giap, i discorsi di Ho Chi Minh, gli studenti di Dutschke, Althusser che legge il *Capitale*. Fanno compagnia a Lévi-Strauss (*Le strutture elementari della parentela*), alla linguistica di Jakobson, ai testi poetici di Schönberg, al teatro di Peter Brook, al *Dürer* di Panofsky, a Harry Stack Sullivan e Eugen Bleuler. Spiccano anche il ricettario di Nino Bergese cuoco genovese e un manuale di autori vari sull'Lsd. In letteratura si va dal nuovo Tom Wolfe a Don Backy (clan Celentano), dal miglior Baldwin ai Gialli Feltrinelli K350. Ma il vero fenomeno sono i sudamericani: Asturias (neo-premio Nobel), Sábato, Vargas Llosa, Fuentes, *Cent'anni di solitudine*. Per Márquez, la traduzione di Enrico Cicogna è la prima al mondo (1968). Il romanzo non è nemmeno troppo di "sinistra", ma stilla "realismo magico", etica del miracolo. Se la nostra cultura è estenuata dalle proprie negazioni, qui c'è un mondo di perfetta felicità laica. Le tirature si sprecano, i giornali battezzano l'innamoramento collettivo: è "libro di culto". Una delle tante ristampe apparirà con fascetta e frase dell'editore: "Uno dei più bei libri che abbia mai letto".

Nel 1967-68 la situazione è ancora sotto controllo, la stagione non sembra affatto finita. Anzi, Feltrinelli è più spesso in viaggio che a Milano, ma torna sempre con le idee chiare. Fare libri continua a piacergli. Prova a spiegarsi in un articolo per "King":

> Dunque mi devo definire: devo definire me stesso in quanto editore; o perlomeno devo presentarmi, mostrarmi, spiegarmi in rapporto col mestiere che per il novanta per cento del mio tempo faccio da quasi quindici anni. Potrei cominciare dal mestiere: per semplificare le cose, togliendo di mezzo la mia persona; oppure potrei cominciare dalla mia persona, ma in questo caso, purtroppo, non riuscirei a togliere di mezzo il mestiere... Dunque, comincio dal mestiere. Ma non voglio definire l'editore, anzi L'Editore: a mio modo di vedere

si tratta di una funzione indefinibile, o meglio definibile in mille modi. Basterebbe, a questo proposito, elencare tutti coloro che, facendo l'editore, hanno costruito una fortuna, ed elencare, d'altra parte, tutti coloro che (sempre facendo l'editore) una fortuna hanno distrutto. Nell'editoria contemporanea sono numerosi i primi quanto i secondi: penso per esempio a Ernst Rowohlt o a Gaston Gallimard da una parte e a Kurt Wolff dall'altra. Ernst Rowohlt e Gaston Gallimard hanno costruito fortune, nella forma di case editrici, che sono insieme fortune economiche e fortune culturali; Kurt Wolff, l'uomo che ha "scoperto" quasi tutta la letteratura contemporanea di lingua tedesca prima ancora della Grande guerra del '14-18, ha affossato economicamente numerose case editrici, ma sempre avendo culturalmente ragione: luminosamente ragione.

Ed ecco che il termine "fortuna" acquista già un significato non più soltanto economico, ma più sottile, sottile e ambiguo, un significato, non molto metaforicamente, "politico". Lasciamo perdere, dunque, l'editoria fortunata a livello business: i mastodonti che possiedono mezzo milione di titoli, cinquanta staff redazionali, una dozzina di rivistacce per le "serve" intellettuali, o per gli intellettuali serva, le tipografie con le supermacchine degli "aiuti" americani, gli apparati di intimidazione e gli "uffici acquisto premi letterari". È inutile spiegarne il funzionamento perché oggi sarebbe ben difficile crearne uno; creare il super-robot del libro, e soprattutto perché la creazione di un simile mostro è lontanissima dalle mie intenzioni. Sarà un difetto, sarà un vizio: ma anche se auspico la fortuna economica della mia casa editrice, non posso fare a meno di ricordare che essa è nata soprattutto da un miraggio, no: da un'intenzione, addirittura da un bisogno e da un desiderio che esito a definire culturali soltanto perché la parola cultura, Cultura, Culture mi appare gigantesca, enorme, degna di non essere scomodata di continuo.

Diciamo allora che: anche se auspico la fortuna economica della mia casa editrice, ho in mente, penso, perseguo una "Fortuna" nel secondo senso. E questa è una cosa molto difficile da spiegare; a farla breve: io cerco di fare un'editoria che magari ha torto lì per lì, nella contingenza del momento storico, ma che, quasi per scommessa, io ritengo abbia ragione nel senso della storia.

Gli scritti di Guevara sono necessari. Cerco di spiegarmi meglio: nell'universo frastornato di libri, di comunicazioni, di valori che spesso sono pseudovalori, di informazioni (vere e false), di sciocchezze, di lampi di genio, di forsennatezze, di opache placidità, io mi rifiuto di far parte della schiera dei

tappezzieri del mondo, degli imballatori, dei verniciatori, dei produttori di "mero superfluo". Poiché la micidiale proliferazione della carta stampata rischia di togliere alla funzione di editore qualsiasi senso e destinazione, io ritengo che l'unico modo per ripristinare questa funzione sia una cosa che, contro la moda, non esito a chiamare "moralità": esistono libri necessari, esistono pubblicazioni necessarie. Per quanto ciò possa apparire paradossale, io, come editore, sottoscrivo pienamente quella che Fidel Castro ha chiamato l'"abolizione della proprietà intellettuale", cioè l'abolizione del copyright: questa misura serve a far sì che a Cuba possano essere disponibili i libri necessari, necessari ai cubani. Ma anche in una situazione di "proprietà intellettuale privata", esistono libri necessari. Disgraziatamente sono qui inibito da uno scrupolo: non vorrei fare pubblicità ai miei libri; d'altra parte, sono costretto a citare. E così cito: nell'universo delle scritture occidentali esiste un genere, una cosa letteraria, che si chiama romanzo. Molti dicono che è morto, molti dicono che è vivo: lo scrivono, lo leggono, lo comprano... Io faccio l'ipotesi che non sia né tutto morto né tutto vivo, ma che certi romanzi siano morti e altri vivi: quelli vivi sono necessari. I romanzi vivi sono quelli che colgono i cambiamenti nei livelli intellettuali, estetici, morali del mondo, le nuove sensibilità, le nuove problematiche, o che propongono un modello di questi nuovi livelli, o che stravolgono la superstizione della perenne identità della natura umana, o che propongono nuovi paradossi – già ora, già qui, in questa specie di purgatorio della storia. Per questo ho pubblicato (cito a caso) Pasternak e Velso Mucci, Parise e Gombrowicz, Lombardi e Fuentes, Vargas Llosa e Sanguineti, Balestrini e Selby, Porta e Henry Miller... persino l'eterogeneità degli accostati mi pare vitale e divertente. Per questo pubblico i giovani scrittori dell'Avanguardia.
Cito un altro esempio: esistono libri politici, o meglio libri di politica. Molti sono libri "giustificativi", cioè libri che testimoniano di mancato atto politico. Altri, non molti, sono libri pienamente politici, scritture che accompagnano un'azione politica concreta e che il pubblico vuole e deve conoscere: recentemente, in tre o quattro giorni, le librerie hanno venduto tutta un'edizione ad alta tiratura di un volumetto che raccoglie alcuni scritti di Ernesto "Che" Guevara: anche se questo libro non si fosse venduto, avrei accettato di pubblicarlo, perché gli scritti di Guevara sono scritti necessari. Infatti pubblico una collanina (Documenti della rivoluzione nell'America Latina), fatta di libri scritti da autori (soprattutto "autori della storia") che non sono noti come Guevara e che quindi

vengono venduti meno: li pubblico ugualmente perché i giovani li vogliono ed è giusto che li abbiano.

Superata la barriera del seno. Faccio ancora un esempio e poi smetto di fare esempi: una volta un giornalista tedesco ha scritto che ero passato dall'impegno politico all'impegno pornografico; a parte il fatto che sono un fautore del cosiddetto disimpegno e che, d'altra parte, chiamo pornografico soltanto quello che mi pare ripugnante ma non ciò che può violare un codice retorico qualunque e, comunque, piccolo borghese, non vedo soluzione di continuità: è giusto o, come dicevo prima, necessario, che il bombardamento delle riviste recenti abbia ottenuto questo mirabolante risultato: è stata superata la barriera del seno, si può pubblicare su una copertina un seno nudo. Naturalmente si tratta di una microrivoluzione, ma si devono fare appunto e soltanto le rivoluzioni che si possono fare, anche se, a mio modo di vedere, ci si deve sempre mettere nell'ordine di idee che, fatta una rivoluzione, se ne può fare un'altra più grande...

Non voglio dare l'impressione di essere un uomo che concepisce l'editoria in modo pedagogico, un uomo che ritenga di avere qualche cosa da insegnare. Quindi, aggiungo: come vive un editore? Un editore vive sotto il bombardamento, che è il bombardamento della carta stampata nel mondo ormai privo di confini e di vere lontananze, ed è dedito al bombardamento: tra le bombe che gli cadono sul tavolo deve scegliere quelle da rilanciare e da far esplodere nella mente dei lettori. Quindi un editore vive circondato da collaboratori, che spesso sono, perché intelligenti e sensibili, nervosi: nelle ore di ufficio, un editore deve usare tutto se stesso e soprattutto gli occhi e il naso. I manoscritti e i libri già stampati si materializzano spesso nella forma di un uomo: dell'autore, che spesso è intelligente, nervoso e geniale: l'editore deve usare tutto se stesso.

Un editore è un uomo che spende soldi per comprare titoli, per pagare percentuali, per pagare costi di produzione e spese generali che servono a pubblicare libri. Quindi un editore ha a che fare con persone che manovrano denaro, con le banche, con le contabilità, coi centri meccanografici: un editore deve usare tutto se stesso e non so che parte di tutto se stesso.

L'editore è un veicolo di messaggi. Un editore deve pubblicare libri che poi devono essere venduti. Quindi un editore ha a che fare con un apparato commerciale, e i problemi tecnici sono molti, ma forse, anche qui, oltre a quella parte di se stesso che non so definire, un editore ha bisogno del naso che fiuta la necessità...

Un editore può cambiare il mondo? Difficilmente: un editore non può nemmeno cambiare editore. Può cambiare il mondo dei libri? Può pubblicare certi libri che vengono a far parte del mondo dei libri e lo cambiano con la loro presenza. Questa affermazione può sembrare formale e non corrisponde in pieno a quello che penso: il mio miraggio, quello che io credo il maggior fattore di quella tal "Fortuna" di cui parlavo, è il libro che mette le mani addosso, il libro che sbatte per aria, il libro che "fa" qualche cosa alle persone che lo leggono, il libro che ha l'"orecchio ricettivo" e raccoglie e trasmette messaggi magari misteriosi ma sacrosanti, il libro che nel guazzabuglio della storia quotidiana ascolta l'ultima nota, quella che dura una volta finiti i rumori inessenziali...

È bene che le donne portino la gonna lunga o è bene che portino la gonna corta? I socialdemocratici tedeschi hanno fatto bene o hanno fatto male ad aderire alla Grande Coalizione? Perché il Senatore Merzagora ha dato le dimissioni da Presidente del Senato? La pillola antifecondativa fa bene o fa male? Qual è il senso ultimo della scienza per l'uomo? Come si presenta, in prospettiva, la situazione sindacale in Italia? Questo libro è meglio farlo in tipografia o in litografia? Possiamo pagare questo anticipo? Qual è la posizione dell'Italia nel Mercato Comune? È possibile una analisi psicoanalitica della voga dei bottoni, degli slogan, dei distintivi? La nuova editoria è per caso quella delle Guardie Rosse? Com'è giustificabile l'industria culturale? È questa l'industria culturale? Cosa pensano e cosa fanno gli studenti? Quali sono i minimi salariali? La legge quadro è un bene o è un male? Qual è la funzione sociale dell'oscenità? Pare che il generale Ovando voglia vendere a un editore il Diario di Che Guevara per 250.000 dollari: l'editore è ancora un editore o è un finanziatore della guerra di repressione? L'onda nera sale negli Stati Uniti? Stroncherà l'imperialismo bellicoso? Il malessere dei giovani in Italia è un malessere puramente fisiologico oppure è virtualmente politico e ragionato? C'è qualche speranza?...

Che cos'è un editore? Non so che cosa sia l'Editore, l'editore in sé, ma cerco di ascoltare le ragioni per cui faccio l'editore. E ammetto: l'editore non ha niente da insegnare, non ha niente da predicare, non vuol catechizzare nessuno, in un certo senso non sa niente. E ammetto: l'editore, per non essere ridicolo, non deve prendersi eccessivamente sul serio, l'editore è una carretta, è uno che "porta carta scritta", è un veicolo di messaggi, è tuttalpiù, per parafrasare quel McLuhan di cui si parla tanto, un fautore di messaggi che siano anche massaggi. E ammetto: che l'editore è niente, puro luogo d'incontro e di smistamento, di ricezione e di trasmissione... E tuttavia: occorre incontrare e smistare i messaggi giusti, occorre ricevere e trasmettere scritture che siano all'altezza della realtà. E quindi: l'editore deve gettarsi, tuffarsi a rischio di annegare, nella realtà. Senza sapere nulla deve far sapere tutto, tutto quello che serve, e che serve ai vari livelli di coscienza. Tuffarsi nella realtà: tentare la "Fortuna". La "Fortuna" diventa allora un significato, un orizzonte, una vita svincolata e trionfante... E allora: un editore è niente, è un veicolo che può anche autodefinirsi una carretta, ma un editore può anche affrontare il proprio lavoro sulla base di una ipotesi di lavoro molto azzardata: che tutto, ma proprio tutto, deve cambiare, e cambierà.

Le "Edizioni della libreria" esordiscono con una circolare vistata personalmente dall'editore nel maggio 1967. È per le sue nove librerie, in nove diverse città. "La nostra libreria di Milano ha approntato una serie di opuscoli politici di notevole interesse. Per molti aspetti è una necessaria integrazione della pubblicistica di partito su alcuni temi particolarmente urgenti. Si tratta di documenti e testi necessari per la formazione politica dei militanti." Gli opuscoli sono generalmente brevi, il prezzo medio è 250 lire, cioè niente. I primi riguardano l'Italia: Secchia, con il discorso in Senato contro la riforma della legge di pubblica sicurezza, e Terracini sullo stesso tema. Ma segue a ruota la serie *Documenti della rivoluzione nell'America Latina*: Che Guevara (*Occorre creare due, tre, molti Vietnam*), Régis Debray (*Rivoluzione nella Rivoluzione*), la risoluzione del Comitato centrale del Partito comunista cubano (*Accettiamo le nostre responsabilità rivoluzionarie*), Camillo Castano (*Dieci giorni in Guatemala*), Douglas Bravo (*La guerriglia nel Venezuela*), e altro ancora su Brasile, Portorico, Argentina, Cile, Perù, Bolivia.

Rapidamente la collana si arricchisce di nuove sezioni: Africa, Asia, dibattito italiano, Mezzogiorno italiano, lotte studentesche. Un centinaio di titoli in tutto. La tiratura tipo è di quattromila copie. Vendono molto il *Sangue dei leoni* di Edoard Marcel Simbu (sulla guerriglia in Congo) e *La scuola agli studenti*. Feltrinelli differenzia la produzione "militante" dai programmi della casa editrice, forse per

277

mantenere certi equilibri, forse per rendere più incisivo il messaggio. Quei libretti diventano per lui la cosa più urgente.

Nell'agosto del '67 pubblica anche il primo numero di "Tricontinental", bimestrale a cura dell'Organizzazione di solidarietà dei popoli d'Asia, Africa e America Latina. Tutto nasce dalla Conferenza dell'Avana di inizio 1966. In Europa non se ne è parlato molto, ma l'evento è importante. Per la prima volta sono insieme seicento delegati dei governi neutrali di Africa e Asia, dei paesi comunisti (Urss, Cina, Mongolia esterna, Vietnam del Nord, Corea del Nord, Cuba), di organizzazioni comuniste internazionali (Federazione sindacale mondiale e Federazione della gioventù democratica). L'assemblea proclama la necessità di "una strategia rivoluzionaria globale che reagisca alla strategia globale dell'imperialismo". "Tricontinental" è il nuovo organo informativo, lo fanno a Cuba, con coedizioni in lingua inglese, francese, e in Italia da Feltrinelli.

"Il dovere di ogni rivoluzionario è fare la rivoluzione", la rivista si rivolge a chi la pensa così: articoli sulla morte di Lumumba, la guerra del petrolio in Medio Oriente, Ho Chi Min che scrive a Johnson, lotte e vittorie nel Laos, discorsi del Che, novità dal Black Power americano. Di particolare interesse è il terzo numero (dicembre 1967). In copertina c'è un affresco di Matta per la Tricontinentale, segue Jean-Paul Sartre (riflessioni sul Tribunale Russell), il processo Debray a Camiri, poi, a metà, "Palestina: commandos 'Tormenta' ". Per la prima volta, un giornalista (senza nome) riesce a incontrare i dirigenti di Al Fatah, il gruppo che ha impresso un carattere rivoluzionario alla causa palestinese. Da Damasco, lo portano in jeep all'accampamento segreto.

Dopo la guerra dei Sei giorni (giugno 1967) e l'occupazione della striscia di Gaza, ci sono 350.000 nuovi arrivi nei campi profughi. Il mondo arabo (non sempre compatto) apre gli occhi. Basta elemosine dalle Nazioni Unite, "lo stato aggressore è uno strumento dell'imperialismo americano!". Gli uomini di Al Fatah ripetono il concetto al corrispondente di "Tricontinental". Siedono su brande, in una piccola stanza, tra mappe, fucili, uniformi. Fuori risuonano le grida dell'addestramento. Uno di loro, Abou Ammar, si esprime con "serenità e maturità": faccia dura, espressione generosa. Quando si toglie il berretto militare scopre una calvizie pronunciata. Spegne la sigaretta con la punta dello stivale infangato. Dice improvvisamente: "Non vi sono guerre senza morti, ma è preferibile morire uccidendo i nemici sapendo che la vittoria finale sarà nostra piuttosto che aspettare una morte lenta, inesorabile, seduti sotto una tenda nel deserto".

Abou Ammar (uno pseudonimo) dal febbraio 1969 è il nuovo leader dell'Organizzazione per la liberazione della Palestina, Yasser Arafat. Non so in quale momento dell'autunno 1967 ha concesso a Feltrinelli la sua prima intervista pubblica.

7.

Pare che nei primi anni sessanta escano dalle caver-
ne donne e uomini disposti a dare un senso a parole come "indipendenza", "sovranità", "autodeterminazione",
anche un minuto prima di connotarle ideologicamente.
È una nuova visione planetaria: ogni Popolo decida per
sé, basta sistemi oppressivi, ci sono pieni titoli per i nuovi iscritti alla grande rubrica del mondo!

All the lonely people, where do they all come from? Per
rispondere al quesito servono libri tradotti e messi veloce-
mente in libreria, reportage di cronisti con fegato, foto di
avventurosi paparazzi da guerra. Capire gli "altri" per capire noi stessi. La politica come forma più alta delle attività umane. Tramite la politica, si crede, capiamo tutto. Ne
consegue che nessun obiettivo è irraggiungibile. Un po' di
coraggio, una stretta di mano, si può combattere! La percezione del futuro riguarda le generazioni di domani, cioè
di oggi, ma anche di dopodomani.

Molti adesso sono diventati più realisti, la politica non
è servita a raggiungere tutti gli obiettivi. E quanta naïveté
nelle parole d'ordine di allora... Era un Impero bipolare,
contrastato al suo interno, inibente all'esterno. Non c'erano margini di manovra per le armate disordinate dei Popoli.

Forse siamo tutti più realisti, con i luoghi di tragedia
sempre meno esotici e un futuro molto contratto sul nostro
presente così intenso.

La vicenda di Feltrinelli a Cuba si può dividere in due fasi. La prima, anni 1964 e 1965, è l'inseguimento di un grande libro, le memorie di Fidel Castro. La seconda, dal 1967 almeno fino al 1970, è un'altra cosa.

Il libro di Fidel Castro doveva essere il nuovo "colpo". Tutto, internazionale e subito. O, almeno, queste erano le previsioni. Come per *Živago*.

Pochi giorni prima della partenza per Cuba di Valerio Riva, nostro editor, uccidono John Fitzgerald Kennedy. La prima notizia, diffusa da una stazione radio di Dallas, è che sono stati i servizi cubani. Mai come adesso Fidel Castro corre il rischio di essere eliminato. Nel caos più totale, il Mondo di fine novembre 1963 prende la scossa.

Cosa fare con il progetto delle memorie del Barbuto? Proseguire, rinunciare, o forse è meglio rimandare? Andiamo al centro della sfera di tutto ciò che esiste o vediamo di nascosto l'effetto che fa? Riva litiga con l'agenzia di viaggi ma parte lo stesso per Cuba, via New York e Città del Messico. Lo segue a ruota, via Praga, il giornalista cubano Carlos Franqui.

Più di un anno prima, Franqui era stato presentato da Juan Goytisolo a Riva durante un convegno della Comunità europea degli scrittori tenutosi a Firenze. Franqui, ex direttore e ora inviato del quotidiano "Revolución", voleva proporre un'edizione europea dei discorsi di Fidel Castro. Portato a Milano, si sentì rispondere "vogliamo un libro autentico", di memorie, che cominci prima della Sierra e magari si chiuda con la Crisi dei missili. Dopo non so quanto, Franqui aveva comunicato che qualcosa si poteva fare. Seguì un suo gran viavai tra Italia e Cuba per raccogliere documentazione e impostare una prima traccia da sottoporre all'autore. Fanno da ghostwriter anche Riva e Heberto Padilla.

Il risultato di quel lavoro preparatorio si trova ora nel bagaglio di Carlos Franqui che ritorna all'Avana. Ha con sé anche un rotolo di venticinquemila dollari nascosto nella fodera. È l'anticipo per Fidel Castro Ruz.

Il viaggio di Riva dura più del previsto. Dopo lo stop a New York, si ferma una settimana a Città del Messico. Non è facile ottenere un visto dall'ambasciata cubana di Città del Messico. Ci aveva provato tempo prima Lee Harvey Oswald, nel frattempo diventato famoso.

Quando finalmente atterra all'Avana, è il 9 dicembre, per Riva comincia il terrore. All'aeroporto non trova nessuno. Franqui, che avrebbe dovuto precederlo, non si vede. Interrogato, Riva dichiara di essere ospite di Fidel Castro e di essere venuto per convincerlo a scrivere il suo libro di memorie. È il momento meno adatto per spiegazioni rabberciate, senza nemmeno uno straccio di carta ufficiale e dopo uno scalo sospetto a New York. Le facce attorno a lui virano al torvo.

Riva descrive la sua prima notte cubana in una lettera all'editore del 20 gennaio 1964:

> Non mi rendevo conto di che cosa fosse successo. Ero senza passaporto e confinato in una camera d'albergo al ventiduesimo piano d'un grattacielo da cui si vedeva una città mal illuminata. La stanza era leggermente scrostata e sporca. In bagno non c'era sapone: l'aria condizionata funzionava male, mandandomi uno spiffero direttamente sul collo. Passai la maggior parte della notte in piedi, passeggiando su e giù per la camera, torcendomi le mani e domandandomi cosa sarebbe successo il giorno dopo.

L'indomani, per fortuna, arriva Franqui. Il suo rientro all'Avana era slittato per un guasto all'aereo. Sette giorni fermo a Praga, dove aveva rischiato di farsi rubare il rotolo dei soldi.

Franqui si trova a Cuba in una posizione delicata. Dopo la rivoluzione era stato il personaggio di maggiore spicco nell'area dell'informazione culturale. Trockista, con una passione per le avanguardie, aveva polemizzato spesso con i comunisti dalle colonne di "Revolución". La sua stella comincia a decadere dopo la nascita di "Lunes", supplemento culturale del suo giornale, affidato a uno scrittore con i fiocchi come Guillermo Cabrera Infante. Per sfuggire alla "castroenterite", in redazione circola una dolorosa forma di "castrocefalite". Il supplemento deve chiudere. La scusa ufficiale è che manca carta.

Negli ultimi tempi, Franqui è stato spesso fuori Cuba. Ha lasciato in Italia la famiglia. La cosa non è passata inosservata.

Sempre Riva nella sua lunga lettera:

La faccenda dei bambini e della moglie di Franqui restati in Italia poteva voler dire che Franqui era tornato a Cuba, ma con delle riserve: che in realtà aveva già preso la decisione di esiliarsi e che era ormai più legato alla casa editrice che alla rivoluzione. Sarebbe stato molto grave se quella gente avesse avuto un'impressione del genere. Grave per Franqui, a cui certo sarebbe stato proibito di partire dall'isola; grave per il libro, perché nella situazione in cui eravamo, con venticinquemila dollari già versati, senza un contratto firmato, con un manoscritto fatto di cose se non note, per lo meno non perfettamente inedite (e le inedite riguardavano soltanto il periodo della guerriglia), il sospetto che noi fossimo al centro di una manovra in qualche modo controrivoluzionaria poteva significare una catastrofe completa.

Nonostante queste preoccupazioni, le giornate di Riva scorrono via tranquille. Sembra la tipica vacanza in cui non succede mai niente. Di Fidel manco l'ombra. Celia Sanchez, il suo secondo, fa sapere a Franqui che il Comandante forse è in viaggio, che avrebbero avuto notizie da lì a qualche giorno. A Cuba, il rito dell'attesa è consuetudine, specie quando si tratta di un appuntamento "máximo". Riva descrive tutto molto bene:

C'è un'usanza curiosa all'Avana. Quando Celia Sanchez avvisa qualcuno che Fidel lo chiamerà a colloquio, il fortunato mortale deve chiudersi nella sua stanza d'albergo, con il telefono a portata di mano, e aspettare il trillo del campanello. Può arrivare a qualsiasi ora del giorno o della notte; si dice che di solito arrivi alle due di notte, ma io credo sia una leggenda. A me, per esempio, è arrivato alle sette del pomeriggio. Il designato deve farsi trovare al suo posto: Castro non chiama due volte. Se chiama e non ti trova, puoi fare i bagagli e andartene. Sei sulla lista nera. Non ha nessuna importanza il ruolo, il grado e la fama del designato al "grande onore".

Dopo tre settimane Riva è sempre più prostrato per l'ora X che non arriva. La notte di Capodanno, giusto per il morale, decide di organizzarsi un veglioncino privato. Ma è sul più bello che chiamano in albergo per dirgli di correre subito a casa di Franqui. Castro sarebbe arrivato a minuti. Ecco la scena, ancora dalla sua lettera:

Arrivano tre lunghe macchine americane, a grande velocità. La prima entra nel cortiletto della casa di Franqui, vedo che è piena di soldati armatissimi [...]. Si apre la porta anteriore sinistra della seconda macchina e scende un omone con un berrettaccio sghimbescio, la barba corta, la faccia larga e un bel sorriso. "Franqui", grida, e si fa incontro per abbracciarlo. Io mi faccio avanti a mano tesa e gli dico: "Finalmente. Come sta? Sono contento di vederla". Lui mi prende la mano, si volta verso Franqui e dice "E sarebbe questo qui l'italiano?". Franqui dice: "Sì, è Valerio". "Bene, Valerio. Benvenuto a Cuba. E mi scusi: dovevo venire prima ma non ho potuto. Sono giorni tremendi questi." Scuote la testa e mi trascina in casa. Si stravacca sul divano e subito dice, a Franqui: "Sai Franqui, ho letto il libro, è bellissimo. Non mi immaginavo potesse venire così. Sei stato bravissimo: proprio mi piace. Stupendo. L'ho fatto leggere anche ad altri: tutti dicono che è meraviglioso. Sono proprio contento. Hai fatto un buon lavoro. Tu cosa dici, si potrà aggiungere qualche cosa? Ho un sacco di materiale che forse non conosci, te lo voglio mandare perché tu veda. [...] C'è solo una parte, quella della battaglia di Santa Clara: quella parte non l'ho mica scritta io: è del Che. Bisognerebbe che la gente lo sapesse. Sai, non voglio mica che mi dicano che io mi approprio della roba degli altri. Anzi, perché non chiediamo a qualcuno di raccontare quell'episodio per bene?"
Franqui mette una parola. "È vero, non è tua quella parte, ma avrai visto che sta tra virgolette. Cosa dici, se la facessimo raccontare a Nunez?" Io mi sento i carboni accesi sotto il sedere: ci mancherebbe altro che adesso si mettano a parlare del bel tempo che fu. [...] O lo racconta Fidel o si salta l'episodio: non c'è da discutere. Temo soprattutto Franqui quando attacca a parlare della guerriglia: dice che non ha memoria, ma si ricorda anche il numero di fiammiferi che consumava nella Sierra Maestra. Intanto io mi studio l'uomo: ha una voce stranissima mezzo in falsetto. Ha toni acuti e striduli, a volte; altri ovattati e dolci, soffici. Si tocca con la mano destra continuamente il berretto da paracadutista, se lo aggiusta sulla fronte, sull'orecchio. Accavalla le gambe ininterrottamente. Ha scelto di sedersi sul divano e la sua posizione non è esattamente scomposta, né propriamente da riposo. È grasso, ha pancia e sedere, ma visto da vicino dà un'impressione di forte gioventù. La barba gli sta sovrapposta: la pelle del viso è morbida, tenera, infantile. Il tratto è gentile, soave, nient'affatto militaresco. Chiede continuamente scusa, ascolta compunto e attento, non interrompe mai gli altri. Sembra timido, ma è civettone. Sulle prime però mi sembra che la sua

sia un'attenzione solo formale. Ha un'idea in testa e non sarà facile fargliela cambiare. Se gli dici una cosa che non vuol sentire, non la sente tout court. E riattacca sullo stesso tono di prima, ma gentilmente, come se fosse colpa sua se si dimentica di quel che gli hai detto un attimo prima. Si accenna ai quattrini, ma lui dice: "Sì, sì grazie". [...] Gli faccio vedere la tua relazione sui progetti di contratti, le fotocopie delle lettere; Franqui gli parla di Francoforte e del buon lavoro che abbiamo fatto; io insisto con il mio progetto di lavorare per aggiungere cose e che la parte più importante è quella tra il '61 e il '63. Ma Fidel non si lascia convincere: dice chiaro e netto: "Io non ci voglio mettere mano. Se ci metto mano, lo rovino. Al massimo, mi limiterò a scrivere una prefazione in cui racconterò la storia del libro, perché voglio si sappia che questo è un lavoro che avete fatto voi, e che io non c'entro". È la posizione più pericolosa che si possa immaginare. [...] Allora ho un colpo di fulmine: a New York mi sono fatto fare una lettera da Mike Bessie. Corro alla valigetta, tiro fuori la lettera, la mostro a Fidel e incomincio a parlargli dell'America e dell'interesse che il suo libro desterà in America. Lui legge la lettera attentamente e dice: "Chiaro che questi signori pensano alla cosa da un punto di vista commerciale. Loro pensano ai quattrini che potranno fare, perché è evidente che in America sono conosciuto e molta gente comprerà il mio libro. Però potrebbe esser un bello scherzo, infatti, adoperare questo mezzo per fargli sapere come stanno le cose davvero e che non sono poi questo orco che mi dipingono i giornali". Incomincia a entusiasmarsi: gli occhi per un momento gli brillano, alza il pugno sinistro: "Sarebbe proprio una bella burla. Adoperare questo libro per prenderli alle spalle", e fa un gesto con la mano tesa, energica come se conficcasse qualcosa in qualcuno. "Perché in fondo, la gente del mondo capitalista non mi conosce mica. [...] Che sappiano, che leggano: gli rimarrà pure in testa qualche cosa. E non solo quello che dicono i giornali. Questo libro se lo possono portare a casa e tenere. Adesso è deciso: devo buttarmi a capofitto." E torno a insistere sulla necessità di lavoro nuovo. "Ma non ho tempo," dice lui, "lei non sa quante cose ho da fare tutto il santo giorno." Io so che fa anche delle cose inutili, che perde ore a provare trattori, biciclette da bambini, nuovi tipi di fucile, a vedere quanto latte in più si può spremere con le mani da una mammella di una vacca [...]. "Adoperiamo il magnetofono", suggerisco io. L'idea lo colpisce. "Infatti," dice, "non sarebbe tanto complicato." Franqui gli spiega che, spesso, il magnetofono dà risultati insperati: più vivezza, più immediatezza.

Bravo Riva, ce l'hai fatta. All'autore rimane però un ultimo dubbio: "Ma questo magnetofono come funziona?".

Nelle stesse ore sbarca all'Avana una delegazione sovietica capeggiata da Nikolaj Podgornyj. C'è da preparare un imminente viaggio di Castro a Mosca per accordi commerciali di lunga durata. C'entra lo zucchero. Cuba ne avrebbe fornito milioni di tonnellate all'Unione Sovietica: un mercato permanente (e ben pagato) per il prodotto nazionale.

Riva ha un altro aneddoto: appena sceso dall'aereo, la prima cosa che Podgornyj avrebbe chiesto a Castro pare sia stata: "Possiamo avere i diritti del suo libro di memorie?". Castro, con astuto candore, risponde che avrebbe chiesto all'editore Feltrinelli.

Ma che ne è dell'editore Feltrinelli?

Ecco il suo programma: partenza con Inge per New York il 30 gennaio 1964, un giorno nella Grande Mela, poi Washington, due o tre giorni di stop, e quindi L'Avana via Messico. Permanenza prevista: dieci notti. Tutto questo lo spiega lui stesso al console americano nel chiedere il *waiver* (visto speciale con nulla osta del Dipartimento di stato). Al diplomatico parla anche delle memorie di Castro: nella stesura dei ghostwriter c'è molta propaganda e poca analisi dei fatti, bisogna ancora lavorarci su, specie per il periodo 1959-63. Feltrinelli sembra tenere molto al suo passaggio negli Stati Uniti: "per conoscere da fonti di prima mano le politiche statunitensi verso l'America Latina e verso Cuba in particolare". Afferma di volersi fare un'idea "equilibrata" della situazione.

Il 22 gennaio, l'ambasciata Usa di Roma telegrafa il suo parere a Washington: "Crediamo che [Feltrinelli] in ogni caso vorrà pubblicare le memorie di Castro; e può raggiungere Cuba senza transitare dagli Stati Uniti. Le informazioni e i punti di vista che potrebbe ottenere durante la breve visita negli Stati Uniti possono influenzare favorevolmente la sua gestione delle memorie, mentre rifiutargli l'ingresso può ingenerare un giudizio negativo sulle posizioni degli Stati Uniti verso Cuba e verso Castro. In breve, non vediamo nulla da guadagnare e molto da perdere nel rifiutargli un permesso di transito".

Riva è molto perplesso sui progetti di Feltrinelli. In America Latina sei accolto bene se vieni come europeo che offre una possibilità nuova; ma sarai detestato se arrivi come amico degli Stati Uniti. Si raccomanda:

> Viaggia sempre come se fossi un turista normale e non coi patemi di un cospiratore internazionale. [...] Ti ho sufficientemente spiegato come si ripercuotono le notizie dall'estero: se fai delle dichiarazioni particolari, io non posso rispondere dell'accoglienza che troverai a Cuba. Nonostante tutto, siamo sempre sul filo del rasoio, poiché tutto dipende esclusivamente dall'umore di Castro. Perciò stai attentissimo. Mediazione non ce n'è, non è possibile. Ora gli Stati Uniti hanno preso una brutta botta, hanno le mani legate per le imminenti elezioni, e comunque sono i biechi come Goldwater che conducono la danza. Dichiarazioni pro Cuba gli americani non ne faranno, almeno fino a quando non sarà eletto il Presidente. [...] Quindi è tempo sprecato. In più a Cuba non hanno proprio nessuna voglia di sentir parlare dell'America.

A New York, Giangiacomo e Inge passano la giornata con Sanford Greenberger, agente scout per la casa editrice. A Washington il contatto principale è Henry Brandon, corrispondente del "Sunday Times". Ma sono in programma anche incontri con Charles Murphy, senior editor di "Fortune", con Benjamin Bradlee di "Newsweek" e una visita al fisico Leo Szilard. Szilard era stato a lungo ospite in Italia, conosceva Inge che lo aveva presentato a Giangiacomo. È l'uomo che con Einstein scrisse a Roosevelt per annunciargli che i tedeschi erano prossimi all'atomica.

La notte del 5 febbraio atterra un aereo, un flusso dolciastro entra dal portello, Mr e Mrs Feltrinelli sono all'Avana.

Per molto tempo il fascino dell'Avana è stato quello di somigliare sempre a se stessa. (Non è più così.)

Nei primi giorni del febbraio 1964, i miei genitori vivono tutto ciò che la capitale può offrire a turisti interessati e di riguardo: Tropicana & Bodeguita, casa Hemingway (il vecchio René imbandisce la tavola), gli eroi della rivoluzione (Haydée Santamaría), Bola de Nieve, la voce più strabiliante del Caribe, gli intellettuali della capitale. Intuisco molta spuma di ghiaccio sotto le palme, e anche il sole per i bagni e la luna che brilla sul famoso orizzonte. Hanno a disposizione una Casa di protocollo, villetta più giardino.

Sulla sdrucita moquette amaranto dell'Habana Libre, luogo simbolo da grande cinema di quando Cuba era davvero l'ombelico del mondo, intanto passeggia Italo Calvino, fresco sposo di Cichita. Lo scrittore torna per la prima volta nel paese dov'è nato. Lo invita la Casa de las Américas, su suggerimento di Julio Cortázar. Il 10 sera è prevista una sua lettura pubblica della *Strada di San Giovanni*. Feltrinelli, divertito per qualche ragione dalla presenza dei Calvino, non potrà assistere alla serata perché alle nove e trenta Fidel entra alla Casa di protocollo.

Il primo incontro è interlocutorio, inevitabilmente. Castro si aspetta, nelle vesti di potente editore internazionale, qualcuno con aplomb da vecchio miliardario. È tanto vero che comincia a parlare di "affari", esplora le possibilità di una mediazione per importare prodotti chimici, industriali, impianti agricoli, taxi, il tutto contro zucchero. Dice con molta sicurezza che nel 1970 Cuba ne avrebbe prodotto 8-10 milioni di tonnellate e che sarebbero stati anche in grado di esportare bestiame.

Non si accorge subito che l'italiano potrebbe avere i suoi stessi anni ed è senza ghette. Fa anche domande impertinenti: a quando le elezioni? Sono possibili mediazioni con gli Usa? Cosa succede in America Latina? Pronuncia bene lo spagnolo ma devia dalla grammatica a ogni frase. A poco a poco Castro capisce, s'irrigidisce, chiede un paio di volte: "Ma è proprio lui il miliardario?". Rassicurato, decide che è meglio andare a vedere il gioco. Per impressionare i presenti, risponde a non so cosa citando Machiavelli: una lunga elucubrazione che spiazza perfino Riva, presente all'incontro. Machiavelli, sostiene Fidel, è stato spesso mal interpretato.

Parlando, il clima si distende e lo scarto d'identificazione si tramuta in simpatia. Castro ride, scherza, discute, distribuisce pacche. Feltrinelli è quasi imbarazzato da tanta cordialità. "Unspoiled" lo definisce Inge nel suo diario di quei giorni.

La conversazione prosegue a ruota libera: la crisi dell'Ottobre, la produzione agricola, i cliché e il tedio dei documenti ufficiali dei partiti comunisti dell'America Latina ("il socialismo non deve essere noioso ma allegro"), le relazioni con gli States e, anche, *Il dottor Živago*. Castro racconta di averlo letto, a puntate, sul "Diario de la Marina", ai tempi di Batista. Feltrinelli si volta verso Riva: "Canaglie! L'hanno pubblicato di frodo!".

Conclusa la visita, l'editore annota in inglese la sua prima impressione:

In my opinion F.C. is not a communist or marxist because the role of 26 July contradicts all marxist orthodox procedure, because the role of the peasants contradicts in procedure, because his attitude to organize does not reflect the traditional communist definition or practice. He is a middle class utopian and idealist (whose utopia once came true). He runs this country as if it was his company, his corporation (poor application of the American executive philosophy). He has to be idealist because, as all countries in Africa or Latin America, there is no bourgeoisie.

Castro aveva salutato tutti con un "ci vediamo presto". Naturalmente nessuno sapeva dire quando. Tocca pazientare. Poi qualcosa cambia. Il 19 febbraio Feltrinelli scrive ai collaboratori della casa editrice:

Cari amici,
ecco la situazione: dopo aver aspettato due settimane nelle quali abbiamo avuto una sola intervista con la Barba Massima eravamo decisissimi a partire e lasciare che le cose seguissero un non ben definito corso. Le giornate passavano così (in una magnifica villa con parco, palme, e guardie rivoluzionarie armate di fucili mitragliatori): Riva doveva arrivare ogni mattina alle 8 ma poi di fatto arrivava alle undici e mezza. Numerose telefonate alle otto e mezza, nove dieci per cercarlo nel suo albergo non davano alcun esito. Poi arrivava Franqui, il tachigrafo (stenodattilo) era l'unico ad essere presente all'ora convenuta. Alle undici e mezza dunque riunione generale per esaminare le ultime notizie. Quasi ogni giorno la visita di Fidel era preannunciata inderogabilmente per la mattina del giorno dopo. La sera prima era stato alla pelota, poi era dovuto andare a intervistare un pescatore giunto dalla Florida, alle quattro del mattino era stato visto all'Habana Libre per parlare con Liza Howard (Tv Usa) e si era alfine coricato alle 6, alle 9 del mattino era stato a vedere le galline (è grande appassionato di galline, mucche ecc.), poi sì, c'era anche stata una breve riunione del consiglio dei ministri per decidere di togliere l'acqua alla base di Guantanamo e così via. Ma domani mattina, la cosa era certa. La mattina dopo... Dopo due settimane di questa vita eravamo decisi a partire. Senonché il giorno della partenza da più parti ci viene preannunciata una nuova visita per la sera, va bene, rimandiamo. Alla sera, effettivamente arriva [...] di buon umore e ci dice bene domattina alle 9 venite a casa mia e cominciamo a lavorare insieme. Ci andiamo, lo troviamo in pantofole, pantaloni e giacca del pigiama e naturalmente barba e per due ore lavoriamo bene. Ci dice tornate domattina (cioè oggi) ma oggi dormiva, si era dovuto alzare due volte stanotte per importanti affari di stato e non aveva quasi riposato. Va bene ritorneremo domattina. Il fatto importantissimo è che abbiamo l'autorizzazione a presentarci ogni mattina alle 9 a casa sua e non dobbiamo più attenderlo. Un passo decisivo. Quando è di buon umore parla volentieri e tanto. Bisogna cercare di sviarlo dal suo tema preferito. Quello delle vacche. Egli sogna infatti sterminati allevamenti di bovini e, con compiacimento sessuale, l'inseminazione (artificiale) di

centomila vacche che nel '65 gli darà centomila vitelli, di cui 50.000 femmine che potranno essere ingravidate (inseminazione artificiale) nel '67 e che partoriranno nel '68 altri 50.000 vitelli di cui 25.000 femmine, e che nel frattempo le 100.000 vacche originarie nuovamente ingravidate... così via in eterno amen. Il Nostro parla sempre, per interromperlo bisogna urlare. Parla di tutto. Quando parla di politica, per esempio sul ruolo del partito e dello stato di Cuba, si vede che improvvisa cioè sviluppa il pensiero parlando (fa un certo piacere pensare che certe domande lo stimolino a pensieri nuovi che domani (letteralmente) possono determinare una presa di posizione politica)...

Così, a partire da un certo giorno, quasi tutte le mattine si può bussare alla porta del Comandante. Sul tetto di casa c'è un piccolo pollaio e un canestro da basket. Nelle pause Giangiacomo e Fidel fanno qualche tiro e Inge fotografa la partita uno contro uno. "Ha preso, che il cielo lo strafulmini, una certa simpatia per il sottoscritto, per cui lavora, cioè detta, solo se ci sono io", scrive l'editore a Milano.

Procedono con il sistema domanda-risposta. I temi sono i più vari. Sulle grandi personalità della politica: Castro giudica male Truman, ha anche letto le sue memorie, poco interessanti, mal fatte, presuntuose. Di De Gaulle ammira lo spirito ribelle, ma le memorie sono una cosa da ridere. Quell'uomo non s'è sbagliato mai, ha previsto tutto, mai un dubbio, "è nato genio". Churchill, in quanto a memorie, è il migliore di tutti. Sul carattere comunista della rivoluzione: "La rivoluzione si sarebbe fatta e sarebbe stata la stessa anche se non ci fosse stato un solo comunista. La maggior parte della classe media, della piccola borghesia, sta con la rivoluzione: il partito non deve inserirsi nello stato". Ma, subito dopo, sulla distinzione tra partito e stato: "Prevediamo che funzionari di partito siano anche funzionari di stato e amministratori". Sulle contraddizioni nell'essere uomo di governo e rivoluzionario di professione risponde con un sorriso evasivo: "Sì, ci sono, ma in ultima analisi ciascun paese deve fare la rivoluzione con gli uomini di cui dispone".

E ancora domande su Cuba, sui "dogmatici", la libertà nelle arti, il ruolo della scienza, della cultura, le piccole imprese private, le mancate elezioni nel '59, l'America Latina, le caratteristiche dei movimenti rivoluzionari, i rapporti con gli Stati Uniti, l'Urss, le differenti applicazioni del modello socialista, la crisi agricola nell'Est europeo, Chruščëv, perché i paesi socialisti che si consolidano diventano conservatori?

Infine, domande personali: la sua adolescenza, le prime lotte per la pace, il visto per un viaggio negli Usa nel '49: "ancora non me lo spiego". E anche le donne. Nota di Giangiacomo: "La sua faccia marpionesca quando gli chiedo che tipo di donna gli piace": "Fine, spirituale, dolce" è la risposta.

Sul rapporto Cuba-Stati Uniti, sembra interessante un appunto dell'editore dopo l'incontro del 24 febbraio, protrattosi fino alle quattro del mattino:

> Assistito a una lunga conversazione telefonica – circa 35-40 minuti – con Liza Howard che era stata a vedere Johnson. Dice Liza che si stanno modificando opinioni e orientamenti a Washington. [...] Chiede (a nome di Johnson) che si trovi la maniera di fare un gesto distensivo da parte di Cuba. Fidel risponde che hanno salvato la vita a un pilota americano caduto in acqua, hanno restituito un aereo, un peschereccio. Liza chiede-suggerisce una dichiarazione che nel settembre del '64 tutti i soldati sovietici avranno lasciato l'isola. Dice Fidel: non ci sono che tecnici, che mai il governo cubano ha riconosciuto l'esistenza di soldati sovietici a Cuba: comunque ci penserà, ma c'è tempo. Impressione: soddisfattissimo, ma non ha fretta di concludere (come ha già detto altre volte), ma ha, come io prevedevo, interesse a una normalizzazione.

Durante il soggiorno a Cuba, Feltrinelli tiene d'occhio la situazione milanese della sua casa editrice. Raccomandazioni, ordini, consigli: sulla campagna per l'uscita del libro di Meneghello, sull'organizzazione dell'arrivo di Baldwin, sulle prenotazioni dei libri scientifici, sugli acquisti. "Attenzione non fate ristampe quando non occorrono ma, cristo, fatele quando sono necessarie." Inoltre, se la prende con Del Bo, Filippini, Pozzi, Spagnol, Morino: "Detesto la vostra benevola protezione, il vostro falso paternalismo, la vostra ignoranza psicologica per cui credete che lasciandomi senza notizie io sia più tranquillo: mi suonano le orecchie con le vostre frasi: Uh... guarda cosa è successo oggi... ma non diciamoglielo per carità se no si agi-

293

ta". Da Milano gli risponde Spagnol: "Sapevo che i Caraibi sono la regione preferita dai tifoni, ma ignoravo che avessero una forza tale da smuovere anche le acque tranquille di via Andegari...". Filippini gli manda invece una chicca: Einaudi vorrebbe pubblicare una miscellanea dei discorsi di Chruščëv. "Dall'interno dell'Einaudi ho saputo che il movente è stato questo: 'Ah, sì? (pronunciato con la voce di un bambino che fa i capricci) Feltrinelli va a Cuba? E allora io vado da Chruščëv!'."

Dopo un mese di lavoro col tachigrafo, l'editore torna a casa. Lascia che sia Riva a continuare.

In aeroporto dicono a lui e a Inge che il volo per il rientro è in grave ritardo. Roba di tre o quattro ore. Alla fine saranno sei. Per ammazzare il tempo, butta giù un appunto:

> I have very mixed up feelings about this man. He is a sort of Garibaldi, utterly inapt to government work, incapable of working, reasoning and hard thinking. Impulsive, rethorical. High pitched. Ideologicamente confuso. Per esempio su questione di Partito e Stato (che nella pratica non credo che le cose siano come dice lui). Credo male informato, confonde l'atteggiamento di polemica denuncia con la realtà. Non chiede mai notizie, mi sembra persona talmente convinta di sé, delle cose apprese a casaccio e appicicicate nella mente, dei clichés orecchiati, che parlargli non serve. Non sta a sentire (si ha l'impressione che due uomini contino veramente nel paese e siano pericolosi: Raul Castro e il Che).

Partito l'editore, il lavoro sul libro di Castro si arena quasi subito. Riva, rimasto altri due mesi, fatica a mantenere la concentrazione. Soprattutto la perde l'autore, entusiasta sì del progetto ma con sempre qualcos'altro da fare. Tutti dipendono dai suoi pericolosissimi sbalzi d'umore.

A peggiorare le cose, Franqui, quando Castro è lanciatissimo, perde il filo con domande inutili e lo obbliga a lunghissime elucubrazioni filosofiche. Scrive in aprile Riva a Feltrinelli:

> Franqui amerebbe cavare da questo libro, per squallide ragionuzze personali, le prove di una "liberalità culturale" di Fidel, e scambia per "liberalità culturale" una superficiale

informazione scolastica [...] Fidel non ha idee originali: nessuno gliele chiede, né lui pretende di ammannirle. Lo ha detto lui stesso molto bene: la sua dote è la furbizia politica, o, per dirla con frase più gentile, una sagacia rivoluzionaria. Cioè, ancora, un insieme di fatti pratici che la memoria può riprodurre in tutte le loro sfumature. Il nostro è, diciamo così, un intellettuale dell'azione – non un filosofo o un pensatore.

Riva è inondato di documenti, non riesce a convincere i suoi interlocutori che si può fare un vero libro storico semplicemente raccontando: "La loro chiave più frequente è l'ampollosità (male caratteristico dello scrittore sudamericano) e la frondosità (caratteristica, ahimè, ricorrente dello spirito cubano)". Insomma, "il libro non si chiude", come si dice in gergo e come accade per le cose che vanno per le lunghe. Franqui ha voglia di tornare a Parigi; Riva, fegato e cervello liquefatti, è richiamato in patria. Agli editori Atheneum di New York, Heinemann di Londra, Hachette di Parigi, con cui s'erano già conclusi accordi, si comunica che i tempi dell'opera sono più lunghi del previsto. Se ne riparlerà più avanti.

I contatti cubani seguono per tutto il 1964 e nel maggio del '65 Feltrinelli torna all'Avana, sempre con Riva. La situazione pare molto cambiata. La provocazione americana del 5 agosto 1964 nel Golfo del Tonchino ha dimostrato ai cubani che qualsiasi forma di distensione tra Stati Uniti e Terzo Mondo è da escludere. Fidel Castro leva la sua protesta per l'aggressione, chiede aiuti per il Vietnam. In Urss, raggiunto con gli Usa l'accordo per la sospensione degli esperimenti nucleari, si muovono con cautela, valutano l'attacco americano come un "gesto avventato", preferiscono non andare oltre. In ottobre Chruščëv è esautorato.

Castro aveva voluto vedere il gioco dell'avversario e l'aveva visto: di normalizzazione dei rapporti non si parla più, i temi diventano la condanna dell'imperialismo nordamericano, la solidarietà tra paesi del Terzo Mondo, i movimenti di liberazione nazionale. Chi appoggia questa sfida?

Nell'ottobre del '64, Cuba partecipa alla Conferenza dei paesi "non allineati" del Cairo e, con l'aiuto di Nasser, riesce a modificare in senso più combattivo le risoluzioni della conferenza. Una delegazione cubana visita i nuovi capi a Mosca ed Ernesto Che Guevara si reca a Pechino per incontrare Mao Zedong. Vogliono verificare la compattezza e le intenzioni del campo socialista, ma i risultati non sono apprezzabili. Respinta la loro iniziativa unitaria, i dirigenti cubani impiegano ogni sforzo per forgiare una nuova unità: quella dei tre continenti.

È un momento chiave. Cuba accenna a uscire dai ranghi con la creazione di una piattaforma "tricontinentale" che deve unire la tradizione della rivoluzione socialista alle correnti di liberazione nazionale. Castro prende contatti con il presidente indonesiano Sukarno, con il capo dell'opposizione marocchina Ben Barka, con i successori di Lumumba, con il keniano Mondlane e con la maggior parte dei movimenti latinoamericani. Si prepara all'Avana la conferenza dell'Organizzazione dei popoli d'Asia, d'Africa e America Latina (gennaio 1966), da cui dovrebbe scaturire l'Organizzazione latinoamericana di solidarietà (Olas): Cuba è il punto di decollo per le istanze del mondo inquieto.

Il 25 febbraio 1965, Ernesto Che Guevara tiene un discorso ad Algeri. Attacca duramente il blocco sovietico per il suo immobilismo nei confronti dei movimenti di liberazione. In aprile parte la sua missione militare in Congo. Vuole "due, tre, molti Vietnam" contro l'imperialismo "gigante dai piedi d'argilla". Il Che si smarca, anche dalla vetrina cubana.

Feltrinelli torna a Cuba nel bel mezzo di queste trasformazioni, e dio sa quale impatto avranno su di lui. Ha fatto stampare in Spagna dieci copie delle memorie di Castro. Solo a titolo dimostrativo: il lavoro non è concluso. Ma il libro, ormai, non è che un pretesto per parlare di politica.

Giunto all'Avana, l'editore trova che almeno una cosa è rimasta uguale: l'attesa per incontrare il Comandante. Decide di accorciare i tempi. Prepara un cartello che appende alla porta della sua stanza all'Habana Libre. Chi passa legge: "Sciopero della fame". Nel giro di mezz'ora accorrono funzionari rassicuranti, con un invito riparatore a casa Castro per la sera dopo. È la volta in cui Fidel propone la gara dei migliori spaghetti. La sua ricetta: due galline, 500 grammi di pasta da cuocere nel loro brodo, scaglie di formaggio fresco.

Di questa serata, e degli incontri successivi, Giangiacomo prende nota e stende a penna un minuzioso memorandum:

RESOCONTO CONVERSAZIONI CON F.C. 1965
10 maggio, ore 20, alla Calle 11 a cena con Fidel (con spaghetti alla Fidel Castro). Colloquio durato dalle 20 alle 1.30.

Come arriviamo – incontro cordiale – inizio a parlare del libro: Fidel dice che quanto è stato fatto va bene ma che bisogna aggiungere molto, soprattutto del periodo postrivoluzionario, che nei prossimi tre mesi non si sarebbe dedicato ad altro, che vuole fare un libro importante; sente il bisogno di parlare dell'esperienza cubana postrivoluzionaria perché serva anche agli altri. Su questo punto poi è ritornato più volte nel discorso che seguì quando accennò ai consigli non avuti dai sovietici e dai cinesi e di quanto invece lui faceva per gli algerini e venezuelani.

Dopo un breve excursus sulla situazione cubana, sulle prospettive agricole (10 mila tonnellate di zucchero per il '70 indi produzione di melassa per uso mangime, delle altre coltivazioni in corso: frutta, ecc., della graduale formazione di una industria complementare all'agricoltura per poi sviluppare nell'80 una industria autonoma; degli 8 milioni di capi di bestiame che ci sarebbero stati a Cuba nel '75), il discorso passò sui problemi generali di politica.

1) I nuovi dirigenti sovietici sono capaci, assennati.
Anche se Kruscev ha avuto, soprattutto per i cubani, molti meriti (ha appoggiato Cuba e quindi coinvolto l'Urss nella rivoluzione cubana e dell'America Latina come certamente Stalin non avrebbe mai fatto). Tuttavia questi nuovi dirigenti sono meno fanfaroni. Le relazioni tra Cuba e Urss, che negli ultimi tempi erano molto tese sul piano politico (dà atto che l'Urss non è mai ricorsa a pressioni economiche come ricatto per ottenere la propria volontà sul piano politico), oggi sono ridiventate molto buone. La tensione con Kruscev derivava ancora dalla crisi dei Caraibi e verteva ora sul ritiro delle truppe sovietiche a cui Cuba infine accondiscese a patto che lasciassero a Cuba tutto l'armamento.

2) Le relazioni con Kruscev e la crisi dei Caraibi.
Kruscev, come già si è detto, appoggiò generosamente la rivoluzione cubana che altrimenti non avrebbe mai potuto tener testa agli americani. Di fatto questa fu una politica rivoluzionaria dell'Urss contro l'imperialismo americano (v. oltre). La questione dei missili. Fidel dice che, in una conversazione con un inviato sovietico, questo gli chiedeva che cosa, a suo parere, i sovietici potevano fare per Cuba. Fidel rispose: fare che di fatto – e non solo a parole – un attacco a Cuba fosse un attacco all'Urss. Perché queste non fossero generiche assicurazioni occorreva installare a Cuba i missili a media gettata. L'impressione di Fidel fu che il suo interlocutore era stato mandato appunto per concordare que-

sto, perché, di fatto, si procedette all'installazione dei missili.
Fidel vedeva il problema dell'installazione dei missili come un fatto strategico della massima importanza e anche come un fatto politico in quanto avrebbe in pratica inserito Cuba nel club delle potenze nucleari.
Secondo Fidel, Kruscev era perfettamente consapevole dell'importanza strategica di una simile decisione.
A questo punto tre critiche ai sovietici:
a) sul piano militare. I missili furono installati alla luce del sole in posizione molto vulnerabile e con insufficiente difesa controaerea, soprattutto contro i voli radenti. I missili terra-aria sovietici per difesa antiaerea erano inefficaci sotto i mille metri (quelli lasciati a Cuba sono ora stati modificati per essere efficaci dai 500 metri in su) e insufficiente era la protezione delle mitragliatrici antiaeree.
b) politica internazionale. Sbaglio di Kruscev nel dire a Kennedy che si trattava solo di missili difensivi: di fatto lo ingannò senza risolvere niente perché alla fine le fotografie dimostrarono che si trattava di ben altro. Avrebbe dovuto dire francamente che si trattava di armamento nel quadro di un accordo militare sovietico-cubano.
c) rapporti con Cuba: 1) ordinando la rimozione dei missili senza interpellare i cubani di fatto partner in un accordo bilaterale; 2) addirittura accettando l'ispezione dell'Onu. Sarebbe bastato che avessero aggiunto se i cubani erano d'accordo.
La crisi dei Caraibi con il ritiro dei missili prima, delle truppe sovietiche poi, avrebbe potuto avere conseguenze psicologiche tremende sulla popolazione cubana che si sarebbe sentita completamente senza protezione.
L'impressione di Fidel era che, anche nella crisi dei Caraibi, Kruscev fu ancora tra i sovietici il più coraggioso. Gli altri avevano ancora più paura delle possibili conseguenze.

3) Cinesi. Dissidio sovietico cinese e Vietnam.
Molta dell'originale simpatia verso i cinesi non c'è più. L'atteggiamento rivoluzionario cinese in cui aveva creduto nasconde di fatto: a) esclusivamente una politica di potenza cinese; b) una politica di diffamazione continua, sistematica, cocciuta e irrazionale dell'Urss.
Un tempo si diceva: gli intenti sono buoni, sono solo i mezzi usati (propaganda illegale nei paesi socialisti, frazionismo, accuse ai sovietici) che sono cattivi. Di fatto, ora, si sa che i mezzi corrispondono alla politica che non è certo una politica rivoluzionaria ma esclusivamente una politica di potenza cinese. Per esempio, i cinesi durante la crisi dei Caraibi non fecero

niente: non un consiglio ai cubani o ai sovietici. Solo più tardi – e peccato che il più tardi non coincise con la fine di Cuba socialista, fine di cui si sarebbe potuto incolpare i sovietici – manifestarono a vuoto.

Per esempio, per il Vietnam, l'atteggiamento cinese è equivoco, frena gli aiuti sovietici, tende a dividere il Vietnam dal Vietcong: il loro astio antisovietico è più forte della ragione rivoluzionaria.

Dovrebbero accantonare i dissidi: i sovietici sono pronti per aiutare il Vietnam e una unione con l'Urss li metterebbe anche al sicuro dagli attacchi americani.

Per esempio, il frazionismo nei partiti dell'America Latina porta all'inattività incompleta. I cubani, a volte, aiutano i movimenti rivoluzionari fuori dai Pc, ma mai cercano di dividere un partito.

Mao è un vecchio arteriosclerotico che parla con gli dei (vedi riferimento alla recente intervista). È una merda. Fin tanto che vive non si potrà contare su un cambiamento della politica cinese. L'assurdità dell'atteggiamento di Mao e anche la senilità appaiono evidenti da alcuni documenti in mano a Fidel. Tra l'altro dal resoconto verbale del recente incontro Kossighin-Mao, a proposito del Viet, un atteggiamento quale il cinese è assurdo. Con i sovietici si può discutere, gli si possono far capire le cose e, gradualmente, portarli ad appoggiare i movimenti rivoluzionari.

4) Africa e America Latina.
La rivoluzione nell'America Latina senza dubbio procede. Attualmente nella Columbia, nel Paraguay e nello stesso Cile la situazione evolve abbastanza rapidamente.

Nel Venezuela la guerriglia continua a svilupparsi. L'appoggio di Cuba a questo movimento è quasi ufficiale. Non lo potrebbero dare senza avere a loro volta l'appoggio sovietico. I cubani danno e fanno quello che possono. Santo Domingo: l'atteggiamento degli americani è dei più assurdi. Bosch non era certo un comunista e il movimento all'inizio non era altro che un putsch militare. Ma il panico degli americani ha trasformato il caso Santo Domingo in una rivolta popolare. Ha creato una frattura dell'Osa. Caamaco era un ufficiale sconosciuto ma il suo esempio di dare le armi al popolo rischia di essere seguito da molti giovani ufficiali latinoamericani.

I cubani hanno spinto l'Urss al dibattito alle Nazioni Unite. Ma tuttavia la situazione più esplosiva si ha in Africa: Congo, Angola, Sud Africa e alcuni stati orientali sono sull'orlo della rivoluzione. Occorrerebbe più appoggio dei sovietici – indiretti magari – fornendo armi in quantità a Nasser e a

Ben Bella. Bisogna sviluppare questo spirito rivoluzionario di aiuto internazionale. I cubani, quando ci fu la tensione Algeria-Marocco, senza pensarci su due volte, mandarono in Algeria in otto giorni un battaglione con tutto l'equipaggiamento. I sovietici li informarono che se fossero stati ai patti l'armamento non poteva lasciare Cuba.

5) Imperialismo americano.

Mentre Fidel mai parlò contro il capitalismo in genere o in particolare contro quello europeo, il suo atteggiamento contro gli americani è durissimo e assolutamente intransigente. Si ha l'impressione che, costi quel che costi: a) con l'imperialismo americano non si può né venire a patti né a coesistenze; b) deve essere combattuto con durezza e fermezza. Bisogna sempre sparare. Se i cubani all'epoca della crisi dei Caraibi non avessero sparato agli aerei americani che sorvolavano Cuba a volo radente, se non avessero sparato allora (contro il parere dei sovietici), oggi non si potrebbe giocare a pallone a Cuba senza il rischio di colpire qualche aereo americano. Non si tratta di difendersi ma di attaccare sempre.

Può darsi che quando la rivoluzione cubana avrà 40 anni, i cubani incominceranno a pensare al pericolo di compromettere quello che hanno costruito, ma oggi no.

A mio avviso questo non è un odio contro gli americani in genere anche se non è chiaro che cosa vorrebbe che succedesse in America, quale dovrebbe essere e come dovrebbe avvenire la svolta.

6) Situazione militare di Cuba.

La difesa è ben organizzata, articolata e distribuita su tutto il paese. Non offre concentrazioni di mezzi e di uomini facilmente attaccabili dal nemico.

Molto curata la difesa contraerea contro i voli radenti. I missili terra-aria ben installati in posizioni difese e difficilmente colpibili.

7) Varie. Plaja Giron.

Stando alle loro informazioni ed ai manuali, gli americani giustamente prevedevano che gli armamenti giunti da poco non fossero ancora efficienti. Infatti il ritmo di addestramento dei cecoslovacchi avrebbe messo i cubani in condizioni di respingere l'attacco uno o due anni dopo. Per fortuna che i cecoslovacchi intervennero dicendo agli allievi cubani: quello che hai imparato di giorno insegnalo rapidamente la notte ai compagni.

Solo così riuscirono a mettere in efficienza circa 100 batterie e i battaglioni sufficienti per respingere l'attacco.

In caso di attacco americano le loro prospettive sarebbero di opporre una resistenza accanita e prolungata fin tanto che l'opinione pubblica mondiale non fosse allarmata e mobilitata. In particolare ciò dovrebbe avvenire in Urss. I sovietici sono lenti e spesso maldestri ma poi quando si muovono sono inarrestabili.

Stalin: un pazzo che liquidò il fior fiore dello Stato maggiore sovietico e del partito e che permise la mobilitazione di un esercito tedesco di 3 milioni di uomini senza prendere contromisure, un pauroso e un cretino.

Occorre ora – dice Fidel – che l'Urss proceda di nuovo, con calma e fermezza, a fermare l'impudenza americana in Vietnam e in Germania.

Considerazioni mie personali:

a) Fidel appare un poco ingrassato ma di salute sta molto bene;

b) il paese continua a essere diretto come una grande azienda: comitati direttivi eletti dall'alto ma tuttavia funzionanti. Così, come in una grande azienda, bisogna tener conto dell'opinione pubblica, anche qui si tiene conto dell'opinione pubblica;

c) la crisi del Che Guevara. Dopo il discorso di Algeri del Che ci fu una vera e propria crisi determinata: 1) dal discorso stesso; 2) da orientamenti contrastanti sulla industrializzazione. Più precisamente, se bisognava spingere di più, anzi in primo luogo l'agricoltura e l'industria complementare all'agricoltura, o se si doveva procedere ad una industrializzazione generica che il Che probabilmente vedeva nel quadro di quel particolare interscambio fra paesi socialisti. Sta di fatto che da due mesi il Che vive in campagna e non si è più presentato al ministero dell'industria.

Oggi, 19 maggio, nel dare la notizia della morte di sua madre non si fa alcun riferimento al fatto che, in fondo, è ancora ufficialmente ministro dell'industria.

I dissensi fra Fidel e il Che però sono di vecchia data. Infatti, già dai tempi della Sierra Maestra il Che andava a ruota libera e praticamente sfuggiva al controllo dell'alto comando, tanto da dover essere più volte richiamato.

d) La situazione economica di Cuba è molto migliorata. In qualsiasi ristorante si mangia allo stesso prezzo tre volte quello che si mangiava l'anno scorso. I negozi appaiono ben forniti di prodotti per l'abbigliamento. I camion hanno le gomme in ordine. Lo yogurt è abbondante e a buon mercato. Lo sforzo dell'agricoltura è anche diretto verso la diversificazione: frutta, pini, verdure e naturalmente intenso è lo sforzo per sviluppare l'allevamento del bestiame che in campagna appare in complesso in buone condizioni e curato.

Considerevoli risultati sono stati raggiunti nell'allevamento dei polli e nella produzione delle uova – 92 milioni in marzo. Il prezzo delle uova al mercato nero è caduto da $ 0.30 a $ 0.05 e, in aprile, per la prima volta, hanno esportato 17 milioni di uova.

e) La situazione politica interna appare buona (per esempio, meno soldati in giro – meno armi). Gli sforzi della Cia sono concentrati nell'organizzare un complotto interno e dall'interno abbattere il regime.

Questi sforzi portano a congiurette e, di conseguenza, a una maggiore vigilanza politica.

Di tanto in tanto si scoprono tali congiure. Non ne viene data notizia alla stampa.

La vigilanza interna è, credo, più forte oggi che prima. L'esercito e la polizia sono indubbiamente i settori meglio organizzati e più efficienti di tutto il paese.

f) I freni tuttavia si sono stretti un poco, soprattutto sul piano culturale. Alcune cricche stanno prendendo forza e potere. Per esempio, l'Unione degli scrittori sulle case editrici. Bisognerebbe anzi che le unioni degli scrittori non avessero mai l'incarico e il controllo delle case editrici che dovrebbero invece essere dirette da funzionari o anche da singoli scrittori ma senza rispondere o dipendere dall'Unione degli scrittori.

[...]

21 MAGGIO – DOMANDE DA FARE A FIDEL

a) perché se la prende tanto con gli intellettuali omosessuali?
b) rif. alla notizia dei mercenari di Ciombè caduti e riportarlo a parlare dell'Africa.
c) quali altri personaggi ritiene sarebbe interessante far scrivere un libro come quello suo?
d) Santo Domingo: che cosa si può fare per aiutare le forze di Caamaco? Il non intervento non è una forma di realpolitik. Non occorrerebbe una solidarietà più reale e consistente?
e) l'Ungheria prima in misura forse diversa e Santo Domingo poi dimostrano l'inefficienza delle Nazioni Unite quando uno dei due big è coinvolto. Cosa pensa sarà l'effetto di ciò sulle Nazioni Unite?

[...]

21 MAGGIO, ORE 20 – a cena con Fidel alla Casa del protocollo.
Arriva alle 21.40 e resta sino alle 24.10.
Argomento della discussione: il problema degli omosessuali.
Scatenato con sconcertante ma preoccupante naturalezza e
violenza dice: dobbiamo esaltare in questo periodo le qualità
migliori del nostro popolo. Non c'è posto per i parassiti (come se non ce ne fossero che non sono pederasti) che si concentrano in certe posizioni e che influenzano la gioventù. Pa-
tetici casi individuali. Prevedibile che le sue ire si scaglino
dai pederasti agli intellettuali: architetti, scrittori (es. Del
Puente) sul teatro, ecc., che si estenda cioè una concezione
eroica – già enunciata a proposito della lotta, della discrimi-
nazione contro la pederastia – contro gli intellettuali (tradizionali) cubani.
Ahi Ahi! Vedo pericolose nubi di intolleranza!!

[...]

Sulle personalità da far scrivere: Nasser, Peron (?).
(Breve discussione su Peron che da questo continente appare sì come un demagogo ma non come un fascista), Ho Chi
Min e il Che. A questo proposito fu anzi molto cavaliere. Disse che il Che stava tagliando canna in occidente. Scherzò sul
problema del Che ma non disse niente. Sì, disse che il discorso
di Algeri del Che non fu molto politico, che i problemi posti
(ma quali?) non si dovevano porre pubblicamente.
Ma il discorso fu centrato soprattutto sugli intellettuali e gli
omosessuali. Molta considerazione per Alejo Carpentier ma
nessuna per gli altri che considera tutti dei parassiti. I problemi degli intellettuali sono più complessi che reclutare 1000
persone a tagliare canna da z. o allevare 10.000 mucche, non
possono essere affrontati con lo stesso impeto, con la stessa
energia, con la stessa infallibile sicurezza di risultati. E questo fa sì che F.C. li consideri in fondo problemi inutili.

Fidel Castro – È difficile sia fare le rivoluzioni sia mantener-
le. Bisogna evitare che, come durante la Rivoluzione francese, si ghigliottini fino a che non ci sono più rivoluzionari o
come durante la Rivoluzione sovietica.
È necessario combinare il lavoro intellettuale a quello manuale (sic!).
Queste e altre simili semplicistiche dichiarazioni, in merito
alla letteratura, alle arti scoppianti di virilità tipiche di un quasi insopportabile puritanesimo accompagnate con profonda
ignoranza dei problemi sessuali e psicologici, etnologici e so-
ciologici che determinano i costumi sessuali e lo sviluppo del-

le arti, confermano quell'impressione di stringimento di freni sia sul problema culturale sia su quello morale.

Fidel è sempre più interessato a problemi militari (libri su storie di battaglie, film di guerra) con un entusiasmo e un interesse quasi da adolescente.

È vero che il problema militare a Cuba è della massima importanza, tuttavia, mi sembra, lo appassioni e lo interessi più quest'anno che l'anno scorso.

Non so chi dei due si fece prendere la mano, ma Fidel e Giangiacomo parlano sempre meno di memorie e i suoi appunti non sembrano più note di lavoro. Il progetto dell'autobiografia si sta sfilacciando. Anche per còlpa di Riva. Da Cuba, Feltrinelli propone la sua sostituzione: "Il casino che ha combinato qui è indescrivibile e tipico. Ha lavorato un poco sulle carte che ci hanno dato, ha preparato un memorandum che non dice niente. Da Fidel non ha aperto bocca (è vero che è difficile parlare con Fidel, parla sempre lui). Altrimenti in giro per L'Avana per conto suo, come se fosse solo, prendendosi la macchina e raramente dicendo se e quando torna. Riva è un primo della classe, un bambino prodigio. Non è che non sia cresciuto, è cresciuto, ma è rimasto solo un bambino prodigio che si è montato la testa".

La faccenda del libro è ormai solo un confronto d'idee fra un politico-impolitico (Giangiacomo) e un politico-politico (Fidel). Feltrinelli vuole da Castro qualcosa che si tramuti in decisioni pubbliche, ufficiali. Si aspetta uno scambio alla pari che naturalmente non può ottenere ma che qualche volta ha la sensazione di raggiungere. A un certo punto delle loro conversazioni, Feltrinelli attacca senza mezzi termini l'ossessione anti*maricas* delle autorità cubane (e di Fidel in persona). Due giorni dopo, liberano dal carcere un gruppo di studenti schedati con la "P" di pederasta. Caso o conseguenza?

Le due visite del '64 e del '65 ebbero su Feltrinelli un impatto fortissimo. Sarà lui stesso a parlarne in un'intervista "nazional-popolare", ma sincera, a Gianfranco Venè. È del '67:

"Nel '64, quando sono diventato amico di Castro, non credevo più a niente. Nessun tipo di impegno, né ideologico, né politico. Poi..."

"Il castrismo?"

"No, ma il fatto di trovarsi a tu per tu con un capo di Stato, a discutere di politica mondiale e in diretto contatto con un ambiente concreto com'è Cuba, può cambiare qualcosa nella vita."

"Cioè?"

"Parlo per me, naturalmente. Noi viviamo momenti in cui non sappiamo dare un contenuto, una prospettiva alle nostre inquietudini. Parliamo di politica e ne parliamo in astratto. [...] Cuba no. Cuba è lì, e la politica si fabbrica giorno per giorno con una rispondenza immediata. E, quel che più conta, la si costruisce fuori dagli schemi consueti: capitalismo, socialismo sovietico..."

Nell'aprile del '67 sarà nuovamente a Cuba per un paio di settimane. Castro lo prende con sé per una trasferta a Camagüey. Viaggiano in macchina di notte. C'è anche Riva, ancora formalmente nei ranghi della casa editrice, ma è lì per un servizio giornalistico. Della famosa autobiografia non si parla più.

All'Avana l'editore simpatizza con il fotografo Alberto Korda. Parlano a lungo del Che. Korda gli regala il negativo di una foto scattata sette anni prima, durante i funerali per le vittime del *La Coubre* (un cargo pieno di armi esploso al molo). La sua Leica era in ricognizione sulla tribuna-autorità listata a lutto: c'è vento, due clic incocciano casualmente una strana espressione di Guevara.

Secondo Korda, Feltrinelli era pessimista per le sorti del Che. Nessuno sa che da cinque mesi è nascosto in Bolivia.

Il primo giugno 1967 Giangiacomo Feltrinelli scrive a Lyndon B. Johnson, presidente degli Stati Uniti d'America:

Gentile Signor Presidente,
sono uno dei principali editori italiani.
Di quando in quando, a causa dei loro scritti, i miei autori suscitano le ire dei loro governi: come editore è mio dovere fare il possibile per garantire la loro libertà e fare in modo che vengano ascoltati. Dieci anni fa è accaduto a Boris Pasternak che fu attaccato dall'Associazione degli Scrittori Sovietici e dalla Lega dei Giovani Comunisti. Al tempo ero l'editore del signor Pasternak. Oggi accade a Régis Debray, un giovane filosofo francese autore di *Una rivoluzione dentro la rivoluzione*. Debray è stato arrestato dalla polizia boliviana alla fine di aprile del 1967 principalmente a causa di questo libro. Dal suo arresto si è saputo poco di lui ed è stato considerato un *incomunicado*. Secondo alcune voci sarebbe stato portato a Panama per essere interrogato dalle autorità degli Stati Uniti. Rapporti ufficiali dalla Bolivia parlano di un processo imminente. Tuttavia questo processo, se si verificasse, sarebbe una farsa, perché il Presidente della Bolivia, il Generale Barrientos, ha detto che (a) "le avventure del signor Debray finiranno in Bolivia" e che (b) chiederà al suo governo di approvare una legge per ripristinare la pena di morte in Bolivia.
Il fatto che gli Stati Uniti appoggino con forza il Generale Barrientos è noto in tutto il mondo, l'influenza americana nella politica e nell'economia della Bolivia è un elemento determinante, dimostrato dalla presenza di personale militare ame-

ricano e di aiuti militari. La responsabilità del destino di Régis Debray perciò è nelle mani del governo americano. [...] Come editore del signor Debray le chiedo Signor Presidente, di esercitare la sua influenza per l'immediato rilascio di Régis Debray e come rappresentante di un'ampia parte della cultura italiana le suggerisco col dovuto rispetto di riconoscere appieno tutte le implicazioni della prolungata detenzione di Debray e, ancor peggio, della sua possibile prigionia o condanna a morte.

La risposta di Washington non sarà sollecita. In compenso, ai primi di luglio chiamano da Roma: è Luis Hernández, primo segretario dell'ambasciata di Cuba. Ha poco più di vent'anni e una 600 tutta rotta che ce la fa fino a Milano. Deve parlare con Feltrinelli a tu per tu. Chi lo manda è Manuel "Barbarroja" Piñeiro, responsabile del dipartimento segreto Liberación e capo dei servizi di controspionaggio. I nemici interni lo chiamano "James Bongo".

La volta che sono a Cuba, nel '92, vado a trovarlo. Barbarroja ha la barba imbiancata, dovrebbe essere in pensione, ma con tipi come lui non sai mai bene. Mi dirà tutto? Non mi dirà tutto. Giustamente. Comunque parliamo, a lungo, nella veranda di casa sua. Ha convocato anche Hernández e un altro che c'entra.

Piñeiro ha buona memoria, che usa a intermittenza, e anche Hernández ricorda bene il suo viaggio a Milano dell'estate '67. Prima non aveva mai visto Feltrinelli. Arrivato in via Andegari, alla "foresteria", nota subito la cravatta sgargiante e una miriade di riviste e carte sparse: "Sarà lui l'editore miliardario?". È seduto per terra. Gli fa compagnia sulla moquette e cominciano a confabulare.

A parte qualche trafiletto su "Le Monde", in Europa e in Italia non si sa molto della Bolivia, della guerriglia, di Debray. Questi, il 19 aprile 1967, scendendo senza armi e in borghese dalle colline di Camiri, era stato arrestato con l'argentino Ciro Bustos e il fotografo anglocileno George Roth. Con la loro cattura i militari trovano conferme che il Che è in Bolivia. Debray era stato mandato per tenere i collegamenti con Cuba. Per i cubani aveva già svolto una ricognizione in Bolivia nel '66. Quando lo arrestano sostiene di essere un giornalista ma finisce sotto tortura.

A Hernández, cioè a Piñeiro, cioè a Fidel, preme una

campagna di solidarietà per richiamare l'attenzione internazionale sul caso Debray. I cubani propongono a mio padre di seguire personalmente il processo che sarebbe cominciato nelle settimane a venire. L'editore francese di Debray, François Maspéro, è già sul piede di partenza. Dopo cinque minuti la decisione è presa. ("Ha un milione di difetti ma è l'uomo dalle decisioni rapide", disse una volta Goffredo Parise.) Feltrinelli si offre anche di contattare possibili compagni di viaggio, ma senza risultati. Pensa a Lelio Basso, a Vittorio Foa, ad Antonio Giolitti. Giolitti, già ministro del centrosinistra, rimane di stucco con la cornetta in mano quando mio padre lo chiama al telefono: "Ma Giangiacomo! Sto partendo per Cogne...".

"Non gli demmo altra indicazione se non quella di recarsi a La Paz." Secondo Piñeiro e Hernández non c'era un piano prestabilito.

Arrivato il 9 agosto in Bolivia, Feltrinelli si stabilisce in uno dei due grandi hotel della capitale, il La Paz, camera 311. La città brulica di giornalisti che non sono giornalisti, informatori che non sai chi informano, osservatori che non si sa cosa osservano, turisti che non sono veri turisti, anglocileni, francoargentini, alemannoboliviani, cubanoamericani, guatemaltecodanesi. Tutti indaffarati, ma senza dare nell'occhio. L'italiano si mescola alla folla. Frequenta la lobby dell'Hotel Copacabana, cerca di comprare una cartina geografica e una costituzione boliviana, si prenota per una escursione sul Lago Titicaca, si informa sui permessi che ci vogliono per arrivare a Camiri: è qui per questo. Camiri è la prigione di Debray dove si svolgerà il processo. Nelle sue prime ore a La Paz cerca di mettersi in contatto con Humberto Vázquez Viana per sapere del fratello Jorge, detto "El Loro". Stava nella guerriglia. Preso e ferito dai ranger, era stato scaraventato vivo da un elicottero in volo sulla foresta.

Secondo la ricostruzione dei cubani Adys Cupull e Froilán González, autori dell'inchiesta *La Cia contra el Che*, Feltrinelli avrebbe anche visto il colonnello Carlos Vargas Velarde, in servizio al ministero della Difesa, che si sarebbe offerto di fornirgli prove sulla presenza della Cia in Bolivia e sul progetto americano di introdurvi mercenari e controrivoluzionari cubani. Dovevano provocare atti vandalici nelle zone calde, per poi incolpare la "banda" del Che. Il colonnello Velarde, sospettato di essere legato a filo doppio con L'Avana, sarà trovato morto qualche mese dopo nel suo ufficio. (Il suo presunto incontro con Feltrinelli non ha mai trovato altri riscontri.)

Ancora in *La Cia contra el Che* si dice che l'editore italiano sia stato avvicinato da George Roth, il fotografo arrestato con Debray e sospettato di collaborare con la Cia. Roth vuole proporgli un memoriale sui fatti di Camiri.

Intorno a Ferragosto, atterra a La Paz Sibilla Melega: vent'anni, di Merano, bionda, bella, vende chincaglierie beat in una boutique di Brera. Era in vacanza a Stromboli quando Giangiacomo le aveva mandato un biglietto per il suo primo viaggio oltreoceano.

Dalle prime ore del 17 agosto, Feltrinelli si accorge di essere pedinato e nel pomeriggio del giorno seguente, alle 17.30, due funzionari in borghese si presentano al suo albergo e lo scortano agli uffici della Dic (Direzione per le investigazioni criminali). Lungo interrogatorio e poi dritto in carcere. La notizia del suo arresto si diffonde con immediata risonanza internazionale. "L'impatto fu enorme", rammentano Hernández e Piñeiro.

Antonio Arguedas, allora ministro degli Interni, parlando di queste cose trent'anni dopo con il giornalista Antonio Peredo, nell'autunno del '97, ricorda che la segnalazione sulla presenza in Bolivia di Feltrinelli venne dalla Cia. Del suo arresto si occuparono il capo dei servizi d'informazione Roberto Quintanilla e l'agente americano Julio Gabriel García, in forza al ministero. Gli interrogatori furono condotti direttamente dalla Cia, senza risultati.

In questa Bolivia ci sarebbero molti motivi per arrestarlo, ma i pretesti sono risibili: i 4000 dollari che gli trovano in tasca, le centinaia di fotografie scattate (ma è il Lago Titicaca!), le cartine geografiche (ma sono dell'Istituto geografico De Agostini di Novara), i contatti con la famiglia Vázquez Viana (ma il padre di "El Loro" è uno storico famoso: la famiglia è molto conosciuta). L'inquisito segue la buona regola di stare zitto. Chi lo interroga perde la pazienza: "Lei è una spia di Mosca! Non può essere altro che un agente del comunismo sovietico!".

Sibilla è in albergo quando lo portano via. Allibisce. Si trova catapultata in una dimensione che non avrebbe mai immaginato. Corre all'Hotel Copacabana e si imbatte in Jan Stage: trent'anni, danese, giornalista arruolato dai cubani per l'invio di notizie da La Paz via Parigi. Lo ritroveremo più avanti. È lui a distruggere indirizzi e appunti di Giangiacomo che Sibilla ha con sé. Sempre a lui, mio padre aveva chiesto nei giorni precedenti se poteva fare qualcosa per il noleggio di un aereo, un piccolo cargo, un Dc3, purché volasse! (Secondo Stage non è chiaro a cosa gli servisse un aereo. Forse per portare fuori qualcuno. Chi?)

Il 19 agosto anche Sibilla viene fermata e interrogata.

Nel pomeriggio, tutta la stampa italiana da boulevard lancia la notizia. "La Notte" di Milano: "L'editore Feltrinelli scomparso in Bolivia"; stesso titolo per il "Carlino Sera" di Bologna e per il "Telestar" di Palermo.

Il 20 insiste la "Gazzetta di Vigevano": "Feltrinelli arrestato in Bolivia", stesso titolo del "France Soir"; "Le Monde" è più cauto: "L'editore italiano di Régis Debray sarebbe detenuto dalla polizia". La sensazione è che tutti rispondano bene. Alcuni commenti dettagliano le accuse rivolte a Feltrinelli: ha violato il paragrafo C del decreto 28 gennaio 1937 che fa divieto agli stranieri di immischiarsi negli affari interni del paese. Dichiarazione del ministro Arguedas: "La Bolivia sta fronteggiando il grave problema dei guerriglieri e non può avere rispetto per quanti operano apertamente con costoro".

In Italia, il presidente Saragat e il ministro degli Esteri Fanfani intervengono immediatamente. Grazie a loro, le autorità boliviane decretano l'espulsione di Feltrinelli, dopo un giorno e due notti in gattabuia.

Il 20, alle 14, lo portano all'aeroporto. Per tornare in Europa deve fare scalo a Lima. Giusto il tempo perché lo dichiarino indesiderato anche qui.

Il 21, dal "Times" al "Glasgow Herald", il titolo è uno solo: "Editore espulso dalla Bolivia". La "Kölner Stadtanzeiger" è rimasta indietro ma arrischia il titolo più corretto: "Arrestato l'editore dello *Živago*". Più aggiornato il "Corriere d'informazione": "Feltrinelli espulso anche dal Perù". Comunicato stampa del ministro Arguedas: "Se la libertà e la giustizia non esistessero in Bolivia, Giangiacomo Feltrinelli non sarebbe uscito vivo dal paese".

Mentre scorta Sibilla all'aeroporto, il colonnello Roberto Quintanilla estrae dal taschino un santino della Vergine Maria. Glielo porge. La sua voce sovrasta il rumore della jeep quando le consiglia di accendere un cero alla Madonna.

L'obiettivo politico è centrato. L'editore è scosso per gli scampati pericoli, ma euforico allo stesso tempo. Quando rientra a Linate (via Lima e Madrid) ha un pullover blu, la ventiquattrore, una Senior tra le labbra e la Ds nera che lo porta via dall'assedio dei giornalisti.

In Italia non mancano gli attestati di solidarietà, ma c'è anche chi contesta. Alcuni giornali si scatenano; i missini si fanno sentire in parlamento, nelle librerie Feltrinelli di Roma e Milano con i bastoni. Il loro grido è "No a Feltrinelli, agitprop miliardario".

Qualche giorno dopo il suo rientro da La Paz, Giangiacomo offre a Sibilla una nuova vacanza. Partono per Malaga, ma non è come nella canzone di Fred Bongusto. Affitta un due alberi senza equipaggio per raggiungere Orano e poi Algeri. Il mare è parecchio mosso, il timoniere talvolta si perde e, quando arriva a destinazione, perché alla fine arriva, le vele sono tutte fuori uso. Incontra il colonnello Boumédienne. Feltrinelli gli parla della propria intenzione di recarsi in Rhodesia. C'è movimento di guerriglia al confine. Una Sibilla sempre più stralunata lo convince a lasciar perdere e a tornare in Italia, questa volta in aereo.

Durante la spedizione africana, Feltrinelli trova il tempo di scrivere due lunghi articoli sulla sua avventura boliviana che saranno pubblicati in Italia agli inizi di settembre. Più che un racconto, è un'allucinazione. I toni sono enfatici. Nel pezzo per "L'Espresso" denuncia gli eccidi del regime di Barrientos, la miseria della popolazione contadina, le interferenze statunitensi. Il suo memoriale si conclude con una certezza: "Non ci sono dubbi: un altro Vietnam è già cominciato". Invece, tempo poche settimane e a La Higuera finisce tutto. Il colonnello Quintanilla si premura di far amputare le mani del Che e di deporle nella formalina: sono la prova che non esiste più.

Nel maggio 1972, il ministro Arguedas (nel frattempo passato dalla Cia ai cubani) rilascerà una dichiarazione sorprendente. Dice che, nell'agosto del '67, Feltrinelli avrebbe offerto ai boliviani un riscatto di 50 milioni di dollari per il Che vivo, nel caso di una sua cattura. La Cia non volle nemmeno sentirne parlare. Vero o falso?

"Non gli demmo altra indicazione se non quella di recarsi a La Paz." Secondo Piñeiro e Hernández non c'era un piano prestabilito.

Nel gennaio del '68 (siamo già al '68?), Feltrinelli è nuovamente a Cuba per tre settimane. Questa volta lo accompagna Enrico Filippini che si ricorderà di quei giorni in un suo articolo per "Repubblica":

Andai con lui all'Avana per il "Congresso Culturale", che fu l'ultimo episodio dei rapporti tra il regime castrista e l'intellighenzia europea. In aereo lui non fece che scrivere. "Cosa scrivi" gli chiesi. "Pezzi per La sinistra." "La sinistra" era il mensile fondato da Lucio Colletti, acquistato e poi affossato da Feltrinelli. All'Avana ci diedero una camera attigua. Lui mi chiese di non chiudere mai la porta, come avrebbe fatto lui: così potevamo entrare quando ci piaceva. Una volta entrai. Dormiva sul pavimento, su un giaciglio di giornali accanto al letto. Ero entrato per proporgli di fare alcuni contratti editoriali: uno con un vecchissimo antropologo di nome Ortiz che aveva scritto un libro bellissimo che s'intitolava *Africanía de la musica cubana*, altri due con certi giovani sociologi dell'Istituto cubano del libro. "Firmali tu" mi disse. "Ma la mia firma non ha valore legale" dissi io. "Non importa." Lo osservai in giro per i corridoi dell'Habana Libre. Lo sentii pronunciare un discorso in uno spagnolo comprensibile solo a un italiano. Raccolsi qualche commento. Avevo capito: voleva segnalare ai cubani che la sua funzione di editore europeo era finita, che si considerava solo "un combattente anti-imperialista".

Durante il soggiorno nell'isola l'editore prepara un saggio intitolato "Guerriglia e politica rivoluzionaria", riferito

314

alla prospettiva italiana. Quando rientra a Milano, i servizi segreti di casa nostra ottengono una fotocopia del documento: "siamo riusciti ad avere tra le mani per qualche ora l'originale" (3 marzo 1968). Come hanno fatto? Microfilm alla dogana o una talpa in via Andegari? Nel suo testo Feltrinelli propone alcuni esempi di "strategie d'avanguardia", partendo dal Vietnam del Sud e dal Venezuela, per orientare le future lotte della classe operaia italiana. Il linguaggio oscilla tra catatonia e ossessione.

Ci sono tre strategie possibili, dice, due sbagliate e una giusta. Le sbagliate sono quella "revisionista", ispirata da Botteghe Oscure, e quella social-proletaria/trockista per una "futura" insurrezione rivoluzionaria armata (che solo in apparenza si oppone a quella del Pci). La linea giusta impone invece "l'uso della controviolenza sistematica e progressiva". "La guerriglia politica deve svilupparsi come elemento strategico fondamentale nell'attuale momento della lotta del proletariato italiano": contro il potere di classe, contro l'involuzione autoritaria del sistema. La resistenza antigolpista, i contenuti giustizialisti della "teoria dei fuochi", il carattere "mondialista" della lotta sono un contributo necessario all'esperienza della sinistra radicale italiana.

I servizi segreti italiani definiscono le tesi di Feltrinelli poco originali se non addirittura comiche. Ma d'ora in poi la loro sorveglianza diventa ancora più ossessiva.

Nella tarda primavera, arriva un invito urgente dall'Avana. Non gli dicono la ragione, ma dev'esserci qualcosa d'importante. Quando atterra, capisce che Castro vuole consegnare a lui e a Maspéro una copia del diario del Che in Bolivia, trafugato a La Paz dal ministro Antonio Arguedas: operazione "zia Vittoria". Chiuso in una piccola villetta del Vedado, Giangiacomo traduce il testo in un paio di notti.

Il diario uscirà in Italia nel luglio del '68 (prima che da Maspéro), i diritti vengono ceduti gratuitamente agli editori di mezzo mondo. L'olandese Rob Van Gennep aveva allora la stessa faccia del Che: "Lessi la notizia della pubblicazione del diario sulla stampa internazionale e mandai un telegramma a Milano per sapere se potevo avere una copia del manoscritto. Nel giro di quarantotto ore, non so come, la ricevetti, senza una riga di accompagnamento. Radunai dieci giornalisti e, in una notte, la traduzione fu fatta. Dieci giorni dopo il libro era in libreria in sessantamila copie, fu un successo enorme".

Lo stesso accade in Italia. Sulla copertina dell'edizione italiana è scritto: "Gli utili di questa pubblicazione saranno devoluti interamente ai movimenti rivoluzionari dell'America Latina". La dicitura provoca un'interrogazione parlamentare. L'editore stampa il negativo della famosa foto di Alberto Korda (*Che in the sky with jacket*) in migliaia di poster per le sue librerie. L'immagine vola su ogni piazza del pianeta. Korda, vittima della fame e della glaciazione del tempo storico, avrà modo di ricordare che se avesse chiesto una percentuale per quella foto sarebbe diventato miliardario.

Prende invece un'aria di meraviglia un collega d'ambasciata di Luis Hernández, Andrés Del Rio, quando Feltrinelli gli consegna una valigia piena di banconote: "Gli utili di questa pubblicazione saranno devoluti interamente ai movimenti rivoluzionari dell'America Latina". Andrés Del Rio, forse perché non gli è mai capitato, non sa cosa fare di tutto quel contante, e la valigia si trasformerà in un deposito bancario di oltre mezzo milione di franchi svizzeri. Nome del conto? Il funzionario lo ricorda: "Río Verde".

8.

I segnali arrivano per tutti e di sorpresa. Che l'"età dell'oro" perda smalto lo si intuisce guardando all'anno 1968: la crisi di De Gaulle (classe 1890), la "Primavera di Praga", il "Libretto Rosso", l'"Album Bianco", pugni neri al cielo di Tommy Smith e John Carlos, *Butch Cassidy and the Sundance Kid* al cinema, "l'esplosione mondiale dei salari", crepe nei rapporti Cina-Urss, guerriglia nella parte bassa dell'atlante e Nanterre, 22 marzo 1968, in evidenza sul calendario. Per la prima volta conta chi ha vent'anni e Sessantotto vuol dire Rivolta di studenti che quasi mai si limita a università e scuola. E molto Vietnam, naturalmente: l'incedere inelegante dell'imperialismo sconfitto. Le domande che montano più vaste e indefinite, una nuova coscienza anticapitalista in un Occidente già votato alla sua terza crisi generale, prove tecniche di globalizzazione: si può dire così? Forse no.

Di sicuro una cosa come il Maggio di Parigi non si era mai vista. I famosi studenti, i famosi operai, insieme, che bloccano città e produzione per quasi un mese.

In Italia si parte piano, accelerazione meno travolgente: il logo del potere è sempre la "ricostruzione nazionale", governo Moro ter, eclissi finale del centro-sinistra. Ma da fine 1967 (studenti a Torino ma non solo) all'autunno del '69 (operai a Torino e dappertutto) sarà un vero crescendo. Diritto allo studio per chi è figlio d'emigrante, basta cottimo dal padrone arrogante, bisogno di capire se esiste la libertà, infine, e se si può fare questa Lotta, magari anche soltanto con la pupa della porta accanto: tutto diventa una cosa sola. La spinta è liberatoria, prepolitica, preculturale, cerca il suo urto correndo verso qualcosa di indeterminato: è l'ultimo banchetto rabelaisiano delle utopie, la corsa qualche volta è sconnessa.

Nella sinistra tradizionale è tempo di unificazione socialista, mentre il Pci condanna l'intervento a Praga e sonnambula tranquillo nella sua opposizione. Il punto vero è andare al governo magari fra tremila anni, poi la strategia della storia, l'accelerazione finale, avrebbe imposto il socialismo. È un'ottica pacifista: rivoluzione non vuol dire guerra, lo si dice ai militanti assiepati di sera per le Feste dell'Unità.

Come davanti alla Sorbona, gli studenti italiani sventolano bandiere rosse con "L'Internazionale". Ma l'idea di Rivoluzione si generalizza molto a causa del Potere: assente, corrotto, complice, repressivo. Quando il Sessantotto è già finito (fine '68?), il "partito rivoluzionario" diventa il nuovo luogo di confronto, ripostulando la vecchia dottrina. Si rende implicita la simultaneità del dire e del fare, anche se c'è chi pensa in chiave storicistica (fare quella parte di rivoluzione entro la mia aspettativa di vita) e chi subisce la pulsione primaria di ogni rivoluzionario: l'impazienza. Se dev'essere, ora o mai più.

La scalata al cielo finisce per trovare il suo urto molto prima del traguardo. Arriva lo Statuto dei lavoratori, cambiano i costumi (nuovi libri "necessari"), sono anni di accesa speranza, che comunque è già un buon coefficiente: "grande festa per la Democrazia" o "involuzione antimoderna di un decennio troppo moderno"? Mettendo nelle parole il largo del tempo trascorso, alcuni storici parlano di "rivoluzione di ceto", dell'emergere di una nuova coscienza nella classe media italiana. Sarà andata certamente così.

"In principio era l'azione", il pensiero degli anni sessanta è dominato dal problema dell'azione. "Capivo che stava deragliando, che si era innamorato di una analogia," scrive Enrico Filippini, "che non capiva più il valore della mediazione culturale, che andava fuori ruolo, che la sua impazienza aveva vinto. Diventò frettoloso, approssimativo, scalmanato..." Succede quando la Storia coincide troppo e diventa religione.

Feltrinelli arriva al 1968 preparato, lo precorre, ha uno schema in testa che è condiviso da molti. Conosce e ha girato il mondo, non è un isolato, ha una strategia globale. Quando manca poco alla grande stagione si convince che il passaggio alle armi, magari come risposta al nemico, è diventato irrevocabile. Alcuni si meravigliano. Nella più generosa delle interpretazioni si sostiene che la sua scelta è "tatticamente" sbagliata. Il suo è un attacco perfino guerrigliero: contro i bulloni della capsula atomica può tornare utile anche una scatola di conserva per fagioli. Da un certo punto di vista Giangiacomo non ha torto: la Rivoluzione è in pericolo, chi può salvarla?

Il Sessantotto inizia per Feltrinelli qualche mese prima, cioè dopo l'avventura del viaggio in Bolivia (agosto 1967). Al suo rientro trova molti messaggi solidali (esiste anche un Movimento marxista della Valle d'Aosta), riceve inviti per incontri pubblici ovunque: Firenze, Lugano, Livorno, Novara, Palermo, Catania, Roma... A Modica, provincia di Ragusa, negano la sala del consiglio comunale e la conferenza si svolge nel ristorante di un Motel Agip molto hardboiled.

A ogni incontro partecipano poliziotti in borghese, i rapporti sono trasmessi al ministero degli Interni.

A Genova Feltrinelli è avvicinato da una medaglia d'argento della Resistenza, Giovanbattista Lazagna. Ha la tessera del Pci ma si sente un po' frustrato da una linea troppo molle, o forse è la vita che lo frustra. È un tipo sanguigno, leggermente inacidito per i suoi cinquant'anni. Gli aveva scritto annunciandogli un ciclo di incontri al circolo Anpi (Associazione nazionale partigiani italiani) di Novi Ligure. Voleva invitarlo a parlare di America Latina. Si vedono a Genova, dove l'editore ha in programma una conferenza sullo stesso tema. Lazagna gli regala un libro di ricordi dell'esperienza partigiana. Lo invita a un raduno in cascina con tanto di capretto cucinato allo spiedo. Intorno al fuoco siedono una trentina di compagni dalla memoria lunga.

Le conferenze a Novi Ligure diventano presto un appuntamento di rilievo, e non solo per ex partigiani o giovani radicali della zona. I temi variano di volta in volta, ma il dibattito che segue pone sempre le stesse domande. Come ridare strategia rivoluzionaria alla sinistra italiana? Cosa insegnano le lotte nel Terzo Mondo? Come impedire il pericolo fascista? Feltrinelli parla di Cuba, Bolivia e America Latina; Romano Ledda della Guinea Bissau; Lelio Basso del Vietnam, dov'era stato in viaggio; inviti a Nuto Revelli, a Vittorio Vidali (che non viene). Ogni volta, stranamente, si aggirano nella valle medie cilindrate con targhe diverse. Alcune facce sono note. C'è Viro Avanzati, comandante della divisione partigiana "Spartaco Lavagnini", lui è di Siena; c'è il "Farfallino" da Fidenza; ci sono i Cattaneo, padre e figlio, sempre dal Piacentino. Alla fine, è il turno di Pietro Secchia. Pur avendo fissato il dibattito alle nove di sera, alle dieci del mattino è già sul predellino alla stazione di Alessandria. Lazagna, che va a prenderlo, dopo i saluti stile militare vuole illustrargli l'attività in zona. "Non c'è bisogno, so tutto di te", taglia corto Secchia. Secondo Lazagna, Feltrinelli lo aveva già informato a dovere.

Il ministro degli Interni (governo ombra) del Pci, Ugo Pecchioli, prima di morire ha ricordato in un libro alcune cose di quel contesto ligure: "Io parlo di alcune di queste persone con rispetto, perché credevano in ciò che facevano e si mettevano seriamente in gioco sapendo di rischiare molto. [...] Lazagna e Feltrinelli non erano né provocatori, né avventurieri al servizio di qualcuno, ma compagni che ritenevano fosse giunto il tempo di prepararsi a imbracciare di nuovo i fucili. Tra noi e loro non c'erano soltanto dissensi, ma una vera e propria contrapposizione". Ecco.

Giangiacomo accetta molti inviti nell'autunno del '67, va e viene discutendo con gruppi di cento-trecento persone. Lo vedo, infervorato, troppo, ma il tappo sta per saltare e lui è lì a parlare, mandando pure qualche accidente, con i discorsi presi alla lontana e il rischio di perdere il filo. Lo ritrova per il gran finale: "Non sono venuto qui per una conversazione di carattere geografico o storico o etnico, che forse molti si aspettavano da me". I temi sono la morte del Che e la vicenda Debray ma, soprattutto, "l'azione politica". Quando "non esistono più vie italiane al socialismo, non esistono soluzioni pacifiche, non esistono poteri di mediazione", le uniche possibilità di combattere fascismo e imperialismo si riducono allo "scontro frontale".

Il 13 novembre del '67 Feltrinelli parla di Sudamerica al circolo San Saba di Roma, all'Aventino. "Ha richiamato numeroso pubblico composto in prevalenza da tutti i cosiddetti 'sinistri' della Capitale", dice un rapporto della polizia politica, datato 25 novembre. Un informatore sostiene che Feltrinelli, nel corso della serata, avrebbe enunciato alla platea i punti fondamentali della piattaforma rivoluzionaria sancita alla conferenza della Tricontinentale all'Avana. La morte del Che, per l'oratore, è una grave perdita che non rallenta la lotta, anzi la farà riprendere con maggiore vigore. Ma, se questo è vero, diventa più importante partecipare invece che disquisire sulle varie interpretazioni del marxismo-leninismo. L'empirismo cubano ha dato più risultati delle dottrine elaborate dai vari partiti comunisti fedeli a Mosca, e anche il Pci è ormai diventato uno strumento della conservazione. Perché la concezione della "guerriglia politica" non è valida solo per l'America Latina ma per tutto il Terzo Mondo e anche per molti paesi a capitalismo avanzato. Specie dove incombe l'ombra di un regime autoritario.

Secondo il rapporto della polizia politica, l'attivismo pubblico di Feltrinelli provoca disappunto a vari livelli del Pci, sostanzialmente neutrale nei confronti dei metodi di lotta dei movimenti rivoluzionari extraeuropei: l'uso di sedi e sodalizi di "area" per simili conferenze non è gradito. La federazione romana istruisce un'inchiesta sulla presenza in zona di Feltrinelli.

In effetti, c'è di che stare all'erta. "Grande fermento vi è negli ambienti della cosiddetta sinistra romana, intorno a Giangiacomo Feltrinelli", si afferma in una nuova informativa giunta al tavolo del ministro Taviani. Ai margini della conferenza al San Saba, Feltrinelli avrebbe informato dei suoi progetti e chiesto adesione politica ad alcuni rappresentanti della locale sinistra radicale. Parla loro di "La sinistra", la rivista della corrente trockista rivoluzionaria per la quale sta tentando un rilancio attraverso un accordo di collaborazione con i fondatori. Trasformato in settimanale, "La sinistra" può diventare lo strumento di elaborazione per chi sta oltre il Pci. A loro, ai romani, Feltrinelli chiede di radunare le forze sulla piazza e di partecipare al coordinamento nazionale delle "minoranze rivoluzionarie". Come aveva scritto in quei giorni al professore padovano Toni Negri, il punto non è quello di unificare: si vuole solo tentare un collegamento per un'azione comune.

A Roma, ne parlano i rapporti di polizia, le diverse componenti cittadine si trovano a decidere se incontrare o meno Feltrinelli. Alle riunioni è sempre presente una Gola Profonda. Il 15 dicembre, a casa di un esponente della Tendenza rivoluzionaria della Quarta Internazionale, hanno appuntamento sette o otto persone. C'è chi parla a nome dei filocinesi, Lega marxista-leninista, c'è il trockista già ex Psiup, c'è chi rappresenta una propria rivista, "Classe e stato", c'è un ex giornalista dell'"Unità": è filocastrista. Il filocinese dice subito che rifiuterà qualsiasi interscambio con chi non accetta una chiara posizione di appoggio al gruppo dirigente del Partito comunista cinese. Gli altri sottolineano che un'eventuale intesa non può pregiudicare l'autonomia ideologica di ciascuna tendenza. Alla fine decidono che sì, si può fare. Almeno in termini esplorativi, bisogna fidarsi. Alcuni hanno dubbi su Feltrinelli, ma perlomeno i mezzi lui li ha: andiamo a vedere.

Cinque giorni dopo lo incontrano nel retrobottega della libreria di via del Babuino. Alla riunione sono presenti, oltre ai già citati, qualcuno di "La sinistra" e di altre due riviste con periodicità discontinua, "Quaderni rossi" e "Classe operaia". E naturalmente Gola Profonda. Feltrinelli presiede ed espone le sue tesi, parla del ruolo che avrebbe potuto avere il nuovo settimanale, evita le zone di polemica ideologica tra le diverse fazioni, dice che "comitati d'intesa" sono in via di definizione a Milano, Napoli, Palermo. Sostiene che è tempo di muoversi.

Non so bene quale sia stata la reazione dei presenti, probabilmente qualcuno si sarà levato per dare del provocatore a qualcun altro: lo psicodramma sovrasta già la capacità argomentativa. Il grande urto è alle porte: tutti lo aspettano, non sarà come se l'aspettano.

Il "comitato d'intesa" romano finisce presto in una voluta di fumo. Come l'esperimento di "La sinistra". La disponibilità al confronto con Feltrinelli diventa quasi subito un tentativo di emarginazione: serve al movimento ma sembra già troppo lontano. Viceversa, lui si accorge di quanto siano "meccanicamente" internazionalisti, "retoricamente" antimperialisti e, nella concezione della lotta di classe, troppo, troppo tradizionalisti.

Alla fine del '67, Feltrinelli pensa alla Sicilia (dove spedisce in ricognizione il giornalista Saverio Tutino) e alla Sardegna (ci va personalmente). L'8 dicembre se ne occupa un trafiletto del giornale locale:

Feltrinelli fischiato a Cagliari
Dopo aver raccolto calorose manifestazioni di simpatia dal numeroso pubblico che ha seguito a Cagliari, nelle sale del "giardino d'inverno", la sua conferenza sull'America Latina, l'editore Gian Giacomo Feltrinelli è stato fatto segno nei pressi dell'albergo in cui aveva preso alloggio di manifestazioni ostili da parte di gruppi di giovani. La manifestazione si è conclusa con una vera bordata di fischi all'indirizzo del noto editore al centro di vive polemiche dopo il suo viaggio in Bolivia. Pare che la manifestazione di ostilità sia stata organizzata da elementi appartenenti a organizzazioni giovanili di destra. Comunque, tutto si è svolto nella massima regolarità e Feltrinelli ha lasciato Cagliari commentando simpaticamente l'episodio e dichiarando di essere ormai diventato un "personaggio politico" e che, come tale, è destinato a raccogliere, insieme alle manifestazioni di simpatia, gli attacchi e gli insulti della parte avversa.

Dopo la conferenza, l'editore si ferma alcuni giorni e accetta un invito per la caccia. Una coppia di amici lo porta al Tronco del Sole, sotto la catena dei Setti Fradis. È una grande terrazza sul mare, 900-1000 metri d'altezza, l'occhio balla tra reperto nuragico e Golfo degli Angeli. Quanto alla caccia, non ne cavano nulla. Arrostiscono carne portata da casa insieme al vino violetto. Finisce in una gara di tiro ai vuoti. L'unica che fa centro si chiama Carla Frontini. Mi è nota per il suo ricordo pubblicato su una rivista sarda:

Lo invitammo a Cagliari per tenerci una conferenza. Ci accordammo con gli altri compagni, intellettuali di sinistra, già in fase critica con il Pci, il gruppo del futuro "Manifesto", di

"Potere operaio" e molti cani sciolti come si diceva allora. Affittammo il giardino d'Inverno in via Manno e preparammo la conferenza. Ma il primo tentativo andò a vuoto. Feltrinelli aveva perso l'aereo. Ci furono concitate telefonate. Cercò disperatamente un aereo-taxi. Niente da fare. Al secondo tentativo la conferenza si tenne senza problemi. Ci lasciò tutti a dir poco perplessi, se non sbigottiti: "La Sardegna come Cuba del Mediterraneo?". Ma nonostante certe incongruenze del suo dire, rimanemmo coinvolti dal suo fascino. Era un uomo strano, così diverso da noi, gente normale! Appariva decisamente geniale (e potente), con un grano di follia. Cominciò in quell'occasione una profonda e forte amicizia fra noi. Venne a casa nostra a dormire sul divano letto dello studio. Così, la nostra piccola casa alle falde di Monte Urpinu divenne il suo "pied-à-terre" per tutto il periodo che frequentò la Sardegna: 1967-68 e parte del 1969. Era un uomo buono, gentile, molto generoso. Ci raccontò la sua storia, per noi abbastanza strabiliante [...].

Ci sono molte buone ragioni perché Feltrinelli si occupi di Sardegna. Forse partono dalla Cartagine del VI secolo a.C.: i sardi indigeni in fuga sui monti, l'isola spaccata in due, coste e pianure "coloniali", riserve indiane nel centro (partigiani "resistenti"?), la *balentìa* che sopravvive con l'uomo barbaricino. Più recentemente sono stati i Savoia e i governi della repubblica a perpetrare "la rapina e lo sfruttamento".

In Sardegna qualcosa si muove a fine 1967. E non sono solo i quattro intellettuali mossi dal rapporto ineguale con la metropoli del capitale. Ma paesi come Orgosolo in lotta su tutto, studenti che rifiutano futuri da emigrante specializzato, militanti repressi dalle polizie, briganti che scappano e non si fanno mai prendere. C'è relazione fra banditismo e "politicantismo"? Se lo chiedono per primi negli uffici romani della politica sommersa. Pastore armato e guerrigliero non s'assomigliano. Però frequentano le stesse zone accidentate e al ribelle non manca mai il rispetto, o il favore popolare.

I viaggi di Feltrinelli in Sardegna (nel '67-68 e parte del '69) producono sei opuscoli per le "Edizioni della libreria". Circoli giovanili contro parco del Gennargentu, vecchio e nuovo nell'economia agro-pastorale, "carta" degli emigrati, perché essere separatisti, note su "stato di polizia" e insistente esercitazione militare: sono gli argomenti di piccoli bestseller. Naturalmente l'editore vede tutti e si spinge fino al bandito Graziano Mesina, abbastanza leggendario ai tempi. Tutto molto fantomatico. Davvero gli offre "riabilitazione" in cambio di "insurrezione"? Al bandito non serve, come non gli servono soldi e armi che si prende quando vuole. Ma lo slogan di una "Cuba del Mediterraneo" appartiene a molti. Lui se ne accorge alla prima gita verso il Supramonte. Dopo aver passato un normale posto di blocco, inspiegabilmente lo rincorre un giovane carabiniere di leva: "Lei è Feltrinelli vero? Non si sorprenda se un giorno troverà molti a pensarla come lei".

La Sardegna e il Sud italiano in salsa "terzomondista": come Vietnam e Corea, Guatemala e Venezuela, Laos e Filippine, Mozambico e Guinea, per una guerra di classe su scala internazionale! In effetti, basta un giornale: eserciti di liberazione intervengono ovunque, metà Guinea è liberata, idem in Guatemala, e l'offensiva del Têt dimostrerà che la guerriglia può colpire sempre e comunque. Guerriglia come sintesi assoluta di lotta politica e lotta militare, una terza guerra mondiale su trincee inedite contro l'imperialismo. Servono città e campagne, scuole e quartieri, la "pratica fuochista" suscita il coinvolgimento delle masse.

Sono elementi che aggiornano l'esperienza partigiana alla cui memoria ci si rivolge, inconsciamente o meno, per tutto ciò che essa ha rappresentato. Feltrinelli rielabora la materia, al momento solo concettualmente, per fronteggiare ciò che ritiene inevitabile da noi: il golpe all'italiana.

A volte uno si dimentica come sia lunga l'Italia. Andando in diagonale, molto a nord della Sardegna, un torrente muggisce ancora a Rovereto. L'editore ci viene a parlare in qualche momento del '67, sempre di America Latina. Serve per conoscere l'ambiente. "Il problema del Sud Tirolo," sostiene, "è assolutamente identico a quello della Sardegna." Incontra l'avvocato Sandro Canestrini che è da sempre una celebrità locale. Ex partigiano, fedele a principi libertario-radicali, legale di chissà quanti estremisti di sinistra negli anni duri, poi di Schützen, Testimoni di Geova e bracconieri.

Canestrini è amico di Feltrinelli: "Arrivava spesso di sorpresa. Se io e mia moglie eravamo fuori, scavalcava il recinto di casa, si sdraiava in giardino a fumare e a guardare la luna. Quando rientravamo, se c'era un'ombra era Giangiacomo". Secondo Canestrini la zona sudtirolese significa qualcosa di speciale per lui: la sua famiglia viene da lì, la Valle dei Cervi non è poi distante e anche Sibilla, la nuova compagna, è di Merano. Ma gioca molto la suggestione per la fierezza del popolo di confine, per i rapporti sociali e le regole della comunità contadina: se si mantengono i valori con cui è stata difesa l'indipendenza, forse è possibile prevedere un aggancio con una nuova etica socialista, un punto di sutura tra una civiltà pre-operaia e gli ideali del mondo nuovo. In altre parole, anche le campane delle chiese di paese avrebbero suonato un giorno, in nome dell'indipendenza antifascista che si richiama non tanto a Lenin ma alla "guerra dei contadini" e forse alle battaglie antinapoleoniche o alla tradizione anabattista del Bauernkrieg.

Il Sud Tirolo è anche parte di quel Triveneto dove pascolano servizi sommersi, ramificazioni informative delle forze armate, organizzazioni clandestine disposte a tutto. Sono le regioni della Balena Bianca, dei principali comandi atlantici, delle unità operative dell'esercito, delle strutture eversive fasciste e anche della celebrata Stay Behind. Sono il laboratorio sperimentale della guerra invisibile contro ogni Bandiera Rossa.

"La verità è, lo ripeto, che nessuno ci credeva. 'Che interesse potrebbero avere,' pensavano i nostri, 'da un atto così clamoroso? Qui siamo in Europa, mica in America Latina!'" Così Vassilis Vassilikos descrive l'atmosfera ad Atene prima della primavera 1967.

Il piano Solo sembra un vecchio film di fantascienza, di quando l'uomo sognava di andare nello spazio e inventava strane scatole di latta. Il colpo di stato è solo l'incubo di Giangiacomo lo scatenato?

La fine del '67 porta a galla uno dei più clamorosi scandali politici. Durante una causa per diffamazione contro "L'Espresso", intentata dal generale Giovanni De Lorenzo (ex capo del Sifar), alti ufficiali dei carabinieri e dell'esercito confermano che nel luglio del '64 questi aveva tramato per un colpo di stato in Italia: una certa notte reparti dei carabinieri avrebbero dovuto arrestare dirigenti sindacali e della sinistra. Erano pronti la brigata corazzata del generale e i paracadutisti della Folgore. Forse era solo un piano per rispondere alla piazza nel caso di un nuovo governo centrista autoritario, per evitare un altro luglio '60, quando i moti di Genova costrinsero Tambroni a dimettersi.

Punto di riferimento per l'analisi di quei fatti sono gli articoli di Nenni sull'"Avanti!". Nenni sosteneva che i socialisti avevano dovuto accettare il mediocre compromesso che poi fu la ricostituzione del governo Moro per bloccare una svolta a destra di tale portata che, a confronto, "il ricordo del luglio '60 sarebbe impallidito". Il resto della sinistra vide essenzialmente il cedimento, la debolezza, la capitolazione dei socialisti, peraltro divisi al loro interno, giudicando le teorie dell'involuzione autoritaria come una scusa per giustificare la scelta di partecipare al governo. Così, tutto sommato, si pensò fino al '67.

Gli articoli dell'"Espresso" sul caso De Lorenzo creano scandalo. L'inchiesta modifica la chiave d'interpretazione, si riconosce il pericolo di scampato golpe del '64.

Ora, nel '67, il mondo è scosso da tensioni notevoli e ciò rende più plausibile la paura di qualcosa di forte. Se nel '64 la destra (nella sua accezione più ampia) brigò con qualche trama putschista per paura dei socialisti, figuriamoci ora, si pensa tre anni dopo, con gli americani impegnati nel Vietnam, un colpo di stato già fatto in Grecia (piano "Prometheus" di derivazione Nato), la tensione arabo-israeliana e altro ancora. Il Maggio francese è alle porte e da noi ci saranno le elezioni, certo le solite, ma anche le ultime non anticipate della nostra storia repubblicana.

Le piazze e le strade italiane si arricchiscono di nuova segnaletica: "L'università è il nostro Vietnam", "Agnelli/l'Indocina è in officina!" ma anche "Basta bordelli/vogliamo i colonnelli" oppure "Dopo Atene adesso Roma viene!". Certo, il Msi è ben identificato, i monarchici sono spariti, ma strisciano avvisaglie di "maggioranza silenziosa", e dalla Dc non sai mai cosa può venire. La paura del golpe è condivisa da molti. Tra i militanti di Pci e Psi ricorrono ostinati gli inviti alla prudenza, gli allarmi in sezione, gli striscioni già pronti con slogan sulla repressione (a Torino), il dormire fuori, l'indirizzo "sicuro".

L'inchiesta parlamentare sul mancato colpo di stato del luglio 1964 si arena presto, come sempre, ma ancora Nenni dichiara che l'iniziativa, non sostenuta dal suo partito, "avrebbe assunto aspetti inquietanti per il paese". "Più chiaramente di così non poteva dirlo", commenta Feltrinelli. Scrive lo storico Santarelli che "quel silenzio offrirà una sponda futura ai 'corpi separati dello stato' e a quella 'cripto-dittatura', interna alla macchina statale, che Ferruccio Parri denunciò già nel '68".

Il nostro, si dice correntemente, era un sistema pietrificato, non evoluto al punto da permettere il controllo delle tensioni: la democrazia "imperfetta". Ma la situazione era diversa dalla Grecia: il vecchio Pci era un grande partito (anche la Dc) e sembra quindi fondata la tesi di Giorgio Galli in un suo saggio del 1986: "Il vero strumento di pressione sulla sinistra non è mai stato la preparazione di un colpo di stato (con o senza l'aiuto americano), ma la sua costante eventualità fatta balenare (senza poterla attuare) ai gruppi dirigenti della sinistra". Giangiacomo non colse la differenza. "Persiste la minaccia di un colpo di stato in Italia!" è un suo testo di fine 1967.

Sempre meno editore, sempre più personaggio politico, Feltrinelli spacca in due la società italiana. Diventa una specie di calamita.

Per la destra (fascisti-fascisti) è simbolo di ogni turpitudine dei rossi, il "rivoluzionario all'acqua di colonia" che stampa libelli eversivi. Basta che una sera lui esca pugni in tasca e voglia di teatro: non passa inosservato. Una lettera al "Borghese" non gliela toglie nessuno:

2 nov. 1967

Signor direttore,
Qualche settimana fa sono andato in un noto teatro di Milano e ho assistito ad una specie di canzoniere italiano, dal titolo Il mio nome è Abele. Quattro giovani comunistelli cantavano canzoni di protesta contro i militari, il capitalista Agnelli, i monarchici, la guerra nel Vietnam: insomma, contro tutti, eccetto naturalmente i comunisti. Il tutto era inframezzato dal commento allegorico che un tale faceva dietro il sipario, mentre venivano proiettate alcune immagini di Johnson o di altri personaggi, mentre i quattro giovani cantavano Bandiera Rossa e Bella Ciao. Trascorso lo spettacolo i quattro hanno proposto un dibattito con il pubblico. Tra le persone presenti, spiccava un baffuto capellone e una giovane dalla minigonna audace; costui era Giangiacomo Feltrinelli in compagnia d'una amichetta. Polarizzandosi l'attenzione su di lui, il Giangiacomo non ha potuto fare a meno di parlare. Con enfasi teatrale ha parlato della guerra partigiana, della rivoluzione mondiale e della "profonda emozione" che ha provato lui e il pubblico nell'ascoltare queste canzoni, ma è rimasto deluso perché la gente si accontenta solo di emozionarsi e non di unirsi compatta ad inneggiare alla "libertà". Questo è stato il discorso di Giangiacomo Feltrinelli, tutto

emozionato poverino, accanto alla sua emozionatissima amica in minigonna. Cordiali saluti.

(Lettera firmata)

Esiste almeno un momento nella vita in cui non te ne frega niente di cosa dicono gli altri. Anzi, più in certi ambienti si irridono le "feltrinellate" più, forse, lui ci prova gusto.

Quando poi si presta a due fotografie per "Vogue Uomo", con mantello di lontra e colbacco autentico, apriti cielo! Lo sconcerto è totale. "Dall'alto del suo ispido mucchio di baffi, l'eccezionale indossatore ci invita a rompere ogni remora, a far valere i nostri diritti, ad affrontare la necessità dell'ultimo bene di consumo che noi uomini avevamo trascurato: la moda maschile." È il benevolo corsivo di un giornale di centro.

Questa volta se la prendono anche i "suoi". Alba Morino Laricchiuta, portavoce editoriale del "collettivo Feltrinelli", dopo le foto su "Vogue" si richiude nel suo mutismo da donna del Sud. "Noi tutti cercavamo di coprirgli le spalle, lavoravamo davvero in trincea, ma Feltrinelli permise la pubblicazione di quelle foto... Solo dopo sono stata portata a pensare che quel servizio non era che un modo per depistare, lui aveva altro in mente."

Nel gennaio del '68, in effetti, l'uomo col colbacco è già verso Cuba immerso in spregiudicate riflessioni.

1968. Cronologia familiare. (Febbraio 1998. Mingus a palla tutte le sere, *New Tijuana Moods*, nebbia sulle colonne di San Lorenzo.)

4 gennaio. Da Omi [è la nonna materna] a Gottinga. Natale 1945 sembra lontano anni luce. Inge, scommetto, ci pensa. Quella volta la festa era due posate di casa scambiate con mezzo pollo e due patate. Il suo ricordo di ragazzina è che "c'era sempre fame". Questa volta Omi deve prendersi cura di altri languori (e anche della mia bronchite). Gg dovrebbe essere a Oberhof con S.

Nella prima decade parte per Cuba. Ne riferisce Filippini.

20 gennaio. Presentazione del libro di Gaia a Torino. I. introduce Italo Calvino a Gianni Agnelli. Gaia, dopo le avventure di Melinda in *Tanto gentile e tanto onesta*, torna con *Don Giovanni*. Nello stesso lancio anche *La struttura della scienza* di Ernest Nagel.

23 gennaio. Arriva una sua lettera dal Venezuela; ma non era a Cuba? "How far is he gone?" annota I. nel suo diario.

1 febbraio. Rientra in ufficio. Tranquillo, senza grilli, non ha visto Fidel. Durante il viaggio ha scritto un tentativo di saggio. Ne riferiscono i servizi.

2 febbraio. È in via Andegari, pranzo in onore di Gaia.

Dice a qualcuno di appuntare che è in arrivo il nuovo Max Frisch, consiglia di leggere la prima biografia su Kim Philby. Poi sparisce in via del Carmine. Ormai vive fisso con S.

Il 3 è un sabato, con i miei a Villadeati. Il 6 è il mio sesto compleanno. Pranzo di famiglia. Papà fa una siesta. Al pomeriggio festicciola con i compagni di prima elementare. Papà porta la torta, *Mama's in the fact'ry (she ain't got no shoes)*.

7 febbraio. Gg non c'è, nessuno sa dov'è. Nemmeno Tina. Caos in redazione.

9 febbraio. Passa brevemente.

14 febbraio. Propone a I. di prendere il posto di Riva che se ne potrebbe andare. Lei rifiuta.

16 febbraio. Gg è a Berlino, tiene un discorso alla Technische Universität durante il Congresso per il Vietnam (momento clou per il movimento locale). Parla come rappresentante delle delegazioni straniere, in tedesco, e a proposito del Vietnam trova modo di citare gli scioperi dei chimici in Assia. "Noi tutti ci stupimmo che sapesse qualcosa degli scioperi dei chimici in Assia", ricorda Günter Amendt, esponente della contestazione.

16 febbraio. La casa editrice pubblica nei tascabili gli scritti di Ho Chi Minh. I. al cinema: *Blow up*. Alberto Arbasino e Mario Schifano sono con lei. Telefona Gg: le chiede di organizzare telegrammi di saluto da spedire al Congresso berlinese: Moravia, Monica Vitti, il sindaco di Reggio Emilia, i soliti nomi.

21 febbraio. Gg di ritorno a Milano. Piuttosto scontroso in ufficio, gentile a casa. Racconta a I. della situazione a Berlino. I. cena con Arnaldo Pomodoro.

22 febbraio. I. sente dire a Brega: "Lui è convinto di voler andare fino in fondo alle cose. Non è l'idea migliore, ma lo capisco".

26 febbraio. Riunione di redazione. Nell'uscire, i miei si prendono sottobraccio: "Sono diventato quello che sono grazie a te, ma per la politica devo fare da solo".

29 febbraio. Brutti sogni, ne parlo con I. Colazione in via Andegari per il direttore del "Corriere". Giorgio Bocca dà del fascista allo scrittore Alfredo Todisco. Nessuno lascia la stanza.

1 marzo. Gg è malato, lo dice Tina.

Il 4 marzo ricompare, di buon umore; rifiuta una proposta di collana con Rowohlt.

Il 7 è di cattivo umore. Fraintendimenti con quelli di "La sinistra"; lui si era fidato, ora si sente fregato. La sera

I. è invitata da Vittorini con Montale. Vittorini è sempre stato gentile con lei, con o senza Gg.

Metà marzo (?). Riunione informale nei locali dell'Istituto con quattro o cinque ragazzi del Movimento milanese, un paio di tedeschi, due francesi di Gauche prolétarienne, un portoghese, lo studente di Trento. Metà delle università italiane "occupano" almeno una volta l'anno. Trento è all'avanguardia. Il rituale della discussione prevede "spunti d'analisi e ricognizione". Lo studente di Trento è Renato Curcio: "Feltrinelli mi chiese una relazione dettagliata sulle nostre vicende trentine. Niente di più. Quel primo incontro fu solo uno scambio d'idee".

Il 18 marzo siamo tutti a Villadeati, io e papà impegnati con la gramigna a difesa del prato inglese. Lo stesso giorno i servizi d'informazione degli Interni diramano una circolare in cui dimostrano di fare il loro dovere. Sanno tutto dei "comitati d'intesa" promossi a Milano, Roma, Perugia, Palermo. Hanno letto di nascosto ciò che l'editore Feltrinelli aveva scritto durante il viaggio a Cuba. Conoscono le sue tesi su "guerriglia politica" e Italia fuori dalla Nato.

20 marzo. I. gli suggerisce di usare uno pseudonimo per il nuovo opuscolo che vuole pubblicare. Gg ne parla in casa editrice. Decide da solo: niente pseudonimo.

Il weekend successivo ancora Villadeati. La domenica si festeggia Iris Murdoch in visita col marito. Numerosi invitati, papà arriva sabato notte.

Il 27 Pasolini a colazione in via Andegari.

Il 28 tocca a Carlos Fuentes. Lui non viene mai.

4 aprile. Memphis. Uccidono Martin Luther King. Va ricordato perché Josef Bachmann tra poco dirà di essersi ispirato a questo evento.

5 aprile. Venerdì: in serata Gg è a Bologna.

6 aprile. Tarda mattinata. Passa alla libreria di piazza Ravegnana, cerca telefonicamente il sindaco Fanti, panino alla birreria Toby di via dei Giudei (con Romano Montroni), riposino in albergo. Alle 18 incontra alcuni giovani, sono al Centro marxista, un sodalizio di ispirazione filocinesc. In serata, breve sosta al circolo Arci e cena in compagnia al ristorante San Donato di via Zamboni.

7 aprile. Torna a Milano, rapido delle 6.45. Della sua tappa bolognese la polizia non ha perso nulla. Telefonate, identikit di chi lo saluta, spostamenti, annotano tutto. Lo

filmano mentre va da Toby con il libraio Montroni: la cinepresa è sugli Asinelli, sulla torre più storta.

11 aprile, verso sera. I. è in giardino a Villadeati quando arriva Piera, trafelata. Dice che hanno chiamato dalla Germania e lei ha capito che il signor Huffzky è morto. Tre pallottole in corpo. Piera è la sorella di Pina che è la moglie di Gildo che sono i genitori di Giampiero. Vivono a Villadeati dal '59, anzi Giampiero è nato lì, ma sono tutti gargnanesi. Come lo sono i coniugi Pace, custodi in via Andegari, e anche Rosa e Marilena in servizio al quarto piano: a loro devo più di quanto possa dire. Mentre Hans Huffzky è di Amburgo, cinquantaquattro anni, self-made man, giornalista purosangue dai diciotto (alla "Frankfurter Allgemeine"), amico di entrambi i miei genitori e anche mio. I. lo ha conosciuto quando Hans creava i primi femminili del mercato tedesco (da "Gruner und Jahr") e lei era fotoreporter. Un sassone impertinente che ci ha sempre voluto bene, questo è Hans, generoso, ottimo scacchista, ironicamente scurrile come un gentleman che sta sull'Alster. Ma l'11 aprile 1968 non hanno sparato a lui (Piera si è confusa) ma a Rudi, in bicicletta per Berlino. Un colpo alla testa e uno al corpo, prognosi riservata, l'attentatore si chiama Bachmann, è un imbianchino fanatico di Hitler. Mesi e mesi di campagne della stampa "borghese" hanno fruttato, gli studenti militanti si scatenano contro i giornali di Springer. Scontri con la polizia.

12 aprile. Milano. Filippini ricorda Gg prendere un manifesto pubblicitario dell'Einaudi, voltarlo, scriverci col pennarello: "Berlino, 11 aprile, hanno sparato a Rudi Dutschke, il fascismo non passerà!". Lo appende fuori dalla libreria, in via Manzoni. (La casa editrice sta per uscire con un libro sulla ribellione degli studenti tedeschi con contributo di Dutschke.) Le sue condizioni sembrano senza speranza. Anche a Milano si fanno incontri per decidere cosa fare. In uno di questi, un furbo prende la parola e pone la questione se non convenga aspettare la morte invece che manifestare adesso: fa più impatto. Gg, raccontano, quasi lo disintegra.

13 aprile. Un gruppo di studenti extraparlamentari, in prevalenza filocinesi, si ritrova al consolato tedesco di via Solferino e prende di mira la vicina sede del "Corriere". Lo considerano un omologo della stampa di Springer. Parto-

no sassi contro le vetrate. Mio padre, venuto a vedere, viene denunciato come organizzatore della manifestazione: compiacimento e attacchi della stampa più faziosa, successiva assoluzione per non aver commesso il fatto. Dutschke non muore.

16 aprile. Gg regolarmente in ufficio, molto affettuoso. I. e lui chiamano Hans che ha preparato una lettera aperta contro Axel Springer. "Troppo debole", sostiene mio padre.

17 aprile. Roberto Olivetti a colazione, lui sa parlare di cose intime senza mettere in imbarazzo: "Come va il vostro ménage?" chiede ai miei genitori. "Benissimo," risponde mio padre, "flirtiamo persino." In settimana passano Carlo Caracciolo e Camilla Cederna (insieme), Gg riceve una lettera di Giulia Maria Crespi, proprietaria del "Corriere". Quando la legge s'infuria.

In aprile tutti i principali atenei italiani sono in agitazione. Dopo Valle Giulia (1 marzo) si dice che gli studenti non scappano più. Il movimento cambia fisionomia. La stampa del Pci appoggia la lotta.

Oreste Scalzone è un leader studentesco con tutte le debite caratteristiche, tranne il fisico: sa degli operai ma non è identificabile con un certo gruppo, ha letto i suoi libri e sembra disposto a tutto. Agli inizi di aprile è in un ospedale romano, collo in trazione dopo il raid missino del 16 marzo all'università di Roma. Sulla scena nazionale sono in arrivo le elezioni politiche: i filocinesi s'inventano che bisogna annullare la scheda o votare scheda bianca. Scalzone si fa riferire dal viavai in ospedale e pensa a un appello per evitare un errore madornale; nessun voto va regalato alla reazione, meglio votare la sinistra che c'è: "Viva Mao non si scrive sulla scheda, viva Mao si scrive nella lotta!". L'appello diventa un opuscolo per le librerie Feltrinelli. Quando Scalzone incontra l'editore gli pare uno del Sudamerica. Il suo testo viene corretto in un paio di punti insignificanti.

Per la cronaca, sempre in aprile, il segretario del Pci Longo supera ogni diffidenza e riceve proprio Scalzone, mentre il giorno 25 è già tempo di primi botti come quello a una succursale della Boston Chemical.

Primo Maggio. Gg partecipa alla manifestazione di Berlino, ci sono foto di repertorio sui giornali, lo so per questo. Lo segnalano anche i nostri servizi in contatto con i tedeschi. Avvertono che lui è un individuo pericoloso con "frenetica personalità di sobillatore". Dalla Germania ringraziano.

4 maggio. Fine settimana a Villadeati. Ci sono una compagna di scuola di I. e suo marito astrofisico alla Nasa. Vivono nei pressi di Berna. Gg arriva di sorpresa. Tutto bene, sembra che non sia mai successo niente.

7 maggio. Gg chiede a I. di mandare soldi in Venezuela tramite un noto industriale tedesco che deve restare all'oscuro. È pronto il dodicesimo volume delle opere di Gaetano Salvemini.

8 maggio. Si festeggia lo scrittore veneto Antonio Barolini (non Gruppo 63): è uscito un suo libro. Gg arriva da Brescia. Ci sono il banchiere Cingano e Roberto Olivetti. Roberto vorrebbe dirgli di non fare pazzie.

Il giorno 10 i miei genitori intravedono in strada il pittore Renato Guttuso e scappano via ridendo.

12 maggio. Gg domanda se può venire a dormire qualche notte in foresteria (problemi anche con S.?). I. risponde che non è neppure il caso di chiederlo: "È tutto tuo il palazzo".

La sera stessa Gg incrocia davanti alla Scala un assembramento di studenti. Lo contestano, non è uno di loro.

13 maggio. Mi legge un libro prima del suo vagone-letto per Parigi.

18 maggio: aula magna di Roma, assemblea di movimento, Gg è presente. Gli studenti chiedono un contributo concreto a sostegno della loro lotta. Gg arriva al microfono nervosissimo, sente urla e lazzi, *i sordi, dacce i sordi...* "Non credo che fare delle pagliacciate pubbliche, come firmare adesso un assegno, sarebbe una cosa dignitosa né per voi, né per me." Ululati, fischi, trilli, l'editore se ne va desolato. A Roma fa già un caldo da estate ma il turista non è ancora sceso.

La sera stessa è a Pisa: cena "Da Antonio" con Luciano Della Mea, Giorgio Pietrostefani (entrambi del Potere operaio pisano) e Aldo Brandirali (di Falcemartello). La discussione prosegue in uno spiazzo d'erba fuori. I fari delle macchine sono accesi, Brandirali e Pietrostefani sfiorano la rissa.

Il 19 e il 20 le elezioni politiche si svolgono regolarmente in tutta Italia. Sconfitta del Partito socialista unificato, avanza il Pci, Dc più 1,8 per cento al Senato e più 0,8 alla Camera.

20 maggio. Chiamata di Fidel per il *Diario* boliviano, Gg dovrebbe essere a Madrid.

26 maggio. Brega e Del Bo conferiscono davanti a I.: "Lui, come amico, non dà più niente. È su una china senza ritorno".

Fine maggio. Alla Fiera di Varsavia sequestrano i libri del nostro stand.

Fine maggio. Francia, ministero degli Interni. Gg è nella lista degli stranieri indesiderati. Ritengono che abbia finanziato mezza sinistra extraparlamentare parigina. Più o meno la stessa cosa dirà il futuro presidente Pompidou a un pranzo di palazzo con Marella Agnelli e Lord Weidenfeld.

1 giugno. I. a una serata milanese per Arthur Schlesinger jr, ex consigliere di John Kennedy.

Il 3 Gg telegrafa a Tina dall'Avana.

(Il 5 viene ucciso il candidato presidente Bob Kennedy. Sparano anche a Andy Warhol, solo ferito.)

6 giugno. Torna Gg, I. è in Olanda per un congresso internazionale di editori.

Il 12 le telegrafa, senza firmarsi. Due giorni dopo sono in ufficio e a Villadeati per il weekend. L'uno racconta di Cuba, l'altra di Amsterdam. Bevono qualcosa di forte.

16 giugno. *Settore privato* di Paul Léautaud per la prima volta nelle librerie italiane. Una meraviglia, da ristampare.

Il 20 I. parte per Venezia con Furio Colombo, c'è la Biennale. Gg dice di essere a Roma, a Parigi, in Sardegna, nessuno sa esattamente.

Il 24 colazione di famiglia in via Andegari con Morino dell'ufficio stampa. La notizia del giorno è che la responsabile delle collane scientifiche si è dimessa; Gg reagisce male quando I. gli dice che la sua casa editrice, somehow, sta andando in pezzi.

Il 26 telefona Fritz Raddatz, lavora da Rowohlt, propone Daniel Cohn-Bendit leader del Maggio francese. Un suo libro sfonderebbe di sicuro ma Gg resta freddo: "Non pubblico libri di anarchici".

L'indomani parte per Amburgo.

28 giugno. Arriva una valutazione positiva del mio comportamento all'asilo. Gabriel García Márquez a cena in via Andegari.

Sorprendentemente, qualcuno ricorda di aver visto Gg

il 29 in Val di Chiana, a Cortona, decisamente lontano da Amburgo. Secondo la testimonianza, la sua Ds carica un ragazzo fiorentino ricercato per una badilata in campagna elettorale. Ha mandato all'ospedale un poliziotto. Ora vuole il Sudamerica, Gg lo parcheggia in Svizzera per un po'.

2 luglio. Lettera a Olga Ivinskaja. Le trattative con l'Avvocatura di stato sovietica vanno a rilento: "Le assicuro, cara Olga, che a volte mi viene da impazzire per l'incomprensione con cui mi debbo scontrare: è incredibile che si tenti di impedirmi l'esecuzione di quello che considero un obbligo morale verso le persone care al Poeta ottenendo, nel contempo, la riabilitazione piena e meritatissima della Sua nobile memoria". Gg le spedisce cinquemila dollari.

Il 3 luglio telefona cinque volte Cohn-Bendit: "Perché non volete il mio libro?". Molto sesso in casa editrice: *Amore e orgasmo* di Alexander Lowen, la ristampa del rapporto Masters-Johnson, *La vita sessuale dei selvaggi nella Melanesia nord-occidentale* di Malinowski, il marchese De Sade nella biografia di Lely (esordio nel tascabile).

Il 6 luglio tutti a Gargnano, sul lago, Gg compreso. Ci sono Hans Huffzky, lo scrittore William Samson, Anna e Roberto (in crisi). Sento che fanno notte sulla scalinata sotto la veranda. Si parla della mia prima scuola (pubblica), ci andrò dopo l'estate. Mio padre mi avrebbe visto volentieri in un kibbutz.

7 luglio. Salta fuori una vera bici in regalo. Verde pisello, bella, alta di sella. Papà deve fissare uno zoccolo ai pedali perché io possa arrivarci. Primi tentativi sul viale dei tigli. Hans è allergico al dopobarba di Samson. In settimana restiamo sul Garda, senza mio padre. Brega telefona a I. e le dice: "Risparmi le energie, presto ne avrà bisogno".

Il 13 Gg arriva d'improvviso. Passa la notte con Hans giocando a scacchi. Ci sono l'attore Klaus Grüber e Marianne Feichenfeldt con la sorella Edith. Hans è un po' allergico alle donne non più tanto giovani. I. conobbe Marianne (nata Breslauer) a Parigi nel '55. Di famiglia ebrea berlinese, fotografa, allieva di Man Ray, amica di Marlene Dietrich, esiliata in Olanda nel '36, aveva da poco perso il marito Walter Feichenfeldt, uno dei più brillanti mercanti d'arte europei. Marianne ora vive a Zurigo e noi tutti abbiamo imparato a conoscerla, grati e ammirati. Gg si presenta al mattino con pantaloni arancio. È gentile con tutti.

16 luglio. Valerio Riva lascia la casa editrice.

Il 20 e 21 si svolge vicino a Brescia il congresso costitutivo del Gruppo marxista-leninista falcemartello. La componente milanese propone un coordinamento tra le forze della sinistra rivoluzionaria. "Il Feltrinelli Giangiacomo giunto a Sulzano a bordo della propria autovettura Citroën targata MI-D12981 è ripartito verso le ore 23 di domenica 21 diretto presumibilmente a Milano."

Quando un ulteriore appunto "riservato" descrive i movimenti di Gg sulla piazza di Parma siamo già da due giorni davanti alla Corsica, sull'*Eskimosa*. È il 28 luglio, torniamo a Porto Ercole il 3 agosto.

6 agosto. Secondo l'agenda del dottor Cuccia, l'editore Feltrinelli gli fa visita di buon mattino nel suo ufficio milanese.

7 agosto. Gg telegrafa una cosa del tipo "I'm deeply in love with Bo". "Bo" è il criptonimo di suo figlio.

19 agosto. I. e Gg si vedono a Roma e pranzano insieme.

27 agosto. Gg, atteso, non si fa vedere, neppure per un breve saluto o una partita a scacchi.

7 settembre. I.: "This is really the end".

9 settembre. Gg telegrafa, dissensi con Balestrini.

10 settembre. Parise si sente incompreso e trascurato, tutti gli autori si lamentano.

11 settembre. Molto distacco. Dice Del Bo: "Il Giangiacomo che abbiamo conosciuto non esiste più". I. è preoccupata per me.

16 settembre. Gg è a Milano ma non viene in ufficio. Arriva tardi e trova a cena Nanda Pivano con Ettore Sottsass.

18 settembre. Serata per Bellow. Gg si comporta male, va via presto con Anna.

Fine settembre. Buchmesse diversa da tutte le altre, Francoforte completamente militarizzata. Gg sereno con I. ("È già qualcosa"). Durante la Fiera del 1967, Gg era stato visto protestare davanti al consolato greco in giacca rosa shocking (lo dicono i giornali). Quest'anno, alla testa di una sparuta delegazione di editori, piomba a casa del sindaco per denunciare la repressione poliziesca. I. è espulsa dal migliore albergo della città per avere ricevuto nella hall i leader degli studenti. Una nuova generazione di editori europei: l'amicizia con Klaus Wagenbach, con Dominique e Christian Bourgois.

2 ottobre. Gg viene a casa per sapere del mio primo giorno di scuola. Giochiamo a scacchi. Suona il campanello: è Giannalisa. Gg la respinge.

3 ottobre. Gg è da sua madre. Le dice di non tormentare I. Giannalisa passa buona parte del suo tempo, quando è in Italia, a cercare informazioni su di lui, su I., su S. Ho i suoi appunti.

4 ottobre e seguenti. Nuovo scontro tra Giannalisa e Gg. Arriva Hans. Cena al Don Lisander. Weekend a Villadeati.

8 ottobre. Primo vero giorno di scuola.

10 ottobre. Partita a scacchi. Copia civetta di *Bacacay*, il nuovo Gombrowicz.

13 ottobre. Gg con me a lezione di judo.

16 ottobre. Anche Arbasino è insofferente, tutti gli autori sono insofferenti.

22 ottobre. Pranzo sereno, famiglia al completo. I. è stata a Londra e racconta.

24 ottobre. Mi dimenticano a scuola. Guardo i bidelli mangiare.

29 ottobre. Pomeriggio e sera con Gg. Giochiamo.

7 novembre. È in ufficio. Gelido con I., poi di nuovo affabile.

Sera dell'11 novembre: parapiglia alla Stazione centrale di Milano, "Rudi il rosso" è arrivato con famiglia. Lo accoglie Gg. Troppi fotografi, qualche spinta con necessario intervento della polizia, sgommata di Citroën e proteste di "cittadini indignati" per la scorta delle forze dell'ordine. Rudi viene per la convalescenza, ha bisogno di cure. Risulta persona non gradita in mezza Europa e a casa sua, in Germania, il clima è insopportabile. Soggiorna inizialmente a casa nostra.

14 novembre. Sciopero alla Feltrinelli.

19 novembre. Rudi è molto nervoso. Se la prende perché il pranzo viene servito con dieci minuti di ritardo. Gg di pessimo umore. Arriva Peter Schneider. Giovanni Pesce manda un suo uomo per proteggere Rudi.

26 novembre. Rudi quasi sviene per strada mentre lo portano dal dentista.

27 novembre. Il nostro ospite sta sempre piuttosto male, paura, angoscia, ipersensibilità ai rumori, ma lentamente cambia e diventa più simpatico. Vengono a visitarlo Fritz

Raddatz (vuole fare un libro con lui), Bahman Nirumand (autore da noi di un testo sulla Persia), Rolf Hochhuth e Gerhard Amendt.

28 novembre. Gg è in ufficio. Sembra gentile ma totalmente disinteressato. Con Rudi va meglio.

29 novembre. Ispezione della finanza in casa editrice.

2 dicembre. Gg è in Sardegna. I. ha tutto sulle spalle, compresa la gestione di Rudi. Nuovo volume di "Il mondo della figura" sui sumeri.

5 dicembre. Nikolaus-party con trenta bambini. Si presenta la polizia per sapere se Rudi ha un permesso di soggiorno. Rudi scherza con me, si toglie la camicia per esibire i fori delle pallottole di Josef Bachmann: "Adesso torni in Germania, prendi una mitraglietta e lo fai fuori. Ta-tata". Così gli avrei detto. La frase conquista la rubrica Parole famose dello "Stern" (12.1.1969).

6 dicembre. Pranzo con Gg e I. Lui parla molto di politica e io non ci capisco tanto.

9 dicembre. Litigio tra Gg e I. Lei minaccia di portarmi a vivere a New York. Lui dice che entro sei mesi dovrò sapere la verità. Quale verità? La sera party in città per Eco. I. ci va con Bocca, Arbasino, Camilla Cederna. Milano è ancora una bella città.

14 dicembre. I. a Parigi. Il 17 arriva Gg e prende la sua stanza in albergo.

18 dicembre. Giannalisa regala a I. uno stupido cucchiaio. Doni natalizi in casa editrice. Tina li rifiuta perché non sono un fatto politico. "Non apprezzano più le cose semplici", mormora Brega.

21 dicembre. Pranzo prenatalizio con Benedetta, Giannalisa e il regista Franco Parenti. La nonna parla esclusivamente con lui. Non sa che è il fidanzato di sua figlia.

23 dicembre. Con I. prima a Francoforte e poi a Gottinga. Mamma sta male, ha la febbre. Andiamo lo stesso sulla Schillerwiese, da Cron und Lanz per la torta al formaggio, e a teatro per lo spettacolo di Natale. Gg non chiama. Chiedo solo una volta dove sia. Interroghiamo gli astri con *Fatevi il vostro oroscopo!*, appena uscito nell'Universale Economica. Düstere Eichenweg 27 è comunque un ottimo posto dove stare.

Le tendenze della futura "sinistra rivoluzionaria" italiana si riconoscono già nel '67-68. Dibattito fra i "Quaderni piacentini", divergenze insormontabili nella rivista "Classe operaia", nuove analisi nei poli della protesta (Trento, Pisa e Torino), primi convegni in cui si parla di "operaio massa" e di come sia necessario andare oltre la gestione tradizionale delle lotte di fabbrica. Il dibattito si fa più complesso, ma il dilemma per la linea politica è quasi sempre uno: quadri politici che devono dirigere le masse o conciliare spontaneismo e organizzazione?

Emblematico è anche ciò che accade alla rivista "Quindici", nata dal Gruppo 63, distribuita o finanziata – ma non pubblicata – da Feltrinelli. Non che vendesse molto, solo uno dei primi numeri (con allegato poster di Guevara) supera le enne migliaia di copie. Improvvisamente il comitato editoriale si accorge che deve allargare gli interventi: è Furio Colombo a dare l'allarme: "A Torino accadono fatti come a Berkeley". E Umberto Eco di rimando: "Guardate che da questo momento non siamo più gli ultimi". Gli studenti o chi per loro compaiono a scrivere e, a un certo punto, si presenta in redazione il gruppo dei romani. "Cazzo, ci abbiamo messo quindici anni per cambiare questo modo di parlare", urla Valerio Riva, "parlo come mi pare", risponde calmo Scalzone. La spaccatura è inevitabile: l'ala di "movimento" mal si concilia con l'orizzonte culturale della generazione precedente, di un Pagliarani, del direttore Giuliani o di un Guglielmi. I rapporti nella rivista si incartano definitivamente.

Feltrinelli prende appunti, osserva le cose, probabilmente è in contatto con tutti. Con Scalzone e il docente di fisica teorica Franco Piperno c'è reciproco interesse al confronto. Loro "Marx a Detroit", metropolitani, con la rivoluzione che deve partire dall'epicentro del rapporto di capitale, antagonisti alla struttura sindacale. Lui, frontista o terzomondista, pensa che si debbano creare giuste gambe per sostenere la radicalità dei discorsi. E non capisce chi liquida il peso della geopolitica, della guerra. E il Pci? Non si può far finta che non esista il Pci. Il fermento è grande. "Per la prima volta vidi la 'trama' a un incontro a Lerici, a casa di Ginevra. Credo fu in tale occasione che mi chiese se potevo trovargli della scolorina. Secondo me, in verità ne aveva, ma era un modo per saggiare il terreno. La cosa mi impressionò." Con il professor Piperno (è sua la storia della scolorina, un composto per sciogliere e cancellare la battuta della macchina da scrivere o l'inchiostro da timbro) l'editore discute già dalla seconda metà del '68: un certo Sud che preme, le forze da riunire tra Milano, Roma e Genova, il settimanale "La classe" da lanciare per la lotta dei reparti in Fiat, le case da affittare per i compagni che vanno a Torino, la quota di prevenduto di "Potere operaio", nuovo giornale per l'Autunno caldo. "Lui ci rimproverava un eccesso di economicismo." Ah sì, capisco.

Gennaio 1969. Feltrinelli deluso per le notizie che vengono dal Pci: è in arrivo il XII Congresso. La sinistra interna, sostiene, è come se non ci fosse: "uomini inesistenti". Appena meglio nelle sezioni: "c'è stata qualche vana battaglia". Male i congressi di federazione, una débâcle. "Secondo le previsioni, il congresso sarà durissimo verso la vecchia guardia e verso la sinistra. Le aperture governative verso il Pci si moltiplicano: dopo venticinque anni di politica togliattiana vedremo il Pci ritornare al governo. Merda." E ancora: "Quasi tutti i miei sforzi verso la sinistra ufficiale vanno a vuoto. Tutti gli sforzi che si fanno per raccogliere la sinistra reale nel paese, o quasi tutti, vanno a segno. La situazione obiettiva è più avanzata della situazione soggettiva". Sono considerazioni per Saverio Tutino, corrispondente dell'"Unità" tornato a "chiacchierare troppo" all'Avana.

E.R. prima emigra da Bari a Milano, poi gioca la carta della disperazione. Il 21 gennaio 1969 è a Colonia in cerca di salario. Lo trova (manovale alla Ford): inizio duro, lavoro pesante, zero relazioni con l'ambiente. Decide quasi subito che è meglio tornare in Italia, ha in tasca il "ritorno" ferroviario dato alla partenza. All'Ufficio immigrazione scopre che quel biglietto è valido solo dopo un anno di permanenza in Germania: E.R. non può partire.

Un giorno alla Ford incontra un vecchio compagno di Bari, dei tempi in cui entrambi erano iscritti al Pci, a cui descrive la propria delusione: lui gli dice "vieni da noi, abbiamo un circolo italiano". Il circolo è del Pci ma in pratica funziona da dopolavoro. In prevalenza sono sardi. Mettono su una mensa, fanno attività di assistenza, cominciano con i volantini. Primi contatti con i Falchi rossi (locale sinistra giovanile) o con analoghi sodalizi delle comunità spagnola, turca, greca.

E.R. trova al circolo un giovanissimo operaio del nuorese, Giuseppe Saba, che fa la manutenzione alle tipografie della Bauer. Un tipo non particolarmente in vista, taciturno, che non si apre se non ti conosce. Diventano amici.

L'obiettivo politico del Circolo Italia, in questa fase, è la preparazione del Primo maggio 1969, in polemica con i sindacati tedeschi: "Lotta ai padroni tedeschi, per il ritorno in Italia" potrebbe essere lo slogan. Spediscono i loro documenti dappertutto, anche in Italia.

Gli operai rispondono bene. Il 29 marzo sono a Bonn in

ottanta per una manifestazione davanti all'ambasciata spagnola. Scontri con la polizia, qualche fermo. Due giorni dopo prendono di mira Radio Colonia e i suoi programmi in lingua italiana. La occupano per trasmettere un comunicato. Dalla sede della radio sventolano una bandiera rossa e una anarchica.

Ai primi di aprile è in visita a Colonia un sottosegretario della Farnesina per un convegno sull'emigrazione. Sono invitate le autorità, i funzionari della diplomazia, la moglie di questo e di quello ma niente inviti per il Circolo Italia o per altre strutture di base dei duecentomila italiani in zona. Cinque tipi male in arnese, tra cui E.R. e Giuseppe Saba, si presentano al consolato puntuali per il convegno: "Senza invito non si entra!". Invece i cinque occupano di forza il palco, dicono la loro molto apertamente, creano un certo scompiglio. Il giorno dopo ne parla pure la "Bild Zeitung".

Uno dei progetti, al Circolo Italia, è creare una piccola biblioteca. Sono partite richieste a numerosi editori italiani ma risponde uno solo: "Vi darò 200.000 lire di libri, mandatemi l'elenco".

A Battipaglia, il 9 aprile la polizia spara sui dimostranti durante lo sciopero generale: due morti e duecento feriti negli scontri. Per la prima volta una fabbrica tedesca entra in agitazione per fatti accaduti in Italia. "Giuseppi', andiamo a Milano per la manifestazione?" domanda E.R. al suo compare. "Ci mettiamo in viaggio. A Milano mi viene in mente di andare a trovare Feltrinelli: era il 10 o il 12 aprile del '69. Vado in via Andegari 6, 'Vorrei parlare con Giangiacomo Feltrinelli, sono un emigrato italiano che viene dalla Germania'. Mi riceve subito, appare sulla porta: 'Vieni, vieni'. Gli faccio la storia della mia vita, il curricolo politico... Quando ricevo un telegramma firmato Fabrizio per un appuntamento davanti al duomo di Colonia, capisco che è lui."

A Cagliari, per i primi di maggio, è previsto un convegno del Fronte emigrati sardi, E.R. e Saba sono i delegati di Colonia e fanno ancora tappa a Milano. "Lì, il 4 maggio, presentai Saba a Feltrinelli." I due operai vorrebbero pubblicare una lettera aperta sull'emigrazione: gli opuscoli delle librerie Feltrinelli fanno al caso loro. Cercano ispirazione a Bolotona, mezz'ora da Nuoro, paese natale di Saba. A stendere il testo ci pensa E.R. nella sacrestia di una chiesa: è l'unico posto con macchina da scrivere.

Da fine maggio a luglio del '69, E.R. e Saba girano in lungo e in largo tutta la Rft con nomi inventati e un contratto editoriale per le spese. Spediscono a Milano documenti politici della base emigrante e prendono contatti con diciotto comitati formatisi nel frattempo. Feltrinelli da Milano avverte: "Qui la situazione precipita, siamo alla vigilia di un colpo di stato, ci vuole una risposta di massa, bisogna pensare a riorganizzare i nostri emigrati". Il 4 e 5 luglio l'appuntamento è a Ulm per una riunione allargata. Arrivano in quaranta da più città e partecipa anche un giornalista italiano o, almeno, così è presentato. Ha i baffi, piglia appunti, parla poco, non fa mai un accenno esplicito a cose come guerriglia o quadri clandestini. Al termine dell'incontro prende accordi con cinque o sei dei presenti. E.R. non sembra condividere la loro impostazione, si dissocia, non vuole fare il "funzionario della rivoluzione".

La sua testimonianza è arricchita da un aneddoto: durante il suo vagare per la Rft in cerca di contatti, E.R. usa un recapito fornito da "Fabrizio". Chiede ospitalità a un tale che si dice scrittore a tempo perso. Lo riconoscerà dopo, in un servizio giornalistico sulla Baader-Meinhof.

Il problema americano è fermare Aldo Moro. Dopo la presa di distanza del Pci su Praga, Moro suggerisce una "strategia dell'attenzione" verso i comunisti. Il concetto è anticipato alla direzione Dc del novembre 1968 e viene ribadito nel febbraio 1969, nei giorni dell'arrivo di Nixon a Roma. Kissinger ne parla nelle sue memorie: Aldo Moro è l'uomo dei "nuovi sbocchi in politica interna". A fronte di un grave scontro sociale, a garanzia del sistema democratico, potrebbe chiedere sostegno al Pci, legittimandolo. Gli americani, per scongiurare questo rischio, vorrebbero invece l'"assunzione di decisioni specifiche" che le nostre coalizioni instabili non possono prendere.

All'inizio del 1969 prende avvio la strategia per un cambio istituzionale in Italia (lo dirà Gian Adelio Maletti, ex numero due del Sid, interrogato dalla Commissione stragi nel 1996). Mentre l'arena politica si avvia nello scontro sotterraneo tra Moro e Rumor, la stampa britannica parla per prima di destabilizzazione.

Nell'aprile del '69 a Milano si segnalano quarantacinque episodi di violenza. Ci si picchia sotto casa e nelle piazze, prendono fuoco le sedi del Pci, dei giornali di sinistra, delle associazioni partigiane e anche l'ex Albergo Commercio occupato dagli studenti. Ma poi tanti altri attentati, fuori, in giro, nelle città di tutte le regioni. Tranne che in ospedale, non c'è sede dove non scoppi anche solo una bombetta (come dicono i fascisti). Rudimentale.

Il 25 aprile un ordigno esplode allo stand della Fiat alla Fiera campionaria di Milano. Cinque feriti. Alla Stazione centrale trovano altro esplosivo confezionato. Tre giorni dopo, il parlamento deve esprimersi sulla violenza poliziesca a Battipaglia. L'argomento è depennato dall'ordine del giorno per il rumore dei nuovi fatti di Milano. La pista, per la bomba alla Fiera, è anarchica.

"Anarchici" a Milano significa alcuni circoli ben noti: il "Sacco e Vanzetti" di viale Murillo e i più recenti "Ponte della Ghisolfa" e "Scaldasole". Frequentazione eterogenea, qualche petardo a carico delle frange più avventurose, presenza discreta di figure equivoche. Poi, a Brera, vivono due libertari di vecchia data come i coniugi Corradini, da sempre in contatto con gli anarchici spagnoli. Eliane e Giovanni Corradini (lei ha un negozio di cose d'arte, lui è architetto) sono fuori dal circuito emergente ma hanno un loro giro di ragazzi più o meno squinternati (a Brera è difficile trovare chi non lo sia). Su di loro si concentrano le indagini per la bomba del 25 aprile. La polizia arresta l'architetto e i suoi amici. Secondo Corradini c'era una specie di faida tra gli anarchici milanesi: forse qualcuno aveva suggerito una pista agli inquirenti.

L'alibi per alcuni dei principali accusati è di aver trascorso la domenica del 25 aprile in compagnia dei Corradini nel loro appartamento di via del Carmine. Scende in aiuto l'inquilino del piano di sotto: Giangiacomo vive lì con Sibilla e conferma tutto. La magistratura lo inquisisce per falsa testimonianza. L'editore è amico dei Corradini (hanno curato un Bakunin per la casa editrice): colpiscono loro per arrivare a lui? Dall'ufficio politico si muove un giovane commissario, Luigi Calabresi. È quasi una visita di cortesia, l'editore gli regala un libro.

La vicenda giudiziaria per la bomba alla Fiera si trascina penosamente per l'intero '69 e parte del '70 (arresti compresi). Poi, prosciolti tutti. Nuove indagini porteranno a sentenza definitiva le organizzazioni dell'eversione nera.

In effetti, da un certo punto di vista, i fascisti erano più avanti.

Nel luglio del '69, le Edizioni della libreria pubblicano un testo breve (quattordici pagine) di Giangiacomo Feltrinelli. Titolo: *Estate 1969*. Sottotitolo: "La minaccia incombente di una svolta radicale e autoritaria a destra, di un colpo di stato all'italiana". Un'appendice dello scrittore greco Vassilikos elimina ogni dubbio sulla tesi di fondo, l'incipit è: "Anche noi non credevamo che in Grecia fosse possibile".

La stagione politica. Siamo a ridosso della scissione socialista e della crisi del primo governo Rumor. Il ricostituito Partito socialdemocratico, con il sostegno dei dorotei e la simpatia del capo dello stato, chiede lo scioglimento anticipato delle Camere. Nell'opuscolo *Estate 1969* si annuncia che qualcosa di grave potrebbe accadere nei mesi estivi o in quelli seguenti. Le informazioni vengono da Pietro Secchia ma ne parlano anche i settimanali soft-core nei numeri preestivi ("Abc" di giugno: foto di signore con titoli inequivocabili: *Ferragosto coi colonnelli!*).

L'intensificarsi di operazioni militari (in Sardegna), alcune "prove generali" di black-out delle telecomunicazioni (a Roma e Pisa, in primavera), le decise intimidazioni di polizia e carabinieri sono segnali precisi. E anche se i dc smentiscono ipotesi di virate autoritarie, le loro parole confermano che c'è pericolo.

In campo economico, le misure antinflazionistiche del governo porteranno a una stagnazione. Gli effetti si cumulano a quelli dell'inflazione, senza frenarla. Andrà in crisi la grande industria monopolistica che proprio nel '69 programma il cambio ai vertici della Confindustria. *Estate 1969* non ha dubbi: altro che neocapitalismo riformista! Prevarrà la linea della contrapposizione netta con il movimento operaio. Tra i suoi fautori si annida il nucleo duro di chi è in cerca di ordine.

Ma come sarà questo colpo di stato? *Estate 1969* ipotizza l'applicazione di uno schema nuovo, all'"italiana", a cavallo fra il "golpe bianco" (alla francese) e la soluzione greca (con soppressione delle libertà democratiche). Lo schema è flessibile, pronto a evolversi secondo necessità. Se la soluzione greca nuda e cruda sembra improbabile, si prospetta l'eventualità di un colpo di stato in due tempi, distinguendo tra fase politica e fase repressiva, senza trascurare l'ipotesi di un qualche accordo con l'opposizione per salvare la cornice istituzionale. In questo caso, la svolta autoritaria si potrebbe presentare nella forma di "stato d'emergenza" o di "governo dei tecnici" appoggiato dalla destra, dai militari e naturalmente dagli americani; alle diplomazie estere la si fa passare per una soluzione tampone, dettata da un contesto di eccezionale gravità, con la promessa di ripristinare la legalità democratica. Come in Grecia.

L'incombenza di una svolta radicale a destra impone, nei ragionamenti di chi scrive *Estate 1969*, una presa d'atto sul piano politico e su quello militare. I piani coincidono: infatti, nel caso di un colpo di mano, è decisivo impedire la stabilizzazione del regime e resistere con le armi. Per questo c'è bisogno di una rete clandestina in grado di resistere al primo cozzo repressivo.

Post scriptum. Fantasia eversiva e capacità criminale di chi manovra la "guerra civile fredda" (la definizione è di Carl Schmitt, 1959) batteranno l'immaginazione dell'autore di *Estate 1969*. L'orientamento di alcune lobby politico-militari è già definito su scala transnazionale dai primi anni sessanta, la "strategia della tensione" spopola tra il 1969 e il 1974, ma di Feltrinelli si continua a dire che era "ossessionato" dal golpe. Perché? Nell'agosto del 1969 eravamo in pieno allarme Nato (lo urla "l'Unità" del 7 settembre) e il capo della polizia Angelo Vicari dirà che è di quel mese il più importante tentativo eversivo; Gian Adelio Maletti, dall'esilio-pensione di Johannesburg testimonia sulla presenza di ufficiali Nato nelle nostre caserme del Triveneto... Allora perché?

Nell'agosto del '69 prendere un treno in Italia è molto rischioso e questa volta non c'entrano le nostre Fs. In particolare, nella notte tra l'8 e il 9 scoppiano bombe a raffica in una decina di treni o stazioni. Altre vengono trovate inesplose. È la prova generale? Si cercano prima autonomisti altoatesini, poi anarchici pidocchiosi. Alcuni anni dopo, al contrario, la condanna è per il gruppo "Ordine nuovo" di Franco Freda e Giovanni Ventura. Era la prova generale.

Sempre ai primi del mese, Feltrinelli si prepara a fronteggiare il golpe. Sull'Appennino dietro Genova affitta una cascina procuratagli da Lazagna tramite il macellaio di Rocchetta Ligure. L'ex partigiano si divide tra le funzioni di consigliere e segretario, specie per il disbrigo di cassa. No, non è un samurai. Per una ventina di giorni la cascina è presa in consegna da Giuseppe Saba, il sardo, con un paio di corregionali reclutati a luglio nell'incontro di Ulm. "Fabrizio" piomba una sera e scarica dalla Ds grigia due radioricetrasmittenti. Ha un buon rapporto con Saba, con gli altri due parla poco. Il messaggio è di tenersi pronti per azioni di guerriglia nell'eventualità di un colpo di stato. Nella cascina compaiono tre scatoloni sigillati, una carabina Winchester, una cobra a tamburo.

A fine mese, insediatosi il secondo governo Rumor (senza colpo di stato), Giangiacomo parte per Cuba con Sibilla. Sul suo rapporto con i cubani circolano ormai voci leggendarie, come la storia che avesse fatto approdare all'Avana un carico di sementi, latte in polvere, medicine, nonché tacchini dell'Arkansas e polli da riproduzione.

Gli amici lo accolgono come sempre, un paio di incontri a due con Fidel, la solita febbre intorno che non è ancora folclore. Una sera vede piangere l'ascensorista nera dell'Habana Libre: "Que pasa?". "Ha muerto Ho Chi Min."

Dopo L'Avana è previsto un incontro a Caracas con il libraio Valerio Bertini. Era stato mandato per tre mesi in Uruguay, Brasile, Argentina. Scopo ufficiale: indagine sul mercato librario. Vera missione: ricognizione sulle organizzazioni (legali e non) della sinistra. Ma l'appuntamento venezuelano salta e, di ritorno a Milano, Feltrinelli intervista Bertini con il magnetofono: ha fatto un buon lavoro. (Resta da chiedersi perché un sofisticato libraio fiorentino, abituato alle meditazioni con Henry Miller nelle piazze di San Gimignano, politicamente più a destra di Amendola, sia finito in Sudamerica travestito da agente segreto. Potenza del Sessantotto più Giangiacomo Feltrinelli?)

L'Autunno caldo comincia a Torino a fine estate, quando la Fiat sospende 35.000 lavoratori dopo una lunga sequenza di scioperi a catena. A Mirafiori protestano per le inadempienze aziendali sui passaggi di categoria. Ma nell'aria c'è molto di più. Il rinnovo del contratto dei metalmeccanici, degli edili, dei chimici (che solo tre anni prima

351

erano passati senza problemi) crea una espansione-unificazione delle lotte in tutta la penisola. Si propongono obiettivi politici di fondo per la battaglia sindacale. La pochezza del nuovo governo Rumor, da cui sono fuori anche i socialisti, pare irridente. L'atteggiamento della grande industria (Fiat in testa), spesso a un passo dalla serrata, diventa sconveniente. "L'autunno potrà essere veramente 'caldo'," si legge sul quotidiano socialista "Avanti!", "ma non a causa e per colpa di qualche estremista, bensì come conseguenza di una perdurante cecità padronale di fronte alle spinte verso nuovi equilibri di potere che si manifestano nella società." Ci si prepara a cento giorni di lotte, a 520 milioni di ore di sciopero, a grandi manifestazioni.

Il 19 novembre, dieci milioni di italiani aderiscono allo sciopero per la casa indetto dai sindacati. A Milano, in piazza, ci sono famiglie con bambini. Fuori dal Lirico s'incrociano aderenti allo stesso sciopero, sono in dialettico contrasto tra loro, "fieri avversari". Perciò qualche schermaglia. La polizia, irrequieta, controlla la situazione. Poi qualcuno ordina di intervenire, spuntano i manganelli, le jeep rincorrono i manifestanti. Le circostanze della morte dell'agente Antonio Annarumma non sono chiare: in questura sostengono che sia morto per un colpo di spranga, può darsi che abbia battuto il capo mentre le jeep rimbalzavano a tutto gas sui marciapiedi. Milano inaugura la stagione dei funerali nella pioggia.

Dopo Annarumma il clamore è assordante: il capogruppo dc Giulio Andreotti dichiara che di fronte alle minoranze violente la debolezza dello stato può determinare situazioni incontrollabili. Il presidente Saragat lascia intendere che i mandanti morali sono annidati in certi giornali e invita a "mettere in condizione di non nuocere i delinquenti, il cui scopo è distruggere la vita". Il suo portavoce fa capire che così non si può andare avanti: sussurri di elezioni subito, di esecutivo forte, di revisione della costituzione... È clima da ultima spiaggia, da cataclisma imminente. Federico Umberto D'Amato, dirigente dell'Ufficio affari riservati degli Interni, si sposta a Milano, che pare brulichi di camerati mestrini e militari greci ispirati dall'Aginter Press di Lisbona. Le insidie del momento sono puntualmente segnalate dai giornali inglesi. (Lì c'è un governo laburista che non vorrebbe l'Italia come Portogallo, Spagna e Grecia.)

Il giorno 4 dicembre, alle ore 11, l'imputato risponde: "Sono e mi chiamo Giangiacomo Feltrinelli". Arriva al palazzo di giustizia milanese con cravatta a pois, giacca scura, faccia scura. Il giudice Amati lo interroga per la sua "falsa testimonianza": ancora i fatti di aprile, Giovanni Corradini è sempre dentro. Ma è solo un pretesto: sulla posizione dell'editore, "noto per le sue stranezze rivoluzionarie", si è indagato in lungo e in largo: lo si vuole collegare con qualche frequentazione inopportuna, con qualche volantino che scotta. Il commissario Calabresi si è fatto in quattro, non sempre giocando pulito. Ricorda oggi l'avvocato Canestrini che Giangiacomo si rese conto dell'escalation, di un progetto più ampio su di lui. Sembrava scioccato. Poi venne piazza Fontana.

Cose note e meno note. Milano, 12 dicembre, le sedici e trentasette: sedici morti e ottantaquattro feriti alla Banca nazionale dell'agricoltura. Una seconda bomba rimane inesplosa nei locali della Commerciale, in piazza della Scala. A Roma tre botti sincronizzati fanno feriti (lievi). È un'operazione composita (forse erano previste più bombe). Il responsabile della squadra politica Antonino Allegra ha un nome in testa. In nottata piovono a Milano dispacci dagli Interni e dai centri controspionaggio di Cagliari, Genova e Livorno. C'è sempre quel nome.

Nella mattina del 13 il nome risuona per la prima volta nella stipatissima conferenza stampa alla questura di Milano. Alcuni giornalisti chiedono al questore Guida se risponde al vero il fermo dell'editore Feltrinelli. Pausa prima di parlare, ognuno dei presenti fa le sue congetture. "Per adesso," ancora pausa, "l'editore non è stato fermato." "È ricercato?" insiste il cronista. "Non posso rispondere", taglia corto il questore.

Feltrinelli non è arrestabile perché non c'è. Arrivano telefonate anonime: "Dov'è la carogna?". Chiamano a tutte le ore i giornalisti Zicari, Spadolini, Ronchey, Pansa, Tortora.

Cronisti in cerca di scoop si precipitano a Villadeati. La polizia s'interroga: è a Cuba? Nel Sud Italia? Ad Algeri? In Estremo Oriente?

Noi lo avevamo visto a casa l'ultima volta agli inizi di dicembre. Inge non trova pace, "non vorrei montatura" è l'unica cosa che riesce a dire. Il numero uno degli agenti letterari Erich Linder, a un party, fa capire di saperla lunga: "Inge lascerà la barca che affonda".

Il 14 dicembre il commissario Allegra inoltra la richiesta di perquisizione agli uffici e alla casa di Giangiacomo Feltrinelli: "Si ha motivo di ritenere che nella sua abitazione e nei locali della casa editrice si trovino cose pertinenti alla strage". Ugo Paolillo, il magistrato che riceve l'istanza, la respinge. Qualcosa s'inceppa. In mancanza di meglio, la guardia di finanza ispeziona la casa editrice; il giudice Amati firma per un sopralluogo dei carabinieri alla Biblioteca Feltrinelli e fa iscrivere l'editore alla rubrica di frontiera per i provvedimenti di ritiro del passaporto e di impedimento all'espatrio. L'iniziativa del giudice Amati non riguarderebbe le vicende legate al 12 dicembre, quanto la contortissima storia di un volantino anarchico del febbraio 1969. (La storia è questa: l'amante matura di un giovane anarchico confessa di aver spedito alla Biblioteca Feltrinelli un volantino dopo un microattentato compiuto in città. Il teste, imbeccato dal commissario Calabresi, verrà dichiarato inattendibile dai giudici. Non è chiaro se il volantino sia effettivamente arrivato: spedire comunicati per la "biblioteca del movimento operaio" era comunque pratica abituale delle formazioni ultragauchiste.)

La "caccia" a Feltrinelli sembra essere un passaggio cruciale del dopo piazza Fontana. O, meglio, è il bersaglio ideale per invischiare il Pci nelle elezioni stile Quarantotto sotto-il-ricatto-degli-attentati che voleva Saragat. Grazie a Feltrinelli, che è nato alla sezione Duomo, frequenta Castro, finanzia Potere operaio, non finanzia ma ha amici anarchici, si potrà dimostrare che il Pci fomenta la "teppa rossa".

Il 15 dicembre, intorno a mezzanotte, il ferroviere anarchico Giuseppe Pinelli, trattenuto illegalmente dalla sera del 12, vola dal quarto piano della questura di Milano. Il questore Guida, nuova dichiarazione: "Il suo alibi era caduto. Si era visto perduto. È stato un gesto disperato, una specie di autoaccusa". Lo stesso giorno Pietro Valpreda, anch'egli anarchico, è accolto dal giudice Amati con una domanda che risuona in tutto il palazzo di Giustizia: "Ma chi siete voi anarchici? Cosa volete? Perché amate tanto il sangue?". Lo arrestano per le bombe. Fuori, in piazza Duomo, ci sono i funerali delle vittime.

Gli anarchici sono già un ripiego e l'operazione "piazza Fontana" non si chiude. Per quanto possano gli americani, siamo sempre nell'ambito di un "colpo di stato all'italiana". Dopo le bombe, tra le agenzie di casa nostra intervengono la "gestione dei morti" e il "rimpallo delle responsabilità"; il piano segreto è anche rivelato all'estero (l'"Observer" parla da subito di greci con un titolo: *Strategia della tensione*), forse intervengono dal Vaticano; la Dc si tira indietro per la proclamazione dell'Emergenza e il Pci (che sa molto) digrigna i denti e vigila giorno e notte.

Chiudere "piazza Fontana" diventa il leitmotiv per le prossime stagioni. È ancora del '73 il progetto dell'estrema destra di far trovare gli stessi timer del 12 dicembre nella cantina di un belvedere. Al castello di Villadeati.

9.

Milano, giugno 1996, un pomeriggio qualunque. Ci sono innumerevoli ragioni (le conosco tutte) per mandare al diavolo Giangiacomo Feltrinelli e scendere per una pizza, entrare e uscire da un bar, non pensarci più. Forse vale la pena smarcarsi, prendere le distanze. Se imbarazza la "vulgata riduzionista", c'è sempre la tattica, il senno di poi che incontra il buon senso, l'amnistia di fine secolo per i pensieri ostici, la canicola di un pomeriggio qualunque.

Nel 1969 la pertinenza di certe sue analisi non quadra più; giocano l'impazienza ("politica", personale), l'avventura, il fanatismo, la voglia di armi, l'innaturale ambizione di giustizia, la vanità (c'è audacia senza vanità?), l'ordine e non il disordine. E non occorre nemmeno la giustificazione postuma (morale, storica o politica); bastano già le parole di Leo Valiani padre della Patria: "Feltrinelli agiva in perfetta buona fede e con disinteresse totale, che meritano il massimo rispetto, nella sua evoluzione politica cospirativa, sboccata nel sacrificio personale di un uomo che credeva nell'imminenza di una reazione fascista in Italia". Che cosa, allora? Cosa c'è che non torna (o che mi torna troppo spesso)?

Quarantatré anni, pluricampione del mondo in editoria, sterminata agenda internazionale, quattro lingue, figlio da crescere, "fidanzata" di vent'anni e compagna di vita che spera in un comeback, posizione economica di primo piano: abdicazione totale (nessuno ha fatto come lui). "Perché noi non avevamo niente da perdere, lui tutto", dice Augusto Viel che prima di fare come lui (perché altri hanno fatto come lui) di mestiere era coloratore, una variante dell'imbianchino.

La notizia di piazza Fontana raggiunge mio padre col giornale radio. È nella baita di Oberhof, Sibilla (ufficialmente Quarta Moglie dall'inizio del 1969, matrimonio a Lugano) la sta trasformando in una vera casa. Vorrebbero restarci fino a Natale ("Lui voleva scrivere un saggio"). La sua reazione, mentre ascolta le news nella Stube, è immediata: "È come il Reichstag che brucia, devo tornare a Milano, convocare una conferenza stampa in casa editrice!".

La Citroën schizza sul Brennero il giorno 13 o il 14, diretta a Milano. Proprio in queste ore qualcosa cambia. Forse lo avvertono: "I giornali parlano di te". Viene a sapere che via Andegari è presidiata da poliziotti in borghese. Non può sapere, ma forse immagina, che stanno costruendo prove contro di lui (il lavorio dei carabinieri e dei loro confidenti risulta dagli atti della magistratura milanese).

Deve decidere. Rientrare a Milano, mettersi a disposizione delle polizie e difendersi dalle accuse che vede (lo aveva scritto senza pensare a sé) ispirate e dirette da un unico grande disegno repressivo; oppure prendere un'altra strada, clandestina, cui si è già preparato (e i fatti del 12 non sono che una conferma delle sue tesi).

La Ds macina chilometri di nebbia (è il 13 o il 14?) e devia verso Borgosesia. È già tardi quando bussa alla porta di "Cino" Moscatelli, forse il più celebre comandante partigiano d'Italia. Cino lo sta a sentire ma è in difficoltà per quello che potrebbero pensare al partito. Dopo un paio d'ore, lo "squalo" infila il muso nelle gallerie e Genova si presenta nella tenue alba invernale. Non è un'idea come un'altra, è la città rossa per definizione, ci vivono tanti che hanno fatto la Resistenza. Si nasconde a casa di Giovanbattista Lazagna. Qui raccoglie le idee e manda una lettera allo staff della casa editrice, alle librerie, all'Istituto. Dice di aver deciso per l'"irreperibilità":

È l'unica condizione che mi permetta di servire la causa del Socialismo, la causa che ho scelto 28 anni fa, quando nel '42, a sedici anni, scrivevo sui muri di Milano "a morte il fascismo", quando nel febbraio del '45 mi iscrivevo al partito co-

munista, quando creavo nel '48 l'Istituto Feltrinelli e nel '54 la casa editrice, quando infine con questa abbiamo sviluppato una tematica politica e culturale sempre più legata, sempre più espressione diretta, delle classi lavoratrici in Italia e nel mondo. [...]
Le mie previsioni non erano infondate. Alla prima occasione, prendendo spunto dai criminali attentati fascisti, la campagna di odio, denigrazione, calunnia, persecuzione delle destre contro la casa editrice, le librerie e contro di me è esplosa con la rabbia e la violenza di un odio represso da oltre vent'anni. Giornalisti prezzolati, poliziotti e magistrati si sono dati la mano e cercano, ricorrendo a ogni sorta d'infamie, di coinvolgermi in fatti e situazioni a cui non solo sono estraneo, ma che per di più sono ben lontani da quella strategia rivoluzionaria di cui alcuni, non si sa bene a che titolo, mi onorano.

Tutto molto enfatico, ridondante ma chiaro. Sulla stessa linea d'onda è la prima risposta pubblica, confezionata in forma d'intervista per la nuova rivista "Compagni" di cui si occupa Nanni Balestrini dopo "Quindici". Uscirà alcuni mesi dopo.
Cosa ne pensa dei recenti attentati e della strage di Milano?

Mi sembra chiaro che gli attentati del 12 dicembre, come del resto quelli del 25 aprile a Milano e quelli dei treni quest'estate, siano opera di estremisti di destra, di gente che dipende da una centrale di destra che ha un piano politico preciso, che attua una precisa congiura sia contro le istituzioni della democrazia parlamentare, sia soprattutto contro le classi lavoratrici italiane. Il piano di questa congiura, l'obiettivo intermedio, è quello di offrire una serie di pretesti perché le forze di repressione dell'apparato statale italiano scatenino un violento attacco in Italia, per creare un clima politico che giustifichi una involuzione reazionaria e un violento soffocamento delle rivendicazioni e delle lotte operaie e contadine. Non sono, questi attentati, il frutto di un'iniziativa offensiva delle avanguardie politiche del proletariato italiano.

E la situazione italiana?

È estremamente grave e seria. La coalizione delle destre italiane e straniere è lungi dall'essere battuta, anzi è più forte e compatta che mai. [...] Il centrosinistra, e in particolare la Dc, si rivelano incapaci di operare scelte adeguate alle esigenze del paese. Non possono scegliere a sinistra, oltre che per una forte vocazione di destra che pervade tanto la socialdemocrazia quanto larghi strati della Dc, anche per un freddo calcolo delle proprie forze: Rumor dichiarava recentemente che il governo non controllava più né l'esercito né la polizia, entrambe forze politicamente determinanti nella situazione attuale. Non c'è quindi da meravigliarsi se il governo è incapace di difendere le istituzioni o i cittadini contro la minaccia delle destre, se gli autori e i mandanti della strage di Milano e degli attentati di Roma vanno impuniti: il governo e la Dc sono costretti a concedere a queste forze una virtuale impunità e immunità in cambio delle briciole di potere che gli sono rimaste.

Cosa può fare la sinistra tradizionale per una battaglia di massa contro le destre?

È difficile dirlo ma dubito fortemente che le organizzazioni politiche tradizionali, quelle che oggi ne avrebbero la forza, contemplino tale strategia. Per vent'anni si è lavorato secondo una prospettiva diversa, di tipo laburista; si è lavorato, si sono selezionati i quadri secondo una prospettiva parlamentare ed elettorale al socialismo. Non dimentichiamo che le lotte dell'autunno furono imposte ai sindacati dalla classe operaia, pena lo scavalcamento e la fine del sindacato, per cui oggi, di fronte a una dimensione della lotta che non è né prevista né voluta, forse l'organizzazione politica, almeno in molti luoghi, non sarebbe neanche adeguata ai compiti di lotta che una simile strategia comporta. Ma soprattutto credo che il gruppo dirigente di queste organizzazioni politiche tradizionali non possa o non voglia prendere atto della situazione, delle possibilità che essa offre, delle responsabilità che essa loro impone.

Perché vorrebbero costruire una montatura su Feltrinelli, colpirlo, liquidarlo?

Io sono colpevole per aver nella mia qualità di editore pensato e quindi cospirato, pubblicato e quindi istigato alla difesa della libertà, per aver denunciato gli intrighi e i piani della coalizione delle destre per una involuzione autoritaria, per un colpo di stato; per aver cospirato e istigato alla difesa dell'indipendenza politica ed economica del nostro paese. Agli occhi della coalizione delle destre sono colpevole di cospirazione per aver pubblicato opuscoli in difesa della causa di libertà e indipendenza del popolo sardo, sono colpevole di aver difeso e sostenuto la causa dell'emancipazione politica e economica del proletariato italiano, delle popolazioni delle regioni sottosviluppate, degli emigrati costretti con la violenza della fame e della miseria a lasciare le loro case e le loro terre. Agli occhi delle destre italiane e internazionali sono infine colpevole di aver sostenuto e appoggiato le lotte per l'indipendenza e per il socialismo dei popoli che, armi alla mano, lottano contro l'imperialismo. Con l'aggravante di aver usato dei mezzi a mia disposizione per pubblicare libri, opuscoli e messaggi che diffondessero l'idea di libertà, progresso e socialismo fra le classi lavoratrici italiane. Questi, agli occhi delle destre, sono delitti che vanno colpiti. Ma di questi fatti che agli occhi delle destre sono delitti mi assumo la piena responsabilità: se questi sono delitti, ebbene sono fiero di aver commesso questi delitti.

Dai Giangiacomo torna, non fare il martire, difenditi come si deve, convoca la stampa, mobilita pubblicamente le persone, rispondi a modo tuo ma torna...

Dimostrerei di avere fiducia nelle regole del gioco della nostra società, nella imparzialità della magistratura, negli ordinamenti e nelle istituzioni dello stato. Questo è quello che buona parte della pubblica opinione vuole, perché ciò calmerebbe i dubbi, le incertezze e le ansietà che essa stessa nutre verso l'imparzialità della magistratura, verso le regole del gioco della nostra società, verso gli ordinamenti e le istituzioni dello stato. Quelle ansietà dubbi e perplessità che rodono la coscienza della maggioranza dei cittadini ma che ancora molti, troppi non vogliono ammettere. Ma questi dubbi, queste ansietà non devono essere assopiti e calmati, al contrario vanno evidenziati perché solo così si può raggiungere un primo grado di consapevolezza politica, premessa indispensabile per il rinnovamento della società. Ognuno deve sapere quello che sanno gli operai, i braccianti, i disoccupati e i pastori: che viviamo in un paese in cui la legge non è uguale per tutti, in una società in cui, per citare quanto ha detto il dottor Petrella [Generoso Petrella, magistrato] in una recente intervista sul "Corriere della Sera", "la crisi della giustizia non è solo crisi di inefficienza ma è crisi di valori e di contenuti". Se dunque non mi presento nel mio ufficio è perché di fronte alla congiura in atto da parte della coalizione delle destre italiane e straniere io non ho nessuna fiducia che la verità trionfi. Contro una stampa che sistematicamente svolge opere di terrorismo io mi sento, alla stregua di ogni cittadino, indifeso. Contro gli intrighi e le provocazioni delle destre e di certe forze dell'esecutivo io mi sento indifeso in un paese dove, al termine di un "normale" interrogatorio, si muore cadendo da una finestra del quarto piano della questura. [...] Ma soprattutto, se non affronto oggi questa battaglia, è perché non ritengo che questa mia personale battaglia sia oggi la battaglia personale da condurre. La democrazia, la giustizia, la libertà non si misurano sul "caso Feltrinelli". Non si misurano sul grado di salvaguardia dei diritti politici e civili di un Feltrinelli. [...] Fino a che i diritti delle classi lavoratrici del proletariato italiano non sono riconosciuti e salvaguardati io rifiuto tanto le condanne che le assoluzioni di un sistema che discrimina i cittadini dividendoli tra quelli che hanno soldi, amici, avvocati e quindi diritti e potere, e quelli che non hanno soldi e sono quindi esposti quotidianamente alle peggiori vessazioni, ai più atroci arbitri.

La casa editrice, nei giorni successivi al 12 dicembre, è sotto assedio. Ancora nessuna notizia dell'editore ma molte insinuazioni sulla stampa ("Tempo", "Nazione", "Specchio", "Borghese", ma anche "Stampa", "Messaggero", "Corriere"). Da via Andegari si chiedono attestati del mondo intellettuale. C'è chi telegrafa genericamente ("Condivido sdegno per speculazione neofascista. Lalla Romano"), chi la butta sulla casa editrice ("Volentieri dichiaro che la casa editrice Feltrinelli habet pubblicato libri moralmente lodevoli. Giuseppe Ungaretti"), chi fa dei distinguo ("Nonostante divergenze ideologiche esprimo piena solidarietà contro diffamazione continuata Istituto e casa editrice. Davide Lajolo"), chi aderisce convinto ("Indignato per inqualificabile campagna denigratoria contro tua persona e attività editoriale. Ludovico Geymonat"). Rispondono con prontezza Luigi Nono, Alberto Arbasino, Luciano Anceschi, Cesare Musatti, Lelio Basso, Eugenio Scalfari, Giorgio Manganelli, Lucio Lombardo Radice, Cesare Zavattini, Giulio Carlo Argan e anche Norberto Bobbio: "Unisco la mia flebile voce, per quanto debole, al coro delle proteste contro la graduale – ma non insensibile – trasformazione di un vantato stato di diritto in uno stato di polizia".

Ospite di Lazagna per due settimane nei giorni di Natale, Feltrinelli contatta il gruppo romano di Potere operaio. Fissano un incontro. Una macchinetta imbocca l'Aurelia verso Genova. Oreste Scalzone si porta dietro Carlo Fioroni: "Allora c'erano i primi servizi d'ordine e si comiciava a identificare la gente più adatta," ricorda Scalzone, "Fioroni era discreto e preciso... Non lo si deve demonizzare con il senno di poi perché dopo si è pentito; era un regolare. Sai l'intellettuale, il professorino? Uno che c'ha un problema con l'azione, una specie di moralismo, e che a volte dà prova di coraggio demenziale: questo era Fioroni".

Scalzone e Fioroni vanno a Genova per parlare, e magari dare un aiuto. Non che ce ne sia veramente bisogno, ma certe volte è bene misurare l'autenticità dei rapporti. Feltrinelli comunica la sua idea di lasciare il paese. Si può fare senza dare nell'occhio, dicono i due ospiti. Sappiamo noi chi contattare.

A distanza di qualche giorno, viene organizzata una seconda riunione, sempre a Genova, sempre col partigiano alla porta, sempre grazie agli uffici dell'imperscrutabile Balestrini in giacca di velluto a coste. Questa volta partecipano anche Franco Piperno, leader nazionale di Potop, e il professor Toni Negri. Durante la riunione è chiaramente visibile l'embrione di un livello organizzativo cui Feltrinelli ha già pensato. La dimensione psicologica è quella della clandestinità. Prima di chiudere la riunione decidono di usare pseudonimi per maggiore sicurezza. L'appartamento del Lazagna, una specie di pied-à-terre appena fuori Genova, si affaccia su un piccolo stabilimento con l'insegna "Fratelli Ivaldi". Qualcuno dice: io mi chiamerò Osvaldo. Scalzone, è lui che racconta, si accorgerà successivamente che "Osvaldo Ivaldi" era stato il nome falso usato da Giovanni Pesce durante la Resistenza. Non chiese mai a Feltrinelli se "Osvaldo" gli fosse venuto per caso o se l'avesse fatto apposta.

Cocco Bill, un compagno della rete comasca, viene messo in allarme per la sera del 30 dicembre: "Abbiamo bisogno di un passaggio nel posto più sicuro che ci sia". È un periodo brutto per via dei controlli stretti sul contrabbando. Cocco Bill non sa chi dovrà portare fuori: "Pensavo che fosse un compagno di Potop, all'epoca c'erano già state alcune retate e c'era gente ricercata". Morale: il 30 cade tanta di quella neve che l'appuntamento è rimandato di quarantotto ore. Il 1° gennaio 1970 Cocco Bill s'incontra con il "Cinto", il più esperto e famoso spallone della zona. Aspettano. Dalla macchina a fondovalle scendono in tre: due sono dirigenti di Potop, il terzo Cocco Bill non lo conosce. Il passaggio in Svizzera, con almeno un metro di neve, si fa in poco più di un'ora. Dall'altra parte avrebbero dovuto ritrovare i due compagni di Potop venuti in automobile attraverso la dogana. Ma non si vedono, persi per strade e controstrade. Allora Cocco Bill lascia lo sconosciuto alla stazione, lui gli chiede cosa avrebbe potuto fare per l'amico contrabbandiere in cambio dell'aiuto. Viene fuori che il Cinto ha un figlio giovane cui piacerebbe un'enciclopedia. Cocco Bill fa in tempo a cogliere una strizzatina d'occhio: "Ci vediamo...". Solo dopo che il treno è partito, arrivano sgommando i due compagni di Potop. "Mi vennero incontro tutti agitati, dicendomi 'Hai capito o no chi era?'. Fino a quel momento Feltrinelli era stato per me solo il nome di una casa editrice di libri che m'interessavano."

Sull'"irreperibilità" dell'editore alcuni commentano con ironia, altri con buoni argomenti, come in un articolo dell'"Espresso" (gennaio 1970): "Dobbiamo esprimere una ferma riprovazione per il comportamento tenuto recentemente da Feltrinelli. Da 26 giorni la polizia lo sta cercando. Il suo dovere sarebbe quello di presentarsi davanti a un magistrato o davanti al questore di Milano chiarendo così la sua posizione. C'è chi dice che Feltrinelli rifiuta questa soluzione per il prepotente desiderio di giocare alla rivoluzione. Sarebbe un'inclinazione assurda e anche pericolosa". Risposta (lettera al direttore): "Credo che questi avvenimenti [piazza Fontana] segnino – con o senza colpo di stato vicino o lontano – la fine delle illusioni o delle speranze che vanno sotto il nome di via italiana al socialismo [...]. Ognuno da questo momento è investito da nuove responsabilità: fra queste, la principale è quella di vedere e giudicare con chiarezza i reali termini della questione e non illudere se stessi e gli altri". "L'Unità" riprende polemicamente queste dichiarazioni.

Scrive Paul Ginsborg che il 1969 "è l'anno più sovversivo della recente storia del movimento operaio", mentre Giangiacomo lo definisce "anno del destino" (intervista a "Die Zeit", gennaio 1970). Almeno a livello subliminale, tutti accettano la logica dello scontro. Cumuli di prediche e sofismi nel dibattito, la parola non definisce ma evoca, o "attraversa" la realtà, frantumandola. Ci sono trame di ogni tipo e colore, slanci veri e progetti insinceri, disponibilità criminale e passione leale. È il tipico clima da stagione rivoluzionaria: sospetto e intrigo dominano a ogni passo. Però Feltrinelli non è un "entrista", uno che entra qui (per condizionare) ma resta di là, non è "tangenziale", "giustificativo", "elaborativo", "scomunicativo", "stigmatizzante", e un giovane leader della contestazione ha ricordato che il suo isolamento era di tipo "generazionale". Vero anche questo. Ma l'espressione è un po' trita. Paternalismo postumo.

Quando l'editore decide di andarsene, di non farsi trovare, irreperibile o clandestino che sia, il suo investimento personale non prevede possibilità di ritorno. Di solito è un errore: è salutare per l'intelligenza non credere ciecamente a quello che si fa. Ma in questo caso la scelta è totale, Feltrinelli la comunica irrevocabilmente. Scrive alle società di cui è amministratore. Dice di essere assorbito sempre più da impegni di tipo "editoriale" e siccome questi impegni contrastano con gli interessi delle società medesime, prega che si accettino le sue dimissioni. Ai procuratori sono date disposizioni a voce e per iscritto di tenere liquido il patrimonio, di salvaguardare alcune posizioni, di realizzarne altre ma, soprattutto, niente più investimenti: l'obiettivo è fare cassa.

Il primo febbraio del '70, Feltrinelli esprime il desiderio di trasformare l'Istituto e la Biblioteca in una fondazione che porti il suo nome ("Scusate la mia impudenza o la mia vanità").

La situazione è più confusa per casa editrice e librerie. Da un lato, sono fonte di grane, conflitti, soldi che non bastano mai. L'editore non ha più tempo né voglia di occuparsene. "Adesso dovete arrangiarvi!" è il messaggio più frequente. D'altro canto, i finanziamenti dovrebbero essere garantiti fino a totale esaurimento del patrimonio. La casa editrice vive in funzione di una battaglia politica che la mette a repentaglio. "So che esistono progetti di farla chiudere nella Dc e nel governo e, certamente, presso l'Italian Office dello stato maggiore greco", scrive l'editore all'avvocato Tesone. Nell'ipotesi di una chiusura forzata, bisogna mantenere tutti gli impegni verso dipendenti, fornitori, autori, ma si deve resistere con ogni mezzo alle pretese delle banche. Diventa vicepresidente della società la signora Inge, amministratore delegato il professor Giuseppe Del Bo, direttore editoriale il dottor Giampiero Brega. Tutti con i più ampi mandati. Carta bianca hanno anche i procuratori nominati per le altre società del gruppo. Non sono d'accordo con lui, anzi cercano tutti di fermarlo (ma chi è d'accordo con lui e chi può fermarlo?), tranne forse l'avvocato Filippo Carpi. Carpi sta a Roma, a contatto con il circo equestre della capitale, ma è un antifascista che ha marciato a fianco di Pertini nel '45. Nel febbraio del '70 scrive a mio padre: "L'alternativa mi pare semplice: o tu ritorni, riassumendo personalmente le tue responsabilità, o mantieni la fiducia in coloro ai quali ai tempi l'hai accordata e che alla prova dei fatti hanno mostrato di ben meritarla. Quanto al tornare, il mio consiglio (fraterno) è di stare per un po' di tempo al largo. Ho avuto, proprio in questi giorni, autorevoli indiscrezioni che le tue recenti attività sul territorio nazionale sono controllate da vicino (ma chi hai intorno?). Quindi non aggiungere guai ai guai".

Mio padre risponde a tutti con una metafora: "Quando il tempo si mette al brutto, togli le vele, metti la prua al vento e aspetta che passi. È una vecchia regola di mare che vale anche a terra".

Nel mezzo del suo difficile cammino mi scrive una lettera per il mio ottavo compleanno.

29 gennaio 1970

Caro Carlino, anzitutto infiniti auguri per il tuo compleanno. Spero che la tua Mami ti abbia organizzato una bella festa. Mi dispiace, sono triste di non poterci essere anch'io. Purtroppo invece sono lontano e, con ogni probabilità, dovrò restare lontano ancora qualche tempo. Avevo cercato di spiegarti, ancora tempo fa, come il mondo, e anche l'Italia, è diviso in due categorie di persone, in due classi: quelli che hanno i soldi, terreni, fabbriche, case e quelli che non hanno soldi, che devono lavorare come delle bestie per guadagnarsi dei soldi, pochi, con i quali spesso non riescono neanche a vivere. Quelli che hanno i soldi, che hanno fabbriche e terreni diventano sempre più ricchi facendo lavorare e approfittandosi del lavoro che fanno gli operai. È evidente che fra padroni e operai c'è sempre una lotta che ogni tanto diventa particolarmente dura e violenta. Allora i padroni arruolano i fascisti, delinquenti comuni, chiamano la polizia e i carabinieri. È proprio questo che sta succedendo oggi. Tu sai che il tuo papà sta dalla parte degli operai, che trova ingiusto che un operaio debba lavorare per arricchire il padrone. E poiché il tuo papà sta dalla parte degli operai, anche se ha dei soldi, anzi con questi soldi stampa e pubblica libri che difendono la causa degli operai, i padroni, i ricchi hanno organizzato una violenta campagna contro di lui. Tutto questo fa parte di una battaglia più grande fra padroni, ricchi da una parte, dall'altra operai e contadini. In Italia oggi questa battaglia è diventata particolarmente acuta, dura e violenta. E il tuo papi in questa battaglia, in questa lotta c'è dentro fino al collo. È una battaglia contro le ingiustizie dei padroni per la libertà, perché la gente povera, gli operai, abbiano finalmente una vita dignitosa, perché possano mandare a scuola i loro bambini. Quanto durerà questa battaglia, questa lotta? Non lo so Carlino. Speriamo che non duri molto, speriamo che tu possa vivere domani in una società, in un paese dove tutte queste ingiustizie non esistano più. È anche per questo, perché un giorno possa vivere sereno, studiando, lavorando per te stesso e per gli altri, e non solo per far soldi, che io insieme a molti altri amici e compagni lottiamo contro i padroni, contro il fascismo, contro le ingiustizie. Spero di non averti annoiato con questa spiegazione, ma vorrei che tu sapessi perché sono dovuto partire, perché e per che cosa lottiamo. Avevo iniziato questa lettera facendoti gli auguri per il tuo compleanno. Infiniti auguri, Carlino. Anche per te non sarà un anno facile. La Mami mi ha scritto che hai avuto degli ottimi voti a scuola: sono molto contento e fiero di te. So che ti piace molto la scuola dove vai ora, i tuoi amici, la tua maestra. È giusto che tu studi e impari molte cose. Così potrai sempre ragionare con la tua testa. Se nei prossimi mesi avrò un po' di tempo cercherò di scrivere per te una storia d'Italia. Quella che ti insegnano a scuola è tutta sbagliata e fatta apposta per confondere le idee. Io sto bene. In queste settimane studio e lavoro molto: la sera sono sempre stanco morto. Bene Carlino: ti abbraccio con infinito amore, tuo Papi

Dopo le bombe del dicembre 1969 il clima si è fatto caotico: nessuno è estraneo ai discorsi per passare all'azione, la disponibilità del "movimento" monta quasi esagerata, poi la rabbia e l'omertà proletaria e quindi il folclore delle sacre rappresentazioni al corteo. Mescolare il tutto con le rappresaglie di uno stato col vizietto mafioso e aggiungere fuoco invece che ghiaccio: ecco il cocktail futurista di Molotov-Italia, lanciata dalla strage di stato nello spazio temporale dell'anno settanta. Nessuno ha ben chiaro quale sia l'organizzazione a cui appartiene, diciamo che è una situazione fluida, di scambi d'opinione, di stramberie micro e macro.

Sul piano ufficiale, a Milano ruggisce il Movimento studentesco. A Torino, Pisa, Marghera fa la sua parte Lotta continua. Più avanti è il gruppo di Potere operaio, presente soprattutto a Roma e nel Veneto. Sul piano non ufficiale, le Brigate rosse sono ancora Sinistra proletaria ma prendono il via i Gruppi di azione partigiana. Di che si tratta? Il nome deriva dai Gruppi di azione patriottica, quelli di Pesce durante la Resistenza. "Noi ci sentiamo impegnati verso questi compagni a portare avanti e definitivamente vincere la seconda fase, che oggi è già cominciata, della guerra di Liberazione", si legge in uno dei primi documenti della nuova formazione. Secondo Lazagna, i Gap sono una sigla universale usata da Feltrinelli per i gruppi clandestini a lui collegati. Sono a Genova, a Milano, nel Trentino. C'è qualcosa anche in Piemonte e in Veneto. Il "Progetto memoria", una ricerca di Renato Curcio, registra sessantacinque inquisiti, il 70% di età tra i venti e i trenta. Ci sono professionisti (sedici), operai (undici), insegnanti (sei), militari (uno)... Ma gli effettivi dovrebbero essere una trentina, compresi due o tre emigranti e un paio di sardi. Veri desesperados o animali di periferia.

A Genova è già attivo, per proprio conto, un altro gruppo. "Un commando clandestino sconosciuto, diverso dai soliti movimenti della sinistra extraparlamentare, non studenti", diranno i giornali locali. "Sì, chiamateli pure così, Tupamaros...", diranno all'ufficio politico della questura. Sono un branco di nati nelle baracche, con padre partigiano, quasi tutti ex Pionieri, qualcuno è ancora iscritto. Mario Rossi è un ex imbalsamatore, gli altri sono nel giro dei cantieri navali o dell'Ansaldo. Piazza Fontana l'hanno vissuta come una sciabolata alle gambe e si pongono il problema di "fare le cose". Pensano che un paio di attentati (poi falliti) possano servire. Probabilmente entrano in contatto con qualche frequentazione genovese di Feltrinelli: conoscenze, nomi segnati su un foglietto, incontri di straforo nei carruggi.

Nell'opuscolo intitolato *Contro l'imperialismo e la coalizione delle destre* (pubblicato nel marzo del '70) Feltrinelli ricorre a Gramsci e a Marx per smascherare i limiti della democrazia parlamentare, a Lenin per spiegare come gli scioperi siano strumenti immediati di lotta ma anche passaggio utile della dinamica rivoluzionaria. Il testo prosegue presentando una piattaforma politica a tutto tondo: rivendicazione dei diritti economici per l'operaio in fabbrica e nella società (orario di lavoro, politica del salario, alloggio dignitoso gratuito per tutti, sviluppo dei consigli operai); diritti economici per i contadini poveri, per braccianti e pastori (salari garantiti e sementi gratis, soppressione della rendita fondiaria, assegnazione dei terreni espropriati); riforma del sistema scolastico (istruzione gratuita fino al diciottesimo anno, presalario reale per gli studenti adolescenti, eliminazione del voto sulla pagella, casa gratuita per chi risiede a più di cinquanta chilometri dall'università, sistema di valutazione degli insegnanti da parte di familiari e allievi); grandi novità anche per il codice penale (niente carcerazione preventiva, riduzione generale delle pene, eliminazione dell'ergastolo). Naturalmente l'Italia deve uscire dalla Nato e cessare la produzione bellica, le armi sono destinate ai consigli operai che disarmano le forze militari (i cui capitoli di spesa dovrebbero ridursi dell'80%). Facile intuire la sorte auspicata per la Rai-tv o per le società straniere nel quadro di un recupero dell'indipendenza economica, ma la lista è ancora lunga e non aggiunge nulla a una rozza rappresentazione del socialismo, realizzato o irrealizzato o irrealizzabile. Sembra quindi stravaganza, paccottiglia, un vecchio elenco telefonico ritrovato in cantina. Non serve nemmeno il bisturi per separare le parole perché sono passati più giorni di quanti dica il calendario. Il tempo che si sfalda (dice il poeta).

28.2.70

Caro Carlino, ti mando, con un poco di ritardo, un regalo per il tuo compleanno: una piccola collezione di francobolli di diversi paesi. Ciascun francobollo porta, disegnato, un frutto tipico del paese. Con la Mami e una grande carta geografica puoi trovare dove si trovano i paesi di cui ti mando i francobolli. Caro Carlino, grazie per le tue lettere che mi fanno sempre tanto piacere. Sono contento che a scuola vai bene e che hai ripreso lo judo (sei già campione?). Ti abbraccio e ti stringo forte. Tuo Papi

Le radio vengono certamente dalla Germania occidentale. Nella sua idea di sovversione devono bastare gli arnesi a portata di mano, ma è attratto dalla tecnologia. Ricordo l'ingombrante attrezzo elettrico che si era procurato prima di lasciare Milano. Trasformava un foglio di carta in mille sottilissime strisce. Per distruggere un documento mi consigliò di non fidarmi mai del fuoco: bisogna ridurre tutto in polvere quando si spegne la fiamma, altrimenti si può leggere in rilievo.

Le radio sono grosse radio, abbastanza sofisticate per l'epoca e vengono buone quando si annuncia l'arrivo a Genova di Giorgio Almirante. Un comizio è previsto per la metà di aprile. Il fatto è inedito, a Genova un segretario missino non parla, non deve parlare (vedi luglio '60). La scena politica nazionale ha appena archiviato una crisi di governo e si aspettano delicate elezioni regionali. L'unica cosa veramente insolita è la gradazione in più che c'è nello scontro. Anche il papa s'impaurisce quando gli anarchici cagliaritani si affacciano sulla piazza.

All'ora del telegiornale, mentre il mezzobusto Tito Stagno segue la terza missione dell'uomo sulla luna, un'utilitaria vagola per la periferia di Genova. Il nastro preregistrato è pronto, l'antenna è regolata ad arte: "Attenzione, attenzione, qui radio Gap, gruppi di azione partigiana, qui radio Gap, gruppi di azione partigiana, rimanete in ascolto...". Nei bar, gli sguardi scivolano dalla briscola al televisore, e ho da qualche parte una piccola raccolta di ritagli stampa: la notizia tipo è "Misteriosa interferenza televisiva nella zona di Genova Voltri".

La stazione mobile è una Mini Morris. Il messaggio è inciso su un piccolo registratore. Servono l'antenna dell'autoradio, un link con la batteria della macchina e i circuiti delle frequenze spacciati da alcuni compagni che lavorano alla sede Rai di Genova.

Giangiacomo non partecipa direttamente all'azione, ma la voce lunare che si sovrappone a Tito Stagno è la sua.

MUSICA... Attenzione, attenzione, qui radio Gap, gruppi di azione partigiana, qui radio Gap, gruppi di azione partigiana. Lavoratori genovesi, rimanete in ascolto... MUSICA... Attenzione, per sabato pomeriggio si annuncia una manifestazione fascista a Genova. Da tutta Italia si concentreranno a Genova squadristi fascisti per un comizio di Almirante. Gli squadristi fascisti come già a Roma e a Milano useranno ogni forma di violenza. Operai, compagni, giovani, cittadini, mobilitiamoci tutti per colpire e distruggere lo squadrismo fascista, per scacciare i fascisti da Genova... Prepariamoci ad una grande giornata di lotta, contro i padroni, contro i fascisti, rafforziamo l'unità rivoluzionaria della classe operaia... MUSICA (Bandiera Rossa)... Attenzione, attenzione, qui radio Gap, gruppi di azione partigiana, qui radio Gap, gruppi di azione partigiana... Fine della trasmissione... MUSICA (Bandiera Rossa)...

Le interferenze televisive ritornano presto nel genovese, poi nella zona di Trento e anche a Milano. Un giovane gappista milanese ricorda un tentativo a Porta Ticinese. A distanza di anni lui ha visto e fatto di tutto, ma quel viaggio sul pavé in utilitaria, con Feltrinelli alla guida e le radio dietro nel cofano, gli è rimasto in mente come una scena veramente stravagante.

Il 12 marzo del '70 i miei genitori s'incontrano a Nizza. Inge è a pezzi. Ha viaggiato in macchina con la sensazione di essere seguita per l'intero tragitto. Mio padre ha un'altra faccia, c'è qualcosa di curiosamente osceno quando un portatore di baffi si taglia i baffi. È nuova anche la montatura di metallo. Le dice di seguirla, entrano in un ristorante sulla spiaggia, si siedono senza mangiare. La conversazione è straziante. Dal diario di mia madre: "Nessuno può più capirlo, né Brega, né Del Bo, he's lost".

Anche se è irreperibile dal dicembre 1969, Giangiacomo mantiene contatti periodici con la "vecchia guardia": principalmente con Del Bo e con Brega.

Entrambi sono molto perplessi per la sua scelta di non ricomparire.

Lo "zio Sergio" non è fatto per l'avventura. Basta guardarlo, sembra un riservato monsignore. "Giangiacomo, lascia perdere, non correre rischi", gli dice ogni volta che lo vede. Uno sfogo innanzitutto emotivo, da fratello maggiore. Una sera, nei pressi di Cormano, hinterland milanese, si trovano a parlare di affari editoriali, c'è anche il ragionier Pozzi, l'ex partigiano in bicicletta. L'automobile dei tre incappa in un posto di blocco, Giangiacomo ha un documento falso, tutto fila liscio. "La prossima volta lo facciamo arrestare", mormora un disperato Del Bo a Pozzi. Tutto questo trambusto gli procura il primo infarto, lo vedo stramazzare sul tavolo durante un pranzo in via Andegari.

Con Brega è diverso: sono coetanei, la confidenza è un'altra, lui vede pragmaticamente che le vie d'uscita non saranno molte. Glielo argomenta sul piano della logica. Ma il capo è il capo e soprattutto c'è un'avventura editoriale da portare avanti (Brega è un vero gigante al servizio dei libri). Una notte, mentre Giampiero lo aspetta vicino a un parco di Milano, passa veloce una macchina e parte una pistolettata. La pallottola si conficca nella porta della sua vecchia Volkswagen. Non saprà mai se è capitato in mezzo a un regolamento tra bande o se sia stato un avvertimento.

Sergio e Giampiero vedono l'editore di solito a Milano, in Svizzera o a Oberhof, in Carinzia. Quando lui chiama, si fanno trovare. Gli appuntamenti sono programmati per iscritto: "Ci troviamo davanti a casa tua alle 17.30, così mi accompagni fuori Milano a chiacchierare un poco", oppure: "Propongo che ci si incontri a Zurigo al solito ristorante della stazione". Se lui non viene, automaticamente si replica la settimana dopo, stessa ora, stesso posto. Altrimenti ci si scrive usando un indirizzo di amici di amici.

Il grande tema dell'incontrarsi, e del loro carteggio, è soprattutto la casa editrice. Se in via Andegari si tenta ancora un difficile equilibrio nell'articolazione dei programmi e nella gestione delle cose, per Giangiacomo la festa è finita: non è più possibile uno sviluppo tradizionale della Feltrinelli, tutto va riportato ai fini della politica. La proposta editoriale, in sostanza, dev'essere "costantemente terroristica", scavalcando anche le convenzioni legali del copyright. Sarà per lui più importante un testo sui costi della motorizzazione di un saggio di critica letteraria; un'inchiesta che accerti le responsabilità degli inquinamenti, provincia per provincia, piuttosto che una qualsiasi esercitazione poetica; un atlante sull'infortunistica in Italia o un opuscolo sul pendolarismo sono senz'altro meglio di un qualsiasi saggio sul nostro Risorgimento. Sono spesi bene i soldi per la pubblicità di un libro sulla macchina militare e non per la narrativa "sostanzialmente bruttina" di un Balestrini. E, comunque: che Brega legga gli articoli di "Punto Final" per gli opuscoli sull'America Latina, "dovete" assolutamente pubblicare il discorso di Fidel in occasione del centenario della nascita di Lenin e, quanto ai diritti di Arghiri Emmanuel (*Lo scambio ineguale*), se li ha comprati Einaudi "può darsi che non gli interessi tanto la pubblicazione di questo testo fondamentale per comprendere il moderno meccanismo di sfruttamento neocoloniale. Cercate di farvelo cedere e di affrettare al massimo la pubblicazione. Che esca da Feltrinelli o da Einaudi non me ne frega niente: purché esca in fretta".

Per il resto, è tutto un discutere, un litigare, su ipotesi di ridimensionamento, sull'aumento di capitale, sulle grane della distribuzione, sui soldi per gli opuscoli o, magari, sui problemi della vendita rateale. Ma qui spesso torna fuori l'editore: "Caro Sergio, proprio perché ti voglio bene ti dico, a quattr'occhi, da uomo a uomo, smetti di fare le bambinate, le false quistioni di orgoglio ecc. Di editoria e di quistioni finanziarie e commerciali ne so più io di te. Non c'è tempo per discutere o per fare le bizze. Abbi fiducia nel tuo vecchio Gg".

Ho motivo di credere che nella notte del 29 marzo 1970 mio padre sia passato da Villadeati. Una deviazione per colpa della luna, forse si trova in viaggio fra Milano e Genova. Non lo vede nessuno mentre esce dall'ombra del grande cedro. Dietro casa, nel prato, baluginano mazzetti di primule, di narcisi, di Schneeglöckchen, anche i primi tulipani. Probabilmente si ferma qualche minuto prima di scendere nel bosco e dileguarsi. Nuovi e continui spostamenti lo attendono.

Due settimane dopo, l'11 o il 12 aprile, è a Roma. Lo preannuncia per iscritto a Pietro Secchia. "Sarei molto contento di rivederti e fare una chiacchierata con te. Fammi sapere, per mezzo del compagno che ti porta questa mia lettera, dove e a che ora. Scegli tu il posto e l'ora tenendo presente le opportune precauzioni. Un affettuoso abbraccio. Tuo Giangiacomo." Cosa si diranno a quattr'occhi non è dato sapere.

Sul rapporto tra Feltrinelli e Secchia (ormai emarginato dalla nomenclatura Pci) si sono fatte diverse congetture. Perfino l'ex premier israeliano Benjamin Netanyahu ha detto la sua in un testo intitolato *Fighting Terrorism* (Farrar Straus, 1995). Secchia viene rappresentato come il capo di una struttura legata all'intelligence militare sovietica con fini terroristici e Feltrinelli, "altro prodotto del Gru", è un suo affiliato.

Io metterei le cose diversamente: Secchia è un riferimento naturale per la strategia neogappista in Italia, condivide al cento per cento le preoccupazioni sui rischi di un'involuzione autoritaria. Lo aveva scritto in *Colpo di stato e legge di pubblica sicurezza* (Edizioni della libreria, 1967). Ma l'uomo è ormai anziano, un po' fuori dal giro, sia pure molto in vista (vicepresidente del Senato della Repubblica italiana). E allora, certo, offre i suoi suggerimenti, le sue analisi, magari qualche recapito fidato, ma il mondo cambia e Secchia non cambia più. Tutto questo si deduce magnificamente da una lettera a Del Bo, sempre della primavera del '70, in cui Secchia commenta l'esperimento del mensile "Compagni". Quei giovani che scrivono sulla rivista lui non li capisce, parlano una lingua incomprensibile, con una fraseologia vuota e massimalista, sono incoerenti, attaccano (invece di criticare) il Pci e i sovietici. Insomma: giudizio negativo. L'intervista a Feltrinelli, contenuta nel primo numero, è per Secchia invece "la cosa più seria, chiara, intelligibile". Si potranno discutere certe sue affermazioni, ma "si tratta di un brillante in mezzo a dei cocci". Delle sue scelte lui non sa bene cosa dire, "io non so, non critico, non giudico", scrive a Del Bo, ma quei giovani no, quelli non poteva stimarli un vecchio capo militare.

Lui e Feltrinelli rimangono in contatto, ma forse si rivedono una volta sola, sempre a Roma.

Il 15 aprile Giangiacomo è atteso a Chiasso da Inge, Brega e Roberto Olivetti. L'idea che venga Roberto è di Inge: forse può parlargli o farlo parlare. Mio padre non si presenta. Ventiquattr'ore dopo, io e mia madre aspettiamo su una pensilina della stazione di Innsbruck. Inge quasi non lo riconosce quando ci viene incontro. Avevano preso il loro primo treno da qui, una dozzina di anni prima, e ora le sembra un vagabondo. Andiamo a mangiare qualcosa al Gasthaus, io sto addosso a mio padre, gioco con lui. Rispondo a un suo invito.

1.4.70

Caro Carlino, mi dispiace non averti potuto inviare i miei auguri di buona Pasqua in tempo. Spero tu abbia passato dei bei giorni a Villadeati. So che il tempo era bello e certamente già fiorivano dietro casa le primule, i narcisi e i Schneeglöckchen. E forse anche i primi tulipani. Caro Carlino, vorrei che tu fossi il 18 aprile a Innsbruck. Se prendi il Tee da Milano, ti aspetterò all'arrivo del treno e così potremmo passare una settimana insieme in Austria. Ti va? Ho tanta voglia di rivederti che neanche te lo immagini. Lo so che ti faccio marinare la scuola per una settimana ma forse non è neanche tanto grave. Che ne dici? Abbracciami la Mami e dille di essere tranquilla e serena. Ciao Carlino, tuo Papi

In quei giorni a Oberhof ci sono anche Nanni Balestrini e Cesare Milanese, oltre a Sibilla naturalmente. Milanese ha collaborato a "Quindici" e sta scrivendo un libro su Clausewitz per la casa editrice. Era stato lui a recapitare la recente lettera a Secchia e sempre a lui Giangiacomo chiede di tenere qualche contatto con la vecchia guardia del partigianato. Milanese rifiuta, standoci comunque male; è il fallimento di un tentativo di persuasione. "Le cose che mi dici tu me le hanno dette altri meglio di te", gli risponde Giangiacomo, autoritario, mentre lui cerca di spiegare che la guerriglia di solito non vince sulla guerra.

Sono ormai un paio di mesi che di Feltrinelli si parla meno sui giornali. L'inchiesta su piazza Fontana è saldamente piantata nella pista anarchica, ma il suo nome non viene più fuori. Non si sa niente dei Gap né si sa dove sia lui. Qualche giornalista arrischia un viaggio in Carinzia senza concludere molto. Il consolato italiano di Klagenfurt fa sapere di non avere notizie precise. È stata registrata una sua breve permanenza a Parigi (nel gennaio) dove lo ha intervistato un giornalista tedesco. La polizia francese sostiene che sia partito per la Corea del Nord, a Pyongyang. I servizi italiani non escludono che si trovi ancora in Italia, forse in Sardegna: "Il rifugio dell'editore sarebbe in aperta campagna presso la casa di un amico fidato". Infine, seguendo la ricostruzione di Netanyahu, Feltrinelli sarebbe a Praga praticamente una settimana sì e una no.

Almeno in questa fase, è verosimile che si muova soprattutto fra Austria, Svizzera, Nord Italia. E anche Parigi, perché qui si iscrive in incognito a un corso per falsari tenuto da Joseph, cinquant'anni, origine armena e passaporto argentino, barba nera e modi sguscianti, centinaia di faux papiers alle spalle e, per il futuro, il sogno di una Francia inondata di franchi falsi. È ricercato dalla polizia ma gode di alcuni privilegi per aver collaborato con il Maquis contro i nazisti. Giangiacomo passa una decina di notti nel suo laboratorio, fino a quando si sente dire: "Ma lei non è per caso Feltrinelli?". Lascia perdere il falsario: in fondo, di passaporti ne ha e le carte d'identità in bianco arrivano dagli uffici comunali di Novi Ligure. C'è una talpa.

6 giugno

Caro Carlino, in questi giorni stai finendo il tuo secondo anno di scuola: sono sicuro che lo termini brillantemente, con ottimi voti. Bravo. È stato un anno difficile anche per te, così come, purtroppo, saranno difficili anche gli anni futuri. Per questo ti dico: goditi adesso le tue vacanze che hai ben meritato. Dove vai quest'estate? A Villadeati per certo, e poi? a Porto Ercole? Spero tanto che potremo passare almeno una settimana insieme, ma ancora non ti posso dire quali sono i miei viaggi e i miei spostamenti per quest'estate. Ma cercherò di stare in contatto, in qualche modo, con te e con la Mami. Per ora ti abbraccio forte e stretto. Tuo Papi

In agosto sono per due settimane a Oberhof. Ho portato il cane, un bassotto a pelo ruvido, si chiama Enzi. Con mio padre facciamo cose semplici: leggere i giornali, mettere i dischi, "Arbeiter, Bauern nehmt die Gewehre...", un giro in paese a discutere dei fatti nostri. E ananas alla caraibica, banane fritte alla magrebina, Palatschinken. Tanto divertimento con lui, e soprattutto scherzi. Invento ogni minuto nuovi scherzi: non lo lascio dormire, nascondo le cose, lo seguo ovunque; tutto un po' ossessivo. Mi rendo conto della vita che fa, ho individuato il cassetto con la pistola. E, di nascosto, mi spruzzo lo spray accecante per la difesa personale. Fa male.

Un pomeriggio vado con il cane verso una conca verdechiaro che conosco. Si segue per un po' la strada sterrata con il legno del Windwurf ordinato ai lati, poi la marcia sale verso il bosco. L'obiettivo è una zona di mirtilli. Ma, ai miei occhi, ci sono anche funghi gialli come l'oro e un esemplare di ogni albero del mondo, compresi l'abete serbo, la betulla, il sicomoro. L'incidente capita al ritorno: a una curva non siamo più soli, non ricordo il tipo di corna ma so di un paio di occhi sorpresi quanto i nostri. L'animale scappa e il mio cane con lui, per rincorrerlo. Così si fa buio e io ho perso il cane trascinato in treno da Milano, santo Dio, santo Dio, fa' che torni! In un attimo la natura diventa caverna, corro a casa in cerca d'aiuto. Mio padre non vuole credere alla storia dell'animale incrociato per strada, o forse fa finta per rendermi più grande l'avventura. Quando torna è già notte, il cane gli caracolla dietro.

Il 28 agosto risbarco a Stoccarda. Inge viene a prendermi.

Nell'autunno del '70 l'Italia è scossa dai tumulti di Reggio Calabria. La prima fase della rivolta scoppia già a luglio, dopo la mancata assegnazione del rango di capoluogo regionale. Muore un ferroviere della Cgil, la polizia ferisce un centinaio di persone, assaltano la questura. Reggio è zona malmessa, politicamente a destra: a settembre i capipopolo missini spingono verso le barricate. La polizia risponde brutalmente. Altro morto. Quattro attentati ai treni. Il leader di Lotta continua Adriano Sofri, attraverso Lazagna, chiede trenta milioni per spostare uomini in Calabria. L'intento è far deragliare a sinistra una protesta ormai egemonizzata dai "boia chi molla". Giangiacomo non va pazzo per Sofri.

Nel Nord Italia invece, un'organizzazione clandestina denominata Gap è attiva dalla primavera '70. L'obiettivo principale è radicare nelle lotte italiane la logica dell'azione partigiana, mantenendo l'offensiva contro l'attacco sempre più serrato della "destra imperialista".

Nel maggio, il gruppo genovese della 22 Ottobre aveva organizzato due attentati, non riusciti, contro la sede Psu in viale Teano e contro il consolato Usa a Genova. È molto difficile stabilire chi sia chi, la definizione "22 Ottobre" è processuale e giornalistica. Forse si dovrebbe parlare di Terza colonna Gap-Genova (le altre due sono a Milano e a Trento). Certamente con i "veri" Gap c'è un rapporto di collaborazione, se non di "federazione". In particolare per le interferenze di radio Gap, che tornano proprio a settembre durante la visita italiana di Richard Nixon. I contatti con il gruppo della zona di piazzale Adriatico sono tenuti da Lazagna o da qualcuno dei suoi. Ma sono ridotti al minimo: troppo rischiosa la loro mancanza di compartimentazione, troppo disinvolto il reclutamento delle persone.

D'altro canto, la 22 Ottobre (o Terza colonna Gap) vive di vita propria e prepara autonome azioni di finanziamento, come il rapimento di Sergio Gadolla (5 ottobre 1970), discendente di una delle famiglie più facoltose di Genova. Lo tengono cinque giorni e frutta 200 milioni. È probabile che un sostegno all'organizzazione venga anche dai Gap milanesi, ma noi "non volevamo padroni di nessun genere" ricorda oggi un ex di quel nucleo. Anzi, un paio di loro diffida degli appoggi che vengono da persone "a cui la sofferenza materiale del vivere è passata sempre lontana".

L'unica azione di autofinanziamento che i "veri" Gap progettano con scrupolo, senza poi realizzarla, è una rapina al casinò di Saint-Vincent, in Val d'Aosta. Ma è evidente che la logica è un'altra: "Operazione San Rafael", Carnevale al casinò di Punta del Este, *I Tupamaros in azione*, pagina 87, Feltrinelli Editore.

Intanto i Gap milanesi cercano di "esprimere organizzazione" con una serie di azioni per far passare "a livello di massa" l'idea di sabotaggio. L'obiettivo da colpire è il settore con più percentuale di omicidi bianchi e infortuni sul lavoro. Dal 28 agosto al 17 settembre, solo in Lombardia, sono morti dieci operai edili.

Servono due o tre bottiglioni di benzina, qualche scatola di pelati piena di esplosivo, nastro adesivo e calce per sigillare. Nella notte, quando non c'è nessuno, le micce si accendono sotto le betoniere. Il 22 settembre succede ai cantieri dei Fratelli Proverbio e della Socogen, il 24 ottobre ai cantieri della Torno e il 26 a quelli della Stefi. Chi sono? "Per ora," risponde dalla questura di Milano Antonino Allegra, "non siamo in grado di dare un nome agli attentatori. Le indagini sono appena cominciate."

Il compagno "Osvaldo" partecipa direttamente alle azioni notturne nei cantieri. Chiedo a Giuseppe Saba: "Ma lui com'era?". "Dava a tutti grande fiducia." I sardi non parlano.

Il Giambellino è uno dei grandi serbatoi proletari della zona ovest di Milano. La politica qui è di casa. Il Pci, storicamente fortissimo, stenta a contenere la nuova spinta che unisce padri, madri e figli. Al Giambellino, se vogliono, occupano il quartiere.

Già dopo il tentativo di Tambroni era nato in sezione il gruppo Luglio 60, una delle prime correnti filocinesi. Un paio di adepti s'inventa una delegazione e finisce in prima pagina sul quotidiano di Pechino, stringono la mano a Mao Zedong. Aneddoto da anni sessanta. Nei settanta, Piero Morlacchi, che frequenta "La Bersagliera", inaugura le Brigate rosse.

Il centro del Giambellino è piazza Tirana, una bella piazza albanese con stazione ferroviaria secondaria. Il punto d'incontro è il dopolavoro "La Bersagliera". Qui passa di tutto, malavita compresa. La malavita di allora era simpaticamente di sinistra, anche negli "spaghetti western".

In piazza Tirana nasce la brigata gappista "Valentino Canossi" che rivendica gli attentati ai cantieri. È formata da quattro o cinque elementi. I giornalisti scartabellano gli annuari della Resistenza per identificare questo Canossi, non lo trovano. Valentino Canossi è l'operaio morto sul lavoro il 2 settembre del '70, a pochi giorni dalla pensione. Il 24 ottobre il terzo numero di "Il partigiano gappista", quattro fogli punzonati, lancia un ultimatum all'Associazione imprese edili minacciando nuove rappresaglie: "Ogni nuovo morto sui cantieri, ogni lavoratore assassinato sarà vendicato!".

Il 1° novembre del '70 i miei genitori si trovano nuovamente fuori Italia. "I love you very much Ingelein..." ma lei è distrutta, pensa che sia una tragedia che non finisce, non riesce a vederlo in questo stato, sembra completamente perso. Lui dice che la casa editrice pubblica libri sbagliati sui Tupamaros e intanto le chiede di portarmi una lettera.

Caro Carlino, è tanto tempo che non ti scrivo ed è tanto tempo che non ho tue notizie. Spero comunque che tu stia bene e che, già nei primi giorni di scuola, tu sia tra i primi. Come è andata la vendemmia a Villadeati? Avete raccolto l'uva prima delle piogge? Hai poi fatto i compiti? E i tuoi momenti d'ira (Wutanfälle) li riesci a controllare come promesso? Sono dovuto andare quattro giorni a Oberhof e ho sentito molto la tua mancanza (e anche quella di Enzi, anche se finalmente si poteva dormire). Cominciava già a nevicare quando sono partito. Sibilla ti manda tanti saluti. Vorrei sapere tante cose da parte tua. Scrivimi a lungo. E sii vicino alla Mami che è molto in gamba. Carlino caro: ti abbraccio forte e spero di rivederti presto, tuo papi

L'operazione Tora-Tora, nella notte del 7 dicembre 1970, per molto tempo è stata considerata come una parodia del *Colpo di stato* di Luciano Salce, a sua volta misto di cabaret e movie-verità. Lo avevano dato al cinema l'anno prima. Il tentativo del principe Junio Valerio Borghese, ex comandante della x Mas, finisce male e resta ignoto per diversi mesi. Le sue truppe del Fronte nazionale riescono a occupare un'ala del ministero degli Interni, l'armeria e l'archivio. Ma gli ex paracadutisti, le guardie forestali, le squadre di neofascisti, i commando della malavita mafiosa, i reparti ammassati nelle caserme che sarebbero stati pronti ad agire sono improvvisamente fermati da una telefonata. In quel momento Licio Gelli, commerciante di materassi, dovrebbe essere nell'ascensore del Quirinale per raggiungere il presidente Saragat (che conosce e frequenta, non si sa a che titolo) e consegnarlo ai congiurati.

"Emerge con chiarezza che il golpe Borghese non fu una burletta come si è tentato di far credere." È il tipico commento da Commissione parlamentare stragi, venticinque anni dopo. Scalzone fa da controcanto quando gli par di ricordare che Feltrinelli avrebbe parlato di un progetto per sequestrare Borghese. Me ne parla da Parigi, nel '95, ma non è poi tanto sicuro.

A Natale del '70 sono ancora da mio padre a Oberhof. Oltre alle stufe in maiolica, alle stalattiti di ghiaccio sulla grondaia, al solito cane portato in treno, con noi c'è qualche ospite. Valerio Morucci di Potere operaio è della partita e partecipa alle nostre battaglie sulla neve. Mio padre costruisce un vero igloo davanti a casa, perfetto, abitabile. Lo attrezza con un telo di plastica metallizzata in dotazione agli astronauti. Pesa venti grammi e protegge dal freddo. Anzi, basta avvolgerlo intorno al corpo e si può sopravvivere a qualsiasi temperatura. Facciamo anche lunghe camminate e la sera casco dal sonno. Il cane, in cima alle scale, abbaia a chiunque si avvicini alla camera. Mio padre, benevolmente, cerca di zittirlo: "Aber Enzi...".

Il 10 gennaio 1971 torno a Milano.

La "politica estera". Vero o falso? Contatti con Habash, il più intransigente leader palestinese, con ambienti algerini, con i tedeschi della Rote Armée Fraktion, con le Black Panthers americane, con i Tupamaros uruguagi, con i servizi dell'Est europeo. Tramite un giro di uomini d'affari con ufficio a Ginevra avrebbe tessuto trame a favore di arabi e palestinesi, sostenuto le guerriglie boliviana e venezuelana e gli irredentisti irlandesi, procurato le armi per la resistenza greca e la Spagna antifranchista. Nei documenti della Cia è "il principale agente castrista in Europa", mentre la giornalista ultramericana Claire Sterling non va per il sottile: "Comunque lo si giudichi, squilibrato, sessualmente disturbato, vano, debole, arrogante, esaltato, frustrato, sconsiderato, tristemente disponibile all'adulazione, propenso a sogni irrazionali e a sfrenate ambizioni, Feltrinelli ha condizionato la storia di un decennio".

Vero o falso? Il motto della Tricontinentale (1966), "una strategia globale che reagisce alla strategia globale dell'imperialismo", è certo. Nel 1970 la strategia è giù di tono nei paesi d'origine, abbiamo avuto morti eccellenti e i cordoni si sono ristretti (la "ricolonizzazione coperta"?). Ma il Sessantotto europeo ha rinfocolato l'idea: collegare tra loro le avanguardie rivoluzionarie ovunque esse siano e, pensa Giangiacomo, costruire un ponte organizzato tra Europa e la Tricontinentale.

"Non era un nostro agente, non vi fu mai nulla di coordinato per la sua attività in Europa. Ci teneva al corrente, sapevamo di poter contare su di lui. Ma l'Europa non era prioritaria per noi. In Italia avevamo solo rapporti normali e neppure così intensi col Pci." Parla così dall'Avana Manuel Piñeiro (è il dicembre 1992).

Leggere il Feltrinelli del 1970-71 come un soggetto autonomo che guarda alle Rivoluzioni Autentiche, per sbriciolare ogni frontiera nel presagio/prodigio del contrattacco finale, si addice alla sua biografia precedente. Concettualmente, rimane convinto che il campo socialista, per quanto ottuso, è pur sempre un insieme di sistemi "progressivi", il principale baluardo contro l'imperialismo. Nel suo one-man-show c'entrano i cubani, mentre per i contatti più a Est vale un esempio-metafora: sono certamente Ddr gli istruttori a Punto Cero (Cuba), ma Markus Wolf, il capo di Berlino, su di lui in Europa non sa dire nulla.

Lo si vuole in continuo movimento fra Italia, Austria, Svizzera e Francia, con una rete di contatti dove però non sempre è chiaro chi rappresenta che cosa. Jan Stage, il giornalista danese al servizio dei cubani fino ai primi anni settanta, è spesso accanto a Feltrinelli. Si erano incontrati anche al Copacabana di La Paz, agosto 1967. Ora si fa chiamare "Camillo". Per Stage il progetto di porsi come depositario europeo delle rivoluzioni planetarie era pura utopia. Di concreto c'è stato ben poco. Quanto ai paesi dell'Est, nega qualsiasi contatto diretto, e anche Sibilla, ai tempi relegata in stand by nella silenziosa valle di Oberhof, smentisce la tesi Netanyahu sui ventidue viaggi in Cecoslovacchia. (In effetti non ne risulta nemmeno uno, almeno fino a tutto il '70.) Ma nulla è stato realmente accertato: quando le circolari dei servizi europei lo danno a Beirut, l'editore è con me, lo giuro, in una ferraglia di treno tra Villach e Klagenfurt.

11 gennaio 1971. Feltrinelli incontra Giampiero Brega. Una catastrofe, non si capiscono. Anche Del Bo è rimasto male per una lettera piuttosto fredda che aveva ricevuto. Sergio non vuole più occuparsi della casa editrice: "Che venga lui a tirarci fuori dalle pesti, o altrimenti ci dia i soldi come promesso". Continuerà invece a occuparsi della casa editrice che, in questi giorni, è al centro di una disputa accesa. La situazione gestionale non è buona, solo le sette li-

brerie pareggiano i conti: il resto va male, molto male, con le banche che premono. Gli uomini di via Andegari propongono un programma di finanziamenti scadenzati. Per gestire il ridimensionamento delle attività fissano un budget, propongono di ridurre spese e titoli. Niente da fare, per l'editore non più editore di ridimensionare non se ne parla: "La Fedit è uno strumento della lotta di classe!". Basta idealismi piccolo-borghesi! Contro l'ostilità dei gruppi capitalistici, e anche del Pci, la casa editrice deve continuare la sua battaglia politica. A fine gennaio chiede ai suoi uomini di fare una scelta: adeguarsi, collaborare o togliere il disturbo. Pensa anche ad altro: un collettivo potrebbe governare la linea editoriale e alcune selezionate figure politiche potrebbero formare un patto di sindacato diventando azionisti. Per questi suoi obiettivi, propone un ultimo, consistente finanziamento, con un fondo conguaglio che servirà a integrare gli stipendi più bassi. Poi la casa editrice andrà avanti con le proprie forze. Negli incontri segreti con lo staff di via Andegari, Giangiacomo parla duro. Inge lo vede verde in faccia e pensa che anche i suoi denti si stanno rovinando.

Caro Carlino, tanti auguri per il tuo compleanno! Vorrei che in questo giorno sentissi tutta la mia amicizia (ormai non sei più un bambino ma un ragazzo e sai cosa vuol dire l'amicizia) e, naturalmente, anche l'affetto e l'amore che ho per te. Non ho grandi regali per te, in questo momento: solo una conchiglia. Non mi è stato possibile per il momento trovare altro. Ma forse il regalo più bello che posso farti è lottare per un mondo migliore, per un mondo più giusto. Oggi che purtroppo i fascisti riempiono con le loro gesta le pagine dei giornali (purtroppo gli ospedali di feriti), comincerai a capire che, fuori dalla tranquillità della tua casa, di Villadeati, di Oberhof, si svolge una battaglia durissima per la vita o per la morte, per la giustizia e la libertà contro il terrore nero dei fascisti e dei padroni, contro l'ingiustizia, la povertà e la fame. E l'augurio più grande che ti faccio, Carlino, è che quando tu sarai grande, tutte queste lotte, tutte queste sofferenze saranno solo un ricordo del passato, qualcosa che si legge e si studia sui libri e non già come oggi, una realtà contro la quale, credimi, ogni uomo onesto deve combattere. È molto tempo, caro Carlino, che non ho tue notizie. Ma sono sicuro che stai bene (anche se Villadeati sarà stata in questo mese di gennaio sommersa dalla neve e dalla pioggia). A scuo-

387

la come va? Scrivimi qualche volta. Ti abbraccio e ti faccio ancora mille auguri, tuo papi

Nella prima metà del febbraio 1971, le azioni dei Gap genovesi colpiscono gli stabilimenti di industriali ritenuti finanziatori dell'Msi: la Ignis di Borghi, a Sestri Levante, o la raffineria Garrone, ad Arquata Scrivia. All'attentato segue rivendicazione con interferenza televisiva. Anche nel milanese e nel Trentino si cerca di riprendere l'iniziativa. "Erano più che altro azioni dimostrative, per imparare. Non eravamo addestrati militarmente, se non per le lezioni tenute da qualche ex partigiano." Si va dalla diffusione di materiale propagandistico alla collocazione di bottiglie incendiarie inesplodibili o di rudimentali ordigni esplodibili. Così ricorda Giuseppe Saba. Le azioni dei Gap trovano i giornali impreparati. Terrorismo politico?

L'organizzazione è rigidamente divisa in compartimenti stagni e se c'è una cosa indispensabile questa è la riservatezza. In quel periodo, nelle ramificazioni più estreme della sinistra, circola un prontuario di buone maniere per la clandestinità. Cose tipo: occhio ai pedinamenti (ogni militante deve sentirsi sempre pedinato); attenti alla corrispondenza, agli appunti (scrivere il meno possibile), al telefono (diffidare sempre, usare solo apparecchi pubblici). Il militante deve saper tacere, deve saper ignorare, e sangue freddo nell'interrogatorio (spiegarsi è pericoloso, meglio negare, sempre). Alla voce "equipaggiamento" si leggono altre avvertenze: il militante dev'essere ingegnoso e i suoi strumenti devono essere "strumenti di massa", cioè di semplice fattura, confezionati con materiali comuni e poco costosi. Nel paragrafo sugli ordigni improvvisati si consiglia una miscela con pastiglie di clorato di potassio (si trova in farmacia) e zucchero a velo, quello per i dolci. Oppure: mescolare paraffina fusa o catrame alla segatura, unendo scaglie sottili di sapone di Marsiglia e cherosene. "Una volta, in una casa sul mare vicino a Roma, fece una dimostrazione," sono più o meno le parole di Valerio Morucci, "mise insieme due componenti molto improbabili, ma riuscì a farle brillare." Morucci vide la fiamma riflessa nelle lenti dei suoi occhiali, montati su un viso magro, ossuto, quasi ascetico, con barba corta e screziata di bianco. Una faccia da anarchico italiano o da comunista cubano, ma a

Morucci evoca anche atmosfere da "impegnato studio del Talmud": "Lo ascoltavo, consapevole che ogni cosa dicesse, per quanto strana, aveva dietro un mondo di esperienze, di vissuto che obbligava rispetto".

Per i dispositivi a tempo, per i circuiti di accensione elettrica si può sfruttare il principio di dilatazione dei semi secchi. Se è vero che i piselli, i fagioli o altri semi disidratati aumentano del 50% il loro volume nell'acqua, la loro dilatazione può spingere verso l'alto una lamina, avviando il dispositivo del contatto.

Il prontuario, una trentina di pagine in tutto, sarà ciclostilato e fatto proprio dalle Brigate rosse che stanno per esordire. Uno dei fondatori, Alberto Franceschini, sospetta che il prontuario sia di derivazione Nato, giunto chissà come ai "rossi". Altri sostengono che sia la traduzione di un opuscolo svizzero, preparato per istruire la popolazione in caso d'invasione sovietica. Fa lo stesso.

Il 7 gennaio del '71 un incendio doloso al deposito della Pirelli-Bicocca di viale Sarca, a Milano, aveva provocato un disastro di proporzioni notevoli. Un operaio di trent'anni, cercando di spegnere il fuoco, muore per una vampata incandescente. I giornali incolpano i gruppi dell'estrema sinistra. Si saprà molti anni dopo che l'iniziativa è del Movimento di azione rivoluzionaria (Mar), organizzazione paramilitare neogollista con tesi presidenzialiste e velleità golpiste di cui i Gap parlano allarmati in uno dei primi documenti ufficiali. Gli attentati camuffati, come quello alla Pirelli, servono a istigare i gruppi di estrema sinistra. Poche settimane dopo, infatti, le Br organizzano a loro volta un attacco contro la Pirelli. Bruciano una serie di camion sulla pista di Lainate. Resta da stabilire se le Br (o i Gap) e i Mar abbiano usato lo stesso prontuario militare. Possibile.

Nel marzo del '71 è notificato il primo mandato di cattura per le Brigate rosse, riguarda il pittore Enrico Castellani. Nella sua abitazione, in via Castelfidardo, trovano micce ed esplosivi.

Poco lontano, in via Andegari, senza nulla sapere, il professor Del Bo si torce le mani in preda al panico. La situazione evolve apocalittica. Chi paga queste Brigate rosse?

Ogni traccia sui giornali diventa un sospetto, ogni sospetto aggiunge inquietudine.

Sarà anche peggio qualche settimana dopo, quando un fatto di sangue conquista largo spazio sulla stampa.

Il 26 marzo, l'ex imbalsamatore genovese Mario Rossi uccide il fattorino Alessandro Floris durante una rapina all'Istituto case popolari della sua città. Il piano, non condiviso da alcuni membri del gruppo 22 Ottobre, in realtà non sembra difficile. Un complice, impiegato all'Istituto, ha fornito precisi dettagli sull'arrivo delle borse con le paghe. Invece qualcosa non va: il malloppo è in ritardo di due ore, Mario Rossi e Augusto Viel, appostati, si innervosiscono. Nel giro di mezzo secondo Mario capisce che è il momento di andare, che l'azione si può ancora fare. "Maninaltoooo!", la borsa!, lo sparo a terra perché nessuno insegua, falcate veloci verso la strada, ancora uno sparo a terra, cristo!... qualcuno insegue. L'Augusto è a pochi metri, aspetta in lambretta, la lambretta non parte. Pedate disperate sull'accensione, ecco, s'accende, Mario salta su, primo sobbalzo. Ma Alessandro Floris, il fattorino, continua a inseguirli, ha accorciato le distanze. In quel preciso istante Ilio Galletta, studente di venticinque anni, è sul terrazzo di casa a collaudare la Pentax ripetizione automatica nuova di zecca. Fissa la scena con diciotto scatti. La polizia consegna ai giornali solo tre foto. In una di esse, si vede Rossi in sella, la borsa tra la sua pancia e la schiena di Viel, la testa che ruota con il braccio destro oltre l'asse delle spalle. Spara all'asfalto ma trova l'addome di Floris lanciato in scivolata per fermarli. Sono immagini che scioccano l'Italia. Per rendere più evidente l'intenzionalità omicida, la sequenza riportata dai giornali è montata capovolta e monca.

Rossi "il Tupamaro" è arrestato pochi minuti dopo. Si conclude così l'ultima azione del gruppo genovese. Viel riesce a dileguarsi, gli altri componenti della banda saranno presto catturati. Viel entra in contatto con i Gap milanesi che gli procurano un nascondiglio a Milano. Nelle ore successive ai fatti del 26 marzo, in un deposito intestato a Rossi, gli inquirenti trovano il manuale di guerriglia urbana di Carlos Marighella, alcune radio trasmittenti per le interferenze televisive, candelotti di dinamite, banconote del riscatto Gadolla. Non è difficile risalire al movente politico della tentata rapina e ricostruire l'attività del gruppo ligure nei mesi precedenti. Ma, almeno sui giornali, non c'è ancora alcun collegamento tra la 22 Ottobre e i Gap.

Dal carcere, Rossi scrive una lettera ai giudici, confermando che l'esproprio rientra nella pratica rivoluzionaria, che in passato stessa cosa hanno fatto anarchici famosi e comunisti valenti. Attesta la sua buona fede di militante, di "comunista non famoso", protagonista di un'azione che, incidentalmente, è costata la vita a un lavoratore. "Ma non capita spesso che uomini della stessa classe si trovino sui lati opposti della barricata? Floris ha sacrificato la vita per difendere quello che io combatto. Rattrista che i capitalisti non paghino mai di persona..." Feltrinelli, visibilmente scosso, avrebbe detto più o meno le stesse parole all'onnipresente Scalzone, incontrato sul ponte milanese di via Farini il 28 o il 29 marzo.

Cinque giorni dopo Floris, muore Roberto "Toto" Quintanilla, console boliviano ad Amburgo.

10.

Contorsioni boliviane. Era un flic, dice oggi Régis, appollaiato nel suo appartamento del 6me. Numerose testimonianze dell'epoca descrivono Quintanilla come un torturatore spietato. Osvaldo "Chato" Peredo non ha più dimenticato le tre finte esecuzioni preparate per lui. Alla terza, salta fuori il colonnello come un salvatore ("Cosa fate a questo ragazzo?"), ferma il plotone al clic e tenta la linea morbida per farlo parlare. Ma il Chato sa bene chi ha davanti, sa del suo status speciale di uomo Cia, del suo ruolo di organizzatore della repressione. Lo sapeva da una foto, con il colonnello che incombe sul cadavere di suo fratello Inti. È praticamente identica a quella con Quintanilla sul Che senza vita. Inti è il secondo fratello che gli muore: Roberto "Coco" Peredo è caduto insieme al Che.

Quando la polizia governativa cattura e uccide Inti (9 settembre 1969), l'Esercito di liberazione nazionale (Eln) è decapitato, ormai alle corde. Tra i militanti c'è chi sostiene che sia meglio rifugiarsi in Cile e chi s'impunta per restare. Chato decide di restare. A questo punto entra in scena la "gringa", la fidanzata di Inti, poi anche del Chato.

La "gringa" è Monika, nata in Germania nel '37 e portata dal padre in Bolivia dopo la guerra. Il padre è Hans Ertl, celebre documentarista. Rommel lo aveva voluto al suo seguito e Ertl aveva dipinto la guerra diversa da com'era. Giunto in Bolivia, si stabilisce nella campagna di Santa Cruz ma non rinuncia all'escursione panoramica con macchina da presa. Si avventura nella giungla peruviana alla ricerca della città "invisibile" di Paitití, la leggenda vuole che ottantamila inca vi si sarebbero nascosti con tutto l'oro per sottrarsi agli spagnoli. Monika lo accompagna e intanto cresce: alta, bella, bionda, spirituale. Il carattere è forte. "Riusciva a essere più maschile dei veri macho", rammenta Debray che la conobbe a Cuba nel 1971. "Non aveva paura."

Dalla fine del '69, sulla scena politica boliviana incalzano i colpi di scena. Muore il generale Barrientos, si accartoccia nel suo elicottero in caduta libera. Può darsi che sia un incidente, può darsi che ci sia una faida tra i militari per qualche traffico di armi (con Israele? con Iraq?). Due giornalisti che indagano ci lasciano le penne. Decidere chi sarà il prossimo presidente della Bolivia diventa un tormento: riescono a eleggerne sei diversi in un giorno solo. Dopo una rivolta popolare, nell'ottobre del '70, la spunta il militare populista Juan José Torres. È quasi un democratico, gli americani lo faranno saltare un anno dopo.

Le fortune di Quintanilla si offuscano durante la sarabanda del '70. Aveva svolto ambiguamente le indagini sulla morte di Barrientos, aveva troppi scheletri nel suo album di foto. Meglio spedirlo via, console ad Amburgo. "Ma per noi era ancora un obiettivo, seguivamo le sue tracce", ricorda il Chato ventisette anni dopo. La Ertl, dopo la morte di Inti, invoca in una sua poesia (*Cristo di settembre*) la morte del colonnello: "Quintanilla, Quintanilla, non ci sarà più pace nelle tue notti...". Monika è una poetessa temibile.

Il primo aprile del '71 il neoconsole di Amburgo concede udienza a una giovane australiana che chiede il visto per un gruppo folcloristico. Quando l'accoglie, l'ultima cosa che vede è una pistola. Muore il colonnello Quintanilla. Mentre scappa, la ragazza perde la parrucca, la borsetta, la colt cobra 38 special e un foglietto che recita "Vittoria o morte. Eln". L'Australia non c'entra, Monika è identificata quasi subito.

Chato Peredo non ha mai particolarmente legato con i cubani. Oggi sostiene che l'operazione di Amburgo era stata decisa autonomamente. "È stata un'idea nostra, io non avevo rapporti con L'Avana. La scelta di mandare Monika era obbligata, lei era tedesca, conosceva la lingua. Rivendicammo l'azione immediatamente." L'azione è l'unica del genere compiuta in Europa da latinoamericani.

Non è chiaro come l'Eln sia entrato in contatto con Feltrinelli, ma Jan Stage aveva consegnato a Chato Peredo una scatola di kleenex piena di dollari nel parco vicino all'università di Santiago. I soldi servono per il viaggio di Monika, l'Eln è a secco. Prima di Monika, nel gennaio del '71, una coppia di venezuelani (fratello e sorella) era venuta in Europa per colpire Quintanilla. Passando per la Carinzia, si convincono che l'impresa è troppo rischiosa. Lei è amica di un promettente militare cubano, Arnaldo Ochoa, che in quel periodo si occupava del Venezuela.

Probabilmente i cubani sanno tutto del viaggio di Monika che sbarca in Francia all'inizio della primavera del '71. In un porto della Côte, su un motor-sailer di seconda mano, Feltrinelli consegna la pistola a lei e a un complice: "Può servire di riserva", dice ai due. All'ultimo momento, prima di colpire, la Ertl decide che la colt è più affidabile della browning prevista per l'azione.

Secondo un testimone importante, Monika e Giangiacomo si conobbero appena. Secondo altri si conobbero bene. Saperlo è come la leggenda del "gran Paititi". Monika scappa da Amburgo in Cile, via Svizzera e Italia. A Santiago porge al Chato un accendino Dunlop, è un regalo di Feltrinelli per lui.

(Contorsioni ulteriori: dopo il Cile, Monika va a Cuba, vede Debray. Insieme progettano il rapimento del contabile di una ditta di legnami a La Paz, è un tedesco di nome Klaus Altman. Per pura coincidenza, l'impiego glielo aveva trovato il padre di Monika – ignaro della sua vera identità – dopo un incontro in città al caffè La Paz. Altman altri non è che Klaus Barbie, il "boia di Lione". Secondo Debray, Monika aveva un problema irrisolto con i tedeschi [sic!] e voleva denunciare la cooperazione tra Cia, nazisti e governi militari. Effettivamente c'è cooperazione. Anche per la caccia finale a Monika, clandestina in Bolivia con lo strano nome di Nancy Fanny. Cade alla periferia di La Paz nel maggio del '73.)

Il 17 aprile 1971 le informazioni sulla pistola di Quintanilla non sono ancora pubbliche. Inge, Del Bo e Brega si trovano per un colloquio con Giangiacomo a Parigi. Dopo le dispute dell'inverno sulla casa editrice, si aspettano di tutto. Invece lui è calmo, riflessivo, ascolta, s'informa, dà consigli. "È ancora il capo..." Brega e Del Bo prendono appunti in silenzio. Il giorno prima, mio padre mi ha scritto un messaggio a proposito di sette piccoli abeti che mi aveva fatto arrivare.

Carlino caro, per gli abeti che hai piantato: ricordati di comperare della torba e metterla in abbondanza intorno alle radici. Poi bisogna che, soprattutto d'estate, le piante vengano innaffiate: non troppo ma abbastanza. Ciao, ti abbraccio, a presto tuo Papi

Nel giro di pochi giorni filtrano le notizie: la pistola è stata comprata nell'armeria vicino al cinema Capitol di via Croce rossa, a Milano. La stampa nazionale ed estera s'interroga sul coinvolgimento di Feltrinelli, il regolare acquirente. È ancora più evidente che non compare in pubblico da quasi un anno e mezzo. I giornali della sera: "Feltrinelli arrestato a Parigi?" (26 aprile). L'Interpol indaga, senza dichiarare il mandato di fermo internazionale. Con l'azione di Amburgo Feltrinelli non c'entra direttamente. Ma la colt è quella che Valerio Morucci gli ha visto nella fondina ascellare qualche mese prima. La ricorda decenni dopo con molto pathos: "Sulla striscia di cuoio che dalla fondina saliva alla spalla era cucita una cartucciera con sei colpi di riserva. Non ne avevo mai visti di simili, avevano il bossolo cromato, lucido, la palla di un color denso e acceso. Lo pregai di regalarmene uno".

Quando il can-can sulla colt diventa insistente, Giangiacomo non dà più notizie. Inge si chiude in casa, non risponde al telefono. Una sera mi racconta tutto, anche del console e della sua pistola. Inge è ormai fissa in trincea, la casa editrice viaggia con le vele strappate ma la vita continua. Sono in uscita, tra gli altri, *Silenzio* di John Cage, e Nigel Calder con *Universo violento (Una testimonianza oculare sulla rivoluzione astronomica del 1968/69)*. Oggi passa Umberto Eco, domani il responsabile della collana di matematica. Perché non chiediamo a Salvador Allende un'intervista esclusiva sul Cile? È stato appena eletto a capo di un governo democratico. Régis Debray, rientrato a Parigi dopo la lunga prigionia boliviana, è la persona adatta. Possiamo chiedere i diritti mondiali, così l'editore sarà fiero di noi (un buon modo per dimostrargli che con i libri si può ancora fare).

A fine aprile Inge riceve un messaggio: è un invito a Madrid per incontrare qualcuno che le avrebbe detto qualcosa su di lui. Ci va, ma non viene nessuno. La situazione si surriscalda. Un dirigente della Federazione milanese del Pci cerca Tina in casa editrice. L'avvisa di aver saputo da Roma che qualcuno mira alla vita di Feltrinelli. Fluiti gli anni, Armando Cossutta, con qualche imprecisione di fatti e date, rende nota la vicenda: "Un giorno mi chiama Longo e mi dice 'Abbiamo saputo che vogliono uccidere Feltrinelli. Contattalo e mettilo in guardia. La cosa è molto seria'". Chiedo a Cossutta se ricorda da chi venisse la dritta: "Può darsi dai sovietici, può darsi da nostri canali nei servizi italiani...".

Nemmeno il funzionario dell'ambasciata cubana Andrés Del Rio sa precisare quando il suo governo lo istruisce per contattare Feltrinelli. Si vedono intorno alla Stazione Termini di Roma. È il loro ultimo incontro. Il messaggio che gli deve dare è del tutto simile a quello di Longo e Cossutta. Forse anche il periodo coincide.

È certo che Ruggero Zangrandi scrive a Brega nell'aprile del '71 per una cosa "importante e delicata". "Sarebbe molto opportuno che io riuscissi ad avere, nel suo interesse, un incontro con Giangiacomo. Ho sul suo conto notizie che sarebbe essenziale egli conoscesse in tempo. Capisci che non posso dirti di più." Zangrandi, ex autore Feltrinelli con *Lungo viaggio attraverso il fascismo*, allora lavorava a "Paese sera". Poche settimane prima aveva pubblicato un'inchiesta sulle degenerazioni del Sifar, il servizio di sicurezza militare. Si era procurato documenti riservati grazie a fonti riservate. Può darsi che abbia avuto nuove notizie, può darsi che volesse avvertire Feltrinelli come il Pci e i cubani.

Il 17 maggio Debray arriva a Milano per parlare del libro intervista con Salvador Allende. È d'accordo, pare gentile, vuole molti soldi. Fuori piove forte, l'umore di Régis è altalenante. Inge gli chiede se sa qualcosa di Giangiacomo, lo interroga per sapere se vede una via d'uscita per lui: "Non c'è più nulla da fare", le risponde. Partono entrambi per Villadeati, li aspetta un fine-settimana che non dimenticheranno. Il primo ospite ad arrivare è Alberto Moravia. Lo scrittore è reduce da lunghi reportage in America Latina. Sistema le sue cose in camera, si piazza in salotto e attacca a parlare, tema unico è l'incesto. Piove che Dio la manda, tuona, sulla ghiaia del viale corrono rivoli d'acqua. Verso le nove qualcuno bussa alla porta per dire che Feltrinelli è in fondo alla collina. Inge gli aveva fatto sapere che sarebbe venuto Debray. A distanza di tanto tempo non si può dire, ma secondo me fargli sapere di quel weekend a Villadeati, con ospiti di prestigio, era un modo per offrirgli un appiglio, uno stimolo a confrontarsi con altre persone che non fossero "Occhiorosso" e "Lingua-di-Falce". Quando appare nella stanza del camino, Moravia non lo riconosce (non sono mai stati intimi). A Feltrinelli mancano i famosi baffi e Moravia non sa nulla del suo possibile arrivo. Poi di colpo capisce, si scoccia, teme di essere caduto in un tranello. Chiede a mio padre se abita ancora a Parigi e ricomincia a parlare con Debray, come se niente fosse, sono sempre all'incesto. È a questo punto che Giangiacomo diventa impaziente. Moravia se ne accorge, rallenta, offre lo sguardo, l'alcol aiuta a creare un clima più favorevole. Quando tutti si ritirano, io dovrei essere già a letto da tempo, non ho visto arrivare mio padre, anzi non dovrei neppure sapere della sua visita. E invece so, perché Inge non ha dissimulato bene la tensione. Così, quando lui viene silenzioso senza accendere la luce, sono già in piedi per un abbraccio a sorpresa. Al mattino, per le scale, sento nitidamente Moravia russare fino a tardi. Il tempo è leggermente migliorato ma mia madre è sottosopra, realizza che non ci ritroviamo qui da tre anni. Prima di pranzo arriva Tomás Maldonado. (Tomás si è da poco stabilito a Milano, dopo aver zigzagato tra l'Argentina, suo paese d'origine, la Hochschule für Gestaltung di Ulm, e la Princeton University. Dai primi anni settanta si occupa attivamente di Carlo Feltrinelli che potrà sempre contare su di lui.)

A Villadeati le ore passano in un clima irreale. A colazione si discute della questione Padilla, lo scrittore cubano incarcerato da Castro. Moravia: "È un mediocre ma è un artista, bisogna difenderlo. Io però non sono un anticastrista". Parla diffusamente con Giangiacomo, alla fine gli piace senza baffi, "è più vulnerabile". Di Régis invece diffida, tanto che domanda all'orecchio di mia madre, con voce troppo alta di chi è già un tantino sordo: "Ma questo Debray è uomo d'azione, da scrivania o è un pederasta?". Giangiacomo si apparta, prima con Tomás a parlare di politica e anche di me, poi con Inge: "Se mi succede qualcosa devi continuare a combattere...". Lei muore dentro e si domanda contro chi, contro cosa? Prima che il cielo diventi rosa, Giangiacomo se ne va attraversando il grande cedro. Noi rientriamo a Milano. Lunedì c'è scuola.

Caro Carlino, evviva le vacanze!!!! Vero? Com'è andata la scuola? Sei stato promosso? Già, ma con che voti? Sai chi c'era dietro di me, a metà collina nel bosco, quando l'altro giorno sono partito da Villadeati? L'Enzi, naturalmente. Ho dovuto fargli una predica per farlo tornare indietro. Le fragole sono finalmente maturate? Con tutta quest'acqua la frutta quest'anno non dev'essere un gran che. Peccato. Fai riparare quella volta che sta crollando e che è sostenuta da un palo smilzo smilzo. Ricordati di dirlo alla Mami. Per quanto riguarda i tuoi rifugi, ne hai proprio di belli ma andrebbero attrezzati e mascherati meglio. Caro Carlino, ti auguro un bel mese di giugno, delle belle vacanze. Spero di vederti presto. Stai bene e in gamba. Tuo Papi

Nei primi sei mesi del '71 si segnalano Francesco De Martino alla presidenza del Psi, le rivelazioni del ministro Restivo su Junio Valerio Borghese (l'indagine sul tentato golpe verrà insabbiata), lo sciopero generale per la riforma della casa. Compare in edicola "il manifesto", nuovo quotidiano comunista. Da periodico aveva causato la radiazione dal Pci per i fondatori (Aldo Natoli, Luigi Pintor, Lucio Magri, Rossana Rossanda, Massimo Caprara). Una delegazione del Pci partecipa nell'aprile al XXIV Congresso del Pcus. Capocomitiva è Enrico Berlinguer, vicesegretario di Longo. "L'Unità" dà grande spazio al caso di William Calley, l'ufficiale scarcerato da Nixon dopo la sentenza per eccidio a Song My. Sempre con richiamo in prima, Erich Honecker è incoronato segretario della Sed. In attesa che la politica italiana si prepari al minitest delle amministrative di giugno (Msi a più dieci per cento in Sicilia), lo scalpore per le foto di Ilio Galletta con la morte di Floris trasloca sugli occhi di una fototessera genovese. Stavolta siamo nella cronaca-cronaca e la ragazzina col cerchietto in testa è Milena Sutter che sale sulla spider rossa. Sempre in riviera, a Montecarlo, Carlos Monzon detronizza per la seconda volta Nino Benvenuti, a Sanremo vince la solita canzone.

Scrive Giorgio Galli: "La prima metà del 1971 è caratterizzata sul piano sociale da una diffusa effervescenza con episodi endemici di violenza minore tanto nelle scuole tanto nelle fabbriche. Però né la classe politica né quella economica pensano che sia in corso un processo rivoluzionario". Semmai, opinione pubblica, grande stampa, classe dirigente prestano più attenzione ai boatos golpisti in arrivo da dentro e fuori il palazzo. La Dc è chiusa in sé, preoccupata per quei voti in libera uscita a destra.

"Lo stato si abbatte e non si cambia!": i gruppi dell'estrema sinistra paludano la piazza ciascuno con una propria synopsis per la rivoluzione. Potere operaio e i cugini primi di Lotta continua guadagnano egemonia a seconda delle città. Potop sta perdendo lo spirito antiretorico degli inizi. Lc, in attesa di sferrare il suo micidiale attacco al "fanfascismo" (?), dichiara apertamente lo stato dell'arte: "Per noi la rivoluzione è un processo di lunga durata. Riteniamo che le masse ne abbiano percorso in questi anni la prima fase, ma questo non significa che l'insurrezione e la presa del potere siano oggi all'ordine del giorno" (Congresso regionale lombardo, giugno 1971).

Entrambe le organizzazioni zigzagano tra una politica palese e una del doppio binario. I servizi d'ordine accentuano il carattere militare della mobilitazione. Fronteggiano polizia, fascisti e magari il Movimento studentesco che, caso unico al mondo, a Milano ritma "Berija, Stalin, Ghepeu!" (con la benedizione del vecchio Alberganti).

A giugno, nella dimensione clandestina, le Brigate rosse hanno raggiunto i Gruppi di azione partigiana. Non che sia gran cosa, anzi, all'epoca era davvero poca cosa, ma in termini di azioni, sabotaggi o dimostrazioni, il loro curricolo sembra equivalente; entrambi contano su una struttura organizzata. Soprattutto alla Pirelli e alla Siemens, le Br raccolgono proseliti, si creano i primi nuclei di fabbrica. Il Pci ha già inaugurato la sua stagione del non capire o del non voler capire. Dopo l'incendio sulla pista di Lainate, "l'Unità" scrive: "Chi ha compiuto l'attentato, pur mascherandosi dietro anonimi volantini con fraseologia rivoluzionaria, agisce per conto di chi, come lo stesso Pirelli, è interessato a far apparire, agli occhi dell'opinione pubblica, la responsabile lotta dei lavoratori per il rinnovo del contratto come una serie di atti teppistici".

Mentre i giornali parlano ancora di Quintanilla, Feltrinelli è nascosto da qualche parte a scrivere una lunga lettera alle Br (20 maggio 1971). Si "rallegra" per la loro intraprendenza, auspica collaborazione e intesa politica nel senso più ampio della parola. Propone di lavorare insieme a una piattaforma politica, strategica, tattica, con l'intento di precisare il "per che cosa" lottiamo e il "come" lottiamo. Manda una bozza di documento da discutere, emendare, diffondere. Mantenendo le peculiarità delle specifiche organizzazioni, il suo obiettivo è di creare un Esercito Popolare di Liberazione ("Epl-Comunismo e libertà-Vittoria o morte") espressione del Fronte popolare di liberazione. La sua tesi è fatta circolare in modo definitivo nell'estate: *Per il comunismo e la libertà, documento preparatorio per una piattaforma politica*. Accanto al comando unificato deve sorgere una struttura di assistenza legale, ma non solo, il Soccorso rosso, per i compagni che si trovassero nei guai. Feltrinelli finanzia l'idea con parecchio denaro, poi finito altrove. Vorrebbe coinvolgere gente come Umberto Terracini e Lelio Basso, già protagonisti nei decenni passati di grandi battaglie giudiziarie a favore dei lavoratori.

Nella primavera del '71 ci sono i primi incontri con i dirigenti delle Brigate rosse, in particolare con Renato Curcio e Alberto Franceschini. Per quest'ultimo, ventenne emiliano, dalle giovanili del Pci alla prima sovversione, l'appuntamento fisso è di solito ai giardini del Castello. "Sapevo bene che Feltrinelli era molto più dei Gap, per i suoi viaggi, le sue conoscenze, la casa editrice. Ho sempre avuto l'impressione che lui sapesse qualcosa più di noi. Non era spontaneista, aveva uno schema insurrezionale, un progetto globale..."

Per il 25 aprile le Brigate rosse hanno dato alle stampe il foglio "Nuova Resistenza", due numeri in tutto, sul quale compaiono i comunicati dei Gap. È un'iniziativa concordata. Forse ci sono i margini per marciare insieme, non è ancor ben chiaro chi sia che cosa e i gappisti della Canossi prendono caffè corretto con i cugini brigatisti, stesso bar al Giambellino. A suggellare le buone intenzioni, il 15 luglio, Br e Gap rivendicano con un volantino – e via etere con radio Gap – l'attentato del giorno prima a Quarto Oggiaro. In una discarica viene fatta saltare la Mini Morris di un fascista che a sua volta aveva bruciato l'automezzo di un militante del Pci.

Ma forse emergono da subito le differenze: sottili, impalpabili, risibili ma sostanziali. Prova a spiegarmi con le spicce un ex della brigata Canossi, mai inquisito: "Deleteria a tutti i livelli fu la competizione, prevaleva la logica di fare di più e prima di altri, in questo, per esempio, le Br si distinguono dall'inizio". Ma se la piattaforma strategica proposta da Feltrinelli non verrà mai sottoscritta è perché le differenze sono più d'una (cromosomi? "generazione"? tattica? autofinanziamento?). Per dirla con Prospero Gallinari, potevano essere "due concezioni della lotta di classe in atto", l'una con una definizione offensiva, l'altra con una definizione difensiva. Lo schema sarebbe questo: per le Br la costituzione del partito armato presuppone una lotta di lunga durata, un processo graduale (alla cinese?) per arrivare al cuore dello stato. Nel frattempo: accumulare consenso con la "propaganda del fatto" e demonizzare il nemico.

Nel "terzomondismo" di Feltrinelli l'analisi è diversa: l'involuzione della democrazia italiana suggerisce una prospettiva rivoluzionaria immediata che deve unire le forze in campo, invitando a partecipare una parte del Pci. La struttura militare assume il peso della guerriglia "fuochista".

Per il brigatista Franceschini la vera differenza tra Br e Gap è proprio una questione di tempistica: "Feltrinelli era l'unico a pensare alla rivoluzione in termini contestuali, ora o mai più". Vittoria o morte: la Rivoluzione è in pericolo, chi può salvarla?

Ai servizi italiani risulta che Feltrinelli è a Praga dal 30 maggio al 1° giugno e dal 30 luglio al 4 agosto del '71. Sarebbe entrato con un passaporto intestato a Giancarlo Scotti, abitante a Firenze, complici le autorità ceche. Nel primo viaggio (dice il nostro spionaggio) accompagna Augusto Viel, il socio di Mario Rossi, che sarebbe rimasto nascosto lì sei mesi. La circostanza sarebbe confermata da una cartolina di piazza Venceslao ricevuta dalla madre di Viel.

Rintraccio Viel in un bar del porto di Genova. Sono passati più di venticinque anni dal suo presunto viaggio a Praga, due terzi li ha passati nelle galere italiane, molto lontano dalle cronache. Ora vive con qualche lavoretto di tanto in tanto, molto alcol già prima di sera. Gli è rimasto lo sguardo da carbonaro. A Praga dice di non esserci mai stato veramente, le cartoline per mamma le aveva firmate a Milano e qualcuno le avrebbe spedite dalla capitale ceca per "depistare" e allentare la caccia su di lui in Italia. Rimane il dubbio (rimozione? amnesia? a Praga solo per il weekend?), ma credo che dica sostanzialmente il vero.

Per buona pace di tutti, Feltrinelli effettivamente va a Praga almeno tre volte nel 1971. Praga è una città magnifica con importante ambasciata cubana e aeroporto per voli intercontinentali. Una puntata forse coincide con un viaggio in America Latina. È il viaggio tra i Tupamaros di Montevideo di cui tutti hanno parlato, ma nessuno ricorda esattamente quando sia stato, nemmeno Sibilla. Potrebbe essere luglio o settembre, nell'andata o al ritorno c'è una sosta a Cuba. Nella memoria di Debray, Giangiacomo è insieme a lui all'addestramento di Punto Cero.

Con certezza ritrovo mio padre il 9 agosto. Dalla banchina del porto di Nizza lo vedo trafficare sullo *Sharopp*, un barcone scozzese difficile da governare. È molto nervoso. Durante una manovra urta la pancia del panfilo di David Niven, l'attore assiste dal ponte con i bermuda accavallati e il sopracciglio inarcato. Ma lo *Sharopp* è una cosa seria che potrebbe trasportare casse di armi nel Mediterraneo (non so se sia veramente accaduto) o prestarsi a progetti clamorosi (mai realizzati).

Mio padre mi mette a dormire in un angolo a prua, vicino al gavone dell'ancora. Lo sciabordio e l'acqua di porto mi danno forte nausea e nel bistrot davanti allo *Sharopp* servono nizzarda con uova dure e acciughe vecchie: alla seconda notte mi alzo e vomito. Vomito per il passato e il futuro, vomito l'attesa dei nostri incontri troppo concentrati, vomito dall'oblò sulla bella gente di cui non me ne frega niente. Non so come, non so quando, spiegai a mio padre di non sentirmi bene. Lui decide in fretta: l'indomani chiudiamo tutto e partiamo per l'Austria. Io viaggio con Sibilla che realizza meno di me ma è simpatica. In aereo, un butterato americano con cappello da cow-boy le fa arrivare un biglietto di corteggiamento dalla fila dietro. Jacques Fischer, ingegnere nato a Liegi, è sulla stessa rotta con un altro volo. Quando raggiunge la Valle dei Cervi riprende la sua vera identità e si arrampica con me fino al Lago Verde. È così in alto che a momenti sembra di stare sulla luna.

A fine settembre si svolge a Roma la III Conferenza d'organizzazione di Potere operaio. Accorrono quasi mille delegati da 57 sezioni e 108 cellule (perfino a Zurigo ce n'è una). Le tesi preparatorie sono una notevole rilettura dei *Grundrisse* di Karl Marx, il palazzo dei Congressi all'Eur è la cornice giusta per la "santificazione politicista". L'assemblea affronta la *Crisi dello Stato-piano* e benedice la svolta "leninista" del gruppo: nasce il "partito dell'insurrezione", resta sconfitto chi guarda al Manifesto. Ma le linee sono sempre più di due e alla fine chi vince è Franco Piperno che media tra moderatismo e armamento di massa con la solita mossa del "doppio binario".

All'Eur intervengono tutti nel clima topico degli anni. Due militanti in una stanzetta sopra l'auditorio registrano e sbobinano i discorsi. Alle loro spalle uno strano tipo senza baffi prende appunti. Quando se ne va, scontento, non si fa notare. In teoria, Potop ha dichiarato un ulteriore passo a sinistra ma Osvaldo non è convinto dall'equazione esercito = popolo massa in rivolta. Spontaneistico. Dietro alle parole non ci sono fatti reali, c'è poco o niente. "L'organizzazione nell'organizzazione" è un discorso confuso e così la benedetta "continuità organizzativa" da cui dovrebbe dipendere. Inoltre, c'è la tendenza a creare una struttura fortemente accentrata, verticista, sostanzialmente burocratica. Con forti personalismi: "Molti di loro restano degli ideologhi marxisti piccolo-borghesi". La sua idea di una strategia comune per le forze combattenti non può che cadere nel vuoto. Se ne rende conto: con Potop possiamo fare discorsi tattici, magari qualche collaborazione a livello milanese, ma per il resto è meglio rassegnarsi e contare ciascuno "sulle proprie forze". Inoltre, in particolare con Negri i rapporti non sono buoni. Secondo Piperno tra i due c'è notevole diffidenza. Per Negri, Feltrinelli è il ricco editore irrorato dal mito arcaico della resistenza tradita. L'editore ricambia con taluni dubbi sul mito ideologico della furbizia del professore sempre conflittuale.

Sia pure senza molte speranze, Osvaldo scrive a Piperno il 27 ottobre. È la famosa lettera a "Saetta" in cui si ripropone l'argomento d'integrare le forze della rivoluzione, ancora il "comando unico" che fa cadere "vecchi confini o caratterizzazioni". L'alternativa, scrive Feltrinelli, è andare avanti come adesso, ognuno per conto proprio. La risposta di Saetta-Piperno sarà ancora deludente.

Nell'ottobre del '71, Giangiacomo prepara un nuovo testo intitolato *Lotta di classe o guerra di classe?* Le quindici cartelle di solipsismo-bellicista senza apparente sintassi sono date in mano a Cesare Milanese perché le legga e trovi da pubblicarle (con uno pseudonimo) su qualche foglio. Si vedono davanti al duomo di Parma, passeggiano nel centro storico. Secondo Milanese lui constatava che la situazione non era così forte come aveva pensato. Era deluso per la mancata applicazione di ciò che veniva dichiarato teoricamente e politicamente da tutti. Aveva scritto quel testo per voglia di riflettere (bisogno di revoca, sospensione, verifica?). "Ebbi l'impressione che si volesse tirare fuori", dice Milanese e la stessa cosa pensa Giampiero Brega all'inizio dell'inverno 1971. Si può ancora frenare la caduta?

Lotta di classe o guerra di classe? è un testo che procede per grandi categorie elementari, intese come fondamentali: lo stato, il potere, la classe, la lotta di classe. Ai tempi, ogni documento veniva redatto con un elenco di definizioni alla portata di chi intende pensare, parlare, agire in quanto "classe". La disputa è al cospetto del partito, contro il partito, al cospetto dello stato, contro lo stato. Ogni definizione in proposito diventa importante in quanto definisce più efficacemente la Rivoluzione, che è la prospettiva con la quale si devono misurare il Partito e lo Stato. Feltrinelli non è più il gappista "rurale" con l'ossessione del golpe: non vi sono mezzi termini, anzi, via del tutto i termini di mezzo. Pane al pane, la rivoluzione è lotta (di classe) e la lotta è guerra: la rivoluzione è guerra. È in questo modo che la classe si parifica con lo stato in termini di forza: la guerra è la forma di lotta con cui la classe inaugura il proprio potere come vero potere politico, non solo come opposizione. Non riconoscere questo dato significa misconoscere che la guerra rivoluzionaria esige delle regole generali, significa inseguire soluzioni parziali, compromissorie, prive di quella globalità che la rivoluzione richiede per essere vera rivoluzione, significa diventare l'altra faccia di quel riformismo che porta allo stallo, alla neutralizzazione-negazione della lotta.

Sono affermazioni di principio che svelano le ragioni di un comportamento: Feltrinelli è entrato nella clandestinità per essere più visibile, la mossa più ingenua come la più funzionale, il passaggio dall'implicito all'esplicito per non simulare una natura diversa dello scontro. Almeno fino all'inverno del '71, non si accorge di essere sfasato rispetto a quanto gli passa intorno. Fino ad allora si è sforzato di esporre le ragioni del suo disegno ma altri hanno già tracciato disegni alternativi. In *Lotta di classe o guerra di classe?* paventa più di tutto la non prosecuzione in senso rivoluzionario dell'evento scatenatosi con il Sessantotto: "Non si sono fatti progressi sensibili [...] Perché questo spettacolo, questo risultato davvero poco positivo? Perché?". Alla spinta rivendicativa e rivoluzionaria, spiega, "è mancata una forza strategica, un contropotere politico militare e rivoluzionario che impegnasse, logorasse e disarmasse il potere politico militare dell'avversario". Feltrinelli teme il nulla di fatto storico, il dissolversi dell'occasione rivoluzionaria. Da qui la necessità ossessiva di definire in termini "alti" la rivoluzione. La non-rivoluzione che ci aspetta (1974-81) si svilupperà in termini né "alti" né "bassi", semplicemente in termini "altri". Verso il nulla di fatto con una battaglia a canne mozze.

Una base è una base. Monolocale, cucinotto più gabinetto, via laterale, semiperiferia milanese. Arrivi guardingo, entri nel neon verdino delle scale, primo o secondo piano, la porta è rivestita di compensato. Dentro ci sono l'armadio di plastica e due brande, brandy italiano sulla mensola, al tavolo è fissato il morsetto con una sottile lamina d'acciaio tra le ganasce: duplicazione di "spadini" per automobili. Diciamolo, la vita nelle basi non è granché, nulla di particolarmente romantico. Un cartone con scritta Marlboro contiene armi smontabili comprate in Svizzera e importate nella carrozzeria di una Prinz. Oppure vengono dal Lichtenstein: all'armeria di Vaduz chiedono solo il documento d'identità (è però consentito un unico acquisto al giorno, il "Biondo" e "Pepito" c'erano rimasti una settimana).

In via California, nell'ottobre del '71, ci sono quattro pistole e un mitra. Una radio trasmittente con alimentatore a bassa frequenza occupa il posto del televisore, accanto al fornello qualche conserva. Per mangiare e stare insieme ci sono le trattorie appena fuori con la brina, la brezza e la bruma. Altro materiale da covo: giornali, riviste, opuscoli, mazzi di chiavi, timbri falsi, documenti in bianco, vestiti. Dentro l'armadio c'è esplosivo, tritolo a sfrego nei pacchetti Astoria, una pignatta vietnamita anticarro (!), detonatori, circuiti elettrici, orologi. Osvaldo ha sviluppato una specie di mania per gli esplosivi. "Günter" dice di aver comprato gli orologi in un bar a tremilacinquecento lire per tre paia.

A Milano ci sono almeno quattro basi dei Gap (le Br ne stanno allestendo altrettante). Un amico di Lazagna del Canton Ticino, nel '70, ha acquistato gli appartamenti per conto di Feltrinelli. "Non servono per la rivoluzione, servono per difendersi", gli aveva sentito dire. Sono affittati a nomi di comodo che saldano regolarmente via posta. Le basi sono frequentate dai due giri milanesi: quello del Giambellino (cioè il "Praga", l'unico che nella base ci abita, il Biondo e suo cugino, Pepito, Occhiorosso e Lingua-di-Falce) e quello della zona nord (Günter, "Gallo", "Bruno", "Napoli", più qualche altro in bilico tra "linea rossa" e "linea nera" nel Partito comunista d'Italia m-l). Tra Giambellino e zona nord non tutti si conoscono. Come non tutti conoscono i due o tre compagni distaccati da Potop e precettati dai Gap, che ora non è più chiaro se siano di Potop oppure dei Gap. "Non ci si capiva più un cazzo": Cocco Bill, uno di loro. La situazione è magmatica, in periferia spuntano sottoproletari-individualisti-ribellisti-emarginati che si dicono disposti a tutto. Nei bar di piazza Napoli o piazza Bolivar non è difficile trovare chi propone un attacco alla caserma di polizia o, se per oggi è tardi, la ronda antifascista (armata) in Brianza. Ai margini delle strutture clandestine compaiono figure come Marco Pisetta, piccolo contrabbandiere trentino importato da Curcio a Milano dopo alcuni attentati nella sua zona. Quando Curcio lo introduce agli amici della Bersagliera è già un informatore della polizia (lo diventa ufficialmente dalla primavera 1972). E non è l'unico. Tutto molto insidioso.

Osvaldo si fida di quattro o cinque dei suoi, gli altri non devono sapere chi sia (e se sanno, niente domande personali). Quanto al reclutamento, sì, c'è sempre l'ansia di trovare nuova gente; il guaio sono i tipi che vogliono spaccare il mondo in due ma questionano subito, parlano troppo, si danno a sottigliezze teoriche spesse come le mura di Gerico.

A Giangiacomo va meglio con la banda eteroclita del vecchio Pci: a Milano, nell'autunno 1971, visita qualche volta Pesce a notte fonda; a Roma discute con Aldo Natoli (l'unico apprezzato del Manifesto); a Romagnano Sesia un luogotenente di Moscatelli lo ospita volentieri; Arnaldo Bera ha due rifugi pronti nel cremonese e Lazagna ha vinto un concorso all'Inps e si è trasferito a Torino. Con tutti può parlare apertamente, a tutti sembra un coccodrillo inseguito. Lazagna dice a un amico: "Il suo destino è segnato. Tollerano tutto, anche la sovversione in casa tua, ma quando fornisci armi agli altri firmi la tua condanna a morte". Chi non tollera che cosa? I servizi americani, i francesi, i tedeschi, gli israeliani (molto intraprendenti da noi) che tutte le settimane si occupano del "principale agente del castrismo in Europa".

Almeno quattro persone gli sentono dire che "se troveranno un uomo morto sotto a un ponte quell'uomo sarò io". Quando lo dice a Inge ha la faccia smagrita di chi è conciato male. I due si vedono sui Navigli, inizio ottobre 1971: la prima volta a Milano dopo due anni, la via è scura, lui è vestito troppo leggero. Il discorso è sempre su casa editrice e ultimo finanziamento: poi dovete cavarvela da soli. Ce la cavavamo già da soli.

novembre '71

Caro Carlino, dunque la Mami mi dice che devi portare gli occhiali? Accidenti, diventi proprio come il Papi che non ci vede da qui a lì! Grazie per le tue fotografie e per il tuo biglietto. Purtroppo i fascisti vanno temuti (non sottovalutare mai l'avversario – è una buona regola). Sono gente che vuole governare con la forza e con la forza difendere gli interessi dei padroni. Sono contento che sei andato alla manifestazione. Ho saputo della guarigione di Enzi – non sai quanto mi abbia fatto piacere. Mi sono fatto crescere una mezza barba che quasi non mi riconosceresti! Tu con gli occhiali e io con la barba! Ma c'è poco da fare: se ci incrociassimo per strada ci riconosceremmo subito. Ciao Carlino, ciao figlio. Cresci bene, cresci forte. Ti abbraccio e, al grido di viva il casino! ti mando mille bacioni. Tuo Papi. Spero molto che ci potremo vedere verso Natale. Ciao

Una delle basi Gap, vicino a piazzale Loreto, ha un largo ripostiglio insonorizzato con materassi ai muri.

Nell'inverno del '71, tutti i clandestini milanesi discutono di "attacco alle persone di potere", intese come capetti, addetti al personale, spie, poliziotti, fascisti. Di solito, la proposta è quella di bruciare le loro automobili. Negli opuscoli si legge che il gesto non dev'essere per forza truculento: per ridicolizzare la struttura oppressiva del potere (e ridare fiducia alle masse) bisogna saper essere ironici. Le Brigate rosse pensano a sequestri simbolici, tipo bavaglio-foto-e via, e anche per i Gap è il momento di studiare possibili sequestri: il Biondo ha fatto la posta per due settimane al console tedesco, Pepito si è informato su un dirigente Autobianchi, Lingua-di-Falce conosce ogni mossa del finanziere di Patti alle prese con la prima offerta pubblica in Italia, per la Bastogi. Michele Sindona perderà contro Cefis-Montedison e Cuccia-Mediobanca ma entra in scena proprio allora. Un minuscolo sardo lo guata in strada e si appunta i suoi orari (ma anche le Br stanno dietro a Sindona, una notte cercano di mettergli una molotov sotto la macchina).

Per una circostanza del tutto fortuita non fu Feltrinelli a incorrere in un sequestro.

Martino Siciliano cena spesso da Endo, primo giapponese a Milano e l'unico in Italia nel 1969. Siciliano, di professione telefonista, è una rotella di Ordine nuovo fra Milano e Mestre (la sua città). In laguna si è fatto notare incollando proclami "mao-nazi" con finta sigla di sinistra per mettere confusione (le cose che piacciono a Federico Umberto D'Amato, Ufficio affari riservati). Da Endo, Siciliano affronta bacchette e tempura in compagnia del capobanda, mestrino come lui, che tiene banco sulla razza eletta (maschio scandinavo con femmina giapponese?) o sui temporizzatori da lavastoviglie per le bombe. Siciliano ascolta e impara.

Non succede nulla con la gelignite che vede preparare per due azioni sul confine orientale (a Gorizia e Trieste, ottobre 1969, ordigni difettosi), ma a dicembre c'è piazza Fontana e venticinque anni dopo Siciliano canta: dice che sì, c'entra il suo gruppo di ex sbarbati, il capobanda giapponese è Delfo Zorzi, ecco i nomi "americani"... Un giudice milanese, Guido Salvini, sfida il paradosso della ricostruzione storica nella grande discarica italiana.

"Il nome Feltrinelli era un obiettivo fin dall'inizio." Siciliano ricorda di aver partecipato all'assalto della libreria in corso Europa a Milano nel 1968, partito dalla federazione missina. Nel 1971 l'obiettivo è ancora più obiettivo.

Non è chiaro chi ebbe l'idea, c'entra un notabile veneto della rete nera con castello-proprietà in Carinzia. Oberhof non è lontana. Marco Foscari si porta dietro il suo guardaboschi cresciuto nelle Ss e Siciliano. Il trio individua facilmente la casa, Oberhof non è Tokyo, hanno due macchine, fucili, binocoli, etere, corde, baule per Giangiacomo Feltrinelli impacchettato. Il progetto è passare la frontiera italiana e farlo ritrovare dalle polizie (vivo? morto? Non è chiaro il contesto). Dal bosco, spiano abbastanza per capire che nella baita non c'è nessuno, nemmeno Sibilla, porta sbarrata, missione rinviata. L'episodio risale alla prima metà del '71, ma, dubita Siciliano, potrebbe anche essere l'autunno.

Dentro Ordine nuovo – e nei gruppi vicini – si parla spesso di Feltrinelli. Nico Azzi ha confidato di un fucile ad alta precisione pronto per lui in un aeroporto austriaco. L'ordine veniva dai servizi, che intanto presidiavano la stazione di Klagenfurt.

Feltrinelli sta ai servizi italiani come Castro sta alla Cia. L'equazione è logica, si spiega, non può essere altrimenti. Federico Umberto D'Amato ci mette però qualcosa in più, ne fa una questione personale, c'entra una specie di odio antintellettuale, o una diversa interpretazione della letteratura, qualcosa di tossico e polmonare. Feltrinelli è quello dei libri che fanno sognare, lui ha fatto carriera senza bisogno del culturame, è il funzionario italiano che ce l'ha fatta: cabina di regia dei Misteri, bonviveur e grand gourmand.

L'Ufficio affari riservati commissiona il libro: chi di libro colpisce di libro perisce, è questo che pensano? *Feltrinelli guerrigliero impotente* compare nelle edicole con copertina kaki, editore mai sentito, "finito di stampare nell'aprile 1971". Forse la data non è corretta. Giangiacomo acquista l'opuscolo a Torino-Porta Nuova in novembre, su segnalazione di Lazagna. È andato a trovare Lazagna che si è trasferito da Genova per via del concorso. I due ultimamente si vedono meno. Al bar della stazione, Lazagna lo vede scorrere le pagine con molto distacco.

Feltrinelli guerrigliero impotente mira a dimostrare al mondo che l'uomo è psicolabile, il complessato più emblematico in salsa radical chic. L'autore (anonimo) si è procurato un faldone di ritagli stampa, le sentenze di divorzio, qualche altra notizia spizzicata qui e là. La biografia è quasi volutamente trasandata.

Anni dopo, Valerio Riva, ex feltrinelliano, pubblicherà da Rizzoli l'unico libro di Federico Umberto D'Amato: *Menù e dossier* (1984). I due ebbero una lunga frequentazione. A proposito di Feltrinelli, nel novembre 1997, Riva ha ricordato la confidenza della superspia sulla biografia color kaki: l'autore del libro era nel giro del "Bagaglino", il cabaret della destra romana.

Dai giornali. Il 3 dicembre 1971 Castro è allo stadio di Santiago del Cile con Allende e altri centomila. La folla risponde con vigore ai richiami per sconfiggere lo strisciante complotto militare della destra. Sabato 28 novembre, trecentomila persone si sono radunate a Roma sullo stesso tema, "Stroncare lo squadrismo e impedire ogni tentativo reazionario". In prima dell'"Unità", per l'occasione, Luigi Longo: "Ogni tentativo di rinascita del fascismo nel nostro paese può e sarà schiacciato...", "L'impegno del Pci è oggi, come sempre, un impegno di vigilanza e di lotta senza sosta...". E Aldo Tortorella: "La baldanza delle forze eversive ha avuto un colpo, anche se la situazione rimane estremamente seria e pericolosa per molti aspetti...". Mai vista tanta gente in piazza del Popolo.

A dicembre iniziano gli scrutini per eleggere il nuovo capo dello stato italiano. Amintore Fanfani, candidato unico Dc, cade subito per mano dei franchi tiratori. Si profila un'ipotesi-Moro che non piace a Pri, Psdi, Pli e soprattutto a parte dei suoi, Berlinguer offre i voti in ritardo e allo sprint potrebbe farcela Giovanni Leone, avvocato napoletano senza physique du rôle.

Nel secondo anniversario della strage di piazza Fontana, la sinistra extraparlamentare milanese deve commemorare anche la morte del giovane bordighista Saverio Saltarelli, ucciso dalle forze dell'ordine durante la manifestazione per il primo anniversario. In città si annunciano quattro o cinque concentramenti non autorizzati, la polizia vigila fin dai caselli dell'autostrada. L'indicazione di Potere operaio (Negri) è ferro e fuoco. I preparativi della sera prima sono trecento molotov in un appartamentino a Città Studi. Peccato che nel caricarle in macchina una volante passi per caso e arresti quasi tutti. Un comunicato di Potop parla egualmente di vittoria e attacca le sigle (Manifesto e Lc) che nell'Intergruppo si sono dissociate dalla battaglia di piazza.

A tre anni dalla strage, l'inchiesta su piazza Fontana è in alto mare. Oswald-Valpreda, l'anarchico, è ancora in carcere, galleggiano leggende sui nove testimoni morti in circostanze oscure. Come in *JFK*. La procura di Milano arresta Giovanni Ventura e Franco Freda, inspiegabilmente trascurati dalle indagini (le prime segnalazioni su di loro risalgono a poco dopo il 12 dicembre). Prende il via una vicenda processuale nota, soprattutto per la sua conclusione: assoluzione.

Nell'altra Italia, l'anno si chiude con la conferma di Giovanni Agnelli a presidente della Fiat, il campione di Rischiatutto esperto di paranormale vince trenta milioni, il boss Tommaso Buscetta scompare dalla libertà vigilata a New York: per il "New York Times" il pericolo in Italia sono però gli "spaghetti in salsa cilena", cioè un Pci sempre più a lato del governo.

A Natale sono a Gottinga fino al 29. In Düstere Eichenweg tutto bene come sempre: bacche bianche oltre le staccionate, vecchie verande con vita studentesca, il Max Planck Institut, le premure di mia nonna e Hans Huffzky che da Amburgo passa a prendermi per portarmi in Austria. Con Hans partiamo in treno. Oltre a mio padre e Sibilla troviamo Camillo, il biondino danese. A Capodanno ci sono fuochi d'artificio riflessi sui rami sfiniti dalla neve. Spariamo anche un minirazzo con paracadute (mio padre tiene sempre d'occhio i negozi di giocattoli). Per il 1972 ricevo un orologio da polso in acciaio, non un giocattolo. Le prime giornate dell'anno nuovo sono una partita a scacchi dietro l'altra. Hans dice che negli scacchi io e mio padre abbiano lo stesso difetto: buon attacco ma la difesa è scarsa. Sostiene che la sfida di Reykjavik tra Bobby Fisher e Boris Spasski avrebbe deciso la Guerra fredda. Anche Giangiacomo parla di politica, si capise che non ha cambiato idea, ma pare meno ossessionato. Sì, alla fine hanno eletto Giovanni Leone. Gli porto il mio compito d'italiano sulla figura del nuovo capo di stato, lui dice che "è stato eletto con i voti dei fascisti" ma mi lascia fare. Quando sette anni dopo un libro Feltrinelli farà dimettere il presidente, lui non sarà con noi.

Ancora nel gennaio 1972 i dispacci di Cia e Fbi (disponibili con un Freedom of Information Act) puntano l'indice su Feltrinelli, "principale agente castrista in Europa". Ma sarebbe meglio dire che si muove da solo o in nome delle avanguardie su cui pensa di contare. Ci sono rapporti diretti con Venezuela, Bolivia, Uruguay e ai cubani le avventure nel vecchio continente interessano poco. "Hanno fatto come con il Che, l'hanno scaricato", è la tesi un po' forte di Giuseppe Saba, ex "luogotenente" di un uomo chiamato Osvaldo, oggi pizzaiolo in un paese del nuorese.

All'inizio del '72 Feltrinelli confida a chi lo incontra di essere costretto ad aumentare la vigilanza, a non usare più la macchina e l'aereo ma solo il treno, e in seconda classe. Dai suoi spostamenti si intuisce che sta prevalentemente tra Oberhof, la Svizzera (una base vicino a Chur?) e Milano. A Milano non si fa mai vedere. Giusto. Da tre anni controlla il filo spinato tra sé e il mondo e sarebbe madornale spuntare dalla folla e dirmi ciao con la parrucca bionda in testa. L'unico nostro contatto è in Engadina, poco dopo il mio decimo compleanno. Ha preso camera in un alberghetto secondario. Non ho un ricordo preciso ma mi sembra che tossisse così forte da far allontanare i turisti dal tavolo. Psicosi tubercolosi. Sta male in queste settimane, lo ricordano in molti ("Era smagrito", "fumava troppo"). Sibilla, che viveva a Oberhof, parla di un principio di bronchite durante uno scampolo di visita. Diventa polmonite in una base milanese dei Gap. A letto per sei giorni. Tina torna segretamente in servizio per le medicine. È l'unica persona al mondo a sapere che è lì, completamente solo.

Due gappisti non casuali, mai identificati, per dare l'idea: Günter e Gallo, stesso quartiere. Gallo ci ha abitato fino a pochi anni fa. Günter no, Günter è morto nel 1977, il soprannome glielo aveva dato Giangiacomo, c'entra Günter Grass per un'assonanza con il cognome. Tipico. Classe 1927, conta il fatto che a diciassette anni vede cadere in Val d'Ossola Filippo Beltrami che copre la ritirata della sua formazione partigiana. Muoiono in dodici, cade anche uno dei fratelli Pajetta. Beltrami, ferito alle gambe e attaccato alla mitraglia, prima del colpo finale si volta verso di lui per dirgli di scappare. Del seguito, la biografia di Günter non dice molto se non che le cose gli vanno male. Il ragazzo spende troppo presto quello che guadagna. Alla fine dei sessanta è in giro nei bar di quartiere, gomito a gomito con i tipi della malavita (René Vallanzasca) e i gruppuscoli della sinistra radicale (banda filocinese). Ufficialmente fa piccoli lavoretti da idraulico-elettricista e anche il venditore ambulante. Quando entra nel giro dei Gap, si offre come tuttofare di fiducia del capo. Ha spesso problemi di soldi e Osvaldo gli sgancia qualche bigliettone per curarsi i denti. Günter, oltre che con relé e rubinetteria, si arrangia con i congegni per gli esplosivi.

Gallo è più giovane di Günter. È nato dopo la Resistenza, nel '72 ha venticinque anni. Avviato a una vita da impiegato, ancora oggi lavora in ufficio, non diresti mai che ha girato il mondo, eppure ha girato il mondo. Il primo viaggio è del 1971, in nave verso il Sudamerica. Le canzoni argentine le conosce da bambino, dai paesani tornati a morire nel pezzo di campagna povera della sua infanzia. Buenos Aires dal vero è un'altra cosa. In tasca ha una lettera di presentazione del Movimento studentesco milanese, il suo contatto dovrebbe essere un architetto amico dei Montoneros. Il·contatto salta ma Gallo gira il paese, sconfina in Cile e in Bolivia. A Santiago riesce a stringere la mano a Salvador Allende durante l'inaugurazione dell'anno accademico. Vive con una famiglia di contadini nella zona di Cochabamba. Nessun abbocco con gente del Mir o dell'Eln. Torna in Italia dopo sei mesi (ottobre 1971). Ritrova i casermoni di periferia, i compagni del Pcd'I pronti alla scissione, la voglia di fare qualcosa anche qui. Si accorge di facce nuove al bar: un sardo e un altro che parla in genovese. Sono i due che una sera, nel novembre del '71, lo portano da Osvaldo. Osvaldo è un tipo spontaneo, con i piedi per terra, veste roba semplice: sembra uno di loro. Solo dopo qualche settimana Gallo capisce che Osvaldo non è semplicemente Osvaldo, ha un moto di sorpresa: "Perché ti esponi così?". "Voglio essere il primo tra i primi ma anche l'ultimo degli ultimi." Un'altra volta se ne esce con un "faccio tutto questo per mio figlio". L'enormità della frase mi fa ancora piacere. A Gallo invece non piacque, la lotta rivoluzionaria non contempla affetti privati.

Intorno al 24 febbraio Giangiacomo è a Oberhof. A polmoni sta meglio, per alzare la pressione mangia sale, per il mal di fegato beve acqua calda. Robert Amhof, il suo avvocato di Vienna, lo vede per un pomeriggio e lo trova "normale". Parlano di alcune divisioni da farc per le proprietà austriache e di altri fatti amministrativi. "Poi abbiamo fatto quattro passi nel bosco" (da "Abc", 7.4.1972). "Era preoccupato. 'Sa avvocato,' mi disse, 'ogni volta che volto le spalle al bosco ho l'impressione che qualcuno mi possa sparare. Sbrighiamolo in fretta questo affare. Ho paura che non vivrò ancora a lungo.'"

Il 27 febbraio Giangiacomo lascia Oberhof sporgendosi dal treno fino all'ultimo per salutare Sibilla. Probabile che si fermi almeno una settimana in Svizzera. Il 4 marzo vede qualcuno alla Casa del popolo di Lugano. Il 6 scrive: "Dear Ingelein, I suggest that we meet at 1 p.m., Wednesday March the 15th in Caffè Bar Lugano...". Il resto della lettera parla di un appuntamento da un notaio svizzero per regolare alcune disposizioni successorie che riguardano suo figlio. Strano. "Why do you not bring Carlino along with you or is it too complicated?" chiude la comunicazione. Il giorno 7 Giangiacomo entra in Italia su un treno via Ponte Chiasso, mescolato a un gruppo di pendolari.

Milano gli conferma che il clima è molto teso. Quattro giorni prima, le Brigate rosse hanno sequestrato per alcune ore un dirigente Sit-Siemens, interrogandolo sui progetti di ristrutturazione in fabbrica. È la loro prima azione clamorosa. Nel commento della sinistra di movimento si smarca Avanguardia operaia che pensa a un gioco dei servizi, tace il Manifesto, esultano Potere operaio e Lotta continua che vorrebbero sottolineare la saldatura tra commando e lotta armata di massa. L'11 marzo è in programma una mobilitazione generale della sinistra extraparlamentare per impedire Almirante in piazza Castello. Si prevedono scontri e polizie aggressive.

L'8 e il 9 marzo ci sono appuntamenti nell'hinterland. Sette in tutto. Osvaldo manda Gallo e "Bruno", un giovane operaio della Marelli, a misurare la distanza tra i piloni di un traliccio nella campagna vicino a Lecco. I due eseguono correttamente.

Il 9 Osvaldo incontra Scalzone per parlare dell'11. Ricordo di Scalzone: "Mi chiese se, a mio parere, il movimento avrebbe potuto accettare il fatto che lui e alcuni suoi compagni venissero alla manifestazione armati, con compiti di eventuale autodifesa. Fu la prima volta che sentii l'espressione 'gruppi di fuoco'". Scalzone replicò aprendo cento parentesi: al momento la cosa non è politicamente sostenibile. Forse Osvaldo ci rimase male. Ancora Scalzone (da "Frigidaire", ottobre 1988): "Per l'ennesima volta, ricorse a un'immagine che gli era cara: noi extraparlamentari eravamo come delle palline da ping-pong che danzano in aria sostenuti dagli zampilli di una fontana. I getti d'acqua erano le lotte sociali; quando (inevitabilmente, poiché la lotta è ciclica) queste si fossero affievolite, noi saremmo ricaduti".

La manifestazione dell'11 registra intensi scontri tra piazza e polizia. In via Verdi, a fianco della Scala, muore un pensionato che passa per caso, lacrimogeno altezza-uomo dei celerini. Osvaldo ha radunato i suoi in un villino a San Siro. Ascoltano le notizie radio e si preparano.

Il 12 e il 13 ancora incontri in qualche trani fuori zona mentre cala la sera. Chi vede? Forse qualcuno che viene da Trento.

Il 14 pomeriggio, dopo le 17, il fratello di Günter lo incrocia nella base appena fuori Milano. Sembra di buon umore. Alle 19.30 Osvaldo ha un appuntamento con Gallo e Bruno davanti al cinema Vox di via Farini.

L'idea è quella di un'azione vera ma tranquilla, quasi un'esercitazione. Non c'entra la concorrenza con gli altri gruppi ("non diciamo cazzate", dice Saba). Osvaldo ha già fatto azioni simili, mentre Gallo e Bruno arrivano davanti al Vox con tre minuti di ritardo. Troppi. Ma per loro è la prima volta.

Bruno non ne voleva sapere di venire, era stato Gallo a insistere. Prima glielo chiese sul piano dell'amicizia ("Dai, vieni anche tu"), poi la confessione: "Guarda che Osvaldo è Feltrinelli!". "Allora vengo, se ci beccano, qualcuno penserà a noi." Bruno è euforico, aveva incontrato Osvaldo diverse volte, ma non se n'era accorto. Alle 19.35 del 14 partono con l'obiettivo di sabotare due tralicci dell'alta tensione sulla Cassanese. Segrate. Ci vanno con un pulmino Volkswagen. Altri tre gappisti, Günter, il Praga, Lingua-di-Falce, hanno obiettivi simili sul Naviglio verso Abbiategrasso. San Vito di Gaggiano. Anche qui un traliccio.

I bollettini meteorologici segnalano pioggia debole e intermittente fino alle 19.44 in varie zone della città.

Quello che conta è che mercoledì 15, ore 13, noi aspettiamo al Caffè Bar Lugano ma non arriva nessuno. Io avrei anche fretta di tornare, alle 17 ho il torneo di minibasket.

La cronaca delle ore successive è la cronaca di un altro mondo che diventa protagonista. Qui conta Twist, il cane bastardo che scodinzola frenetico davanti "a un cadavere di sesso maschile, giacente a terra, sotto un traliccio dell'alta tensione". Sono all'incirca le 15.30. "Un mort? Ma l'è sicür? Sarà minga un barbun ch'el dormiva?" Luigi Stringhetti, proprietario di Twist, affittuario di un campo in località Cascina Nuova (Segrate), deve ripetere al comandante dei vigili del suo comune che è sicuro: lo ha visto tra i quattro piedi del traliccio, in mezzo ai sassi, supino a braccia aperte, come in croce... Alle 16 avvertono i carabinieri di Pioltello, mentre alla Centrale di Milano, in via Moscova, gli uomini sono appena montati di turno. La giornata è tranquilla, molti sono fuori per il congresso nazionale Pci al Palalido. L'assise che incorona Enrico Berlinguer si era aperta due giorni prima, con i saluti delle delegazioni straniere. Quando la stazione di Pioltello avverte la Centrale, la Centrale spedisce la gazzella più vicina: "Volpe a Volpe 63, sulla Nuova Cassanese rinvenuto...". Alle 16.30 la situazione monta rapidissimamente, presto Stringhetti e Twist saranno i due mammiferi più fotografati d'Italia: portraits con baschetto, in bicicletta, con il cane che salta a prendere un tozzo di pane, con l'indice puntato verso il fantasma della piramide focomelica. "Non potrò mai più non notare un traliccio", dirà lo scrittore Vassilikos. Sotto quello di Segrate, alle 16.30 di giovedì 15 marzo 1972, si raduna la truppa degli artificieri, della "politica", della Benemerita, della "scientifica", del Servizio Immondizie Domestiche, dei necrofori, dei giornalisti (primi quelli del "Giorno"), dei fotografi, dei curiosi. Nella gita fuori porta orme cancellano orme. Si accerta che il "terrorista senza nome" ha usato quindici candelotti di dinamite per preparare le cariche alla base del traliccio, ma è impossibile stabilire la potenza di quella esplosa in alto, sul longherone, a circa quattro metri d'altezza, che presumibilmente ha provocato la sua morte. Sul ciglio di una strada secondaria, a duecento metri dal bailamme, decidono di forzare il pulmino Volkswagen color sabbia con tendine gialle ai vetri posteriori.

A mente fredda, verso sera, i funzionari esaminano gli indizi nei loro uffici. A Segrate hanno lasciato un gruppo elettrogeno per illuminare il traliccio e permettere ulteriori rilievi. Il buio e la nebbia tutt'intorno sembrano ancora più fondi. Il corpo è all'obitorio. È di Vincenzo Maggioni, dice la carta d'identità trovata in tasca; nato a Novi Ligure il 19.6.1926. La fototessera – cosa posso dire della fototessera? – è di una faccia senza baffi. Nel portafoglio altre due immagini, grandi come un francobollo: giovane donna bionda che corre e primo piano di un gagno sui dieci anni. Hanno aperto il furgone. Ci sono un milione di indizi (il contratto di assicurazione intestato a Carlo Fioroni) e un pacchetto di Senior Service sul cruscotto.

Non so chi tra "politica" e carabinieri dice per la prima volta "è lui!".

(La sera Inge rincasa presto dopo una cena in onore di Paolo Grassi, neosovrintendente della Scala. C'è anche Roberto Olivetti, lei dice di avere un "brutto presentimento".)

Mentre circa un milione di milanesi dorme, le rotative viaggiano: "Terrorista muore alle porte di Milano mentre tenta di far saltare un traliccio". È il titolo di apertura del "Corriere". Sotto, una foto scattata a distanza: all'uomo con la barba, steso tra le erbacce, sembra che manchi una gamba.

Alle 7.30 del 16 mattina il commissario Calabresi si sta facendo preparare un caffè nella guardiola della portineria di via Andegari 4. Ci capita di tanto in tanto. Aspetta che

Giovanni, il portiere, finisca di radersi. Poi se lo porta all'obitorio. Giovanni non si sbilancia. In realtà lo ha riconosciuto.

Almeno una trentina di persone, che nulla hanno a che fare con la lotta politica clandestina, sussultano davanti alla foto di Vincenzo Maggioni sulle gazzette. I più increduli provano a disegnare un paio di baffi tra naso e bocca. Ripiegano il giornale. Chiamano o si precipitano in via Andegari.

Verso l'una entro nella stanza del camino, c'è la "vecchia guardia" al completo: Sergio, Giampiero, Silvio, Filippo. Telefonano e i volti sono cupi. La notizia me la dà mia madre. Dallo stomaco risale il pensiero degli abbracci, ma sono i miei ricordi scorticati: serve solo sapere che Inge non mollerà e la "vecchia guardia" neppure.

(Nella notte del 16 mia madre deve riconoscere la salma. A Sibilla tocca la mattina dopo. I giornali sono già tutto un "È Feltrinelli!".)

La mattina del 17 marzo, prima del giornale radio, Gallo nota un certo movimento in cortile. Dalla finestra scannerizza tre tipi in divisa, salgono diretti alla sua ringhiera. Si alza dal letto, zoppica, si avvicina alla madre: "Mamma, non è successo niente, te lo giuro. Solo un piccolo incidente in macchina, l'altra sera... con gli amici per andare al lago...". Gli agenti arrivano alla porta. Confabulano ma, sorpresa, bussano a quella del vicino, per un banale problema di eroina. Lo stato d'animo di quei minuti diventa per Gallo una condizione perenne. Non farà più politica, e nessuno lo cercherà più per la notte del 14 marzo 1972.

Milano, settembre 1999. Come va? Bene.

Se non fosse proibito parlerei dei figli, di Francesca, degli amici, del rock'n roll, della vita da editore in via Andegari, di www.zivago.com, delle nuove librerie al Sud, della Fondazione Feltrinelli. Poi ci sono i momenti carogna, le cose inutili, sudiciume nei polmoni e incomprensibilità del mondo: ma se mi chiedono come va, dico bene. Tutto bene.

Non ci penso, dopo tanti anni sarebbe troppo, eppure nessuno conosce meglio di me la morte spaventosa del 14 marzo 1972. Morire per le proprie idee, la più radicale delle favole. Ma è una morte che non scatena la forza del simbolo, che sfugge a ogni calcolo, che provoca rimozione o caricatura a destra e a sinistra, inghiottita dal contatto fortuito in un orologio che costa quanto una scatola di fagioli.

Maneggiare esplosivo nella notte di Segrate non è semplice, un movimento brusco, lo scotch che si buca e il perno che dal vetro tocca il fondo della cassa. Chi ha preparato i timer? Le confidenze sono discordanti. Il caso è stato archiviato come "incidente"; "ma per me la morte di Feltrinelli rimane un mistero", sostiene ancora oggi il magistrato che ai tempi chiuse la pratica.

Bruno è morto in un incidente stradale agli inizi degli anni novanta. Gallo l'ho rintracciato la primavera scorsa, non è stato facile. Il pathos è una bolla d'aria fritta e davanti all'edicola della stazione non è tempo di pathos: ha una storia per me da ventisette anni. È a posto, non è della Spectre, mastica ancora oggi un ricordo terribile. Di congegni esplosivi, dice, non ne sapeva niente e, quanto alle azioni, quella fu la sua prima e ultima. Non ha partecipato ai preparativi. Aveva solo il compito di legare ai piloni una tavoletta di legno per fissare la dinamite. Osvaldo è salito in alto, ha chiesto a Bruno di venire su ad aiutarlo: la carica sul longherone di mezzo imprimerà al traliccio una forza direzionale che lo farà cadere nel senso voluto. Sabotaggio per un black-out a diciassette anni dalla Götterdämmerung im Zentralkomitee, a un anno dal golpe cileno, a un mese dalle feroci elezioni politiche.

A San Vito di Gaggiano, l'altro commando decora il traliccio con candele di dinamite. Non succede niente. La perizia concluderà che le cariche "mai e poi mai sarebbero esplose". Invece, a Segrate, Gallo è scaraventato indietro di vari metri dallo spostamento d'aria. Prima di accorgersi della scheggia nella coscia, lo sorpassa il classico millesimo di secondo in cui scorre ogni istante della vita. Intorno non vede niente, poi Bruno che corre verso la strada, la mano incollata all'orecchio. Ha perso la testa e gli è saltato un timpano.

Uno è sotto shock, l'altro non sa guidare, le chiavi del furgone sono nella tuta di Osvaldo. Scappano. Prima a piedi, poi con l'autobus di linea.

Non avrebbero potuto salvarlo.

"Feltrinelli è stato assassinato" è l'immediata parola d'ordine da via Andegari. Perché, oltre alla disperazione e al non sapere, ci sono i primi slogan della destra: "Feltrinelli, piazza Fontana, guerriglia urbana, e ora in galera i complici!". (Seguono dieci anni di terra bruciata intorno a noi.)

La stampa estera accoglie il dubbio che l'editore sia stato portato in stato d'incoscienza (veleno? colpo di karatè?) sulla Cassanese. E il sospetto di una "spaventosa messa in scena" risuona anche nella relazione di Berlinguer al XIII

Congresso. In effetti, la presenza di Cia o geopolitica è molto più sottile o grossolana di quanto potrà mai ammettere Oreste Scalzone, autore con Piperno del titolo più esatto: "Un rivoluzionario è caduto" ("Potere operaio", 26 marzo).

La mattina del 15, verso le 10, appena si dirada la nebbia, due gappisti vanno a Segrate e vedono un'auto ferma sulla vecchia Cassanese accanto al pulmino Volkswagen: molto prima dello Stringhetti in bicicletta con il cane Twist, qualcuno è già sotto il traliccio 71 dell'Aem. Di chi si tratta?

Seguono perizie e controanalisi (cercano il gene della dopamina con attrezzi di macelleria), inchieste e controinchieste, libri bianchi e nastri registrati, manca solo un video à la Zapruder.

"L'Unità" del 17 marzo 1972 offre un ritratto dal titolo esplicito: "Tragico simbolo di un fallimento". Il quotidiano del Pci mira al bersaglio grosso: "Erede di una fortuna colossale, ebbe esperienze diverse. Dalle carceri della Bolivia all'apparizione su 'Vogue'...". Danzano sulla questione delle quattro mogli. Ma l'indagine segreta del Pci sulla morte di Feltrinelli non accredita la tesi dell'"incidente".

Il 15 marzo 1972 Pietro Secchia è al suo secondo mese di clinica. Si era sentito male al ritorno dal suo viaggio in Cile, dopo una settimana con il governo democratico, nazionale, rivoluzionario e popolare. I suoi parlano di potente pozione tossica nel pasto servito in aereo. Dietro ci sarebbe la Cia. Secchia delira per un mese, ha poco da vivere, ma il 15 marzo riconosce Vincenzo Maggioni e pensa che l'abbiano ammazzato. Visti i commenti sul giornale di partito, scrive a Cossutta perché faccia riflettere il nuovo segretario generale: invece che copiare i rotocalchi, la sinistra dovrebbe "far conoscere a milioni di italiani, specialmente agli operai e ai lavoratori, che cosa Feltrinelli dal 1946 in poi ha fatto per lo sviluppo della cultura italiana e la conoscenza del marxismo". Delira.

Ci sono momenti in cui il flusso delle cose va nella direzione sbagliata ed è tecnicamente impossibile invertirne o modificarne il senso.

Il cimitero Monumentale con cappella di famiglia babilonese non è il posto dove avrei voluto che portassero mio padre. È l'unico rammarico. Del suo funerale hanno scritto Uwe Johnson e Alberto Arbasino. Alcune sequenze originali sono conservate nel film di Bellocchio *Sbatti il mostro in prima pagina*. Milano è completamente militarizzata: un agente per ogni convenuto. Ottomila tutti insieme. Elicotteri nella luce chiarissima. La bara è portata a spalla dai librai Feltrinelli.

Ci sono pugni chiusi e bandiere rosse che urlano "Compagno Feltrinelli, sarai vendicato!". Régis Debray usa un megafono per spiegare che Feltrinelli aveva amici in tutto il mondo. Sibilla è stata al cimitero tutta la mattina. Anche per lei sono e saranno tempi durissimi. Schermata da occhiali scuri e velo nero, Giannalisa rilascia la sua dichiarazione: "Finalmente ho finito di soffrire". Interviene Mario Capanna, leader del movimento studentesco ("Un reggicoda del Pci", avrebbe detto Giangiacomo). È venuto Giulio Einaudi. Ci sono i colleghi tedeschi Heinrich Maria Ledig Rowohlt e Klaus Wagenbach (breve orazione), gli studenti alla prima bigiata politica, i lacrimoni di chi ha condiviso le cose importanti o anche solo un risotto al salto.

Un vigile urbano mi fermerà diversi anni dopo per una multa. Ci ha tenuto a raccontarmi che quel giorno era lì, al Monumentale, per servizio. E ricorda di aver visto sfilare il corteo delle bandiere rosse con i fiori di Oberhof e Villadeati. Anche a lui scattò il pugno chiuso e i suoi superiori gliela fecero pagare. Il comunismo, uno dei grandi temi del secolo scorso, non è solo Ceausescu ribaltato dalla folla nella piazza di cemento.

Il padre è il padre e io sono il figlio. Quello che è rimasto è rimasto. Senza nostalgia. Mi ha insegnato a slamare il pesce e ad arrostire la carne, a camminare nella neve e a guidare veloce, a considerare che non ci sono solo pere o mele ma frutti che danno nettare nel deserto, a riconoscere la storia del poeta che morì nella sua gabbia e molte altre cose che ancora non so, o fanno parte del linguaggio segreto.

Un padre deve saper essere severo e scrivere lettere, così vorrei essere. Poi l'ho visto rovesciare i tavoli quando i tavoli dovrebbero stare apparecchiati, "perché tutto ma proprio tutto dovrà cambiare e cambierà", e subire la furia della febbre che rende deboli perché si è deboli. Mi ha avvertito che il crepacuore scandisce la vita senza preavviso ma non l'ho visto invecchiare con il compromesso storico o una cateratta bilaterale: l'esplosione avvenne per un movimento brusco in cima alla trave (la tela della tasca che preme sulla calotta dell'orologio, il perno che fa contatto) oppure qualcuno preparò il timer con i minuti al posto delle ore? La risposta servirebbe a chiudere la storia, non vale a stabilire ciò che conta veramente.

Le carte private di Giangiacomo Feltrinelli, compreso l'epistolario con Boris Pasternak, sono conservate presso la Fondazione che porta il suo nome. Anche l'Archivio Secchia si trova lì. (È vietata qualsiasi riproduzione, anche parziale, di documenti, lettere, articoli. Tutti i diritti relativi a materiali che non sono parte di archivi pubblici sono riservati all'editore.)

I documenti dell'Ufficio Affari Riservati del ministero degli Interni provengono dagli atti sull'eversione nera in Lombardia e Veneto condotta dal G.I. Guido Salvini.

I documenti interni del Partito comunista italiano sono conservati alla Fondazione Istituto Gramsci di Roma.

Le carte su mio nonno, Carlo Feltrinelli, si trovano all'Archivio di Stato.

Per questo libro sono stati consultati archivi a Washington, Mosca, Berlino, Atene.

Ringrazio tutte le persone che mi hanno reso una testimonianza. Molti altri non sono stati citati nel libro ma ne fanno parte a pieno titolo: penso, per esempio, a Irene Panatero, Stella Bossi, Aureliano Casati, Eliseo Campari, Beniamino Triches.

Un affettuoso abbraccio è dedicato alla "vecchia guardia": Silvio Pozzi, Romano Montroni, Valerio Bertini, Carlo Conticelli, Tina Ricaldone. All'appello mancano, purtroppo, Giuseppe Del Bo, Giampiero Brega, Filippo Carpi, Gaetano Lazzati.

Duccio Bigazzi, da poco scomparso, mi ha dato coraggio per concludere questo lavoro; Bettina Cristiani, Cesare Milanese, Adriano Aldomoreschi, Cecco Bellosi, Oreste Scalzone, Gianfranco Petrillo, Aldo Giannuli, Gianluigi Melega, Luciano Segreto, Chiara Daniele, Peppino Zigaina, Angelo Verga, Alberto Cavallari, Giandomenico Piluso, Giuseppe Saba, Juan C., Margherita Belardetti, Salvatore Veca sono stati di vero aiuto. Nessuno di loro è responsabile delle debolezze e degli errori contenuti nel testo.

Senior Service deve molto a molte altre persone, soprattutto in via Andegari: ciascuna è presente alla mia gratitudine.

Infine, l'appoggio e il sostegno di Rodolfo Montuoro sono stati fondamentali; e Francesca, Francesca ha fatto più di tutti.

Stampa Grafica Sipiel
Milano, dicembre 1999